Y0-CCO-969

El maíz es nuestra sangre.
Cultura e identidad étnica en un pueblo indio azteca contemporáneo

For Bill

In appreciation for all of your help in making this translation possible

Alan Sandstrom

December 6, 2011

El maíz es nuestra sangre. Cultura e identidad étnica en un pueblo indio azteca contemporáneo

Alan R. Sandstrom

Traducción:
Zofia Aneta Piotrowska-Kretkiewicz,
William H. Klemme y David L. Oberstar

Revisión:
David L. Oberstar y Rosalva García Meléndez

sintli ne toeso
"el maíz es nuestra sangre"

972.012 Sandstrom, Alan R.
S724C El maíz es nuestra sangre. Cultura e identidad étnica en un pueblo indio azteca contemporáneo / Alan R. Sandstrom ; traducción Zofia Aneta Piotrowska-Kretkiewicz, William H. Klemme y David L. Oberstar. -- México : Centro de Investigaciones y Estudios Superiores en Antropología Social, 2010.
534 p. : tabs. Fots. ; 23 cm. -- (Colección Huasteca)

Título original: Corn is our blood : Culture and Ethnic Identity in a Contemporary Aztec Indian Village.

ISBN 978-607-486-103-7

1. Nahuas - Historia. 2. Nahuas - Religión y mitología. 3. Nahuas - Vida social y costumbres. 4. Veracruz (Estado) - Estudio de casos. 5. Nahuas - Identidad étnica. I. t. II. Piotrowska-Kretkiewicz, Zofia Aneta trad. III. Klemme, William H., trad. IV. Oberstar, David L., trad. V. Serie.

Edición al cuidado de Gerardo Landa Fonseca
Diseño de portada: Mario Alberto Vélez y Raúl Cano
Tipografía y formación: Laura Roldán Amaro

Primera edición: 2010

University of Oklahoma Press: Norman y Londres, 1991
Serie La Civilización de los Indios Americanos, vol. 206

ISBN 978-968-496-405-6 (Colección Huasteca)
ISBN 978-607-486-103-7 (CIESAS)

Impreso y hecho en México

Índice

CUADROS

FIGURAS

LÁMINAS A COLOR

para celebrar *xantoloj* ("Fiesta de Todos Santos"). Las velas encendidas indican que los espíritus de la muerte están consumiendo la comida que se puso en el altar. Nótense el arco cubierto de frutas y flores, y los dorados pétalos de *cempoasuchitl* ("20-flor", "flor de muerto") en el suelo, formando el *xochiojtli* ("sendero de flores") que siguen los espíritus de los muertos para encontrar su camino al altar

15. Los *mecos* circulan alrededor de la comida puesta en bancos antes de ponerse en cuclillas para comer. Este procedimiento asegura que los espíritus potencialmente peligrosos del inframundo, representados por los *mecos,* no regresen al pueblo
16. Un hombre de Amatlán se arrodilla y reza ante un altar en la cima del cerro sagrado. El altar está construido en el punto donde el sol de la mañana toca primero el suelo del pueblo. Nótense las decoraciones deterioradas por la intemperie y las figuras de papel
17. Algunos de los danzantes actúan durante el *tlacatelilis,* ritual del solsticio de invierno dedicado a *tonantsij*
18. Altar nocturno para *tonantsij* durante la celebración del *tlacatelilis,* cuando su imagen se lleva para bendecir cada casa del pueblo. El chamán que presidía el ritual dijo que las dos estatuas, que flanquean la caja azul que contiene a *tonantsij,* representan el espíritu del trabajo y su mujer. Obsérvese el chamán apenas visible en el primer plano, cantando ante el altar
19. Vista de cerca de un altar dedicado a los espíritus del maíz, *chicomexochitl* ("7-flor") y *macuili xochitl* ("5-flor"). Sobre éste se encuentran visibles las imágenes de papel de 5-flor, que llevan puestos vestidos de tela
20. Un chamán ordena las imágenes de papel de los espíritus del viento y las hierbas sagradas, en preparación de un ritual curativo
21. Al preparar un arreglo de imágenes de papel y ofrendas, el chamán enciende cigarrillos que luego colocará en la boca de los espíritus malévolos del inframundo. Nótense las pequeñas figuras de papel dobladas con los nombres escritos en ellas, que el chamán ha puesto encima de las imágenes ennegrecidas. Los pequeños cortes representan los espíritus de los vecinos chismosos, cuya conducta ha provocado la enfermedad del cliente del chamán. Al doblar las manos de las figuras sobre sus bocas, el chamán puede impedir que sigan diciendo cosas malas
22. El chamán del pueblo limpia a su paciente con hojas nuevas de la palma sagrada, para librar su cuerpo de los espíritus del viento
23. Pamela y Michael ayudan a preparar adornos para ofrendar al espíritu del maíz
24. El autor ayuda a un chamán a completar una ofrenda al espíritu de la tierra. Después de colocar las velas de cera de abeja, extenderán comida y bebida sobre los adornos de palma verde que están debajo de la pequeña mesa del altar

IMÁGENES RITUALES NAHUAS DE PAPEL

MAPAS

Presentación

La música es mi fortuna
de alegría estamos rodeados
del huapango eres la cuna
desde los antepasados
Huasteca nomás hay una
dividida en seis estados.

Don Artemio Villeda
Pánuco, Veracruz

La Colección Huasteca del CIESAS tiene la enorme satisfacción de poner a disposición del público un libro clásico para el entendimiento de la cultura nahua. Se trata de *El maíz es nuestra sangre. Cultura e identidad étnica en un pueblo indio azteca contemporáneo*, de la autoría del doctor Alan R. Sandstrom, uno de los más capacitados investigadores para entender el universo nahua en todos sus ámbitos y no sólo en cuanto a su cultura.

La Huasteca es una región ubicada al noreste de México, entre la costa norte del Golfo de México y la Sierra Madre Oriental, cuya importancia actual e histórica radica en las aportaciones económicas, culturales y religiosas de sus habitantes en la formación de Mesoamérica, en la configuración de la Nueva España y, posteriormente, en la consolidación del Estado mexicano. Es decir, sus pobladores han contribuido sobremanera al sostenimiento de la sociedad mayor que les engloba y, si hubiese alguna duda, las que hacen hoy a la nación por diferentes medios quedan de manifiesto en el libro que usted, amable lector, tiene en sus manos.

La Huasteca ha sido estudiada desde diferentes enfoques, intereses y temas y, para los interesados, representa un laboratorio para analizar los cambios tecnológicos, sociales y culturales entre la población rural, así como la posibilidad de plantear soluciones y alternativas que contribuyan a paliar o enfrentar los efectos negativos que trae consigo la globalización de la sociedad y de la economía. Este texto, ejemplo del interés variado y múltiple que despierta la región, así como de la diversidad de enfoques y disciplinas desde las que se ha investigado, es un estudio que se ubica en el terreno de la antropología y que, para fortuna nuestra, rebasa con acierto y mejor tino ese terreno y nos habla de otros muchos factores que, en conjunto, nos dan una visión muy precisa de la cultura, la organización, la cosmogonía, la vida material y las actividades cotidianas y rituales de una comunidad nahua. Los datos etnográficos fueron obtenidos en una pequeña y cambiante localidad a lo largo de varias décadas de trabajo sistemático y metódico, enfoque que permitió registrar la dinámica social de Amatlán por muchos años. Por lo mismo, aunque no sólo por ello, los alcances del análisis van mucho más allá, para ubicarlos en las propuestas de lo que es el México contemporáneo y la discusión teórica de la identidad étnica.

Los mecanismos para la integración de la Huasteca al sistema mundial pueden ser nuevos, pero los procesos no son inéditos. Durante el periodo prehispánico estuvo ligada a y subyugada por la Triple Alianza (Tenochtitlan-Texcoco-Tlacopan y antes mantuvo relaciones con Teotihuacan y Tula); durante la época colonial se articuló de manera dinámica al sistema económico novohispano, con lo que contribuyó al desarrollo europeo; sus habitantes participaron en las guerras de Independencia y de la Revolución. En la Colonia lo hizo a través de la producción de algodón y sus productos, así como de la caña de azúcar y sus derivados, de la cría de mulas y de la engorda y comercialización de vacunos, rubros a los que se añadieron el tabaco y el café desde el siglo XIX, lo mismo que la explotación del petróleo, de los cítricos en gran escala y, ahora, se proyecta como una zona de abasto de productos primarios, de gas natural y como un corredor para unir Centroamérica y Norteamérica, tanto por vía terrestre como marítima.

Hoy día, sus pobladores pasan por nuevas circunstancias que apenas hemos comenzado a documentar, aunque las comunidades ya se han adelantado para experimentar algunas soluciones. En este libro se apuntan varias de ellas. Y, como en otras piezas de la colección, se nos proporciona información veraz con el ánimo de poder contribuir en la búsqueda de alternativas que ayuden en la toma de decisiones.

Como se documenta en esta investigación, la fortaleza de los pueblos indios que habitan la Huasteca les permitió sobrevivir de manera creativa aun a costa de su libertad, de una explotación salvaje y de una opresión ominosa que lacera a toda la nación. Los otros, aquellos que no se rindieron ante la colonización española, desaparecieron barridos por la violencia dejando apenas la mención de su nombre en castellano. Los que cambiaron para seguir con vida conforman ahora más de la mitad de la población regional, aunque todavía sus formas de vida, creencias, mecanismos de lucha y defensa agraria siguen en buena parte como temas conocidos a medias. Sus contribuciones en la generación de la riqueza nacional se hicieron patentes en la aparición de grandes fortunas y latifundios, cuyas familias titulares formaron y forman parte de la clase gobernante nacional; uno de los pozos petroleros ubicado en Cerro Azul fue el más productivo del mundo durante las primeras décadas del siglo XX. No obstante, las carencias de los pueblos indios siguen como una de las características más notorias incluso para los visitantes de paso.

La comprensión de los procesos que afectan al medio rural, los nuevos y los antiguos, es un asunto de vital importancia para México y los mexicanos. La historia de la Huasteca es milenaria, aunque hasta fechas muy recientes siempre se ha estudiado y documentado desde y en comparación con el altiplano central y, de manera errónea, como una zona marginal, alejada de los grandes centros de poder. Como queda corroborado en el escrito del doctor Sandstrom, podemos afirmar que la Huasteca nunca estuvo aislada, como se puede comprobar con nuevas fuentes de archivos internacionales, nacionales, regionales y locales y con el trabajo de campo prolongado. A lo largo de los años, estos dos aspectos hicieron posible la discusión y confrontación pública de los datos e interpretaciones explicativas, así como la conformación de equipos multidisciplinarios de investigación que permiten ahora tener una visión más acorde con lo que pasó y con lo que viven los pobladores de la región.

En el Centro de Investigaciones y Estudios Superiores en Antropología Social (CIESAS), desde su fundación, los estudios etnohistóricos y antropológicos tanto locales como regionales han sido una parte medular del quehacer académico, con especial atención en el mundo campesino e indígena. En el ánimo de continuar con la Colección Huasteca está el de construir herramientas de análisis social de las que se apropie la población en general para que ayuden a superar las condiciones que se viven en la región: las principales, pero no las únicas, la pobreza de las comunidades indias y, al mismo tiempo, las relaciones racistas de los mestizos y blancos con las que tratan a nahuas, teenek, otomíes, pames, tepehuas y totonacos. Estamos seguros de que el libro del doctor Sandstrom aporta bastante en ese sentido.

El interés por crear la Colección Huasteca, en la que el CIESAS y El Colegio de San Luis, A. C. son el eje institucional, tiene el propósito —además de contar con un espacio donde se puedan abrir nuevos derroteros de investigación— de contribuir al análisis y discusión de los procesos que se dieron y que suceden en esa gran región. Se trata de un esfuerzo para repensar su historia, entender su antropología y ayudar a los pueblos indios con los instrumentos propios del análisis social. Asimismo, se pretende señalar las líneas de investigación que deben rediseñarse o que consideramos más redituables dentro del trabajo académico, como es el caso de la religión india en la región. La Colección Huasteca pretende contribuir a esclarecer la problemática regional, indígena, campesina y urbana, y poner al alcance de un público amplio estudios originales como herramientas de análisis y fuentes documentales que muestren el devenir de los pueblos huastecos.

El CIESAS y El Colegio de San Luis, A. C. han publicado ya varios libros que conforman la Colección Huasteca. Es necesario decir que este esfuerzo no podría llevarse a cabo sin la decidida participación de otras instituciones como, en este caso, la que otorgaron sin reservas la Secretaría de Cultura de San Luis Potosí y la Universidad Autónoma de San Luis Potosí. Dado que el programa de publicaciones tiene su dinámica propia, se incluyen resultados directos de los proyectos que se han llevado a cabo en el CIESAS, otros que merecen mayor difusión y textos escritos en otros idiomas, como es el caso de este libro, que nos parecen relevantes para el entendimiento de la región, de sus pueblos y de los procesos que ellos viven. Queremos hacer mención especial a la Secretaría de Cultura de San Luis Potosí, que sin escatimar los apoyos, con generosidad y determinación, contribuyó al feliz término de esta propuesta.

Con este libro, *El maíz es nuestra sangre,* contamos ahora con un clásico más disponible en idioma castellano. El texto es una fuente de información en extremo valiosa para entender mejor la vida en general, las fatigas y las aspiraciones de las comunidades nahuas de la Huasteca. Estamos seguros de que el lector disfrutará y aprenderá bastante de su lectura.

Invitación a la lectura antropológica

Descifrar los principios por los que se conducen los portadores de una cultura ajena —y, desde luego, la propia— ha sido una de las tareas fundamentales, así como uno de los objetivos centrales de la antropología. Como aspiración de tantos antropólogos, sin embargo, pocas veces ha sido lograda con tanta claridad como en este libro. El desciframiento cultural, aunque infrecuente, no es desde luego un mérito menor. A mi juicio, aportar al conocimiento de otras culturas es un abono a favor de la tolerancia humana y ha sido la antropología una de las ramas de la ciencia que más ha contribuido en ello, aunque dicho conocimiento a menudo se convierta en un arma de doble filo.

En el texto que el lector tiene en sus manos se nota de manera relevante que su autor, el doctor Alan R. Sandstrom, pensó y cuidó con esmero que su conocimiento no pueda ser utilizado para dañar a los pobladores de Amatlán, que son los protagonistas de todas las historias que se imbrican en el mismo. El nombre de la localidad y el de los personajes son seudónimos para proteger la intimidad, la privacidad y, en el contexto de la historia de la Huasteca, la integridad física de la comunidad y sus personajes. Tanto él como quien escribe estas líneas hemos sido testigos de los acontecimientos regionales en las últimas décadas y cada uno los tratamos de documentar de acuerdo a nuestra propia perspectiva. Por lo mismo, importa decir que, en términos de los conflictos en los últimos 30 años —lapso similar al que el autor ha dedicado a estudiar la misma comunidad—, resguardar la identidad de las personas no es una exageración o un prurito. La violencia y su amenaza constante en contra de los pueblos indios han sido acontecimientos comunes, con etapas más o menos álgidas, por lo que cualquier precaución nunca está de más.

Para fortuna y gozo del lector, la ética y la estética no se contraponen y la ciencia no tiene por qué ser aburrida, intrincada o inentendible. *El maíz es nuestra sangre* es un excelente ejemplo de ambas cuestiones. El respeto por las personas, su cultura y sus costumbres se manifiesta de manera continua a lo largo del texto, hasta llegar a una confianza mutua entre la comunidad y el antropólogo, camino de difícil trayectoria como sabe cualquiera que haya hecho trabajo de campo en alguna comunidad rural o urbana, con el añadido de que en este caso se trata de una región indígena con una historia llena de conflictos y un investigador extranjero que en los inicios no dominaba bien el castellano y menos aún el náhuatl. La paciencia, la tolerancia y la curiosidad mutuas fueron condiciones necesarias para fundamentar la interacción, pero no suficientes para entender y así poder explicar una cultura con raíces ancladas en un pasado remoto que ha atravesado por tantos avatares de profundas consecuencias.

Al mismo tiempo, si el autor es meticuloso con la ética profesional, dilema que por cierto le planteó dificultades de no fácil solución (p. 313), el lector notará que además de un libro importante para entender la cultura nahua contemporánea, éste es un libro hermoso, bien escrito, con ilustraciones pertinentes, no gratuitas, que contribuyen a las explicaciones abonadas y que, en conjunto, apuntan a una cualidad poco frecuente en la literatura antropológica. Es decir, el autor conjuntó la ética con la estética y nos muestra que se puede lograr un equilibrio entre ambas que contradice cualquier idea de que los estudios dentro de las ciencias sociales no tienen consecuencias o de que pueden rayar en el esnobismo o en el oscurantismo sin otra preocupación que su descarte teórico. Por el lado de la estética, el libro del doctor Sandstrom también comprueba que los nuevos medios de trasmisión del conocimiento pueden combinarse sin que se utilicen como un medio de rellenar los huecos, o que fotografías e ilustraciones se incluyan sólo para darle un respiro al lector, sin más mensaje que el gozo estético.

Es también un texto que se disfruta porque a pesar de los temas complejos que se tratan, algunos verdaderamente espinosos, contiene numerosas explicaciones escritas de manera sencilla, al alcance de legos y especialistas. Además, lo que me parece más destacable, expresa un cariño, una empatía con la población o, mejor dicho, con los pobladores con quienes convivió el autor para convertirlos en los protagonistas de estas historias sin caer en el idealismo o en la idealización.

En el mismo sentido, es común y una queja constante entre quienes escriben en un idioma diferente al inglés: que los autores del "primer mundo" no toman en cuenta las publicaciones ni a los autores de los países en donde realizan sus investigaciones. En este libro, además de la información abundante y precisa sobre diversos tópicos como el parentesco, el patrón de residencia, el papel que juega la tierra en la vida comunitaria y en la cosmogonía de los nahuas, sus creencias, formas de curación, conflictos internos, formas de aplicar la justicia, sistemas productivos y muchos otros, el autor polemiza y toma en cuenta lo que otros colegas, mexicanos y extranjeros, han escrito sobre pueblos nahuas tanto de la Huasteca como de otras regiones. La literatura que cita es muy amplia, pero no sólo para utilizarla como apoyo de sus propias conclusiones, sino para polemizar con los más importantes que han aportado para el entendimiento del mundo rural y sus prácticas, que a menudo se catalogan como irracionales o faltas de lógica. Ya que en ese aspecto él muestra que, por el contrario, la lógica productiva de los campesinos es tan racional como la de quienes esperan obtener las mejores ganancias de su esfuerzo, contrasta sus conclusiones fundadas con las de diversos autores, sean mexicanos, norteamericanos o de cualquier otra nacionalidad, que es el camino por el que la antropología se ha constituido en lo que tiene de ciencia.

En el libro se afirma que los especialistas mágico-religiosos o chamanes "dedican parte de su tiempo a adivinar el futuro, curar a los enfermos e interceder ante los espíritus para beneficio de sus clientes" (p. 314). Nadie esperaría tal ventura o generosidad de los políticos, pero al menos podrían dedicar parte de su tiempo al estudio de los pobladores comunes y las condiciones en que viven, las cuales, obviamente, difieren en extremos peligrosos y contribuyen a la desestabilidad social en el México de hoy. Por lo que se vive en la actualidad, es notorio que no existe la voluntad política para favorecer a la mayoría de la población ni que se pueda esperar gran cosa de los políticos contemporáneos. Por lo mismo, hay que llamar la atención sobre lo oportuno de la aparición en español del texto del doctor Sandstrom. Se puede ubicar, por ejemplo, en la discusión acerca de la presencia del maíz transgénico, ya que no sólo para los nahuas sigue como base de la alimentación, sino para la mayor parte de los mexicanos. De manera más amplia y quizá de mayor peso, dado que México se debate en la disyuntiva de cómo incorporar a los pueblos indios, qué hacer con ellos y qué aportan al desarrollo nacional, el doctor Sandstrom aporta argumentos que no se pueden echar en saco roto. En los pueblos indios se resguarda buena parte de la identidad nacional y diversos tipos de conocimiento que de tomarse en cuenta podrían ayudar a salir del atraso económico a la mayoría de los mexicanos. Es decir, mientras no se contemple con decisión y como política de Estado el apoyar a los pueblos indios, México continuará con una desigualdad económica lacerante que repercute de manera grave en el avance social y económico del país.

Cuando la etnografía tiene fundamentos sólidos, ha sido probado que junto con otras ciencias sociales sí tiene poder de predicción y que sus aportes anteceden a los pronósticos oficiales. En este ámbito, el estudio que nos ocupa, aunque utiliza el presente etnográfico, propone también algunos de los cambios ocurridos que pueden esperarse hacia el futuro de ese presente, añejo ya, de casi veinte años. ¿Cómo es posible que se alegue ignorancia o desconocimiento por parte de los gobernantes?, ¿por qué no se toman en cuenta los estudios que ayudarían de forma certera a planear las políticas económicas y los programas sociales que ayudarían a mejorar las condiciones de vida de los pueblos indios, tan marginados por la política oficial?

Hoy está de moda hablar de los nuevos campesinos, una nueva ruralidad y la necesidad de su reinterpretación. Aunque no tan novedoso, las comunidades indias se han visto como el paraíso y a los indios como seres angelicales. El libro cubre de manera extensa la religión de *el costumbre,* que según el autor es un tema de enorme dificultad para investigarlo, entenderlo y exponerlo. Él lo considera de tal relevancia que su tratamiento ocupa el capítulo más largo del texto. Incluye ilustraciones que representan a una multitud de dioses del panteón nahua y los rituales más significativos que toman lugar durante las ceremonias. Y de mayor importancia, de manera original expone los principios de una religión panteísta, que no tiene problemas en incorporar nuevos espíritus, tanto de seres vivos como inertes, para la visión occidental del mundo. No voy a repetir todo el contenido del capítulo, pero sí diré que pocos estudios se prestarían tanto como para reforzar ese estereotipo de los indios como seres apegados por atavismo a la religión que profesan, con profundas raíces prehispánicas, como las prácticas de recortar papel, que fue un aspecto fundamental en las religiones mesoamericanas. Es decir, seres religiosos sin más explicación que su apego a la costumbre.

Estos recortes de papel, que representan numerosos espíritus del panteón nahua, es una práctica viva entre los pueblos indios del Golfo de México y, a pesar de la persecución que en contra de la misma desataron los misioneros, ministros protestantes y sacerdotes católicos contemporáneos, las imágenes de papel perviven como un aspecto central de la religión india tradicional entre totonacos, tepehuas, nahuas y otomíes de la Sierra Madre Oriental. Como han hecho otros autores, bien pudo el autor presentar a los indios como seres angelicales, esotéricos, atávicos o seráficos, que, de no ser por la pobreza, viven casi casi en el paraíso. El doctor Sandstrom no cayó en las explicaciones manidas ni fáciles. Además de analizar los conflictos internos, él explica que las prácticas de los indios, incluida su religión particular, tienen un sentido práctico, no exento de contradicciones ni conflictos, pero para nada son prácticas de apego irracional a la tradición, símbolo de atraso o fuera del contexto histórico social en que viven. Son comunidades modernas, con cambios más profundos incluso que los que acontecen en los contextos urbanos, ya que, al menos como propuesta,

> se puede argumentar que los cambios socioculturales más profundos que ocurren en el mundo de hoy tienen lugar en las aldeas. Muchos de los cambios experimentados en las sociedades modernas son superficiales, puras novedades y modas pasajeras, con alguna ocasional innovación tecnológica intercalada. En contraste, muchas aldeas en todo México y el resto del mundo se ven sometidas a cambios profundos y rápidos en su organización social, su visión del mundo, su religión y, lo más importante, en su identidad [p. 476].

Estos cambios en la identidad y los factores por los que cambia, nos dice el autor, son los que debieran tomarse en cuenta en el contexto de las migraciones contemporáneas, la adscripción étnica específica según el contexto en que se desenvuelve el actor social y las ventajas que espera obtener al actuar de esa manera. Es decir, cada actor es el protagonista de varias historias simultáneas que se imbrican en la vida diaria.

En la literatura y en el cine hoy están de moda las historias paralelas. Los protagonistas son a la vez villanos en un momento de su vida y héroes en algún otro, pero casi nunca o rarísimas veces aparecen como personas en las vivencias comunes. Sus historias se entrecruzan con las de otros personajes borrosos que muy poco aportan a la historia central que se cuenta. Es obvio, el relato gana en precisión del mensaje que se quiere trasmitir. ¡Qué bien!, pero por desgracia no son éstos los protagonistas de la vida real. Para el caso que nos ocupa, bien se podría concluir que se trata del país de los ensueños, no del retrato del México real. Por el contrario, la etnografía que nos presenta el doctor Alan R. Sandstrom contiene múltiples historias, a pesar de que el universo de estudio se refiere a una comunidad campesina nahua, hasta hace muy poco sin servicios de caminos, salubridad, telégrafos ni telefonía. Llegar ahí desde su cabecera municipal era una aventura no siempre alegre o carente de riesgos. Tal pareciera, en una vista superficial, que se tratara de una comunidad aislada, cerrada en sí misma, sin más contactos con el exterior que las visitas esporádicas a los ranchos vecinos en busca de trabajo o a los tianguis regionales para comprar y vender productos, y a la vez para encontrarse con algunos conocidos. Por el contrario, en *El maíz es nuestra sangre* se describe una comunidad dinámica, viva, con procesos de fisión y fricciones internas, enterada y con mucha curiosidad de lo que acontece en el exterior, apegada, sí, a algunas tradiciones que, según nos dice su autor, les sirven para seguir siendo ellos mismos y conservar una existencia dentro de ciertos límites de seguridad física y social. Esto lo hace diferente de una narración literaria, sin menoscabo de la utilización de un lenguaje claro, preciso y bello.

En fin, no voy ni puedo hablar de todo el contenido del libro. Lo que sí quiero hacer, para terminar, es una invitación a la lectura de este libro, ya como simple lector, ya como especialista de la cultura o de la organización india; como político o planificador social; como hombre o como mujer. En todos los casos, estoy seguro, no habrá desperdicio de tiempo sino que, para su fortuna, pronto el lector se sentirá atrapado por el libro y al final entenderá con más claridad de qué está hecho este México y por dónde podría ir la búsqueda de soluciones.

Los avatares por los que pasó la traducción pueden ser tan interesantes como por los que atravesó durante su publicación en inglés. No es el espacio para narrarlos, pero sí aprovecho para señalar la paciencia del doctor Alan R. Sandstrom y su buena disposición en todo momento para superar los escollos de una tarea en que se involucran tantos especialistas. Según sus propias palabras, ésta fue una cualidad que aprendió de los nahuas, a quienes en muchos sentidos considera sus mentores. Por lo que leemos entre líneas, las enseñanzas fueron mucho más allá, en donde destacan la honestidad intelectual, la seriedad académica, el cariño por sus entrevistados y la pasión por el trabajo de campo prolongado. Aquí se podrían añadir todas las tareas que de vuelta en su centro de trabajo, la Universidad de Indiana-Universidad de Purdue en Fort Wayne, tuvo que desempeñar antes de sus nuevas visitas a Amatlán o a nuestro país. Sin duda, México le debe a los nahuas de la Huasteca el haber ganado una mente tan lúcida y brillante para bien del país.

Termino de vuelta al título del libro: estas líneas no son una evaluación o presentación de *El maíz es nuestra sangre*. Hay libros que se definen por su propio contenido y, a mi juicio, éste es un ejemplo excelente de lo anterior. Cualquier cosa que yo pudiera decir para prologarlo, el autor la expresa de mejor manera. Estas palabras, entonces, son una invitación a su lectura, al mismo tiempo que un ejemplo de prudencia, para dejar que sea el lector el juez de su contenido.

Jesús Ruvalcaba Mercado
Tlalpan, Distrito Federal

Dedicado a

Esther Plançon Sandstrom
y en memoria de
J. Russell Sandstrom

NA NI INDIO

Na ni indio:
pampa ijkinoj nech tokajtijkej koyomej
kemaj asikoj ipan ni yankuik tlaltipaktli.

Na ni indio:
pampa mokajkayajkej koyomej
kemaj asikoj kampa tlanauatiayaj nokoluaj.

Na ni indio:
pampa ijkinoj nech manextijkej koyomej
para uelis nopan nejnemisej uan nech pinajtisej.

Na ni indio:
pampa ijkinoj tech tokajtijkej koyomej
nochi timaseualmej tlen ni yankuik tlaltipaktli.

Na ni indio:
uan namaj ika nimotlakaneki ni tlajtoli
tlen yaluaya ika nechpinajtiayaj koyomej.

Na ni indio:
uan namaj ayok nij pinauia ma ijkinoj nechilikaj
pampa nij mati para mokuapolojkej koyomej.

Na ni indio:
uan namaj nij mati para nij pixtok
no neluayo uan no tlajlamikilis.

Na ni indio:
uan namaj nij mati para nij pixtok
no ixayak, no tlachialis uan no nemilis.

Na ni indio:
uan namaj nij mati melauak ni mejikano
pampa ni tlajtoua mejikano, tlen inintlajtol nokoluaj.

Na ni indio:
uan namaj tlauel ni yolpaki
pampa ualaj se yankuik tonatij, se yankuik tlanextli.

Na ni indio:
uan namaj nimachilia tlamisa kuesoli,
sampa uelis niyolpakis uan nimoyolchikauas.

Na ni indio:
uan namaj sampa yeyektsij nij kaki
ayakachtlatsontsontli uan xochitlatsotsontli.

Na ni indio:
uan namaj sampa nikinita
uan nikintlakakilia ueuetlakamej.

Na ni indio:
uan namaj sampa nech neluayotia tlaltipaktli,
tonana tlaltipaktli.

YO SOY INDIO

Yo soy indio:
porque me nombraron así los hombres blancos
cuando llegaron a esta tierra nueva.

Yo soy indio:
por error de los hombres blancos
cuando llegaron a la tierra que gobernaban mis abuelos.

Yo soy indio:
porque así me señalaron los hombres blancos
para poderme aplastar y discriminar.

Yo soy indio:
porque así nos llamaron los blancos
a todos los hombres de este continente.

Yo soy indio:
y ahora me enorgullece esta palabra
con la que ayer se mofaban de mí los hombres blancos.

Yo soy indio:
Y ahora no me apena que así me llamen,
porque sé del error histórico de los blancos.

Yo soy indio:
y ahora sé que tengo mis propias raíces
y mi propio pensamiento.

Yo soy indio:
y ahora sé que tengo mi propio rostro,
mi propia mirada y mi propio sentimiento.

Yo soy indio:
y ahora sé que soy un verdadero mexicano
porque hablo el idioma mexicano, la lengua de mis abuelos.

Yo soy indio:
y ahora se alegra mucho mi corazón
porque viene un nuevo día, un nuevo amanecer.

Yo soy indio:
y ahora siento que pronto acabará esta tristeza,
otra vez podrá reír mi corazón y ser más fuerte.

Yo soy indio:
y ahora puedo contemplar la belleza de la danza,
y escuchar la música y el canto.

Yo soy indio:
y ahora puedo ver y escuchar
de nuevo a los ancianos.

Yo soy indio:
y ahora vuelve a enraizarme la tierra,
nuestra madre tierra.

*José Antonio Xokoyotsij

*Seudónimo de Natalio Hernández Hernández,
nahua nacido en el municipio de Ixhuatlán de Madero (1986: 50-51).

Prefacio

Los antiguos aztecas de México son los más famosos de los indios nahuas, de los cuales, hoy en día, casi un millón sigue hablando su lengua nativa, cultivando maíz y practicando tradiciones religiosas que se remontan a la época prehispánica. Aunque los nahuas son uno de los más numerosos e importantes grupos de nativos americanos, poca gente reconoce su nombre o se da cuenta de su nexo con las grandes civilizaciones prehispánicas de Mesoamérica. Menos aún está familiarizada con los rasgos culturales nahuas básicos. Esta obra es un ensayo etnográfico del pueblo nahua contemporáneo de Amatlán (seudónimo), escrito con un mínimo de jerga antropológica para los interesados, aunque no sean especialistas. Espero que este trabajo también sea de valor para los antropólogos, los científicos de otras ciencias sociales y los estudiantes interesados en la etnicidad, el cambio cultural y los procesos por los cuales la gente tradicional se adapta a las condiciones de vida en una nación moderna.

Recopilé la mayor parte de la información sobre Amatlán por medio de la observación participante, metodología de investigación favorecida por la mayoría de los antropólogos que estudian comunidades vivas. La observación participante es un método que exige que el investigador resida por largo tiempo entre la gente que quiere estudiar. Durante los meses que residí en Amatlán, a menudo me sentí físicamente incómodo, a veces temeroso y, en general, en condición de cierta confusión, pero nunca estuve aburrido. Las investigaciones de largo plazo como ésta están llenas de problemas y oportunidades, y siempre se conducen de acuerdo con la disposición de nuestros anfitriones. En las siguientes páginas intentaré comunicar a quienes se interesen en aprender más sobre los misterios de la experiencia del trabajo de campo, cómo se hace este tipo de investigación en un pueblo nahua. A pesar de sus deficiencias como metodología científica, estoy convencido de que la observación participante es una de las herramientas más eficaces de las que disponemos para ampliar nuestra comprensión de la condición humana.

Para hacer este trabajo más ameno y legible, utilicé citas dentro del texto, pero con moderación. Sin embargo, me desvié de esta práctica cuando hice uso de una fuente interesante de información etnográfica. A finales de los años setenta el gobierno mexicano, bajo los auspicios de la Secretaría de Educación Pública, el Instituto Nacional Indigenista y el Centro de Investigaciones y Estudios Superiores en Antropología Social, estableció un programa para que maestros indios bilingües se capacitaran y se graduaran en etnolingüística a nivel de licenciatura. Una exigencia para concluir el programa era que cada candidato escribiese una tesis basada en una investigación etnográfica entre su propia gente. Luego, los trabajos fueron publicados en 1982, como una serie especial titulada Etnolingüística. Seis de los candidatos eran nahuas. Escribieron acerca de los pueblos del sur de la Huasteca, y su región, en donde se encuentra Amatlán. Estos maestros produjeron trabajos originales, poco comunes en el historial etnográfico, ya que contienen descripciones de una cultura relatada por miembros capacitados, y a la vez, sobre su propia cultura. Los nombres de los seis maestros son: Juan de la Cruz Hernández, Rosendo Hernández Cuéllar, Joel Martínez Hernández, Agustín Reyes Antonio, Rosa Reyes Martínez y Joaquín Romualdo Hernández. En vista de que sus trabajos contienen información cultural muy valiosa y de primera mano, escrita desde el punto de vista de los propios miembros de la comunidad, con frecuencia cité a estos autores para confirmar un punto etnográfico que quiero resaltar, o para referir al lector información adicional sobre este tema. Todos los trabajos consultados durante la escritura del libro se encuentran listados al final.

Organicé gran parte del material descriptivo de modo que se aclaren algunas cuestiones clave que sirvieron de fundamento para este estudio: ¿Cómo han logrado sobrevivir los nahuas como grupo después de casi quinientos años de conquista y dominación por los europeos? ¿Cuáles son las razones para que se den las continuidades que observamos en la cultura nahua y por qué han ocurrido ciertos cambios? ¿Cómo están organizados los pueblos, como Amatlán, para resistir la intrusión de la cultura nacional y cuáles distorsiones internas de la vida del pueblo son causadas por la posición marginal que ocupan las comunidades indias en México?

La respuesta a éstas y otras cuestiones relacionadas reside en el complejo proceso por el cual los nahuas han forjado y conservado su identidad como indios. Aquí nos movemos en el terreno de la paradoja. La política del gobierno español, y más tarde la del gobierno mexicano, ha consistido en la asimilación de los nativos americanos en un sistema esencialmente europeo. Pero al suprimir las poblaciones originarias e intentar ejercer un control total sobre ellas, los españoles prácticamente garantizaron la supervivencia de la cultura india. La etnicidad, hasta cierto punto, puede ser interpretada como la defensa efectiva por parte del grupo subordinado en contra de la dominación social, política, económica o militar. Mi intención con este libro, además de describir las características de la vida en Amatlán, es examinar cómo la identidad étnica de los nahuas ha adaptado a la gente nativa para vivir bajo la dominación. No me ocuparé de los problemas fenomenológicos para entender qué significa ser nahua, cómo se perciben los nahuas a sí mismos en relación con los demás o qué se siente ser indio en México, aunque éstos son temas que no ignoro por completo. En lugar de ello, quiero especificar algunas de las ventajas concretas que ofrece el hecho de ser nahua a quienes viven en un pueblo en particular. Espero resaltar algunos motivos fundamentales que hacen que la gente sea activa en la construcción de una identidad propia como defensa contra las élites ajenas y al mismo tiempo como una estrategia para crear oportunidades para sí.

Algunos intelectuales contemporáneos objetan el uso de la palabra *indio* al referirse a los nativos americanos. Señalan que un indio es una persona que se ajusta a la categoría social creada por el colonialismo, alguien que ha sufrido la conquista y dominación de élites extranjeras. Además, argumentan que la mayoría de los nativos no se refieren a sí mismos como indios. Un problema adicional consiste en que ha sido en extremo difícil atribuir una definición precisa al término *indio*. Sin embargo, utilizo este término en mi libro porque creo que es útil para distinguir entre la gente de orientación hispanista y la gente que mira sus tradiciones prehispánicas como su historia legítima. A los nativos americanos los nahuas les dan el nombre de *masehualmej*, que significa "paisanos" o "indios cultivadores", un término que parece demasiado restringido para incluirlo en la gama de culturas americanas nativas. No es mi intención usar la palabra *indio* para degradar o perpetuar la categorización peyorativa que se deriva del deshumanizante pasado colonial. Uso el término porque es conocido por la mayoría de la gente, está presente en toda la literatura de las ciencias sociales y, si se emplea con cuidado, retiene su validez analítica.

Dado el peligro y daño potencial que la publicidad puede significar para las aldeas tradicionales, decidí usar un seudónimo para el pueblo donde residí. Para proteger a los pobladores de la vergüenza potencial, o hasta del peligro, tampoco utilicé sus nombres reales. El mundo ha cambiado de manera significativa desde que los primeros antropólogos capacitados comenzaron a viajar a localidades exóticas alrededor del mundo para obtener información científica sobre otras culturas. Desde entonces, las culturas tradicionales y los grupos étnicos han sido atrapados en las luchas internacionales por el poder y, a menudo, se han convertido en rehenes o víctimas de inescrupulosos gobiernos, conglomerados transnacionales, misioneros y otros grupos que se empeñan en satisfacer sus propios intereses sin considerar el costo humano. En ese contexto, la información recopilada por antropólogos ha llegado a ser potencialmente útil a los poderosos grupos interesados. El pueblo, la gente y los acontecimientos que registré son reales, y las descripciones son tan precisas como me ha sido posible. Sólo cambié los nombres de las personas y de algunas localidades selectas.

Alan R. Sandstrom
Fort Wayne, Indiana

Agradecimientos

Tengo el agrado de expresar mi aprecio a algunas de las personas y organizaciones que hicieron posible este estudio. Como es natural, el mayor agradecimiento se lo debo a la gente del pueblo de Amatlán, que nos aceptó a mi familia y a mí en su comunidad. Los nahuas no son santos propiamente, pero si pienso en todas sus amabilidades, grandes y pequeñas, otorgadas a lo largo de los años, su relato llenaría un tomo más voluminoso que éste.

En 1986 ocurrió un incidente que revelará algo de lo que quiero decir. Un día, el eminente antropólogo francés Guy Stresser-Péan y su esposa Claude nos visitaron en Amatlán. Ni yo ni los aldeanos los esperábamos y, en todo caso, nuestros visitantes no tenían la posibilidad de comunicarnos su llegada. Cuando llegaron al pueblo, mi familia y yo participábamos en un ritual de curación. Algunos hombres vinieron para decirnos que mis "padres" habían llegado. Debido a que los Stresser-Péan tienen mucha experiencia antropológica en el trabajo de campo, habían venido preparados con provisiones de comida. Nos complació que hubiesen llegado y los invitamos a observar el final del ritual. Sin embargo, antes de que todos volviéramos a nuestras habitaciones, un par de horas más tarde, un chico ya nos esperaba con tamales recién preparados. Cada tantas horas, durante los dos días que duró la visita de los Stresser-Péan, un chico diferente aparecía con comida para nosotros y para nuestros visitantes. Nadie jamás reconoció haber mandado comida y nunca pidieron pago a cambio. Los platillos que la gente mandaba eran los más deliciosos y apreciados de la cocina nahua, y que requieren mucho tiempo de preparación. Como es obvio, muchas familias colaboraron en este esfuerzo y los Stresser-Péan no tuvieron necesidad de consumir sus provisiones. Estas expresiones de sincera amabilidad y generosidad, de parte de individuos sin ningún pensamiento de recompensa directa, fueron hechos comunes durante mis años en Amatlán.

Muchos individuos del pueblo participaron en mi esfuerzo para entender su cultura y su modo de vida. Pasaron horas hablando conmigo, a pesar de que yo hacía una pregunta tras otra sobre temas que para ellos debían parecer obvios y aburridos. Con todo, durante ese tiempo la mayoría de la gente disfrutó de lo cómico de la situación y nos toleró a mi familia y a mí con gracia y sentido del humor. Como demostraré, ellos sentían tanta curiosidad por mí como yo por ellos y quisiera pensar que en nuestra interacción descubrieron algo que vale la pena de la cultura estadounidense. Es triste que por el mundo en que vivimos yo no pueda mencionar los nombres de las personas a quienes expreso mi agradecimiento, por temor a que esto pudiera causarles dificultades, tanto por parte del gobierno local como de grupos de misioneros extranjeros.

Le debo un agradecimiento especial a mi esposa, Pamela Effrein Sandstrom, por su apoyo constante en este esfuerzo de larga duración. Pamela y nuestro hijo Michael me han acompañado durante todos los viajes de campo recientes a Amatlán. Ellos dos son etnógrafos por naturaleza, con curiosidad abundante y profundo amor por las aventuras. Pero Pamela destaca por su facilidad para adaptarse a las condiciones de vida, a menudo difíciles y peligrosas, lejos de todas las comodidades familiares. Es notable para generar buena comunicación, a pesar del significativo vacío cultural y lingüístico. Hizo amistades perdurables entre las mujeres del pueblo y pudo ayudarme a entender mejor el punto de vista femenino. También hizo contribuciones significativas en el duro trabajo de preparar el censo y los mapas del pueblo.

Además, los esfuerzos de Pamela no terminaron cuando salimos de Amatlán, después de nuestra última visita. También trabajó de forma incansable en la edición de este trabajo. Leyó el manuscrito muchas veces con sumo cuidado y cada persona que lea este libro podrá apreciar sus excelentes sugerencias, así sea de manera inconsciente.

Por otra parte, debo gratitud a mi amigo de muchos años, John A. Mead, por su meticulosa revisión de los borradores. John escribió muchas páginas de correcciones y sugerencias, basadas en sus habilidades de redactor y su extenso conocimiento de la antropología. También contribuyó con el glosario y su esfuerzo mejoró considerablemente la calidad de este trabajo. Quiero dar las gracias a James M. Taggart por las sugerencias sumamente detalladas y cuidadosas a un borrador anterior del libro. Al lector anónimo de la Editorial de la Universidad de Oklahoma, quien también hizo muchas sugerencias importantes. Le agradezco a mi hermano, John E. Sandstrom, sus valiosos comentarios sobre este manuscrito.

Quiero extender mi agradecimiento a Alfonso Medellín Zenil y a Alfonso Gorbea Soto, del Instituto de Antropología de la Universidad Veracruzana, por compartir conmigo la recopilación de datos del Instituto y por la preparación de los permisos para viajar y trabajar en el norte de Veracruz. Gracias también a nuestro amigo el lingüista Román Güemes Jiménez, de la Universidad Veracruzana, cuya maestría en náhuatl y cuyo conocimiento de la Huasteca constituyeron un enorme apoyo para nosotros. Román nos acompañó en nuestros viajes al pueblo, en varias ocasiones; transcribió y tradujo gran parte del texto náhuatl que aparece en el libro. Gracias también a Virginia Oliveros, quien trabajó durante algún tiempo como nuestra asistente científica.

Deseo expresar mi gratitud a Domingo Cabrera Hernández, profesor y director administrativo de la escuela de Amatlán cuando llegué allí en 1970. Él y su familia me brindaron gran hospitalidad y nos ayudaron de forma muy activa en la investigación.

El ya fallecido maestro de la escuela de Amatlán en años más recientes, Patricio Hernández, y su familia fueron también muy hospitalarios durante nuestra residencia en el pueblo. Quiero también agradecer a mis amigos Manuel Torres Guevara y Julio y Ana de Keijzer por hacer de nuestras visitas a Xalapa un placer. Debo una nota de agradecimiento a Luis Reyes García y a Ponciano Ortiz. Finalmente, Cristina Boilès y Charlès Boilès(†) merecen una mención especial por introducirme al área.

Deseo reconocer la asistencia que Frances Karttunen me prestó con el náhuatl. Ella dedicó su tiempo con generosidad, hizo el favor de presentarme a Geoffrey Kimball, experto en náhuatl huasteco. Geoffrey dedicó muchas horas a la revisión de cada uno de los términos incluidos en el texto y me ayudó a traducir algunas de las palabras más difíciles. William H. Klemme, también de manera generosa, me brindó su inestimable ayuda al mejorar mis traducciones de los textos en español. Frans J. Schryer me ayudó bastante mandándome copias de datos que él recopiló entre los nahuas de la Huasteca hidalguense. Richard Bradley fue lo suficiente bondadoso como para enviarme una copia de su tesis doctoral que se basa en la investigación que él llevó a cabo en el sur de Veracruz. A Georgia y Mark Ulmschneider les debo mi agradecimiento por su contribución para que adquiriésemos un vehículo de doble tracción para nuestra investigación en 1985-1986.

Doy las gracias a Kenneth J. Balthaser, director del Learning Research Center (LRC) de Indiana-Purdue University en Fort Wayne (IPFW), por su generoso apoyo en el transcurso de los años. Ken ha hecho todo lo posible para facilitar mis investigaciones y su esfuerzo ha mejorado la cantidad y calidad de mis resultados. Tengo una deuda de gratitud con el fotógrafo Elmer D. Denman, del LRC, por su asistencia en todo ese tiempo. James E. Whitcraft, un artista en el LRC, hizo un excelente trabajo al terminar los detalles de las gráficas y mapas que aparecen en este libro. Quiero agradecer a mi hermana Susan E. Sandstrom y a Robert Bradley por visitarnos en Amatlán y por su apoyo en este trabajo. Y por las numerosas ocasiones en que me ofrecieron su ayuda merecen mi agradecimiento Edwin y Dorothea Effrein.

También quiero expresar mi agradecimiento a John N. Drayton, editor general de University of Oklahoma Press, por su apoyo, así como a varios miembros del personal de esta institución que se han convertido en nuestros amigos.

La edición en español de *El maíz es nuestra sangre* es el resultado del duro trabajo y la perseverancia de Jesús Ruvalcaba Mercado, del Centro de Investigaciones y Estudios Superiores en Antropología Social (CIESAS). Pese a muchas dilaciones, Jesús siguió adelante con el proyecto hasta su conclusión, demostrando paciencia y buen humor durante el largo proceso. La traducción fue realizada por mi amiga y colega, la etnógrafa Zofia Aneta Piotrowska-Kretkiewicz, y la versión final es obra de mis colegas universitarios William H. Klemme y David L. Oberstar, quienes no escatimaron esfuerzos en asegurarse que la edición en español resultara fiel y amena. Jesús Ruvalcaba Mercado, David L. Oberstar, y Rosalva García Meléndez revisaron el manuscrito con su acostumbrado escrutinio minucioso y realizaron las mejoras finales en la redacción. También me gustaría agradecer a Ana Laura Ávila-Myers, del Departamento de Relaciones y Comunicaciones de la Universidad de Indiana-Purdue en Fort Wayne, por su magnífico trabajo en la preparación de las gráficas. Mis más efusivos agradecimientos a todos ustedes.

La investigación estuvo apoyada por numerosos financiamientos de diferentes fundaciones. Deseo reconocer al NDFL Area Studies Program del Gobierno de los Estados Unidos y a los siguientes programas de la Universidad de Indiana: el Centro de Estudios Latinoamericanos y Caribeños; la Oficina de Investigaciones y Estudios Avanzados; el Consejo Presidencial de Programas Internacionales; el Consejo Presidencial de Ciencias Sociales; y, por su donación, al Programa de Investigaciones de Verano de la Universidad de Indiana-Purdue en Fort Wayne. También recibí un fondo mayor para apoyar las etapas de trabajo de campo mediante la Beca para Investigaciones de Posdoctorado Fulbright (1035214) y una Beca para Investigación de la Organización de Estados Americanos (F96735). Finalmente, me gustaría agradecer al doctor Carl Drummond, vicerrector académico asociado, y director de la Unidad de Investigación y Apoyo Externo de la Universidad de Indiana-Purdue en Fort Wayne, por el apoyo económico que permitió la traducción de este trabajo.

Transcripción y uso de términos en español y en náhuatl

Los nahuas hablan una lengua uto-azteca llamada náhuatl y, como tal, está relacionada con varias lenguas de los indios norteamericanos, incluidas el ute, el paiute, el hopi y el comanche. En las recientes ediciones del *Diccionario de la lengua española* de la Real Academia Española se registran numerosas palabras que han pasado del náhuatl al español. Entre ellas se encuentran palabras de uso general en España y las Américas, tales como "tiza", "jícara", "chocolate", "tomate", "aguacate" y "cacahuate", y otras de uso regional, tales como "milpa", "mecate", "guacal", "coyote", "tecolote", "zopilote" y "quetzal". He incluido muchos términos en náhuatl en este libro y mis métodos de transcripción y traducción requieren algunas explicaciones.

Mi conocimiento de la lengua es principalmente en la forma hablada y, aunque he estudiado la gramática náhuatl, no pretendo ser experto en lingüística. Durante todas mis investigaciones en Amatlán confié en informantes bilingües para la transcripción de palabras y textos. La mayoría de los nahuas de esta región de México no saben leer ni escribir su lengua. De hecho, sólo algún profesor o algún nahua que haya asistido a instituciones educativas urbanas posee cierta habilidad con el náhuatl escrito. A la fecha, con respecto a este punto, no existe ningún sistema estandarizado de transcripción que haya sido aprobado por los nahuas letrados de la Huasteca. Beller y Beller son lingüistas que publicaron recientemente un método para el náhuatl de la Huasteca (1984). Pero es evidente que ellos se refieren a una variante que difiere ligeramente de la que se habla en Amatlán. Stiles (1976-1979) ha preparado un curso breve para principiantes, que incluye un diccionario de otra variante más y, hace poco, descubrí un ensayo gramatical de Kimball (1980) sobre el náhuatl que se habla en Huazalinguillo.

Puesto que creo que los nahuas tienen derecho a establecer los estándares de transcripción de su propia lengua, he confiado en gran medida en los sistemas empleados por mis asistentes bilingües de investigación. Aunque este sistema sólo se aproxima al sonido real de la lengua hablada, tiene la ventaja de ser mucho más accesible para las personas no especialistas, en comparación con la transcripción literal. Quiero añadir que la ausencia de un sistema estandarizado para la transcripción del náhuatl de la Huasteca, y mi confianza en varios asistentes bilingües de investigación en el curso de los años, han producido un grado de inconsistencia en mis versiones publicadas en náhuatl. En realidad, los lingüistas que han trabajado con el náhuatl huasteco tampoco han sido siempre consistentes, lo que complica más los problemas para quienes hacen investigaciones etnográficas como yo. En todo caso, las personas familiarizadas con la lengua deben tener pocos problemas para reconocer las palabras y las frases que he transcrito en este libro y otros trabajos publicados con anterioridad. Cuando hubo inconsistencias o errores evidentes en la transcripción de palabras, confié en el trabajo de los Beller para hacer las correcciones. Cuando tuve dificultades en la traducción de una palabra o frase del náhuatl al español, incluí la traducción más literal entre paréntesis, después de mi versión en español. Por último, reconozco la contribución de los dos lingüistas que son expertos del náhuatl y que han corroborado con gentileza todas mis transcripciones y traducciones.

En general, la transcripción que se usa para representar las palabras nahuas sigue las reglas de pronunciación y ortografía del español moderno, salvo en dos casos: La grafía "x" representa el sonido "sh", que aparece en el inglés *(shop),* igual que el sonido "ch" del francés *(château),* y la grafía "tl" representa un sonido singular, con el sonido "l", articulado simultáneamente en ambos lados de la lengua.

Las pausas glotales que ocurren en el dialecto náhuatl de Amatlán son predecibles y no las he marcado. La pausa glotal ocurre antes de todas las palabras que inician con una vocal; entre dos vocales que tuvieren entre ellas una pausa morfémica, y después de una vocal final en cualquier palabra. La "n" final es generalmente muda, pero se retiene en algunas palabras como "apan" (lugar del agua) y "mictlan" (lugar del muerto).

En general, el acento en náhuatl está en la penúltima sílaba. Las excepciones están indicadas con el acento agudo (´). La duración de una vocal es una característica del náhuatl, pero yo junto con mis ayudantes y la mayoría de los lingüistas que han trabajado en la región de la Huasteca no la marcamos. Tal parece que no es necesario marcar la duración de una vocal en la mayoría de los casos. En algunos sistemas de transcripción se utilizan letras dobles para indicar la estructura interna de las palabras. De nuevo, mis asistentes y yo seguimos las indicaciones de Beller y no usamos este método. Para evitar prejuicios acerca del significado de los conceptos que empleo en mis descripciones etnográficas no he usado letras mayúsculas en las palabras nahuas. Cuando cito palabras nahuas publicadas por otros he conservado su ortografía y sus traducciones. En fin, cuando escribo "en náhuatl" en el texto, para distinguir las palabras indígenas, quiero decir "en este dialecto específico del náhuatl" porque no quiero dar a entender que lo que se habla en Amatlán es necesariamente representativo de la lengua en general. Para resaltar las palabras nahuas las he puesto en itálicas cada vez que aparecen en el texto.

Capítulo 1
Entrando en el campo

La tarde del 24 de diciembre de 1972 estaba sentado en el rincón de una pequeña capilla con techo de paja, en lo profundo del bosque tropical del norte de Veracruz, México. La capilla está situada en Amatlán, pueblo de indios nahua, poblado con tan sólo un poco menos de seiscientos habitantes; fue el sitio de mi primer trabajo antropológico de campo. Me sentía muy entusiasmado conforme observaba, impaciente, a las personas que preparaban el ritual principal dedicado a *tonantsij,* diosa madre asociada con la fertilidad. Aunque ya había vivido en Amatlán durante algunos meses, ésta era la primera vez que la gente me invitaba a presenciar un evento tan importante para el pueblo.

Afuera, hombres que lucían pintorescos penachos hechos de bambú, papel plegado, largas cintas y espejos, agitaban sonajas mientras ejecutaban danzas tradicionales, imitando la siembra y la cosecha. Más distantes, a un lado, hombres y chicos, acuclillados alrededor de resplandecientes velas de cera de abeja y un humeante brasero de incienso, preparaban adornos de palma y de la dorada *cempoasuchitl* "flor de muerto" para el altar principal de la capilla. Empezó a llegar más gente, cada quien con una ofrenda de comida, así como hojas adicionales de palma y *cempoasuchitl* para los hacedores de los adornos. Dentro de la capilla, dos parejas de músicos tocaban música nahua sagrada, llena de gracia, misteriosa y bonita, con guitarra y violín. Espesas nubes de humo de incienso de copal perfumaban el aire y oscurecían la luz amarilla emitida por docenas de velas de cera de abeja alineadas en el altar.

Mientras los ayudantes adornaban el altar, hombres, mujeres y niños entraban en la capilla; se presentaban ante el altar y caminaban inclinados a lo largo del mismo. De repente, de la oscuridad apareció Reveriano, chamán principal de Amatlán, alto, impresionante y un poco misterioso. Yo había intentado entrar en contacto con él en muchas ocasiones previas, pero sin éxito. Él me observaba con cuidado, con dureza, durante largo tiempo al iniciar aquella actividad de torbellino, y luego se puso en cuclillas para cantar ante el altar. Los ayudantes trajeron cuatro pollos, y el chamán, luego de incensarlos y de cantar, con rapidez les retorció el pescuezo. Mientras dejaba frente al altar los cuerpos de los pollos que aún aleteaban, los ayudantes le trajeron su bolsa de sisal. Él sacó con cuidado dos pares de tijeras y un montón de papel de china de colores, doblado.

Reveriano era un hombre de personalidad fuerte y gran seguridad en sus movimientos. Empezó a elegir hojas de papel, a doblarlas y a cortar figuras complicadas que, una vez desdobladas, parecían pequeñas figuras humanas con las manos levantadas por ambos lados de la cabeza. Eran creaciones fantásticas que lucían tocados que presentaban cuernos de animales, benignas expresiones faciales y diseños de agujeros cortados en el cuerpo. Mientras el chamán trabajaba yo intentaba contener mi emoción y no llamar la atención al darme cuenta de qué era lo que yo estaba presenciando. El ritual del corte de papel era practicado extensivamente por las civilizaciones prehispánicas, en las que desempeñaba una función de suma importancia en las ceremonias religiosas. El arte fue suprimido por los españoles y, más tarde, por los misioneros, quienes lo asociaban con las religiones nativoamericanas que ellos trataban de eliminar. Pero aquí en Amatlán, casi 500 años después de la Conquista, el corte ritual de papel era, sin duda, un rasgo central de sus prácticas religiosas (véanse Lenz, 1973, 1984; y Sandstrom y Sandstrom, 1986).

El chamán, quien de repente volvió a fijar su atención en mí, levantó la mano y gritó a los músicos que dejaran de tocar. Yo me inquieté, inseguro de lo que iba a pasar. Él levantó un brasero encendido, lleno de carbones al rojo vivo y mientras el gentío callado miraba, se acercó al lugar donde yo estaba sentado. Se detuvo junto a mí y comenzó a incensarme, de arriba a abajo, hasta que estuve cubierto con una nube de resina perfumada de pino. Entonces me llevó al centro de la capilla y cuando nos acuclillamos empezó a explicarme el ritual. Me habló acerca de *tonantsij* y sobre las ofrendas que se iban a preparar en la noche. Explicó por qué cada casa del pueblo era visitada por la procesión durante los primeros días de la ceremonia religiosa. Finalmente, señaló el rimero ordenado de figuras de papel y me reveló que ellas representaban espíritus malévolos del viento que con saña atacan a la gente y provocan enfermedades y muerte. Las figuras iban a ser usadas para limpiar la capilla antes de la ofrenda principal a *tonantsij*. Después de estas explicaciones el chamán hizo señas con la mano, los músicos empezaron a tocar de nuevo y la ceremonia siguió hasta las diez de la mañana del día siguiente.

A partir de esa noche memorable de diciembre mi posición en Amatlán cambió para siempre. En vez de intruso peligroso, pasé a ser tratado, ahora, más como inofensivo e ignorante entrometido. Esto significa un gran paso al emprender el trabajo de campo. Concluida la ceremonia de *tonantsij*, había compartido con la gente una experiencia significativa, lo que nos dio puntos de acuerdo para actuar mutuamente. Pero en esa oportunidad, por supuesto que mis sentimientos principales fueron de alivio. Estaba contento de que no me hubieran escoltado fuera del recinto sagrado de la capilla y estaba sorprendido de que Reveriano se hubiera tomado la molestia de explicarme lo que estaba haciendo. Esto tenía un matiz de desconcierto para mí porque pensé que había interrumpido algo que parecía ser la parte más sagrada del ritual. A medida que recibía invitaciones a más eventos de este tipo, fui aprendiendo que los rituales nahuas se caracterizan por un tanto de informalidad y que estas interrupciones son toleradas con facilidad.

A la vez, esa noche yo sentía la irresistible sensación de haber recibido el privilegio de ser espectador de algo raro y completamente asombroso. Ante mí acontecía un ritual sentido muy en el fondo por las personas presentes y que se remontaba a los días previos a la Conquista. Estaba conmovido por la continuidad del pasado y por el hecho de que los sistemas culturales están lejos de ser efímeros. Lo cierto es que el ritual contenía elementos del catolicismo español, puesto que la cultura nahua no es estática en lo absoluto. Pero, como espero demostrar en este libro, el corazón de la religión nahua y su visión del mundo proviene de los americanos nativos y no de los europeos. Quiero mostrar que la gente de Amatlán ha utilizado sus tradiciones para forjar su propia identidad cultural, lo que les ha permitido sobrevivir como grupo. Ellos, junto con otros grupos de indios de Mesoamérica, mezclaron lo viejo con lo nuevo para crear un sistema cultural notable y resistente que durante siglos les ha permitido superar la Conquista, el casi exterminio, la guerra sangrienta y la explotación por los europeos y los amos nativos. La cultura nahua no es una supervivencia curiosa, sino un instrumento sutil y poderoso, manejado por gente que quiere resistir y prosperar.

Los nahuas tuvieron el primer contacto con los europeos en 1519, poco después de que Hernán Cortés y sus soldados españoles desembarcaran en una playa del actual estado de Veracruz, en la costa oriental de México. Los nahuas estaban unidos por una lengua común, aunque dividida en varios dialectos, y por una tradición cultural mesoamericana. La mayoría vivía en la región montañosa central de México, donde se juntan las altas cordilleras de la Sierra Madre Occidental y la Sierra Madre Oriental. Pero los nahuas estaban divididos en varios grupos, a veces hostiles entre sí, de los cuales, el más importante era el de los colhua-mexicas, mejor conocidos como los aztecas, y sus enemigos implacables, los tlaxcaltecas. Con el apoyo de los tlaxcaltecas, Cortés conquistó la capital de los aztecas el 13 de agosto de 1521, terminando de esa manera con la hegemonía de los nahuas para dar inicio al periodo colonial de la historia mexicana.

Bajo la dominación española los nativos de Mesoamérica resistieron uno de los regímenes coloniales más brutales de la historia. A 100 años de la Conquista la población de la región quedó reducida hasta en 95% y áreas completas resultaron despobladas. Las enfermedades cobraron la mayoría de las vidas, y los españoles, por medio de su negligencia, el trabajo forzado y el asesinato infame tuvieron mucho que ver con ello. A través de los siglos, la diezmada población india comenzó a crecer y en manchones aislados inició la reconstrucción de sus tradiciones culturales. Hoy día existen aproximadamente 800 000 personas que hablan náhuatl, la lengua de los nahuas, muchos de los cuales viven todavía en pequeños pueblos o ciudades en la región central montañosa de México (Horcasitas de Barros y Crespo, 1979: 29).

Amatlán está situado en las tierras bajas del norte de Veracruz, al norte y este del Altiplano Central, y por lo tanto fuera de la concentración principal de la población nahua. La historia del pueblo y de la región serán bosquejadas en el capítulo siguiente, pero aquí hago hincapié en que los habitantes de Amatlán están conectados histórica, lingüística y culturalmente con los antiguos aztecas. Las fuentes etnohistóricas asientan que algunos emperadores aztecas invadieron la región y que grandes porciones del territorio costero ya habían sido conquistadas antes de la llegada de los españoles. Evidencias más contundentes de la herencia azteca provienen del pueblo mismo. La gente de Amatlán se refiere a sí misma como *mexijcatl,* palabra que los antiguos aztecas usaban para identificarse en relación con su grupo. De hecho, "México" significa "lugar de la gente de Mexijcaj (o azteca)", un nombre que reconoce su dominación política, militar y económica en esta región del Nuevo Mundo.

Antecedentes y objetivos del estudio

Pocos antropólogos estadounidenses contemporáneos van al campo con el objetivo de preparar una descripción general de la cultura que investigan. La mayor parte de la investigación de campo en la antropología cultural está orientada hacia problemas; es decir, intenta acumular información que es útil para solucionar o al menos arrojar luz sobre una cuestión teórica específica. La orientación hacia problemas es una herencia legada por los primeros investigadores de campo, como Margaret Mead, quien a la vez figura entre los primeros en percatarse de que las descripciones generales tienen una aplicación limitada para la formulación y corroboración de pruebas de las teorías socioculturales. En todo caso, las descripciones holísticas son imposibles de obtener. Todas las culturas son infinitamente complejas y todas las descripciones asumen postulados teóricos de parte del investigador, aunque ellos pueden ser no declarados o inconscientes.

Mi objetivo original al ir a Amatlán era el de analizar las creencias y prácticas mágico religiosas de los nahuas en relación con su adaptación ecológica y su proceder económico. Mi meta era explicar lo más posible el sistema ritual y simbólico, su efecto sobre las prácticas agrícolas y otras acciones productivas, y cómo dicho sistema se deriva de éstas, y de las estrategias que los aldeanos adoptan para asignar sus escasos recursos. Descubrí que la mayor parte de la conducta de los nahuas en Amatlán podía ser entendida en términos del intercambio social y económico, y que inclusive los rituales eran vistos por los aldeanos como una forma de intercambio entre seres humanos y entidades espirituales. Estos descubrimientos iniciales formaron la base para mi tesis de doctorado.

El presente trabajo surge de ese programa inicial de investigación. Sin embargo, antes de establecer mis objetivos reales quisiera explicar los problemas científicos que pienso investigar y proporcionar el contexto de la aproximación que servirá para clarificarlos. Por esta razón, lo que sigue es un sumario; la mayoría de las cuestiones presentadas serán consideradas posteriormente con mayor detalle. Una pregunta clave que surge de este estudio es: ¿cómo y por qué persisten las culturas tradicionales ante la presencia del intenso cambio mundial? Las culturas tradicionales en todo el mundo se han levantado para hacer frente al desafío de la modernización, la industrialización y la occidentalización e, igual que muchos otros grupos de indios en México, los nahuas han logrado sobrevivir de manera notable. Antes del desplome del mercado petrolero en 1982, México tenía una de las economías con mayor índice de crecimiento del mundo. Sin embargo, miles de pueblos como Amatlán persisten en todo el país. En este libro examinaré el papel que los propios aldeanos han desempeñado en el proceso de mantenimiento de su identidad cultural.

Al tratar de entender la persistencia de las culturas tradicionales, he llegado a considerar otras preguntas relacionadas: ¿qué lugar ocupan las comunidades como Amatlán dentro de la nación en su conjunto?, ¿qué papel desempeñan en la vida nacional? Como veremos en este capítulo, antropólogos y demás científicos sociales han luchado por entender el lugar que ocupa la comunidad india en un país como México, que está en pleno y rápido desarrollo, así como la persistencia de las comunidades tradicionales en otras partes del mundo. A menudo las personas que observan las tradiciones sobreviven como minorías subyugadas, que son explotadas despiadadamente por el grupo dominante. ¿Por qué perpetúan los aldeanos tradiciones y estilos de vida que a la vez pueden ser usados en su contra para justificar la explotación? ¿Cómo están organizadas las comunidades indias para perpetuar la cultura tradicional? ¿Cuáles rasgos de la vida aldeana favorecen la continuidad de la tradición y cómo se protegen los aldeanos de las influencias externas? Las cuestiones en juego son en extremo complejas y hay muy poco consenso entre los expertos sobre cómo clarificarlas. Por último, ¿cómo quedan deformados ciertos aspectos de la vida aldeana por acción de fuerzas sociales, políticas y económicas que se originan a niveles regional, nacional e internacional? Aun el pueblo más remoto está ligado al resto del mundo por una red de lazos y necesita responder a fuerzas generadas fuera de él.

Ninguna de estas preguntas admite respuestas fáciles. Lo más que espero lograr en este estudio es clarificar algunos asuntos clave y sugerir aproximaciones provechosas a tales problemas. No obstante, desde un principio hay que tener en cuenta dos conclusiones de mi estudio sobre Amatlán. Aunque éstas parecieran ser muy evidentes, creo que muchos estudiosos no han podido captarlas y esta falta ha contribuido a dificultar el entendimiento del lugar que ocupa la comunidad tradicional en México. La primera conclusión es que los aldeanos son capaces de actuar racionalmente en favor de sus propios intereses. No hay necesidad de invocar ciega obediencia a costumbres extrañas para explicar su comportamiento. Esta afirmación se aclarará en la discusión de las prácticas agrícolas y la relación del pueblo con el sistema mercantil. La segunda conclusión es que la cultura india no es estática ni contraria a los cambios; de hecho, muchos cambios en la vida aldeana fueron generados internamente y logrados por medios tradicionales.

Si los aldeanos toman decisiones racionales y no se oponen a los cambios, ¿cómo explicamos la persistencia de las culturas tradicionales dentro de un Estado-nación moderno? Creo que podemos adelantarnos a entender la presencia duradera de las comunidades indias en México (y de las comunidades tradicionales por todo el mundo) si enfocamos los procesos por los cuales se forjan y se mantienen los grupos étnicos. Culturas tradicionales, como la de los nahuas, a menudo existen como enclaves étnicos en Estados nacionales que los engloban. En cierto sentido, la etnicidad es la respuesta de un grupo de gente ante las amenazas y oportunidades que se presentan en un mundo que no controlan. La gente se motiva para crear y mantener una identidad étnica por razones específicas. Examinaré la etnicidad nahua para averiguar cómo el hecho de ser nahua en una nación de no nahuas concede ciertas ventajas a los habitantes de Amatlán.

Analizaré el concepto de la etnicidad en el siguiente capítulo, pero aquí basta con afirmar que ésta tiene que ver claramente con la cultura y la diferenciación. Los miembros de los grupos étnicos se consideran a sí mismos culturalmente distintos de los demás grupos. Por necesidad, la etnicidad se basa en el contraste y requiere al menos de dos grupos para que adquiera verdadero sentido. Por lo tanto, la identidad étnica surge cuando dos o más grupos interactúan entre sí a partir de una base de diferencias culturales percibidas. En algunos casos, miembros del grupo dominante les atribuyen la etnicidad a las personas contra su voluntad, aunque no haya habido ninguna identidad étnica previamente establecida. Sin embargo, es poco frecuente que un grupo subordinado permanezca pasivo en esa circunstancia y en la mayoría de los casos los miembros de estas poblaciones responden con la construcción de una identidad étnica. En este libro no me ocupo directamente de la identidad atribuida, aunque regresaré a este tema en el capítulo final. Me interesa más explicar cómo y por qué un grupo dentro de determinada población crea una identidad mediante la cual se distingue de los demás grupos.

La cultura nahua tal como existe hoy en día se deriva, sin duda, de procesos étnicos que tienen su origen en el periodo colonial. La identidad étnica también tuvo importancia en el México prehispánico, pero el cataclismo de la Conquista alteró para siempre los viejos órdenes sociales. No obstante, los nahuas poseen una cultura que en gran parte se basa en tradiciones que se remontan hasta la era prehispánica. Al igual que todos los grupos étnicos, los nahuas a menudo se definen a sí mismos en contraste con los demás grupos y en particular frente a los dominantes mestizos que se apegan a la tradición hispana (véase el capítulo 2). En cuanto a la cultura, los nahuas difieren de los mestizos en diversos e importantes aspectos que incluyen la lengua, hábitos motores, disposición de vivienda, tecnología y lo más significativo, la religión. No obstante, al encontrarse en público el varón comunica su identidad por medio de su impresionante traje blanco, sus huaraches con suela de llanta y su enfundado machete de acero que lleva colgado a su costado. La mujer proclama su identidad india con su espectacular blusa bordada, su falda de colores vivos y las cintas de tela brillante que lleva trenzadas en su cabello. Estos símbolos dicen a todo el mundo "soy indio", pero paradójicamente cada uno de estos elementos es de origen hispánico. Este hecho implica que la cultura india no es una simple supervivencia de las tradiciones prehispánicas en las aldeas remotas. Más bien sugiere que los aldeanos procuran de manera activa y creativa asumir la identidad india y que es una respuesta racional ante sus condiciones de vida.

También es informativo examinar lo que *no* optaron por usar los nahuas de Amatlán como indicador étnico. Como veremos en el capítulo 6, la religión nahua es muy distinta de lo que la mayoría de los norteamericanos y los mestizos reconocería como el catolicismo romano normativo. Las creencias y prácticas religiosas nahuas se derivan en gran parte de las tradiciones prehispánicas y por lo tanto apartan a los nahuas de los mestizos. Sin embargo, frente a los extraños, los aldeanos ponen diligencia en identificarse como católicos. En realidad, una de las pruebas claras para saber si el individuo es indio o mestizo es averiguar si la persona participa o no en rituales tradicionales. Existen razones históricas y políticas por las cuales los indios no quieren identificarse como no católicos, pero el punto que quiero establecer es que los aldeanos escogen de manera activa los símbolos de su categoría étnica. Ellos no son pasivos portadores de fragmentos de un remoto pasado prehispánico.

El núcleo de este trabajo es una descripción de ciertos aspectos seleccionados de la vida en Amatlán. Siguiendo una venerable tradición antropológica, trazaré el efecto de fuerzas macroscópicas que actúan en la vida de personas reales y que se originan a escalas nacional e internacional. En el ámbito de la aldea expondré las respuestas tanto a las fuerzas sociales de nuestro tiempo como a los grandes cataclismos históricos. Examinaré cómo los nahuas de Amatlán responden al lugar que ocupan en México y en el mundo. En mi descripción intentaré relacionar rasgos específicos de la vida aldeana con las estrategias que las personas han desarrollado para forjar y mantener su identidad como nahuas. Por último, documentaré los cambios recientes que han afectado al pueblo de manera sorpresiva, cambios que ponen en peligro la situación existente y amenazan con socavar la identidad nahua. Mostraré, por ejemplo, cómo la escasez de tierras que imponen las fuerzas exteriores subvierte el funcionamiento de los sistemas políticos y de parentesco de los nahuas. En mis descripciones de la vida aldeana no intentaré distinguir de manera sistemática los rasgos prehispánicos de los que importaron los españoles. Como ya hemos visto, al establecer su identidad como indios, los propios aldeanos no parecen interesarse en cuestiones acerca de la autenticidad aborigen.

La mayor parte de los datos presentes fue recopilada entre 1970 y 1977. Dichos años constituyen el presente etnográfico de mi descripción de la vida de los nahuas en Amatlán. Sin embargo, cada vez que regreso al campo descubro nueva información que aumenta mi visión global de la vida aldeana. Por eso, aunque los datos etnográficos fueron recolectados en su mayoría desde principios hasta mediados de la década de 1970, éstos están organizados y analizados según mi más reciente entendimiento de la cultura nahua. Al hacer observaciones o presentar datos del periodo posterior a 1977 especificaré los años a los cuales pertenecen. La información que recogí después de 1977 aparece, sobre todo, en los dos últimos capítulos.

El trabajo de campo es un proceso perpetuo y cada informe de campo es un punto de provisional descanso, temporal y espacial, durante el fervor continuo por entender los procesos culturales. Aunque el enfoque de este trabajo es el de una aldea con menos de 600 habitantes, la vida aldeana —como la vida humana en todas partes— es compleja en grado superlativo. A pesar del alcance limitado de este estudio, un axioma de la investigación antropológica es que la mejor forma de aislar y analizar los procesos globales es verlos según se reflejen en las vidas de personas reales. Mi trabajo allí nunca estará completo, pero espero que con este esfuerzo de darle sentido al microcosmos de Amatlán podamos aumentar nuestro entendimiento de la vida aldeana y de sus transformaciones en todas partes.

Los antropólogos han publicado varios estudios etnográficos clásicos sobre los nahuas a lo largo de los años. Redfield (1930) escribió un ensayo muy conocido sobre la entonces pequeña comunidad del pueblo de Tepoztlán, ubicada cerca de Cuernavaca en el estado de Morelos. Su estudio se centra en Tepoztlán como ejemplo de una comunidad rural relativamente homogénea. Lewis (1951) provocó un debate antropológico con su trabajo sobre Tepoztlán en el que rebatió muchas de las interpretaciones de Redfield sobre la cultura nahua. Madsen (1960) estudió San Francisco Tecospa, una pequeña comunidad nahua cerca de la ciudad de México en donde pudo relacionar muchas de las prácticas y creencias que él documentó con las que se registran en la literatura etnohistórica. Nutini escribió varios estudios detallados de comunidades nahuas altamente hispanizadas en el estado de Tlaxcala, con especial atención en el parentesco (1968), el parentesco ritual (con Bell, 1980 y 1984) y el rito religioso de la fiesta de Todos los Santos (1988). Montoya Briones (1964) publicó un trabajo sobre la comunidad nahua de Atla, ubicada en la Sierra Norte de Puebla, área adyacente a la región Huasteca y a Amatlán. Él describió una comunidad conservadora en la que habían sobrevivido muchas creencias de la época prehispánica, a veces modificadas. Chamoux (1981b) escribió un estudio de la comunidad de Teopixca, un pueblo nahua ubicado cerca de la ciudad de Huauchinango, en la Sierra Norte de Puebla. Ella examina la identidad nahua en el contexto de interacción entre indios y mestizos, y muestra cómo el hecho de ser indio funciona en distintos niveles para los individuos. Centrado en comunidades indias también ubicadas en la Sierra Norte de Puebla, Taggart publicó trabajos acerca del parentesco de los nahuas (1975b) y las relaciones entre los géneros tal como se reflejan en las narraciones orales (1983). Él halló que el parentesco es un factor importante en la organización social de los nahuas y que las relaciones entre los géneros son afectadas por factores tanto históricos como socioeconómicos. Nutini e Isaac han escrito un estudio muy completo sobre las comunidades nahuas contemporáneas de la región Tlaxcala-Puebla (1974), y Madsen (1969) resumió lo que se sabe de los nahuas en general.

Muy pocos trabajos han sido publicados acerca de los nahuas de la Huasteca. Provost (1975) escribió su tesis doctoral sobre el pueblo de Tizal, al sur de la Huasteca y analizó los principios culturales de los nahuas. Mi propia tesis doctoral (1975) se enfocó en la interpretación del ritual nahua en Amatlán. Reyes García publicó un estudio del carnaval en una comunidad nahua de la Huasteca (1960) y resumió los rasgos culturales de los nahuas de la región (1976). Esta lista no agota lo publicado acerca de la cultura nahua contemporánea, pero sí da una idea del abanico de estudios que se han emprendido. Mi trabajo en Amatlán se suma a las investigaciones publicadas acerca de los nahuas al presentar información de una comunidad muy tradicional que ha logrado conservar en gran medida su identidad india. Amatlán comparte muchos rasgos culturales con otras comunidades nahuas, según informan otros investigadores, aunque el estudio de pequeñas poblaciones es todavía relativamente escaso en el medio antropológico sobre México. El motivo de mi trabajo en Amatlán es ayudar a llenar este vacío en nuestro conocimiento y añadir una dimensión más a nuestro entendimiento científico de la cultura nahua durante un periodo de cambios rápidos.

La antropología y el estudio de la cultura

A fin de cuentas, el estudio de la etnicidad nahua tiene que ver con la cultura y con cómo ésta persiste y se transforma. Por eso, en esta sección analizaré en forma breve el concepto de cultura, junto con algunos métodos y motivaciones que han orientado la investigación antropológica. La cultura en su sentido antropológico es una totalidad evolutiva de conductas, ideas y valores aprendidos y compartidos por los miembros de cada grupo social. La primera formulación científica del concepto de la cultura fue hecha en la última cuarta parte del siglo XIX por uno de los primeros antropólogos ingleses, Edward B. Tylor. Este concepto se utilizó para ayudar a explicar aquello que los europeos de la época consideraban como prácticas tradicionales o curiosas de pueblos extranjeros. El concepto de cultura tomó un nuevo significado en el siglo XX cuando profesionales entrenados comenzaron a hacer investigaciones de campo *in situ* y a publicar información confiable acerca de los pueblos no occidentales. Aunque nada en la antropología requería que los investigadores restringieran sus estudios a los pueblos no occidentales, la disciplina adquirió esa reputación desde muy temprano y la mantiene hasta hoy día. La intención de los estudios interculturales era, y es, obtener una mejor muestra de la conducta humana, de modo que las teorías de las ciencias sociales fueran objetivas y universales en su alcance. Dentro de este fin, todas las culturas son por igual expresiones válidas de la naturaleza humana y, por lo tanto, todas las culturas contribuyen de la misma manera a aumentar nuestro entendimiento del comportamiento humano.

Los primeros contactos que los investigadores de campo tuvieron con los pueblos de tradiciones culturales extrañas produjeron resultados imprevistos. Los investigadores de campo regresaron a casa con un nuevo y mayor respeto por las culturas tradicionales. Frecuente y arrogantemente desdeñadas por los demás estudiosos occidentales, las culturas tradicionales mostraron ser soluciones coherentes, complejas y a menudo elegantes para los problemas de existencia de los seres humanos. La inmersión a largo plazo en culturas extranjeras condujo a los primeros investigadores a mejorar nuestro entendimiento del fenómeno de la cultura en sí. Esto indujo a crear conceptos más eficaces para dilucidar los sistemas socioculturales y, de igual importancia, propició que los científicos sociales empezaran a estudiar nuestro propio sistema cultural con nueva luz: a ver lo familiar como si fuera lo extraño y, de este modo, convertirlo en disponible para su análisis. ¿De qué otra manera podríamos saber que la mayoría de los angloamericanos utilizan una terminología de parentesco de tipo esquimal o que la boda es un rito de paso?

Se llama *observación participante* el método de investigación que más aplican los antropólogos. Requiere que el investigador viva entre las personas a quienes estudia, que participe en su vida cotidiana y que a la vez haga observaciones sistemáticas. Pareciera fácil pero no lo es. El proyecto es de largo plazo, normalmente por más de un año; requiere que se aprenda la lengua nativa e implica vivir en condiciones no familiares y no siempre agradables. El trabajo de campo es una labor dura en un contexto ajeno. Pero ése es el objetivo central: permitir que lo novedoso de la situación produzca su magia y deje que el investigador vea lo que con frecuencia no ven ni los que viven esa cultura.

La observación participante es un acercamiento general a la investigación social que se compone de variedad de metodologías específicas. El investigador de campo tiene que capacitarse para aprender técnicas como dibujar mapas, utilizar la fotografía aérea, realizar censos, conducir entrevistas estructuradas y no estructuradas, hacer análisis lingüísticos, llevar a cabo pruebas psicológicas, probar técnicas para hacer todo tipo de observaciones, esclarecer los sistemas de parentesco y usar varios aparatos para recopilar información como cámaras fotográficas y cinematográficas; y grabadoras magnetofónicas. También existen varias técnicas para obtener datos culturales muy especializados. Éstos incluyen la creación y administración de cuestionarios (si la situación del campo lo permite) y procedimientos altamente desarrollados para reunir datos sobre las categorías cognoscitivas. Los proyectos de campo más fructíferos utilizan varias de estas técnicas, tanto para captar nuevos datos como para verificar observaciones previas. En años recientes han aparecido muchos libros acerca del tema de métodos y técnicas para la investigación antropológica, los cuales incluyen a Bernard (1988), Collier (1967), Naroll y Cohen (1973), Pelto y Pelto (1978), Spradley (1979, 1980), Vogt (1974) y Werner y Schoepfle (1987).

En la observación participante el investigador de campo capacitado es el instrumento de investigación y eso representa un problema. La cultura es algo generalizado, en gran parte inconsciente entre los seres humanos, y esto incluye al investigador. Por lo tanto, el investigador lleva consigo al campo un conjunto de orientaciones y valores que afectan la información que se recopila. Además, el investigador ha recibido su formación dentro de la tradición científica occidental, que a su vez afecta la selección de los datos que se captan. Éste es un problema con el que se enfrentan todas las ciencias, pero es especialmente grave en los estudios interculturales. Se han inventado muchas técnicas para disminuir la influencia del observador en los datos que se encuentran, pero no existe una solución completa para resolver el problema. Al leer esta relación acerca de los nahuas no hay que olvidar que lo que yo presento es mi propia versión de su cultura. Lo que he escrito probablemente no es idéntico a aquello que los nahuas mismos hubieran escrito, pero, por otro lado, ellos no tienen la ventaja de ser personas ajenas a la circunstancia ni, por consiguiente, de ser objetivos con su propia cultura.

A pesar de las muchas ventajas de la observación participante para contribuir al entendimiento científico de la cultura, sería engañoso insinuar que las investigaciones etnográficas en antropología son motivadas sólo por la curiosidad intelectual o el deseo de lograr una mejor muestra de la gama del comportamiento humano. Hay un factor menos tangible que afecta los tipos de información que se reúnen y el desarrollo de las teorías explicativas en antropología. El trabajo de campo tiene algo de místico y romántico, y esto puede incluso traspasar los límites de su objetivo científico.

La mayoría de los antropólogos culturales están motivados, por lo menos de manera parcial, por un sentido de aventura, de viajar y de vivir en circunstancias alejadas de lo ordinario. Quizá es una herencia legada por los primeros investigadores, quienes a menudo causaban sensación cuando regresaban a casa con información sobre poblaciones lejanas. Pero la imagen del explorador intrépido que llega a encontrarse con personas nuevas y extrañas es también un tema de la historia euroamericana y resuena entre la cultura popular contemporánea. Relatos tanto verdaderos como de ficción acerca de expediciones que van hacia lo desconocido proveen temas para películas, programas de televisión, libros y revistas, y son siempre una atracción popular entre el público. La antropología cultural es una parte de esta tradición de buscar aventuras e incluso ha ayudado a definirla.

La investigación etnográfica basada en la observación participante ofrece la mística romántica que seduce tanto a los antropólogos como al público en general. Nos imaginamos al investigador solitario, viviendo en una lejana aldea montañosa o selvática, que entrevista a personas acerca de aspectos esotéricos de los ritos o del parentesco. Margaret Mead en Samoa, Bronislaw Malinowski en las Islas Trobriand y Franz Boas entre los esquimales ofrecen a los antropólogos culturales una autodefinición y una descripción del trabajo que los separa de las ciencias sociales generalizadas. La experiencia del trabajo de campo se considera un rito de paso necesario para los estudiantes antes de que puedan declararse legítimos antropólogos profesionales. Como resultado de la reducción de fondos con que se apoyaba la investigación durante la década de 1980, este criterio de profesionalismo ha menguado, pero todavía sigue siendo importante.

Parte de los resultados negativos de esta faceta romántica de la investigación etnográfica es la inclinación a acentuar los descubrimientos más exóticos o el comportamiento que se desvía de las prácticas familiares occidentales. He aquí una razón por la cual los textos antropológicos con frecuencia recalcan el canibalismo ritual, los tabúes alimenticios, la matrilinealidad, los sacrificios sangrientos y las prácticas sexuales raras. Éstas son costumbres interesantes, que requieren descripción y explicación, pero conllevan el peligro de opacar el comportamiento cotidiano que puede ser menos dramático pero más importante desde el punto de vista científico. Aunque es cierto que una de las contribuciones que puede ofrecer la antropología es la de documentar el alcance completo del comportamiento humano (y, por lo tanto, la de justificar el énfasis en lo exótico), el objetivo general de la disciplina es idéntico al de todas las ciencias sociales: presentar y poner a prueba las explicaciones científicas acerca de la conducta humana.

De esta manera, el romanticismo del trabajo de campo antropológico es necesario para la disciplina pero puede dificultar su misión científica. Es una parte del "equipaje cultural" que lleva consigo el propio investigador. Pero a menudo los críticos del método de la observación participante y de los estudios interculturales en general tienen una visión falsa del trabajo de campo etnográfico y de todas las ciencias. La investigación antropológica de campo es un intento sistemático de reunir información acerca de otra cultura. Es la búsqueda de datos culturales que luego podrán ser verificados o refutados por otros investigadores. De ser posible, la información es cuantificada, fotografiada o grabada en audio o en video. El investigador de campo afronta el caos de una información que viene en fragmentos y su objetivo consiste en proponer una manera de construir cierta versión coherente de la cultura. Ninguna presentación científica debe ser considerada como la última palabra sobre el tema. La etnografía, como toda ciencia, expone una formulación provisional que está sujeta a la revisión y se corrige a partir de la evaluación crítica de colegas.

El aura que rodea el trabajo de campo etnográfico es una clave para entender el valor esencial de la antropología cultural contemporánea; es una aventura y tiene sus momentos de intenso drama. Conlleva las dificultades y la emoción del descubrimiento, ambos elementos centrales en las historias y los mitos. Sobre todo, es una experiencia con profundas implicaciones psicológicas y emocionales que pueden cambiar la vida del investigador. La relación entre el investigador y sus sujetos en la observación participante es única dentro de las ciencias sociales. Las personas estudiadas llegan a ser amigas o al menos aliadas en el estudio de su propia cultura. Los vínculos formados en el campo son particularmente intensos, y con frecuencia duran toda la vida. Al final, muchos investigadores desarrollan profunda admiración por la gente y la cultura que han conocido de manera tan íntima. Salir del campo puede ser mucho más traumático que llegar a él; no es raro que el trabajo de campo esté rodeado de tantas historias y tantos mitos.

Nada de lo anterior invalida la información etnográfica ni los métodos para recolectarla. El investigador de campo necesita involucrarse personalmente en la investigación, dada la propia naturaleza de los métodos que se utilizan. La eliminación de diversas fuentes de prejuicio es un problema que hay que enfrentar y que no se puede evitar mediante una simple despersonalización de las técnicas de recolección de datos. Los antropólogos aprenden las técnicas de observación objetiva como parte de su capacitación y, como todos los científicos, tienen éxito en diferentes grados. Lo importante es que los relatos culturales de los antropólogos estén documentados y abiertos a correcciones, y que los lectores de su trabajo se den cuenta de los problemas con que se enfrentan los seres humanos que estudian a otros seres humanos.

Mi introducción a los nahuas

Mi primer encuentro con los nahuas ocurrió en el verano de 1970. Nunca lo olvidaré. En aquella época yo era estudiante de posgrado en antropología y fui seleccionado para participar en un programa piloto de capacitación de campo en México. No sentía entusiasmo especial porque México no era la región de mayor interés para mí, pero sí estaba deseoso por experimentar el trabajo de campo y emocionado por conocer, de primera mano, una cultura extraña. El director del proyecto era firme partidario del método de enseñanza de campo que consiste en dejar al alumno a su suerte, de modo que no le preocupaba que en aquel entonces yo apenas me defendiera en español y no hablara nada de náhuatl.

Cuatro estudiantes de posgrado fuimos seleccionados para viajar a México y cada uno iba a ser colocado en aldeas indias que estaban bastante separadas entre sí, en el remoto norte de Veracruz. Se programaron reuniones cada dos semanas, en un pequeño pueblo, centro de la red de mercados, para discutir nuestros progresos y problemas. No importaba que no existieran mapas de la región, que no hubiera vías de comunicación para ingresar o salir del área, o que la mayoría de la gente hubiera visto a pocos extranjeros con anterioridad. Nuestro grupo se reunió en la ciudad de Xalapa, capital del estado de Veracruz, para la ronda final de seminarios preparatorios y con el fin de obtener los permisos oficiales necesarios para viajar por las áreas rurales. Salimos en autobús una semana después y viajamos hacia el norte toda la noche; la mañana siguiente llegamos a la remota y próspera ciudad petrolera de Poza Rica. Para viajar al interior transbordamos a un atestado autobús de tercera clase, con poco lugar en el piso que no estuviera ocupado y sin cristales en las ventanillas. Luego de salir de las carreteras pavimentadas cruzamos el ancho río Pantepec en un transbordador desvencijado y dejamos atrás la civilización urbana.

El autobús daba saltos entre las zanjas del camino mientras el sol tropical convertía el vehículo en un horno. Pasábamos por arroyos y áreas que habían quedado inundadas por las lluvias temporales; el camino se deterioraba y se transformaba en vereda. Empecé a sentir un pánico moderado por haber entrado demasiado al interior, de donde no sería fácil escapar. Después de varias horas la mayoría de los pasajeros restantes eran indios que se dirigían a sus comunidades luego de hacer diligencias en la ciudad. Era divertido observar cómo la gente subía y nos escudriñaba con sorpresa al ver por primera vez a aquel grupo de angloamericanos sucios y agotados que se encontraba en su ámbito. A mediodía, tras un repentino estremecimiento, el autobús se paró en seco, ya sin poder pasar el lodazal que habían dejado las últimas lluvias. Agarramos nuestro equipaje y seguimos a pie, mientras el vehículo daba la vuelta con lentitud, dejándonos abandonados. Los demás pasajeros, acostumbrados a estos inconvenientes, desaparecieron entre el bosque cargados con sus pertenencias.

Penosamente seguimos a pie bajo el tórrido calor, vislumbrando en ocasiones, dentro del bosque, alguna casa india con su techo de paja. Veredas más pequeñas se desviaban por el monte, por ambos lados, pero nosotros continuamos por el camino principal con la esperanza de llegar antes del anochecer a Ixhuatlán de Madero, un pequeño poblado con mercado. Fue en este momento inoportuno que varios sufrimos fallas con el equipaje. A una colega se le rompió una correa de la sandalia y tuvo que seguir descalza. Un tirante de mi mochila se había reventado, haciendo que mi equipaje se convirtiera en un torpe envoltorio, sumamente difícil de cargar. En realidad estaba contento de lo que había pasado porque ya tenía los tirantes incrustados en los hombros y de todos modos no podía aguantarlos más. Caminamos tres horas más antes de llegar al río Vinazco.

Llegamos acalorados, lastimados y muy cansados. Yo estaba absolutamente sorprendido de lo rápido que comenzamos a sentirnos, en verdad, abatidos y desanimados. Pero entonces nuestra suerte cambió: mientras estábamos sentados en la orilla del río, preguntándonos cómo íbamos a pasar al otro lado del ancho cauce, un hombre se acercó y nos ofreció llevarnos en su canoa de tronco ahuecado, que impulsaba con una vara. El viaje era un desafío a la muerte: la canoa subía y bajaba entre el oleaje y giraba con la furia de la corriente. Ya cruzadas las aguas, nos esperaba una caminata de otras tres horas hasta nuestro destino. Después de recorrer alrededor de la mitad de la distancia, se detuvo una camioneta de un rancho ganadero local para ofrecernos "un aventón". Aceptamos con placer y llegamos a Ixhuatlán de Madero al anochecer. Encontramos alojamiento en la única casa de huéspedes de la ciudad y en ese momento aun la cama de tablas parecía maravillosamente acogedora, pero esa noche el sueño no nos acompañaría: una reunión de maestros rurales se transformó en parranda que duró hasta el amanecer.

A la mañana siguiente, luego de haber colectado la información y los permisos necesarios de las autoridades locales, nuestro director se llevó a los otros tres estudiantes y los acompañó en busca de posibles pueblos para su investigación. Yo me quedé ese día en el pueblo con la esposa, mexicana, del director, en espera de su regreso. Éste llegó esa misma noche y a la mañana siguiente los tres salimos por el camino que habíamos recorrido el día anterior. Ellos pensaban regresar esa misma noche y por lo tanto no traían consigo ningún equipaje. Sólo yo cargaba con mi mochila defectuosa y una maleta. Nuestro destino era Amatlán, un pueblo nahua mencionado por las autoridades de Ixhuatlán y sugerido por los antropólogos estatales en Xalapa como representativo de su tipo. Aunque nadie había investigado Amatlán ni otro pueblo en los alrededores, un antropólogo mexicano había pasado cerca mientras andaba en misión exploratoria a mediados de los años cincuenta (Medellín Zenil, 1979, 1982). Él informó que Amatlán parecía estar construido según el modelo prehispánico y que unas estatuas prehispánicas aún se veneraban en los poblados cercanos. Ésta era, desde luego, información intrigante. Mientras caminábamos ese día, de repente se me ocurrió que los habitantes podrían haber mantenido sus fascinantes tradiciones y rechazado toda intromisión ajena.

El director del centro de capacitación de campo y su esposa se colocaron en segundo plano y me obligaron a hacerme cargo de cualquier eventualidad que surgiera. Nos encontramos con muy poca gente mientras caminábamos, pero las veces que esto ocurría yo les preguntaba cómo llegar a Amatlán. Lo que no sabía entonces era que la gente de esa región tiene una actitud compleja ante las preguntas directas. Si no saben la respuesta a la pregunta, consideran que es muy descortés admitirlo. Por consiguiente, en vez de ofender a quien pregunta, simplemente dan la respuesta que piensan que la otra persona espera escuchar. Cuando uno se da cuenta de esta práctica es bastante fácil determinar si la persona a la que se pregunta está tanteando en busca de la respuesta: una pequeña vacilación o una respuesta demasiado entusiasta es revelación absoluta. Sin embargo, en aquel entonces no me daba cuenta de esta costumbre, por lo tanto, tendía a creer lo que la gente me decía. De acuerdo con la sugerencia de un hombre, doblamos hacia el bosque cerca del río y de inmediato nos encontramos sumergidos en un misterioso silencio verde.

Según nuestro último informante se suponía que Amatlán estaría a unos 15 minutos por ese camino. Después de media hora empezamos a inquietarnos. Las veredas tropicales no son tan idílicas como uno pudiera imaginarse. En vez de ser pistas soleadas son más bien túneles estrechos: bifurcados, laberínticos, oscuros y sofocantes, que a la vez imposibilitan que uno vuelva sobre los propios pasos. Ansiábamos encontrarnos de nuevo con alguien para averiguar la vía, pero entonces, con amarga ironía, reflexioné: "¿y eso para qué serviría?". Habíamos caminado durante seis horas desde que salimos de Ixhuatlán por la mañana. La temperatura estaba a más de 40 grados centígrados y la humedad era asfixiante. Llegamos a un arroyo impetuoso que cortaba el camino. Quitándonos el calzado y los calcetines, nos fuimos abriendo camino cuidadosamente a través del fondo resbaladizo. Durante la siguiente hora cruzamos un total de seis arroyos semejantes, de los cuales algunos nos llegaban casi hasta la cintura.

Dos horas después de entrar en el bosque nos empezó a entrar pánico. No habíamos visto casa ni persona alguna por el camino. Se acercaba la noche y a ninguno de nosotros nos hacía gracia la idea de pasarla solos en el bosque. Entonces fue que noté, con cierto alivio, una tablilla colocada en un árbol, con las palabras: "Comunidad de Amatlán". Después supe que el maestro del pueblo había colocado esa señal para que los visitantes no se perdieran. De inmediato mi alivio comenzó a desvanecerse al pensar en un nuevo problema: ¿qué debía decir a las personas con quienes estaba a punto de encontrarme? Ya había ensayado este momento en mi mente centenares de veces, pero todo se me olvidó mientras caminábamos, empapados, por el cruce de los vados, asquerosamente sucios, sedientos y agotados.

El camino conducía a un claro en el bosque donde pastaban cuatro caballos en la hierba espesa y enmarañada. En el extremo del claro se encontraban unas edificaciones pequeñas y bajas con techos de tejas cubiertas de musgo. Cerca de ellas había una edificación más grande con techo de láminas de cinc corrugadas; sin duda era la escuela. En el bosque espeso que rodeaba el claro se podían ver las casas de los indios, con sus altos y puntiagudos techos de paja. El aire olía a lumbre de cocina y la opacidad del humo colgaba sobre el bosque. Los perros empezaron a ladrar y los caballos respingaban, pero no se veía ni un alma.

Nos acercamos a las edificaciones escolares pero nadie salió a saludarnos. Al fin me senté sobre la mochila y me puse a esperar mientras mis compañeros iban a lavarse y a refrescarse en un arroyo cercano. Comencé a preguntarme si se trataba de un pueblo recién abandonado. A la media hora, en el borde del bosque apareció un hombre de baja estatura, vestido de un blanco deslumbrante, portando un machete marca Collins, con filo de 75 centímetros, envainado en su funda de cuero oscuro. Se me acercó con determinación y comencé a sentirme incómodo. Me mantuve erguido mientras él caminaba hacia mí. Me miró y dijo en un español chapurrado: "¿Qué haces aquí?". Tengo que confesar que en ese momento no estaba seguro de qué contestarle y la respuesta estereotipada que yo había ensayado me pareció completamente fuera de lugar. Le dije que había venido desde los Estados Unidos a pedir permiso para vivir por un tiempo en Amatlán y estudiar las costumbres de su gente. Dije que me interesaba estudiar cómo se cultiva el maíz y cómo se construyen las casas. Nada de esto le causó la menor impresión. Al fin tuve suerte cuando añadí que quería estudiar náhuatl para poder hablar con la gente. Él irguió la cabeza y dijo: "¿Quieres estudiar náhuatl?". Dije que sí y le extendí la carta de recomendación de las autoridades locales. La sujetó con el pie de la página para arriba, examinó el sello oficial, luego dio la vuelta y regresó al bosque.

Cinco minutos más tarde reapareció, acompañado de varias docenas de hombres, cada uno vestido de blanco con camisa y pantalones tradicionales y portando su machete enfundado. Todo indicaba que se habían retirado al bosque para observar nuestra llegada. Nos rodearon a mí y a mis compañeros, quienes acababan de regresar en ese momento del arroyo, y el hombre, que parecía ser el dirigente del pueblo, preguntó por qué quería yo aprender náhuatl. Le expliqué que quería hacerlo para poder hablar con la gente, que muchos mexicanos hablaban náhuatl y por eso era importante aprender. Eso tampoco tuvo sentido para mí pero el dirigente lo repitió en náhuatl y los hombres lo empezaron a discutir entre ellos. No podía decir cómo iba el asunto pero noté que empezaba a oscurecer. La oscuridad llega rápido en el trópico y la noche es extraordinariamente lóbrega a ciento cincuenta kilómetros de las luces eléctricas más cercanas. El dirigente preguntó qué tenía yo en la mochila y me indicó que los demás querían ver. La abrí y todos examinaron el contenido, poniendo a circular mis cosas mientras continuaba lo intenso de la discusión.

Reconozco que yo no traía mucho que fuera de interés ni de valor después de haber aligerado mi carga varias veces durante los tres días previos, pero no me gustaba la idea de que un grupo de extraños pusiera a circular mis pertenencias mientras comentaban acerca de ellas en una lengua que yo no entendía. En apariencia se daban cuenta de que yo me estaba poniendo nervioso y me devolvieron las cosas con cuidado. En este momento yo no sabía qué hacer. Si me hubiera sido posible salir y regresar a los Estados Unidos, lo habría hecho de inmediato. Me preguntaba a mí mismo por qué estaba yo allí y si tenía la madera para hacer este trabajo. Me sentía abatido y quería que todos me dejaran en paz, sin embargo, era yo quien había venido para Amatlán. Era yo quien se había entrometido en sus vidas y, a la vez, por ello les guardaba resentimiento.

En esa hora negra cuatro figuras montadas a caballo salieron del bosque y se encaminaron hacia nosotros. Era el director de la escuela con su esposa y sus hijos varones, que regresaban del mercado. De nuevo fui testigo de la clásica mirada sorpresiva a medida que se acercaban. Se presentaron y me preguntaron qué hacíamos allí. Les expliqué y entonces el dirigente, el maestro y algunos otros hombres sostuvieron una conferencia. El maestro leyó a los hombres reunidos la carta de recomendación y se inició una breve conversación. Decidieron que yo podía pasar la noche en una de las dos aulas de la escuela, ya que ésta no estaba en funciones durante las vacaciones de verano. Mis compañeros dormirían en una choza abandonada anexa a ésta. Abrieron la puerta de la escuela y llevé mi mochila para adentro. El aula era pequeña pero tenía piso de piedra y serviría por una noche. No había hecho las gestiones para conseguir residencia más permanente o para que se me prepararan las comidas porque me sentía comprometido definitivamente con el plan de salir al día siguiente para no volver jamás. Mientras intentaba deshacer mi maleta a la luz de la linterna, el maestro trajo una cama de campaña improvisada, hecha de costales de ixtle. Me dijo, sin darle mayor importancia, que mejor no durmiera en el suelo por las tarántulas y los alacranes. La oscuridad parecía envolverme mientras con gratitud aceptaba la cama improvisada.

Mientras permanecía allí sentado intentaba contemplar mis opciones de carrera; me di cuenta que me encontraba totalmente agotado. Había conseguido agua potable gracias a la esposa del maestro y de nuevo pude transpirar normalmente. El calor era opresivo y quitaba las ganas de comer. En el momento en que lo único que podía pensar era en dormir, más de cien hombres, cada uno portando su machete, salieron de la oscuridad, se aglomeraron en la pequeña aula y, en silencio, se mantuvieron firmes. Encendí un pequeño cabo de vela que encontré e intenté asumir un aire despreocupado mientras acomodaba y reacomodaba mis cosas. Al final me arriesgué y anuncié que estaba cansado y que me iba a acostar. Hubo una pausa y luego un hombre repitió mis palabras en náhuatl. Se inició una charla y el dirigente se acercó con la mano extendida. Yo se la apreté, pensando que la norma era estrechar la mano con fuerza. Él la retiró con rapidez y buscó el mango del machete que portaba en su costado. Se acercó otra vez y me indicó que el saludo correcto era tocar de forma ligera la punta de los dedos. Los hombres se pusieron en fila y toqué los dedos de cada uno, de la manera correcta. Todos se echaron a reír, dijeron "mañana" en náhuatl y se fueron. Yo acababa de recibir mi primera lección de etiqueta nahua.

Esa noche llovió tan fuerte que pensé que la edificación iba a desplomarse. El azote de la lluvia contra el techo de cinc era como el estruendo de una locomotora. Los relámpagos y los truenos eran espectaculares. Al amanecer llegó el dirigente y se quedó afuera de mi puerta sin hacer el menor ruido. Ésta fue otra lección de protocolo nahua. Sólo por casualidad abrí la puerta, por suerte, y pude encontrarlo allí. Los visitantes nahuas no se anuncian en seguida para no interrumpir a los de la casa que visitan. Más tarde desarrollé la habilidad de reconocer cuando alguien esperaba afuera en silencio. Me enteré de que mis compañeros se habían ido hacía ya varias horas antes del amanecer sin avisarme. Recuerdo que me sentí solo y abandonado. El jefe preguntó por los paquetes de arroz y frijoles que yo había traído. Los puso en su morral y me invitó a que lo siguiera a su casa. Yo me rezagaba y trataba de seguirlo, aunque medía 30 centímetros más que él. Al llegar a su casa recibí una lección más de hospitalidad nahua: una pequeña silla hecha expresamente para el uso de visitantes.

Mientras varias mujeres preparaban comida sobre un fuego humeante, el dirigente dijo que esa noche iba a haber una reunión de los jefes de familia para decidir si yo podía quedarme. Mientras tanto, ofreció que se me preparara la comida y se me enseñara dónde era seguro bañarse en el arroyo que casi rodea Amatlán. Él quería saber cuánto tiempo quería quedarme. Yo no sabía qué decir pero escuché a mi propia voz responder: dos meses. La noche anterior había programado irme de inmediato pero por la mañana me di cuenta de que no estaba en condición física para enfrentarme al largo camino de regreso, con mis provisiones y equipo. Necesitaba un poco de tiempo para recuperarme y, además, ¿adónde iría? Decidí dejar pasar unos días para ver qué pasaba. La interacción era algo amistosa pero formal y cautelosa. Era evidente que ellos no sabían cómo interpretar mi presencia pero me sentí muy agradecido de que el jefe se hubiese dispuesto a resolver el problema de mi comida y alojamiento.

Pasé el día cerca de la escuela. No necesitaba deambular por el caserío para conocer a las personas porque ese día todos parecían tener que hacer diligencias por mi portal. Al principio pensaba que había alguna reunión pero pronto me di cuenta de que yo era la atracción. Fue interesante ser el centro de atención durante la primera hora, pero luego se transformó en una carga. Había muchas risas y miradas fijas, y algunos intentos insatisfactorios hacia la interacción; además, era fatigoso intentar comunicarse a través de las barreras lingüísticas y culturales. Al fin, decidí cerrar la puerta e ir al arroyo para bañarme. Para acentuar mi consternación, la mayoría de la muchedumbre me siguió y se sentó en la orilla para ver mi procedimiento. Esta falta de privacidad iba a resultar uno de los aspectos más difíciles del trabajo de campo y al que nunca me acostumbré totalmente. En todo caso, el público era amable y sólo lanzaba miradas ocasionales en mi dirección.

Esa noche los hombres se reunieron poco a poco en el claro enfrente de la escuela. Eran los jefes de familia que se juntaban para discutir mi caso y entre los que aparecieron conté 110 individuos. La reunión fue otra lección más de la cultura nahua. Parecía que no había organización ni tampoco se seguían procedimientos formales. Mientras algunos holgazaneaban y sostenían conversaciones personales, otros se levantaban y hablaban sin que nadie los escuchara. A veces dos o tres hombres se levantaban y hablaban al mismo tiempo. El público permanecía sin atender aun cuando el jefe se levantó y exhibió la carta de recomendación. Luego de unos 45 minutos de lo que parecía ser un verdadero alboroto, la mayoría de los hombres se levantaron y salieron tan de a poco en poco como llegaron. Yo estaba seguro de que había un problema serio respecto a mi caso y me preparé mentalmente para salir al día siguiente. El público se dispersó y se quedaron sólo algunos que fumaban cigarros caseros y hablaban de manera tranquila. Más o menos una hora después llegaron el jefe y otros hombres más para darme la noticia. Me informaron que se había decidido de manera unánime que podía quedarme y que además podía continuar con mi alojamiento en la escuela. Incluso, habían encontrado una viuda que aceptaba cocinar para mí por 50 pesos (entonces unos cuatro dólares) por semana. También me enteré de que otros asuntos importantes se habían decidido esa noche por unanimidad.

La decisión inesperada significaba que yo podía quedarme si lo deseaba. La gran pregunta era: ¿de veras era eso lo que yo quería? En los días siguientes, mientras establecía una rutina y podía explorar el pueblo y sus alrededores, despertó en mí cierta curiosidad acerca de Amatlán, que resultaría decisiva: ¿qué pasaba debajo del plácido exterior de este lugar? Por todo el pueblo había esparcidas ruinas prehispánicas cubiertas de maleza densa. ¿Cuál era su historia? Podía ver que el pueblo estaba organizado en grupos de casas hermosas con sus techos de paja, dispersas por todas partes en la selva tropical. ¿Cómo estaba organizado el pueblo? ¿Qué tal era la gente y cómo veían el mundo? Era como un misterio atractivo en espera de solución. En unas semanas más, el misterio aumentó cuando descubrí capillas cubiertas de flores, construidas sobre manantiales de agua dulce en el bosque. Un día, cuando iba a bañarme sorprendí a dos hombres que estaban de pie en el arroyo y que llevaban velas. De pie entre ellos estaba un muchacho desnudo de unos 10 años y un hombre le sobaba la espalda con piedras lisas del arroyo. ¿Qué hacían? Me quedé dos meses y al salir del pueblo hice la promesa de regresar lo más pronto posible.

La escuela piloto de campo nunca recibió fondos y por eso no se mandó a esta región ninguna otra expedición. No obstante, yo regresé a Amatlán por más de un año en 1972-1973 con el fin de llevar a cabo la investigación para mi tesis de doctorado y nuevamente por periodos más cortos en los años subsiguientes. En 1985-1986 regresé a Amatlán por un año, esta vez acompañado de mi esposa y mi hijo de tres años. Finalmente, los tres nos quedamos unos meses en la aldea en 1990. El resultado de un primer encuentro en el campo con gente de otra cultura depende de muchos factores. La personalidad de los dirigentes locales, si ha habido o no luchas políticas recientes, y la posibilidad de acceso a un alojamiento son todas circunstancias fuera del control del investigador. El éxito exige perseverancia, es cierto, pero la suerte juega un papel fundamental. Es imposible desarrollar la curiosidad natural que se necesita para realizar la investigación de campo si no se consigue disposición de vivienda o si la experiencia inicial en el lugar es demasiado negativa. De los cuatro estudiantes de posgrado que iban a participar en el proyecto piloto, yo fui el único que regresó a la región.

El incidente de El Chote

El siguiente caso ofrece una introducción a algunas características de la vida del pueblo que serán descritas y analizadas en capítulos posteriores. Ilustra el modo dramático de las divisiones profundas que pueden romper la tela social hasta en los pueblos remotos. El incidente revela las pasiones peligrosas que pueden despertarse si se vinculan las cuestiones nacionales e internacionales con los conflictos locales que terminan resolviéndose entre los aldeanos. Sobre todo, la tragedia de El Chote ventila lo que con frecuencia se encuentra oculto. El suceso muestra claramente la posición subordinada del pueblo indio ante la nación y el mundo.

A principios de 1977, Pedro Martínez, de Amatlán, fue asesinado cuando caminaba con un amigo hacia la lejana cabecera municipal de Ixhuatlán de Madero. Yo no estaba en la aldea entonces pero pude conocer lo ocurrido gracias a entrevistas con testigos y participantes en los sucesos relacionados con la tragedia. Por suerte pude leer los documentos preparados por el juez que llevó el proceso y, por ende, tuve acceso a la investigación oficial. El documento judicial estaba escrito en español, el idioma del proceso, y contenía los testimonios literales de los defensores y testigos. Presento este caso por lo que revela acerca de la dinámica del pueblo en el ámbito político-económico. Un evento traumático como éste revela aquello que con frecuencia se oculta y pone en primer plano lo que se encuentra un poco más allá del alcance de la vista y la conciencia. A menudo, los pueblos pequeños son el escenario donde tiene lugar la lucha entre la vida y la muerte, cuya causa final se deriva de las fuerzas políticas y económicas del ámbito nacional, muy distantes de la conciencia y el escrutinio de los protagonistas del drama local.

Cuando entré en Amatlán por primera vez me impresionó su aislamiento y su serenidad casi idílica. Sin electricidad ni vehículos motorizados y con el bosque espeso amortiguando todo sonido, la vida parecía tranquila y pacífica, distinta por completo del frecuente caos estridente de la existencia diaria en cualquiera de los pueblos o las ciudades de México. Yo sabía de la violencia de la época colonial y su secuela genocida de exterminio de la población india. También sabía de la brutalidad de la Revolución Mexicana y la increíble devastación que produjo en las ciudades y la provincia. Estaba consciente de que los periódicos de las ciudades a menudo informaban sobre las violentas luchas por la tierra en el sur de la Huasteca. Pero todo eso parecía muy lejano de la vida aldeana donde las tranquilas tardes eran perturbadas solamente por algún avión que pasaba a gran altura, del cual los indios decían que estaba cargado de gringos que iban para la ciudad de México. Fue sólo tras unos meses de residencia que empecé a darme cuenta de hasta qué punto la violencia y el miedo llegan a conformar parte de la vida de los aldeanos.

En el incidente participaron cinco hombres de forma directa, aunque al final intervino la mayoría de la gente del pueblo. En el centro de la acción estaba Pedro Martínez, un hombre joven, bien proporcionado y de rostro apuesto. Pedro tenía personalidad de líder, inteligencia viva y no vacilaba ante las luchas. Tranquilo y seguro de sí mismo, era orador convincente que podía provocar en sus oyentes el mismo coraje contra la injusticia que él experimentaba con tanta fuerza. Para sus enemigos era una persona conflictiva; para sus aliados, perspicaz y valiente. Con frecuencia yo lo veía pasar con uno de sus hijos rumbo al mercado o a visitar a sus amigos. Su hermano, Gregorio, compartía la inteligencia viva de Pedro y la apariencia llamativa; sin embargo, él daba la impresión de ser agresivo. Se ponía furioso al menor insulto y parecía ocultar algún rencor o profundo daño personal. Poseía una personalidad carismática y se sentía orgulloso de ser un indio campesino. Tenía mucha energía y proveía bien a su familia.

El tercer protagonista fue Lorenzo Hernández, un hombre robusto de aproximadamente 35 años, que tenía el aspecto de ser una persona acostumbrada a mandar. Yo conocía a Lorenzo mejor que a los otros dos y me parecía un poco severo, pero también muy listo e inteligente. Era amistoso conmigo, sin embargo lo consideraba como alguien que podía convertirse en un adversario peligroso. Poseía mentalidad política y era un patrocinador prominente de los rituales de la aldea. De toda la gente que yo conocía en Amatlán, Lorenzo era el más directo en su discurso aunque a veces era brusco. Su carácter fuerte podía intimidar sólo con la mirada y no vacilaba en señalar a quienes se hubieran equivocado. Los últimos dos hombres que participaron en el incidente desempeñaron papeles relativamente menores: uno, un adolescente llamado Martín, quien acompañaba a Pedro esa mañana fatal. Martín era una persona tímida, acostumbrada a estar en segundo plano. Yo tenía la impresión de que se había juntado con el grupo de Pedro Martínez por la atención que recibía de los hombres mayores, más que por el compromiso con la causa política. El otro era un sobrino de Lorenzo a quien yo conocía bastante bien y que en este caso pareció ser más bien víctima de las circunstancias.

Pedro Martínez desempeñaba el cargo de presidente del Consejo de Vigilancia de la aldea en el momento de su muerte. El Consejo de Vigilancia es un comité local de hombres elegidos para supervisar los asuntos del pueblo y asegurar que los funcionarios realicen la voluntad de la mayoría. Gregorio, el hermano de Pedro, desempeñaba un importante cargo en la comunidad: presidente del Comisariado Ejidal. Este comité inspecciona los aspectos internos del pueblo, en particular los relacionados con las cuestiones de la tierra (véase el capítulo 4 para una descripción más detallada de estos comités y sus funcionarios). Bajo circunstancias normales, el hecho de que dos hermanos ocupen cargos importantes en la comunidad contribuye a facilitar las operaciones locales. Sin embargo, en este caso los dos hermanos eran enemigos mortales que peleaban con frecuencia en presencia de terceros.

Pedro era el mayor y por eso heredó una parte más grande del terreno de su padre. Había escasez de tierras y Gregorio entró en una amarga disputa con su hermano sobre una parcela que su padre había dejado. Además, existían diferencias políticas entre ambos: Pedro había trabajado por corto tiempo en un restaurante de la ciudad de México, en donde llegó a estar activo en la política socialista. Regresó a Amatlán siendo miembro convencido del Partido Socialista de los Trabajadores (PST) y empezó a atraer partidarios entre sus coterráneos. Gregorio era miembro del dominante Partido Revolucionario Institucional (PRI). Uno podría pensar que las diferencias políticas de este tipo tendrían poca importancia en una aldea india que está tan retirada de los centros del poder nacional. Sin embargo, en este caso los intereses en la lucha entre el PST y el PRI eran más que simbólicos.

El autonombrado portavoz del PRI en la aldea era Lorenzo Hernández, cuyo dominio del español, que estaba por encima del estándar, lo calificaba para representar al pueblo ante las autoridades superiores. Él formó una facción que incluía a Gregorio Martínez y que estaba compuesta por hombres que carecían de tierra propia o cuya tierra era insuficiente para sostener a sus familias. Recolectó dinero entre estos hombres y fue a la ciudad para suplicar a los funcionarios del partido y del gobierno que le asignaran más terreno a la gente de Amatlán. La burocracia en México puede ser muy lenta en sus funciones y las solicitudes continuaron pendientes por muchos años. Al principio, Pedro Martínez era partidario de Lorenzo en sus esfuerzos e incluso llegó a ser su compadre (apadrinó a uno de sus hijos). Sin embargo, en el transcurso de los años empezó a surgir un resentimiento entre los aldeanos y circulaban rumores de que Lorenzo y sus amigos robaban parte del dinero que se les entregaba. En una ocasión vieron comiendo en un restaurante de la provinciana ciudad de Álamo a Lorenzo y dos amigos, cuando debían estar asistiendo a una conferencia en la capital del estado con los funcionarios del PRI.

Pedro Martínez llegó a ser el líder de la oposición contra la facción de Lorenzo, y así surgió el escenario para la tragedia. En apariencia, el hecho que provocó el asesinato fue una disputa acerca de la distribución de la tierra comunal. De acuerdo con la ley, la tierra debe ser distribuida de forma equitativa entre los jefes de familia de la comunidad. A menudo se burla esta ley, de una u otra manera, y Lorenzo fue acusado por sus cada vez más numerosos opositores de tener más que lo que le correspondía. Él lo negó pero Pedro se interesó por la causa y propuso que toda la tierra fuera redistribuida de manera equitativa según la ley. Esta propuesta amenazaba a más terratenientes de la comunidad, no sólo a Lorenzo, y la controversia, alimentada por múltiples rumores, desacuerdos pendientes y rotundas confrontaciones, llegó al punto de ebullición.

Predominan dos versiones de lo que pasó: la de Lorenzo Hernández y la del hermano de la víctima, Gregorio Martínez. Según lo que afirmó Lorenzo, Gregorio se encontraba cada vez más inquieto por las acciones de su hermano. Lo siguiente es el testimonio de Lorenzo, tal como fue registrado en los documentos judiciales durante el proceso por asesinato. He editado algunos párrafos para facilitar su comprensión.

> Sí, es verdad que en varias ocasiones Gregorio Martínez me decía que nosotros debíamos hacerle algo a su hermano, matarlo, porque él se tornaba muy conflictivo. Me dijo esto porque Gregorio era Comisariado Ejidal y Pedro era del Consejo de Vigilancia, pero ellos nunca estaban de acuerdo. Gregorio era del PRI y Pedro era del PST y nunca estaban de acuerdo en la forma de administrar el pueblo.
>
> El viernes 14 de ese mes, Gregorio vino a mi casa más o menos a las 6:30 de la tarde. Me dijo que por la mañana del día siguiente su hermano Pedro saldría para ir a una reunión con sus compañeros del partido. Me confió que tenía miedo de que Pedro estuviera apalabrándose con otros para matarlo. Dijo que estaba harto y cansado de su hermano, que sería mejor quitarlo de en medio y que quería que yo lo acompañara. Yo pensé: ya que Gregorio quería matar a su propio hermano, si yo lo acompañaba se me consideraría menos responsable por el hecho que a él. Gregorio me preguntó si yo podía pedir prestada un arma para él. Por eso, más o menos a las 7:00 de la misma noche, fui a la casa de mi sobrino para pedirle prestada su escopeta. Le quedaba sólo un cartucho y le dije que se lo pagaría más tarde si lo usaba. Le comenté que quería la escopeta para cazar patos.
>
> La mañana siguiente, más o menos a las 7:00, Gregorio regresó a mi casa, me silbó para que saliera a recibirlo y dijo que nos teníamos que ir porque ya se hacía tarde. Entonces yo le entregué la escopeta. Nos fuimos de prisa al lugar llamado El Chote, cerca del punto donde el camino pasa por una bajada empinada, y nos escondimos en un matorral. Al poco rato se apareció Pedro con su amigo Martín y pasó cerca de nosotros. Gregorio se levantó, agachándose por debajo del matorral, y le metió un tiro en la cara a su hermano con ese único cartucho. Martín, salpicado con la sangre de Pedro, enmudeció y se quedó parado unos instantes para luego escapar lo más rápido posible.
>
> Gregorio, al ver que Martín estaba lejos, saltó del matorral y se acercó a su hermano, que ya había muerto. Entonces, para que nadie pudiera sospechar lo que había pasado, Gregorio le robó al difunto. Dejamos a Pedro en el camino con la cara destrozada por el escopetazo; su sangre penetraba en la tierra seca. Al regresar al pueblo, Gregorio dijo

> que teníamos que volver a nuestras casas y que no dijéramos nada. Le devolví el arma a mi sobrino y, después de un rato, fui al grupo semanal del trabajo comunitario que ya se estaba reuniendo en la escuela.
>
> Más tarde Martín vino al pueblo para informar dónde se encontraba el cuerpo y todos fuimos a El Chote. La gente inmediatamente reconoció que Pedro era el difunto y Gregorio, mi sobrino y yo nos convertimos en sospechosos. La policía vino de Ixhuatlán de Madero y nos llevó a la cárcel. Es verdad que confesé muchas cosas en Ixhuatlán pero lo que dije no es lo que realmente pasó. Me golpearon los policías y después me sumergieron en un tanque de agua helada hasta que les dije lo que querían escuchar. El hecho es que yo estuve presente en la emboscada, pero Gregorio, su propio hermano, fue quien apretó el gatillo.

La historia de Gregorio difiere de la de Lorenzo. Según el documento del Tribunal, él declaró que en verdad no sabía quién mató a su hermano. Aseguró que varios testigos podían confirmar que él estuvo en la reunión de trabajo en la escuela al momento del asesinato. Más aún, declaró que Lorenzo y su hermano eran enemigos mortales y que Lorenzo se oponía con vehemencia a que se midieran las parcelas del terreno y se adjudicaran a cada jefe de familia. Él también se retractó de la confesión previa, la cual, según alegaba, se había conseguido bajo tortura policial. En resumen, Gregorio hizo proyectar la sospecha hacia Lorenzo aunque previamente ellos habían sido aliados en contra de Pedro y de la facción del PST.

Se condujo una investigación durante varios meses mientras Lorenzo, su sobrino y Gregorio permanecían detenidos en la cárcel. Martín, el compañero de la víctima, se negó a atestiguar por miedo a que se vengaran los asesinos o sus amigos. El testimonio del resto de los aldeanos se agrupó de acuerdo con la facción que apoyaban. Testigos juraron que Gregorio estaba en la reunión laboral durante el asesinato y que él no pudo haber cometido el crimen. Otros, que Lorenzo había estado con ellos en el momento del asesinato y que, por lo tanto, no pudo haberlo cometido. Incluso, declararon que Lorenzo no había tomado prestada la escopeta de su sobrino. Al final de la investigación inicial el panorama era confuso y en apariencia no tenía solución. Muchos aldeanos empezaron a pensar que Pedro había sido asesinado por pistoleros contratados por ganaderos locales. En realidad, los ganaderos sí estaban preocupados por el éxito que Pedro estaba alcanzando en sus esfuerzos para redistribuir la tierra de las haciendas entre sus coterráneos.

Los tres hombres fueron acusados de asesinato y se formuló un proceso para determinar los diferentes grados de responsabilidad de cada uno en el crimen. Hubo un avance en el proceso cuando la policía convenció a Martín que atestiguara acerca de lo que había presenciado el día del asesinato. El siguiente es su testimonio del día del proceso, que yo copié de documentos judiciales. Otra vez he editado la declaración para mejorar su comprensión:

> Por miedo, no atestigüé antes acerca de quién disparó el balazo que mató a mi compañero Pedro Martínez. Pero la verdad es la siguiente: el día del crimen acompañaba a mi amigo Pedro hasta que llegamos al lugar llamado El Chote. Oí un tiro de escopeta proveniente de la izquierda. Mi compañero cayó en la vereda boca arriba, mortalmente herido. Por el asombro, yo me paré un momento y volteé hacia el lugar de donde salió el tiro. Ahora puedo afirmar que el hombre quien disparó el balazo fue Lorenzo Hernández. Lo pude ver perfectamente porque era de día y lo conozco bastante bien. Puedo decirlo sin temor de confundirlo con otra persona. Sabiendo muy bien que Lorenzo es un individuo en extremo peligroso, hui de ese lugar y me juré a mí mismo que nunca revelaría quién mató a Pedro Martínez.
>
> Ahora lo atestiguo porque las autoridades me han garantizado mi seguridad personal. He decidido decir la verdad aunque temo ser víctima de represalias. Además, declaro no haber visto a ningún compañero de Lorenzo a la hora del tiro.

El juez escuchó el proceso y evaluó toda la evidencia confusa y contradictoria. La sentencia se basó en la necesidad de sopesar los diferentes testimonios más que en un intento por averiguar la verdad absoluta del asunto. A Lorenzo lo declararon culpable de homicidio, con algunas circunstancias atenuantes. Lo sentenciaron a 15 años de prisión. Gregorio y el sobrino de Lorenzo fueron absueltos del crimen y los liberaron después del proceso. A Lorenzo lo liberaron después de nueve años y regresó a Amatlán para reiniciar su vida. De hecho, él volvió a la comunidad en 1986, mientras mi familia y yo estábamos allá. Nos invitó a comer en su casa "para recordar el pasado" y me informó que pensaba dedicar su energía al cultivo de su milpa y a la celebración de los rituales tradicionales. Fui padrino de su hijo de 12 años y ya muy tarde una noche me confió que él no mató a Pedro Martínez.

El asunto del asesinato, incluso en la versión simplificada que he presentado, refleja la complejidad y la naturaleza intrincada de la política de una aldea. Más importante aún es que refleja parte de la dinámica que yace bajo la vida aldeana. Lo primordial del asunto es la lucha por la tierra. En cierto sentido, la competencia por la tierra empezó cuando los españoles desembarcaron por primera vez en Veracruz hace casi medio milenio. Aunque la verdadera distribución de la tierra, a largo plazo, dio inicio a partir de la Revolución Mexicana, tal como revela el presente caso, la lucha entre los indios y los ganaderos o entre los indios mismos está lejos de finalizar. La escasez de tierra es un problema que penetra la vida aldeana. Sirve de testimonio el altercado entre Pedro y su hermano Gregorio por su herencia. Su enemistad pudo haber empezado en los conflictos que tuvieron durante su infancia, pero es interesante notar que ésta se expresara en una acalorada pelea por la tierra. La mayoría de los aldeanos interpreta los pleitos entre hermanos como el resultado de una disputa por la tierra. La escasez de tierra, debida al patrón de herencia, que hace que se confronten hermanos entre sí, es una de las causas subyacentes de ésta y de muchas otras tragedias en la región del sur de la Huasteca.

El rasgo clave que revela este caso es la relativa impotencia de la comunidad ante las fuerzas externas. Lorenzo fue seleccionado para representar a los aldeanos sin tierra porque su español era el más aceptable para los abogados y los burócratas de la ciudad. La barrera lingüística y cultural entre el indio y aquellos que se encuentran en puestos de poder, en los ámbitos nacional o regional, llega a ser utilizada en contra de los aldeanos. Constantemente se les hace asumir posturas de súplica o incluso de ruego por cuestiones que ya suelen ser parte de sus derechos bajo la ley. Hay que notar también la forma como se alega, que la policía y la milicia de las localidades torturan a sospechosos para obtener "confesiones". En la sentencia, el juez asignado al proceso penal mencionó de pasada los golpes y las torturas con agua, pero sin indicar que había que ponerles fin o investigarlos. En ciertas ocasiones, la posición marginal que ocupan los indios en la sociedad mexicana actúa en favor del individuo. Una razón por la cual Lorenzo fue sentenciado por asesinato bajo circunstancias atenuantes fue que el juez notó "su bajo nivel cultural", o sea que él "no era nada más que un indio" y por lo tanto no podía considerarse responsable total de sus acciones. Sin embargo, el hecho de ser indio con más frecuencia significa impotencia y ciudadanía de tercera categoría a los ojos de la élite en el poder.

Paradójicamente, puede haber cierto poder en no tener poder, como expondré en los siguientes capítulos. Sin embargo, el caso de Pedro Martínez revela un obstáculo clave que impide que los aldeanos expresen de manera efectiva el poco poder que tienen. A pesar de su identidad común como indios que viven en un mundo hostil que no es obra suya, los aldeanos están divididos entre sí. No expresan una voz unánime y por eso su mensaje es incoherente y está socavado por la falta de consenso. A menudo, la violencia que se deriva de la desigualdad social va dirigida hacia adentro, en contra de otras víctimas del mismo sistema injusto. La gente de Amatlán tuvo que sufrir la doble agonía de tener en su comunidad una víctima de asesinato y un asesino, sin mencionar que la comunidad estaba dividida por completo contra sí misma. La lucha fue una confrontación entre hermanos y entre facciones de la comunidad; las comunidades pequeñas casi siempre luchan entre sí por asuntos locales específicos. Pero el pretexto de la batalla se manifestó como una lucha entre el PRI capitalista y el PST socialista, dos filosofías políticas arraigadas en el medio urbano de México, derivadas de una tradición europea en esencia ajena para los indios. Los conflictos aldeanos en México y en todos los países en desarrollo se expresan cada vez más en el lenguaje de las luchas globales por principios filosóficos abstractos. La guerra entre estos sistemas políticos en realidad se lleva a cabo en escenarios nacionales e internacionales pero, como demuestra el caso de Amatlán, ahora vemos que comienza a penetrar en las pequeñas aldeas, lejos de los centros urbanos del poder. Las cuestiones filosóficas pueden ser abstractas, mas las heridas y las muertes son concretas y muchas veces son los aldeanos rurales quienes sufren las heridas y quienes se desangran (véase Wolf, 1968: 314).

La comunidad en la nación y en el mundo

Para clarificar la dinámica de la vida aldeana tenemos que llegar a comprender el lugar de la comunidad india en México. Esta comprensión ha resultado difícil de lograr. El primer problema reside en hacer la distinción entre indios y no indios. Llamaremos indios a las personas que se identifican como tales y que se conducen según los sistemas culturales derivados, en gran parte, de las tradiciones prehispánicas de México, pero que, como hemos visto, también incluyen elementos de origen europeo. Llamaré mestizos a las personas que se identifican como tales y que se comportan de acuerdo a la cultura nacional, la cual, a pesar de que incluye algunos elementos adoptados de la tradición prehispánica, es de origen esencialmente europeo occidental. En el capítulo 2 aparecen definiciones más precisas, junto con un análisis de las dificultades para distinguir estas categorías sociales.

A lo largo de los años muchos estudiosos han tratado de analizar las interacciones complejas y las relaciones estructurales entre las comunidades de indios y las fuerzas regionales, nacionales e internacionales que las afectan. Se puede decir que el único punto de acuerdo que ha surgido de este esfuerzo es que las poblaciones indias o las llamadas poblaciones campesinas de México están en una situación de enorme desventaja social, económica y política en sus relaciones con los representantes de la economía nacional y del gobierno. Las a veces contradictorias aproximaciones al entendimiento del puesto que ocupan las pequeñas comunidades campesinas en la sociedad mexicana, que describo en esta sección, son simplemente áridos ejercicios académicos. La política del gobierno e incluso nuestras propias posturas políticas ante cuestiones tales como la explotación, la pobreza, la crisis global demográfica, los derechos humanos y la pluralidad cultural son determinadas en gran parte por las suposiciones que se hacen respecto a la cuestión de cómo se relacionan las pequeñas comunidades campesinas con las naciones y con el mundo. Incluyo resúmenes de estas diferentes aproximaciones para alejar el foco de atención fuera del microcosmos de la vida aldeana y así ver el lugar que ocupa la aldea en el escenario nacional e internacional.

En los años cuarenta Robert Redfield propuso una de las primeras formulaciones. Él fue uno de los primeros antropólogos en orientar su atención hacia los campesinos y es bien conocido por sus estudios realizados en el pueblo nahua de Tepoztlán y en varias comunidades de la península de Yucatán (1930, 1934, 1941, 1950, 1953 y 1960). Gracias a su perspicacia, basada en el trabajo de científicos sociales anteriores, en particular Maine, Durkheim y Tönnies, Redfield visualizó un continuum rural-urbano en donde aldeas, pueblos y ciudades conforman una secuencia en desarrollo. En un extremo de la secuencia se encuentran las comunidades campesinas, como Amatlán, que están aisladas, son pequeñas, homogéneas y están basadas en las relaciones familiares. Para la gente de estas "pequeñas comunidades", según Redfield, el mundo social y natural está saturado por el sentido de lo sagrado y el universo está gobernado por un poderoso orden moral. En el otro extremo del continuum se encuentran los pueblos y las ciudades que muestran características opuestas. Al trasladarse a lo largo de un continuum, desde la aldea hasta el centro urbano, la cultura se hace cada vez más heterogénea y pierde coherencia y organización. Los mundos sociales y naturales se secularizan y el orden moral del universo se desintegra. Al final, con el desmembramiento de las grandes familias en los centros urbanos, la orientación comunal de los aldeanos se destruye y ellos se individualizan.

Tal como lo conceptúa Redfield, el continuum rural-urbano reproduce las etapas históricas por las cuales han pasado las pequeñas comunidades en el camino hacia su transformación en ciudades. El continuum rural-urbano es también un modelo de aculturación que traza los cambios en la vida aldeana cuando las influencias de la ciudad abaten las tradiciones locales. Para Redfield, la dirección del cambio cultural es unilineal y las aldeas se parecen cada vez más a los centros urbanos dominantes a medida que el desarrollo económico permite que las ciudades invadan más las áreas rurales. La cultura india en México sobrevive en "pequeñas comunidades" aisladas, tales como Amatlán, localizadas lejos de las ciudades. La cultura india está conectada con la vida aldeana de manera fundamental y cuando las pequeñas comunidades sean absorbidas por el México urbano, las tradiciones prehispánicas restantes y sus identidades étnicas al fin desaparecerán.

Redfield estaba interesado en los campesinos y quería determinar si ellos representan o no un tipo social universal. De acuerdo con Eric Wolf (1955), Redfield caracterizó a los campesinos como personas que viven en pequeñas comunidades rurales y que cultivan plantas como parte de sus tradiciones y no como negocios con fines de lucro. Añadió que los campesinos muestran un fuerte apego tradicional a la tierra y que, de alguna manera, ellos controlan los terrenos que trabajan. Un factor clave para entender a los campesinos, según Redfield, es que éstos existen sólo en relación con los centros urbanos. No había campesinos antes de la aparición de las ciudades y éstas dominan la vida política, económica y social de todas las comunidades campesinas. Los campesinos representan un tipo de personal laboral rural que provee a la ciudad de alimentos mediante el trueque o la venta a pequeña escala de sus cosechas excedentes, pero la relación campesino-ciudad es asimétrica: el centro urbano retiene todo el poder y el prestigio.

Para aclarar la relación entre los campesinos y las ciudades, Redfield desarrolló los conceptos de las "grandes y pequeñas tradiciones" (1960: 41 y ss.). Los campesinos poseen una pequeña tradición que está arraigada en la vida aldeana, la cual carece de la influencia de los estudiosos profesionales que podrían sistematizarla y codificarla. Las ciudades producen filosofías sofisticadas, religiones y formas estéticas que llegan a ser las grandes tradiciones que caracterizan a toda una nación o todo un Estado. De acuerdo con Alfred Kroeber (1948: 284), Redfield escribió que los campesinos son "sociedades parciales con culturas parciales": en sí son incompletas y sólo existen como pequeñas tradiciones que dependen de la gran tradición, pero que al mismo tiempo no pueden participar plenamente en ella. Los campesinos comparten algunas características sociales y culturales con la ciudad; constituyen el extremo campesino del continuum rural-urbano, pero participan en la totalidad del sistema social como simples actores secundarios en el drama nacional e internacional.

En apariencia, el modelo de Redfield es digno de elogio. Aparte de organizar en un esquema coherente gran cantidad de información sobre comunidades, pueblos y ciudades mexicanos, también intenta definir al campesinado y documentar los procesos de modernización y occidentalización. Sin embargo, como muchas de las formulaciones iniciales, ha resultado inadecuado para explicar la relación compleja entre la comunidad y el Estado en México. Un problema inmediato para entender al campesinado en toda América Latina es que la Conquista española sustituyó las grandes tradiciones indias con una de origen europeo. La discontinuidad que hay entre la gran tradición española y las pequeñas tradiciones encontradas en las comunidades indias, aun sin mencionar las discontinuidades de lengua y costumbre, condujo a Redfield a denominar como semicampesinos a los indios. Esto significa que las miles de aldeas indias que hay por todo México y América Latina no entran en la definición estricta del campesinado.

Se revelan más defectos graves en el esquema de Redfield cuando los antropólogos aplican el concepto del continuum rural-urbano a las situaciones de la vida real que investigan. Muchas aldeas pequeñas que se encuentran cerca de los centros urbanos han conservado su carácter indio, mientras que aldeas lejanas, en regiones rurales, han experimentado cambios dramáticos. La afirmación de Redfield acerca de la homogeneidad de la pequeña comunidad es negada en numerosos estudios que muestran que las aldeas indias se pueden caracterizar por diferencias internas significativas, tanto en el ámbito de la riqueza como en el del poder político. El relato del asesinato en Amatlán es un ejemplo de divisiones y desacuerdos fundamentales que deberían estar ausentes en la comunidad pequeña ideal.

Surgen más complicaciones cuando se investigan algunos acontecimientos en México que el continuum rural-urbano pasa por alto. De hecho, los centros urbanos pueden ser los escenarios en donde se resucita alguna versión de la identidad india. Los antropólogos han documentado a habitantes urbanos, alejados de la vida aldeana en el tiempo y el espacio, quienes dedican gran parte de su tiempo y dinero a restablecer sus vínculos culturales y lingüísticos con sus antepasados indios (por ejemplo Royce, 1975). En las pequeñas aldeas la cultura india está lejos de ser la pasiva y evanescente sobrevivencia prehispánica que, según la representa Redfield, estaría condenada a la extinción bajo la arremetida urbana.

Para actuar ante un mundo que se encuentra en perpetua evolución, los indios han desarrollado respuestas que incluyen la creación de rituales totalmente nuevos que se basan en su patrimonio prehispánico. El culto a *chicomexochitl,* que celebra la naturaleza sagrada del maíz, es un ejemplo de estos rituales y se analiza en el capítulo 6. De hecho, un propósito mayor de este libro es documentar que, a pesar de su posición desventajosa en relación con el México urbano, los indios rurales están lejos de ser personajes pasivos en el drama nacional. Ellos también tienen sus estrategias para lograr lo que desean y para defenderse en la lucha con la economía nacional y el gobierno por la distribución de los recursos.

Del mismo modo que Redfield, Eric Wolf asocia la supervivencia de la cultura india con un tipo particular de grupo social rural que él llama la "comunidad corporativa cerrada" (1955, 1957; véase, también, 1960). Según Wolf, la aparición de la comunidad corporativa cerrada en México es el resultado de ciertas fuerzas históricas, en particular las que condicionaron las relaciones entre España y sus colonias en el Nuevo Mundo, y más tarde las que influyeron en el desarrollo económico y político de la sociedad poscolonial. Las características clave de estas comunidades se derivan de su previa necesidad de organizarse durante el México colonial para cumplir con los pagos de tributo y suplir las labores forzadas. En el siglo XIX las comunidades se reorganizaron para satisfacer la necesidad de tener una mano de obra asalariada temporal y un personal laboral autosuficiente que pudieran ser utilizados en las empresas capitalistas que estaban en desarrollo en México.

La comunidad corporativa cerrada de Wolf se caracteriza por el control que la comunidad ejerce sobre los recursos de la tierra, por los mecanismos que se utilizan para presionar a los individuos a redistribuir la riqueza excedente, por valores que exaltan "la pobreza compartida", por la exclusión de extraños que buscan integrarse a la comunidad y por mecanismos que disuaden a sus miembros de desarrollar vínculos sociales fuera de la comunidad. Por lo tanto, los rasgos internos y externos de estas comunidades sirven para aislarlas de una sociedad mayor y del potencial para el cambio que ésta representa. Según Wolf, la cultura india ha persistido en México y en otros lugares porque existe conjuntamente con las comunidades corporativas cerradas.

Amatlán conserva su carácter indio y en apariencia muestra muchos rasgos corporativos. Sin embargo, este estudio mostrará que las características adicionales de la vida aldeana no se ajustan muy bien a la tipología de Wolf. Por ejemplo, a largo plazo existen diferencias reales en cuanto a la riqueza y el poder político dentro de Amatlán. Los individuos que se dedican a la ganadería dentro de la economía aldeana están sustancialmente en mejor posición que los demás miembros de la comunidad. Sin embargo, no son objeto de desprecio ni son sujetos de sanciones mágico-religiosas provenientes de la envidia. Es más, los aldeanos siempre han salido del sur de la Huasteca periódicamente para trabajar en regiones vecinas y algunos han trabajado hasta en la ciudad de México. Casi todos tienen parientes en las ciudades de toda la parte norte de México y esta gente regresa a la aldea con regularidad, sobre todo con motivo de las ceremonias rituales. Según mis averiguaciones, Wolf sobrestima la homogeneidad y el hermetismo de las comunidades indias tradicionales. Además, como mostraré, subestima el grado en que los indios participan de manera activa en la economía nacional. La gente de Amatlán se diferencia más en la forma de esta participación que en su sustancia. Cuando alguien se encuentra entre los de abajo, el hecho de ser percibido como indio puede tener sus ventajas en los empeños económicos y políticos.

Ahora, si ser indio puede servir de beneficio económico y si las aldeas pueden crear y mantener sus propias élites internas, entonces, ¿por qué los indios y los campesinos de México ocupan de manera consistente el peldaño inferior de la escalera socioeconómica? Ésta es una pregunta compleja que ha tenido diferentes respuestas de varios académicos. Las teorías de Arturo Warman (1976) y Rodolfo Stavenhagen (1975, 1978 y 1980) se centran en los factores históricos y en la continua dinámica social, política y económica dentro de la sociedad mexicana moderna. Después de la Conquista los españoles instituyeron un régimen colonial con la intención de sacar la riqueza de la Colonia y transferirla a España. A principios del siglo XIX México ganó su independencia y las élites nacionales introdujeron el modelo capitalista de producción, tanto en la industria como en la agricultura. Sin embargo, ésa fue una variante peculiar del capitalismo, por completo dependiente de las economías más maduras de Europa y Estados Unidos. Lo que resultó fue el sistema económico dual que tiene México hoy día. En las ciudades y en los grandes ranchos y las grandes fincas predominan las modernas empresas capitalistas, mientras que en las áreas rurales campesinos e indios practican técnicas productivas que han cambiado muy poco desde la época colonial o incluso desde la época prehispánica.

El sistema económico dual que caracteriza a México priva al sector indio y campesino de las inversiones externas y de la utilización de la tecnología moderna que éste necesita para participar en la nación como socio igualitario. De hecho, la economía dual está instituida para extraer la riqueza a los pequeños agricultores y transferirla al sector capitalista en desarrollo. Esto se logra de muchas maneras. En un lugar como Amatlán el producto excedente, maíz por lo general, se vende a intermediarios profesionales, en los mercados locales, y éstos lo transportan a los mercados urbanos para revenderlo. Por lo común los precios ofrecidos a los aldeanos se encuentran considerablemente por debajo del promedio nacional pero, dada la falta de transporte, los indios no tienen otra opción que vender así. Por consiguiente, este mecanismo de precios controlados por los intermediarios monopolistas efectivamente transfiere la riqueza de la aldea a la economía nacional.

Entre los métodos adicionales para transferir la riqueza de la aldea al sector capitalista de la economía se encuentran los desiguales procesos inflacionarios que anulan cada vez más el valor de los productos agrícolas en relación con los artículos manufacturados, los monopolios de los medios de transporte que permiten cobrar precios exorbitantes, la tendencia hacia la disminución del tamaño de las posesiones individuales de tierra debido al incremento de la población y la competencia de las empresas agropecuarias con los indios y los campesinos por el remanente de la tierra cultivable. En efecto, lo que ha pasado desde la Independencia de México es que las poblaciones campesinas e indias han llegado a ser colonias internas, ahora expoliadas por sus compatriotas en las ciudades y en las fincas, y por los ranchos de las empresas agropecuarias.

Según Warman y Stavenhagen, en el sistema capitalista dependiente, tal como se presenta en México y gran parte de Latinoamérica, la riqueza producida en el ámbito local es explotada por las economías más desarrolladas de Estados Unidos y Europa. Por ejemplo, cada año billones de dólares son transferidos desde la economía mexicana hacia los Estados Unidos, con frecuencia en la forma del pago de intereses sobre la deuda externa. En México existe la necesidad urgente de conseguir fondos para la inversión en la industria local y para las empresas agropecuarias, y estos fondos se consiguen mediante el incremento en la explotación del sector campesino e indio de la economía. Debido a que la horticultura aldeana requiere mucha mano de obra, los involucrados han respondido a la presión de la única manera posible: aumentando su número. Este auge de población al fin y al cabo empeora el problema porque los recursos de terreno están limitados y el siempre creciente número de campesinos e indios los obliga a buscar trabajo fuera de sus aldeas durante parte del año. Los salarios que se les pagan a estos trabajadores temporales son sumamente bajos, lo cual sirve para transferir aún más riqueza hacia el sector capitalista nacional.

Muchos mexicanos urbanos comparten con los expertos internacionales en desarrollo la opinión de que la horticultura aldeana con su antigua tecnología tradicional, como la que se presenta en Amatlán, constituye un obstáculo para el desarrollo económico general. Tanto Warman como Stavenhagen señalan todo lo contrario: que las cosechas excedentes que producen los campesinos son las que dan energía al capitalismo mexicano. Warman llega al extremo de declarar que la industria mexicana está "hecha de maíz" (1976: 176). Ambos académicos demuestran que, de hecho, la pobreza de las aldeas es causada por el exceso de riqueza que extrae el sector capitalista dependiente en la economía mexicana. Señalan la extrema ironía con que representantes del propio sistema, el cual causa el atraso económico en las aldeas indias y campesinas, son capaces de afirmar que más bien son las aldeas indias y campesinas las que en realidad impiden la expansión económica.

Del trabajo de Warman y Stavenhagen podemos concluir que a las élites mexicanas en el poder les interesa mantener una población significativa de productores agrícolas en las pequeñas aldeas. Lejos de constituir un obstáculo para el desarrollo económico, tal arreglo tiene muchas ventajas de corto plazo para el sector capitalista. Las poblaciones rurales proporcionan una fuente de riqueza excedente que se necesita con urgencia para las inversiones y una reserva de mano de obra barata. Estas personas tampoco exigen costosos servicios sociales, como el seguro social o el seguro de desempleo, porque siempre pueden regresar a sus aldeas en tiempos de necesidad. Las prácticas agrícolas intensivas de las aldeas absorben enormes cantidades de personas que de otra manera exacerbarían el problema crónico del desempleo en México. Por último, el hecho de mantener a la gente en las zonas rurales estabiliza todo el sistema social, al dispersar los movimientos políticos que exigen un cambio.

Sin embargo, Stavenhagen señala que los campesinos empobrecidos al fin y al cabo impiden el desarrollo económico en México, porque la gente pobre no puede comprar las mercancías industriales que se producen en las ciudades. Esto a su vez hace que el sector capitalista dependa más de los Estados Unidos y Europa, lo cual resulta en mayores grados de pobreza entre los indios y campesinos. Warman ilustra la situación insostenible de los campesinos al examinar los ciclos de la producción de maíz en el estado de Morelos. Contrario a toda aparente lógica económica, él encontró que al subir el precio del maíz disminuía la producción y al bajar el precio ésta aumentaba. Esto es todo lo contrario a lo que esperan los economistas y la situación ha reafirmado la opinión de algunos expertos que ven como irracionales las actividades productivas de los campesinos. En realidad, la distorsión es causada por la pobreza de los campesinos y no lo contrario. El maíz es el cultivo de primera necesidad y cuando bajan los precios de los productos agrícolas los campesinos regresan al maíz para asegurar su provisión de alimento. Cuando los precios de los productos agrícolas suben, los campesinos cambian a cultivos más rentables, que incluyen un surtido de vegetales, y recortan la producción del maíz. Por lo tanto, de nuevo, el sistema de precios y los ciclos de los precios de los cultivos, en efecto, impiden a los campesinos entrar en la economía nacional en pie de igualdad con los demás productores.

Warman y Stavenhagen también explican que la persistencia de las poblaciones campesinas e indias en el México moderno se debe al papel crítico que éstas desempeñan en el mantenimiento del sistema capitalista dominante. Conforme a su punto de vista, los factores clave para entender el lugar que ocupa la aldea en el México moderno deberían identificarse al analizar los procesos históricos que condujeron a la presente situación socioeconómica y al desenmarañar la compleja y a veces contradictoria naturaleza del capitalismo dependiente en México. Según los objetivos de estos analistas, la investigación a escala regional o nacional es lo que mejor revela las fuerzas que unen a los aldeanos con el sistema global. Sin embargo, ambos reconocen que los habitantes de las pequeñas aldeas no son espectadores pasivos en el sistema nacional e internacional del que constituyen parte. Los aldeanos tienen sus propias estrategias y prioridades, y los procesos mayores que dilucidan Warman y Stavenhagen los realizan personas verdaderas en lugares particulares. El proceso de incorporación social funciona de ambas maneras y los aldeanos elaboran sus propios medios para enfrentar las fuerzas políticas y económicas predominantes.

El antropólogo mexicano Gonzalo Aguirre Beltrán (1979) desarrolló una perspectiva influyente y sugerente de los indios en América Latina que difiere en el énfasis con los puntos de vista que se presentan arriba. Él reconoce que los indios contemporáneos son vestigios de las culturas prehispánicas y que, como tales, son más que sólo agricultores económicamente subdesarrollados. Los indios se distinguen étnica pero no racialmente de los representantes de la cultura nacional. La cultura india ha sobrevivido en lo que él llama "regiones de refugio", que son ambientes hostiles e inaccesibles, muy poco o nada atractivos para los agentes del desarrollo capitalista.

Mediante un fenómeno que Aguirre Beltrán llama el "proceso dominical" (véase Hunt, 1979: 1), los centros de la nación, económica y tecnológicamente avanzados, son capaces de dominar a los indios que viven en las regiones de refugio. El proceso dominical incluye elementos como el control político, la subordinación económica, la distribución desigual de servicios sociales, el mantenimiento de la distancia social y las actividades de los misioneros que inducen a los indios a ser sumisos, a aceptar su bajo estatus y hasta a acogerse al mismo.

Dentro de estas regiones de refugio los indios viven en pequeñas aldeas rurales y forman un tipo de casta en relación con los representantes mestizos de la nación, quienes en su mayoría viven en ciudades provincianas. Él utiliza el término *casta* en vez de *clase* para enfatizar la arcaica y extremadamente rígida jerarquía social que caracteriza las relaciones entre los indios y los mestizos. Los indios son agricultores de subsistencia que operan en una microeconomía precapitalista basada en la reciprocidad y redistribución de bienes, mientras que los mestizos constituyen una parte de la economía capitalista nacional que se orienta hacia la ganancia y el lucro. Esta economía dual, igual que el proceso dominical en general, es herencia de la historia colonial de México.

Aguirre Beltrán resalta los mecanismos que mantienen a los indios separados y en un plano de desigualdad. Los representantes de la cultura nacional se oponen con energía a que los indios entren en la corriente principal de la nación. Aun los mestizos locales se encuentran cerca de los estratos más bajos de la jerarquía nacional y el hecho de que por debajo tengan una casta de indios a menudo sirve a sus intereses. Los mestizos mantienen su posición para con los indios mediante la fuerza y un elaborado sistema de falsa conciencia que mistifica la verdadera naturaleza de la interacción entre ellos. Por lo tanto, desde el punto de vista del mestizo, los indios necesitan su pericia para proveer algún elemento de racionalidad a su vida económica y laboral. Por su parte, los indios resisten tenazmente las fuerzas de asimilación que a su parecer significarían la destrucción de sus culturas tradicionales. Su sistema político, su lenguaje, su religión, su visión del mundo, su fuerte identificación con la tierra y el medio ambiente local, y sus experiencias negativas al relacionarse con los mestizos conducen a los indios a cerrar sus comunidades a las influencias externas.

En el centro de la perspectiva de Aguirre Beltrán acerca del lugar que ocupan los indios en la nación está la idea de que las comunidades de tipo colonial que caracterizan a las regiones de refugio impiden que los indios evolucionen más allá de su fase de desarrollo prehispánico y precapitalista. Él plantea que aunque los indios pueden actuar de manera racional dentro de sus propios sistemas culturales, su vida económica no está dirigida por los mismos principios de racionalidad que sustentan al capitalismo moderno. Mantiene que la tierra, la mano de obra, la producción y el consumo no están regulados por el mercado y que, por lo tanto, la economía india siempre estará dominada por el capitalismo más racional de la economía nacional. La perspectiva desarrollada por Aguirre Beltrán es activista y política en el sentido de que él recomienda desmontar las barreras a la asimilación para que los indios puedan integrarse a la economía nacional. En su opinión, éste es el único modo en que los indios lograrán la igualdad social, política y económica con los demás ciudadanos de México.

La cultura india, según Aguirre Beltrán, persiste porque se le ha impedido evolucionar hacia una forma más moderna que pudiera desempeñar un papel activo en la vida nacional de México. Él concluye, del mismo modo que Warman y Stavenhagen, que la sobreexplotación de la población india y la perpetuación de la economía dual sirven a los intereses de la élite económica del país. Él está de acuerdo con Wolf acerca de la naturaleza cerrada de la comunidad india y con Redfield sobre el papel que desempeña el aislamiento social y físico en el mantenimiento de la cultura india. La perspectiva de Aguirre Beltrán se aleja un poco de la de los demás al atribuirles un papel activo a los propios indios, quienes al cerrar sus comunidades logran mantener intacta su tradición. Además, él proclama de forma manifiesta lo que los demás sólo insinúan: que los indios tienen que perder su cultura para ganar su libertad.

Los problemas con el punto de vista de Aguirre Beltrán son comparables con los que se sugieren los casos de Redfield y Wolf. Las comunidades ubicadas cerca de las ciudades pueden retener un fuerte carácter indio y las aldeas indias remotas no siempre son tan cerradas como parecen. Los datos recabados en Amatlán revelan diferencias persistentes y sustanciales en cuanto a la riqueza entre los propios indios, y algunos individuos han llegado a ser considerados ricos aun en comparación con los mestizos locales. Pero la deficiencia más grave en la perspectiva de Aguirre Beltrán, y la que comparte con los demás, es la manera en que él malinterpreta la naturaleza de la economía india. Representa la actividad económica de una aldea como si fuera esencialmente irracional o, en el mejor de los casos, como racional dentro de un sistema cultural irracional. Aunque es cierto que en Amatlán no se puede comprar ni vender la tierra, que no hay acceso a créditos mayores y que gran parte de la actividad productiva se realiza a base de la reciprocidad, sería un grave malentendido concluir que por lo tanto los aldeanos no planifican, ni economizan, ni tampoco participan en empresas rentables. Regresaré en breve a esta percepción equivocada en los capítulos subsiguientes.

Todas las perspectivas que se presentan arriba presuponen la existencia de una población india cuyo complejo cultural difiere del grupo hispanizado dominante de la sociedad mexicana. Sin embargo, algunos estudiosos concluyen en que lo que quedaba de la cultura india después de la Conquista española fue destruido durante el largo periodo de colonización. Lo que permanece del pasado prehispánico son unos pocos vestigios de cultura, como la lengua y algunos elementos dispersos del vestido o de la fe religiosa, los cuales se han incorporado a lo que ahora es un sistema hispanizado por completo. Desde este punto de vista, la idea del indio como una persona de cultura diferente es simplemente un aspecto de la falsa conciencia creada por una sociedad que triunfa a través de la despiadada explotación de la gran mayoría de sus ciudadanos.

Judith Friedlander (1975) adopta esta posición cuando escribe sobre su trabajo etnográfico en el pueblo nahua de Hueyapan, en el estado de Morelos. Los habitantes de Hueyapan han perdido la mayor parte de sus tradiciones indias, con la excepción notable del idioma náhuatl, y sin embargo funcionarios del gobierno, maestros de escuela, representantes de los medios de comunicación y mestizos locales los han presionado a autodefinirse como indios. La población hispana en general considera que los indios están atrasados, que son estúpidos e ineptos —la antítesis del civilizado y sofisticado mexicano urbano—. Al preguntarles acerca de su indianidad, la mayoría de la gente de Hueyapan respondía de manera pesimista enumerando lo que les faltaba o lo que no podían hacer. En esencia, para ellos ser indio significaba ser pobre. Friedlander escribe que, sencillamente los de Hueyapan son mexicanos rurales que han sido presionados a aceptar una identidad india. El gobierno, a través de sus diferentes programas, ha logrado "integrar y a la vez apartar" de la cultura nacional a esta gente (Friedlander, 1975: 153). El objetivo es mantener la economía dual que, como hemos visto, beneficia a las élites urbanas.

Roger Bartra (1977) analiza cómo las relaciones interétnicas, que se basan en la identidad india forzada, se transforman en mecanismos ideológicos que perpetúan el capitalismo. Él sostiene que la cultura nativa ha sido tan profundamente "sumergida, deformada y dominada" por las instituciones de las élites dirigentes que fue destruida en sus aspectos fundamentales (1977: 421). La economía tradicional de los indios ha sido agobiada por la economía capitalista nacional y los indios simplemente han sido incorporados como la gente pobre del sistema. De hecho, Bartra escribe que para los nuevos representantes de la economía nacional "basta simplemente con que un hombre luzca andrajoso y harapiento y que necesite alquilar su mano de obra para que caiga en la categoría de indio" (1977: 442). Por lo tanto, según Bartra, la cultura india primero fue destruida y después la categoría de "indio" fue resucitada por los representantes de la cultura nacional como una explicación y justificación de la pobreza y la explotación. Según la ideología de los explotadores, debido a su inferioridad los indios han fracasado en la economía nacional y son incapaces de integrarse a la sociedad mayor. Con trágica ironía, esta ideología mediante el "mito del nativo no integrado" atribuye a los propios pobres el profundo fracaso de la economía capitalista respecto a la eliminación de la pobreza (1977: 442).

Friedlander y Bartra se alejan de los teóricos ya discutidos en que ven la economía "india" simplemente como parte de la economía capitalista mayor de México. Los indios, como una categoría de personas con tradiciones culturales distintivas, no existen y por extensión tampoco existen sus economías precapitalistas, organizadas de acuerdo con principios que difieren de la economía nacional. Es cierto que hay individuos que se autodenominan indios; pero son personas de cultura hispánica a quienes se les ha lavado el cerebro haciéndoles creer en los mitos que las élites nacionales han creado para que acepten su bajo estatus con menos duda. Bajo este concepto, los llamados "rasgos indios" tales como la lengua, los rituales religiosos o el vestuario, son etiquetas utilizadas por las élites nacionales y por el mismo pueblo para tildar de nativos apartados de la sociedad hispánica mayor a los pobres rurales. De ahí se deduce que antropólogos y otros científicos que estudian las culturas tradicionales en México en efecto se confabulen con las élites nacionales en sus esfuerzos para tildar y segregar a los pobres rurales y explotarlos económicamente. Según esta perspectiva, el concepto íntegro de la economía dual es falso y los estudiosos que escriben sobre la oposición entre la economía india y la economía capitalista dominante también contribuyen a la explotación de los pobres rurales.

Estas cinco perspectivas sobre el lugar que ocupa la comunidad en la sociedad mexicana recorren toda una gama que abarca desde el concepto de Redfield del indio como miembro de una cultura distinta, encerrado en su comunidad rural, con su propia visión del mundo, su propio sistema social y sus propios valores, hasta el de Friedlander y Bartra, quienes ven a los campesinos como el lumpenproletariado en un sistema explotador que tilda de indios a los pobres para expoliarlos de forma más efectiva. Los diferentes puntos de vista subrayan una peculiaridad de la investigación en las ciencias sociales: las formulaciones teóricas se basan en cierto concepto de la humanidad y en ellas se encuentran valores acerca de la condición humana y, por ende, recomendaciones implícitas para resolver problemas sociales. Para Redfield la cultura india tradicional sobrevive sólo porque la cultura urbana moderna todavía no ha llegado a las aldeas remotas; en otras palabras, apenas se mantiene gracias a la gente y se desintegrará con facilidad al entrar en contacto con una opción más atractiva. Aunque él parece haber tenido cierto afecto romántico a la vida en la pequeña comunidad, vio con claridad que la trayectoria del desarrollo en México es hacia la ciudad y que la pérdida de la cultura tradicional india es inevitable.

Wolf vincula la vida india a la comunidad corporativa cerrada que interpreta como una entidad social formada en respuesta a las influencias externas y que está sujeta a fuerzas originadas en los ámbitos regional y nacional. Por dentro, la comunidad es un tipo de refugio frente a la arremetida de la industrialización y la lucha brutal por el lucro. Igual que Redfield, Wolf parece ver al indio como un tipo de persona precapitalista, interesada más en perpetuar la armonía con la naturaleza y con sus compañeros que en competir con afán de lucro. Aguirre Beltrán comparte muchos de los conceptos de Redfield y Wolf, aunque él remarca la manera en que los mecanismos regionales y nacionales han impedido el desarrollo natural de las comunidades indias. Él señala la resistencia que los indios han manifestado en contra de las influencias del mundo mestizo, pero no ve esto como un rechazo al desarrollo social y económico. Según Aguirre Beltrán, lo que quieren los indios es evitar ser incorporados al sistema nacional en el estrato más bajo y más explotado. Para él, la cultura india es un anacronismo en un país en desarrollo como México y aboga rotundamente por programas para integrar a los indios al escenario principal de la nación.

Warman y Stavenhagen, junto con Redfield, Wolf y Aguirre Beltrán, ven a los indios y a los campesinos como víctimas de un sistema injusto, basado en la economía dual. Warman y Stavenhagen conectan la economía dual con la forma mexicana del capitalismo dependiente. Los pobres del campo tienen barreras étnicas y de clase que son imposibles de superar debido a los continuos mecanismos actuales que usurpan los excedentes de sus cosechas y las remiten al sector capitalista que se encuentra en desarrollo. Para ellos, los indios y los campesinos están atrapados en un atascadero del que sólo pueden ser liberados por medio de un cambio fundamental en la política nacional hacia el desarrollo. Warman y Stavenhagen ven a los indios como víctimas perpetuas de la explotación, primero despojados por los poderes coloniales y ahora por las élites nacionales. Friedlander y Bartra comparten este punto de vista pero lo expanden hasta ver a México como una economía capitalista singular y a los campesinos como una forma más de proletariado rural. En su opinión, las condiciones de esta gente son tan devastadoras que sólo una transformación política radical podrá corregir el sistema.

Las perspectivas acerca de los indios mexicanos que aquí se presentan son una muestra del gran número de puntos de vista que han surgido desde la Revolución Mexicana. Aun en forma abreviada, transmiten parte de las complejidades para desarrollar una representación coherente de la cultura india y su relación con la totalidad nacional. La vida social humana es extraordinariamente compleja dondequiera que se encuentre, pero la situación en México se complica más por su historia colonial, su relación con las economías más desarrolladas del mundo y por el gran número de diferentes culturas indias dentro de sus fronteras. Por desgracia, desde una perspectiva científica, los puntos de vista que se presentan arriba no difieren lo suficiente para poder evaluar con toda claridad cuál de ellos es el que mejor explica la situación. Coinciden en gran medida y están basados en una selección diferente de variables. Para que se efectúe cierto progreso científico las diferentes posturas teóricas tendrán que proveer explicaciones diversas para el mismo conjunto de observaciones. Entonces, los investigadores podrán concebir pruebas basadas en más trabajo de campo para determinar la teoría más efectiva.

Los elementos de cada una de estas perspectivas ayudan a aclarar la situación en Amatlán y mejoran nuestro entendimiento de cómo concuerda la comunidad con el esquema nacional e internacional. De muchas maneras, la aldea se parece a la pequeña comunidad de Redfield y a la comunidad corporativa cerrada de Wolf. No cabe la menor duda de que las cosechas excedentes de una aldea son expropiadas por medio del artificio de los bajos precios de los productos y los bajos salarios para la mano de obra de la comunidad, tal como señalan Warman y Stavenhagen. Aguirre Beltrán tiene razón cuando caracteriza las condiciones de aspecto casi colonial como las que se encuentran en el sur de la Huasteca, que impiden que comunidades como Amatlán se desarrollen económicamente. Y también hay aldeanos que actúan como proletarios rurales parte del año cuando buscan trabajo en los ranchos ganaderos de la región. Sin embargo, muchos elementos no son aplicables a Amatlán y otros falsifican del todo la situación real.

Una zona de desacuerdo entre los investigadores en las ciencias sociales rodea la naturaleza del sistema económico en la comunidad india. Como se sugirió antes, muchos estudiosos ven la economía aldeana como precapitalista, o sea, como un sistema no dinámico, basado en algo distinto que la motivación por la ganancia. De este modo, por ejemplo, los aldeanos pueden cultivar maíz más por un sentimiento de tradición que como una estrategia racional para maximizar sus ingresos. Otros académicos ven la economía aldeana como un tipo del "capitalismo del centavo" (Tax, 1972 [1953]), idéntico en especie, pero diferente en tamaño a las empresas capitalistas en las ciudades. Estos dos puntos de vista presuponen premisas importantes acerca de la naturaleza de la sociedad no occidental y la base del comportamiento humano. Es crucial llegar a comprender la economía comunitaria, no sólo por razones científicas sino también porque los programas gubernamentales dirigidos a ayudar a los indios tienen éxito o fallan según concuerden con las realidades de la vida aldeana.

Una segunda fuente de desacuerdo que necesita solución es la de si algunas personas rurales son o no son de veras gente con costumbres distintas que las de los habitantes citadinos hispánicos. La gente tradicional de México ha sido gobernada por una élite hispanizada durante casi 500 años y por lo tanto nadie en el país se libra por completo de la influencia europea. Sin embargo, no es correcto concluir que, por ende, la cultura india está muerta. Las tradiciones prehispánicas han desaparecido de ciertas áreas de México: el Hueyapan según Friedlander y el Valle del Mezquital investigado por Bartra tal vez sean en realidad dos de estas regiones. Pero los habitantes de Amatlán y los de la gran región que los circunda deben considerarse como indios según el criterio que sea, incluso la lengua, la cultura, la organización aldeana y la autodenominación.

En mi descripción de los nahuas de Amatlán subrayaré el papel activo que desempeñan en crear y mantener su identidad étnica india. En gran medida, la cultura nahua contemporánea proviene de los antecedentes prehispánicos, pero en el pasado ha desempeñado y en la actualidad continúa desempeñando un papel dinámico para adaptar a los aldeanos a las oportunidades, los reveses y las contingencias de la vida en México. Según este punto de vista, parte significativa de la cultura nahua sobrevive y se perpetúa en las actividades de los aldeanos, cuando negocian su estatus con los mestizos dominantes. No es lo cerrado de las aldeas ni lo distante que están de la influencia urbana los centros de refugio lo que provee la verdadera dinámica de la supervivencia étnica de los indios. La dinámica de la identidad nahua se encuentra en la forma en que las personas utilizan sus tradiciones para prosperar en un sistema políticoeconómico injusto y a la vez crear para sí vidas valiosas y culturalmente coherentes.

Pienso mostrar que la cultura india está lejos de ser atrasada o no progresista y que los nahuas, a pesar de las contundentes desventajas en su contra, trabajan duro, emprenden la planificación, siguen estrategias y en general tratan de disminuir los costos e incrementar los beneficios para sí mismos y para sus familias. Con este enfoque me aparto de los investigadores que ven una diferencia cualitativa entre el comportamiento económico tradicional de los indios y el comportamiento económico de los mestizos capitalistas. Puede ser que los indios jueguen sus cartas de una manera algo diferente a como lo hacen los mestizos, en parte para ganar ciertas ventajas dentro de un sistema donde la baraja está ordenada en su contra. No obstante, espero mostrar que asignan sus recursos de acuerdo con principios racionales. Una diferencia es que ellos cultivan su indianidad y, al separarse de sus vecinos mestizos de esta manera, cambian las reglas del juego en la lucha política y económica, y las definiciones mediante las cuales se mide el éxito. Al demostrar cómo los nahuas entablan relaciones con el mundo por medio de su identidad étnica pretendo afirmar la autenticidad de la cultura india como un sistema coherente de significados e igualmente como una estrategia dinámica para la supervivencia.

En todo caso, las preguntas acerca de la naturaleza de la economía aldeana, la peculiaridad de la cultura india y la precisión de las perspectivas teóricas que se resumen arriba tendrán que ser mejor clarificadas mediante datos empíricos. La forma de resolver las cuestiones abstractas mayores es describir y analizar la manera en que las personas reales viven su vida.

El desarrollo económico en México

Las pequeñas comunidades como Amatlán se encuentran atrapadas por las turbulentas corrientes políticas, económicas y sociales que se originan, en gran parte, en los ámbitos nacional e internacional. En el capítulo 2 se revisan algunos de estos sucesos y procesos históricos que afectan en forma directa a la comunidad y a la región del sur de la Huasteca. Aquí quiero esbozar brevemente algunos de los factores globales que han dado traza a la vida aldeana y generado el contexto para las características socioculturales que se describen en los capítulos siguientes. La historia mexicana es compleja y no se puede reducir con facilidad a unos cuantos párrafos, pero alguna información sobre el desarrollo de la economía mexicana puede ayudar a aclarar el escenario mayor en que funcionan los aldeanos. La mayoría de los datos que se presentan fueron tomados de Rudolph (1985).

Desde principios de las guerras de Independencia, en 1810, hasta la dictadura de Porfirio Díaz, en 1877, México pasó por un largo periodo de estancamiento económico. La guerra con España, las luchas internas, las dos guerras con Francia y una con los Estados Unidos propiciaron condiciones inestables que impidieron tanto el desarrollo económico como el proceso de forjar la antigua colonia en una nación. Durante el Porfiriato (desde 1877 hasta 1911, cuando gobernó Porfirio Díaz) fue restaurada la estabilidad y la economía mantuvo un crecimiento lento pero estable. Durante ese periodo, los ingresos derivados de la exportación crecieron aproximadamente 6% por año, basados principalmente en el cultivo de productos agrícolas y en las materias primas procedentes de la minería y demás fuentes. Al mismo tiempo, los indios fueron despojados cada vez más de sus tierras, al establecerse ranchos y haciendas particulares en aprovechamiento de los mercados extranjeros. En 1911, tras graves conflictos internos, a Díaz se le obligó a renunciar. El periodo entre 1910 y 1925, que incluyó la Revolución Mexicana y la depresión posterior a la Primera Guerra Mundial, fue devastador para la economía: la producción agrícola creció apenas 0.1% en 15 años.

Justo cuando la economía comenzaba a recuperarse, en la década posterior a la Revolución, gran parte del desarrollo retrocedió a consecuencia de la depresión mundial que comenzó en 1929. En ese año y en 1930, la reforma agraria en México estaba encaminada y muchas de las más grandes haciendas fueron expropiadas para devolverles la tierra a los indios. En aquellos tiempos, 70% de la población económicamente activa estaba empleada en la agricultura, mientras que el sector manufacturero empleaba sólo 12 %. Poco después, el gobierno actuó para disminuir el impacto de la depresión por medio del establecimiento de las tarifas de importación, la devaluación del peso y la promoción de la reforma agraria. El gobierno fundó bancos para el desarrollo agrícola, invirtió con determinación en la agricultura y en 1938 nacionalizó la industria petrolera ya en desarrollo. Finalmente, la Segunda Guerra Mundial creó una demanda enorme de las exportaciones mexicanas, a partir de 1939. Debido a éstos y otros factores la economía creció a paso rápido en los años cuarenta. En ese periodo el Producto Interno Bruto (PIB) creció con una tasa anual de 6.7% y la población comenzó a crecer luego de la devastación de la Revolución. También se presentó un cambio evidente en la orientación de la economía: la producción manufacturera creció 8.1% por año, mientras que la agricultura, que antes sobrepasaba a la producción industrial, creció 5.8 por ciento.

Durante los años cincuenta el crecimiento del PIB disminuyó un poco, a un promedio de 6.1% por año, pero la tendencia hacia la producción manufacturera a costa de la producción agrícola fue aún más marcada al crecer la manufactura en 7.3% por año, mientras que la agricultura creció con el reducido índice de 4.3%. En esa misma década se amplió el turismo en México y comenzó a ser una industria fundamental, lo que se tradujo en ingresos considerables. Al mismo tiempo, la población crecía con un índice de 3.1% por año. La tendencia hacia la manufactura se reflejó en un éxodo desde las zonas rurales. Hacia los años sesenta la mitad de la población vivía en áreas urbanas y la economía creció con un alto índice de 7% por año. El índice de crecimiento de la producción manufacturera llegó a 7%, mientras que el de la producción agrícola bajó a 3.4%. Ya para 1970 México era autosuficiente en cultivo de alimentos, en acero y en la mayoría de las mercancías de la canasta básica. Durante la década de los años sesenta el gobierno promovió el uso de fertilizantes, insecticidas y semillas genéticamente mejoradas; sin embargo, estos programas nunca llegaron a las comunidades remotas como Amatlán. Al mismo tiempo, para subsidiar los bajos salarios que se pagaban en las ciudades, el gobierno, en forma artificial, mantuvo bajos los precios de los productos alimenticios. Las inversiones y la producción se desviaron hacia la siembra de cultivos comerciales para exportación y uso industrial, y el pequeño productor gradualmente quedó marginado del mercado nacional.

En los años setenta continuó la bonanza, mientras el PIB crecía a una tasa anual de más de 6%. Sin embargo, el problema en el sector agrícola se vio reflejado en las repentinas oscilaciones de los rendimientos. La agricultura inició la década con un crecimiento de 5% en sus rendimientos, pero en pocos años se registraron bajas en un rango de 0.3 a 2.6%. El mal tiempo contribuyó a la crisis y en 1980 se importaron 10 millones de toneladas de alimentos. La producción industrial también presentó los efectos de problemas arraigados en la economía. La tasa de crecimiento varió entre 3.6 y 9% por año; sin embargo, hacia la última parte de los años setenta se mostró vigorosa. El descubrimiento de grandes recursos de petróleo en México causó un auge en el crecimiento de la producción industrial desde 1978 hasta 1981. Sin embargo, una inflación galopante comenzó en 1976, cuando el peso se devaluó frente al dólar. En 1982 México experimentó la peor caída de su economía desde la depresión de los años treinta. Debido a varios factores, incluso una superabundancia mundial de petróleo y una recesión que afectó a la mayoría de los países, hubo que devaluar el peso tres veces tan sólo durante el año 1982. La sequía y la recesión obligaron al gobierno a importar grandes cantidades de alimentos en el año 1984 y a suspender algunos programas agropecuarios. Por lo tanto, la reforma agraria disminuyó su prioridad debido a la escasez de tierras cultivables accesibles para ser redistribuidas a campesinos e indios. Lo anterior aumentó la cantidad de invasiones de tierras, lo cual a su vez causó que las instituciones financieras urbanas redujeran sus inversiones en el sector agrícola.

A pesar de los reveses, el crecimiento económico de México en general ha sido extraordinario. En 1984, el país ocupaba el decimoquinto lugar entre las economías más grandes del mundo. El año anterior se ubicó en noveno lugar en capacidad productiva y en cuarto lugar en producción y exportación de petróleo. La agricultura en México, a pesar de todos sus problemas, está muy diversificada y el hato ganadero mexicano se cuenta entre los más grandes del mundo. Pero la prosperidad no ha sido distribuida de manera igualitaria entre la población. Los ranchos que producen alimentos para el consumo nacional se encuentran en regiones que dependen de las lluvias, mientras que la producción agrícola para la exportación, la cual ha atraído la mayor parte de los fondos para la inversión, se concentra en las regiones áridas, aunque irrigadas, del norte del país. El desempleo y el subempleo en las áreas rurales han causado el desplazamiento masivo de personas hacia las ciudades, adonde van en busca de trabajo temporal.

Algunas cifras acerca del singular programa mexicano para la distribución de las tierras servirán de ayuda para contextualizar la lucha por la tierra en Amatlán. En

1910, a comienzos de la Revolución Mexicana, 96% de la población carecía de tierras y 1% poseía 97% de éstas. La mitad de toda la tierra cultivable estaba controlada por 835 haciendas y 80% de las comunidades rurales se encontraban vinculadas a las haciendas a través del peonaje por endeudamiento. La reforma agraria empezó en 1915 y en la Constitución de 1917 se introdujo la redistribución de las tierras bajo el Artículo 27. La tierra debía ser devuelta a la gente en forma de ejidos —lotes de terreno concedidos a las comunidades y no a los individuos—. Se requería que las personas fueran miembros legítimos de la comunidad para tener libre acceso a la tierra. La mayor redistribución se efectuó durante el periodo 1934-1940 cuando más de 17 millones de hectáreas fueron transformadas en ejidos. Hacia 1983 más o menos la mitad de la tierra cultivada en México estaba en posesión de los ejidos. Sin embargo, el crecimiento de la población rebasó los efectos de la distribución agraria en tal grado que ahora, en las zonas rurales, hay más campesinos sin tierra que ejidatarios con derechos.

En conclusión, el desarrollo económico en México ha sido desigual y ha tenido poca influencia en grandes segmentos de la población. Los que se encuentran más marginados en la nueva prosperidad son los indios del campo, cuya vida parece haber cambiado poco desde tiempos prehispánicos. Tal como ocurre en muchos otros países en desarrollo, la experiencia de México ha sentado las bases de profundas divisiones entre la población, las cuales a menudo conducen a que las agrupaciones cultiven lealtades étnicas. Los nahuas de Amatlán están atrapados por estos procesos mayores y su respuesta, en parte, ha sido la de perpetuar su indianidad frente a la dominación continua de los mestizos. En el presente estudio mi intención es aclarar algunos factores locales específicos que han transformado la identidad étnica en una estrategia eficaz para los aldeanos.

Capítulo 2
El pueblo y su entorno

Regresé a Amatlán en 1972 para realizar una investigación de largo plazo sobre la vida aldeana. Pasaron muchos meses antes de que yo comenzara a captar el panorama exacto de cómo las personas estructuraban su vida y a entender el significado de los sucesos que presenciaba. Parte del problema era superar cierta imagen que yo llevaba en mi mente acerca de la vida aldeana en general. De alguna manera, me había imaginado un grupito de casas, tal vez techadas de zacate, colocadas de manera armónica por cada lado de la vereda. La gente tendría un fuerte sentido comunitario y sospecharía de todos los extraños. Todo el mundo conocería todos los asuntos de los demás y la comunidad sería conservadora, inmutable y en sí constituiría un mundo en miniatura. Yo pensaba que iba a encontrar una economía comunal basada en la cooperación, el trabajo común y la reciprocidad, donde las actividades comunitarias estarían dirigidas de acuerdo a la tradición. Anticipaba que existirían facciones, enemistades heredadas y varias fisuras en la estructura social, pero que, a fin de cuentas, todo esto sería superado por la poderosa solidaridad resultante de una vida sencilla y comunitaria.

Estas ideas preconcebidas, que se derivaban en parte de informes publicados sobre las aldeas de México y otras partes del mundo, resultaron ser más bien un obstáculo para el entendimiento de la vida en Amatlán. En realidad, Amatlán es un lugar mucho más complejo y fascinante de lo que implicaban mis estereotipos previos acerca de la vida aldeana. Lejos de ser limitada, cerrada e inmutable, Amatlán ha resultado ser una comunidad versátil, con pocos bordes delineados, diferenciada en su estructura interna, activa y siempre mutable, llena de humor y patetismo, donde sus habitantes se dedican a confrontar un mundo complejo y a veces ajeno. En este capítulo, después de una breve descripción de cómo los etnógrafos se adaptan a la vida en el campo, presentaré a la comunidad en su contexto geográfico, social e histórico, y comenzaré a bosquejar las características de la vida aldeana.

Vivir y trabajar en Amatlán

Un antropólogo debe lograr una adaptación satisfactoria a las condiciones del campo si quiere tener buen éxito en la observación participante. Los anfitriones, a su vez, tienen que adaptarse a un recién llegado que se encuentra dentro de su ámbito y entrar en una alianza voluntaria con el antropólogo para describir su propia cultura. Todos los involucrados tienen que adaptarse a las nuevas circunstancias, a veces graciosas, a veces dolorosas, que surgen con frecuencia cuando se reúnen individuos de diferentes culturas. Más adelante examinaré lo que sucede cuando los individuos abandonan la relativa seguridad de su sociedad y, con riesgo de molestias y exasperación, optan por vivir y trabajar entre personas con una tradición cultural diferente.

Trabajar en otra cultura crea una dinámica que afecta la calidad y la cantidad de trabajo que puede llevar a cabo un investigador. Una persona puede ir al extranjero como individuo pero nunca podrá escaparse completamente de su propia identidad cultural, como tampoco puede la gente de la sociedad receptora escaparse de la suya. Por lo menos al principio, los anfitriones perciben al foráneo no como individuo sino como representante de su cultura de origen. El caso contrario es igualmente válido. Las personas que yo iba conociendo por primera vez en Amatlán parecían representar la cultura nahua, pero todavía no los conocía como individuos; es decir, trabajar dentro de otra cultura siempre se realiza en el marco de poderosas fuerzas y definiciones sociales sobre las cuales los individuos tienen poco control. No es posible eliminar estas características del encuentro, pero al entender la dinámica que se deriva cuando se juntan representantes de culturas distintas se hace posible evitar muchos errores, aumentar el entendimiento intercultural y lograr objetivos más allá de las propias expectativas.

Mi adaptación a Amatlán transcurrió en tres distintas fases que se parecen a las experiencias del trabajo de campo de muchos otros antropólogos con quienes he hablado. Llamaré la primera fase el "periodo de atracción". Cuando regresé a la comunidad en 1972 mi torpe encuentro inicial con los nahuas se había mitigado con el paso del tiempo y me dominaban un sentido de emoción, alegría, aventura, intenso interés por el nuevo ambiente, satisfacción, placer y un fuerte deseo de ver todo a la vez, todo ello combinado con un leve pero estimulante sentido de presagio. Me deleitaba en adaptarme a la vida sin cuarto de baño, agua entubada, electricidad, periódicos o compañeros que compartieran experiencias e intereses. Casi no podía dormir por las noches y, por lo tanto, a diario escribía docenas de páginas de notas entusiastas. Pienso que los aldeanos también experimentaban una versión a escala reducida de esta atracción mientras se ajustaban a mi presencia dentro de su ámbito. Todos querían hablarme y recuerdo que toda esta atención me causaba euforia.

El periodo de atracción, con su sentimiento de aventura y conmoción es una condición necesaria del trabajo intercultural pero no se puede mantener con mucha facilidad o por largo tiempo. Esto puede ser bueno porque se basa en una visión del mundo poco realista. El periodo de atracción es una fase de adaptación común a todos los huéspedes y anfitriones ante una nueva situación. Un riesgo de esta etapa de entusiasmo radica en que puede conducir a un sentimiento de desilusión cuando se fijan las rutinas y el investigador se instala por largo tiempo. Hay que tener cuidado de equilibrar este periodo de "luna de miel" para que no le siga una depresión pasmada que pueda perjudicar gravemente el éxito de la adaptación y mermar la calidad del trabajo. Es interesante que en este periodo yo haya sacado mis mejores fotografías de la vida aldeana pero que mis notas de campo hayan resultado casi inútiles.

Durante dicho lapso de atracción cometí un grave error que casi terminó con mi posibilidad de trabajar en Amatlán. Suele ocurrir que las primeras personas que hacen un esfuerzo por conocer a los foráneos son las que buscan medios para escaparse de su mala situación personal. Yo me encontraba solo, en un contexto ajeno y cometí el error de hacerme amigo inmediato de tres de las primeras personas que se me presentaron. Tengo que admitir que les agradecía su compañía. Aun así, me inquietaba saber por qué estos pocos hombres parecían disfrutar de tantos momentos de ocio, mientras que todos los demás se ocupaban de su trabajo. Más tarde me enteré de que eran los vagos de la comunidad y el hecho de haberme relacionado con ellos obstaculizó mi trabajo por varias semanas. Después, otras personas me dijeron que me habían evitado simplemente porque sabían que yo andaba en mala compañía. En particular, durante el periodo de atracción uno debe tener mucho cuidado en identificar con exactitud la situación social.

El periodo de atracción, con sus peligros concomitantes, suele ser seguido por una fase igualmente irreal, que yo denomino el "periodo de rechazo". Yo ya había establecido una especie de rutina, se me pasaba la novedad de la situación y había comenzado a contemplar los largos meses que tenía por delante. De repente, se había desvanecido gran parte del encanto y el trabajo que yo venía a realizar parecía no tener objeto; me sentía extremadamente incómodo y fuera de lugar. En primer lugar, me aterraba la gran cantidad de serpientes que veía al bañarme o al caminar por las veredas. Me repugnaban los alacranes y las enormes tarántulas negras, peludas y sedosas que trepaban por las paredes dentro de las casas. Y además, yo medía unos treinta centímetros o más que todas las personas que me rodeaban y, por lo tanto, siempre me sentía visible. Por ejemplo, cuando yo entraba en las casas tenía que inclinarme para pasar por debajo del borde del techo de paja y la torpeza consecuente causaba mucha risa. Las veces que me encontraba de pie en medio de un grupo, había gente que riéndose se empeñaba en ponerme un dedo en la espalda para marcar el punto hasta donde llegaba su cabeza. Los adultos, al igual que los pequeños, nunca buscaron disimular su curiosidad y dondequiera que yo iba me miraban de hito en hito. Nunca podía estar a solas, ni de noche ni de día.

Yo estaba separado de mi sistema de apoyo cultural y me sentía aislado, frustrado, torpe, incompetente, inquieto, deprimido y enojado. Hubo instantes en que temía perder mi equilibrio emocional y que me tambaleaba al borde de la locura. Es justo en momentos como éste cuando uno puede descubrir cosas acerca de sí mismo que no son muy aduladoras. Aparecen las frustraciones que pueden llevar a explosiones internas de etnocentrismo, intolerancia, fanatismo y arrogancia vanidosa. Descubrí que era capaz de sentir profundo resentimiento contra quienes me rodeaban por ser ellos diferentes y por su terca insistencia en hacer las cosas a su manera. Me sentía muy molesto ante el abismo de autocompasión y paranoia al que había descendido. Con horror me miraba oscilar entre lo quejumbroso, vanidoso, petulante, susceptible e intransigente. En momentos de lucidez llegué a sentir que dentro de mí se albergaba un monstruo y que ya no podía tenerme confianza. En ese tiempo contraje disentería —lo cual no es motivo de risa cuando el baño más cercano se encuentra a cien millas— y pronto me puse débil y me percibí vencido por la desesperación. Me sentía desanimado y solitario; comencé a rechazar todo en mi entorno y soñaba con lo maravilloso que eran las cosas allá en mi tierra. Mis notas durante este periodo se transformaron en un compendio de quejas, observaciones egoístas y racionalizaciones petulantes.

Éste es el choque cultural y es una de las sensaciones más extraordinarias que puede experimentar una persona. Varía en intensidad según la persona y la envergadura de la diferencia cultural. Puede durar semanas o meses y hay quienes dicen que a uno nunca se le pasa por completo. Muy a menudo el choque cultural ataca justo cuando los miembros de la cultura anfitriona salen del periodo de atracción y retroceden para observar al huésped por cierto tiempo. Los campesinos comenzaron a ignorarme y a veces, incluso, sentía que me rechazaban. Al considerar algunas de mis reacciones y a pesar de mis grandes esfuerzos por no expresárselas a nadie, no fue nada extraño que yo no gozara de mucha popularidad. Este patrón de evasión o periodo de rechazo es parte del ajuste que cualquier grupo hace respecto a un foráneo mientras éste se adapta a la nueva situación. En alguna parte de mi mente confusa yo me daba cuenta de esto y llegué a temer que los campesinos trataran de ahuyentarme.

Un día, cuando me sentía un poco más normal, llegó el dirigente de la comunidad para decirme que unos vaqueros de un rancho de la localidad se habían enterado de mi estancia en Amatlán y que en una borrachera enfurecida habían jurado matarme. Me encogí de hombros ante esa amenaza, seguro de que se trataba de una simple maniobra por parte de los campesinos. Él parecía estar un poco perplejo al yo insistir que no tenía miedo y que me quedaría. Más o menos una semana después, me desperté cerca de las tres de la mañana para hacer una necesidad y al salir me tropecé con un hombre que estaba apostado afuera, en la oscuridad, junto a mi puerta. Él era de Amatlán y cargaba un machete desenfundado. Era evidente que él y algunos otros hombres habían sido asignados por el dirigente para que resguardaran mi vivienda durante la noche. De repente me di cuenta de que el peligro era real y me estremecí ante lo expuesto e indefenso que me encontraba en ese sitio. Al mismo tiempo se me ocurrió que los campesinos estaban dispuestos a enfrentarse a los vaqueros armados con nada más que sus machetes, sólo por protegerme. El periodo de rechazo es mutuo, pero puede exagerarse y propiciar un juicio erróneo en la mente del solitario investigador de campo.

El choque cultural puede provocar un círculo vicioso que impide el trabajo y perjudica toda la empresa de investigación de campo; hace que una persona se sienta perdida, pero en realidad es una señal alentadora de que uno está en el proceso de adaptación a la nueva situación. Estar expuesto a una cultura ajena durante largo tiempo hace que uno pierda el dominio de su propia cultura y esta alienación de todo lo que uno siente seguro y tranquilo es necesaria para tener buen éxito en aceptar la nueva cultura. Una de las reacciones que yo tuve ante el choque cultural fue la evasión. Dediqué días enteros a limpiar mi cámara y a examinar mi grabadora. En tres días leí una colección de cuentos de mil doscientas páginas que había traído. Compraba libros en la tienda, que en condiciones normales ni soñaría con leer y los devoraba en tiempo récord. En cierto momento noté que prefería ofrecer excusas antes que salir con la gente que me invitaba a algún sitio.

Éstas y muchas otras prácticas que elaboran nuestros inteligentes cerebros sirven para aumentar el aislamiento y abortar el proceso de incorporación en una sociedad ajena, que el choque cultural presagia. Sólo el conocimiento y la experiencia reducen la alienación y ambos requieren de tiempo. Lo logrado en el trabajo de campo depende del grado en que el investigador logra poner los episodios del choque cultural en debida perspectiva. El choque cultural crea una visión falsa del mundo, tergiversada por la destrucción lenta y a veces dolorosa de nuestra propia dependencia de la cultura natal. Confrontar el choque cultural con franqueza no ayuda mucho a reducir el dolor, pero es un primer paso hacia el desarrollo de una perspectiva nueva, por completo, de la condición humana, lo que constituye el sello distintivo de la antropología.

Arrostrar el choque cultural y los defectos personales conduce al individuo a la fase final, que yo denomino "periodo de incorporación". En esta etapa del encuentro intercultural tanto los anfitriones como el huésped poco a poco comienzan a percibirse más como individuos y menos como representaciones sociales. Al decaer los estereotipos, por fin empecé a conocer a los individuos. La cultura nahua me parecía cada vez menos extraña y ajena, y con el paso del tiempo comencé a cuestionar el porqué me encontraba allí. La cultura local me parecía razonable y me preguntaba qué era lo que debía escribir. El periodo de incorporación sigue, siempre y cuando el extraño resida en la cultura receptora. De hecho, los periodos de atracción y rechazo son en realidad las etapas iniciales del largo periodo de incorporación; sin embargo, raras veces se lo figura así la persona que está experimentando el contacto intercultural. Mientras continúa la incorporación la mayoría de la gente adquiere un nuevo respeto por la cultura de los anfitriones y es sólo cuando se logra esta conciencia que se puede empezar un trabajo de campo que resulte de veras bien logrado. La mayoría de los antropólogos con experiencia está de acuerdo en que una adaptación bien lograda crea una paradoja: el investigador siempre siente que está listo para comenzar su verdadero trabajo justo en el momento en que ya es hora de regresar a su tierra.

Para tener éxito en una cultura ajena los investigadores deben darse cuenta tanto de las diferencias culturales como de sus reacciones a éstas. El sólo saber que el choque cultural es una reacción normal en la investigación de largo plazo en una cultura ajena me ayudó a hacerle frente. Sin embargo, este tipo de trabajo no está destinado para todos. La imagen romántica de la experiencia del trabajo de campo no se puede conservar durante la lucha cotidiana por sobrevivir en un ambiente físico y social ajeno. Cuando la vida en Amatlán se me hacía difícil yo reaccionaba creando un tipo de imagen idealizada de cómo estaría todo allá en mi tierra. Me imaginaba las tardes de verano sin hacer nada, los baños calientes, la comida familiar y una vida mesurada por un ritmo que yo controlaba.

Por fin llegó el día glorioso y procedí con las despedidas. A los pocos días de haber regresado a mi hogar sabía que algo no marchaba bien. Por alguna razón mi propia cultura no era exactamente como yo la recordaba. Cuando regresé de México la primera vez estaba sorprendido de lo rápido que todos caminaban y gesticulaban. No podía dejar de saludar a la gente en náhuatl y sufrí la vergüenza de haberme parado con ojos de asombro, mostrando curiosidad a lo largo de los pasillos del supermercado. Sufría de lo que los antropólogos llaman el choque cultural inverso. Pasaron semanas antes de que las cosas empezaran a parecerme normales. Pero yo había cambiado y lo normal ya no me satisfacía mucho. Echaba de menos la lucha y el sentido de descubrimiento que resulta del hecho de sobrevivir en una cultura ajena. Pienso que este empeño lo comparten muchas personas que han vivido y trabajado de forma intercultural por un periodo prolongado. Mientras me encontraba en las garras del más oscuro choque cultural, uno o dos meses después de llegar de Amatlán, me hice la solemne promesa de no regresar jamás a aquel ajeno (y enajenante) lugar. Pensé para mí: "eso les enseñará". Unos días después de regresar a mi casa, rompí con esa promesa y me juré a mí mismo que regresaría a la primera oportunidad.

La región: un lugar "con fama de ricos ganaderos y pistoleros"

La comunidad de Amatlán está localizada en la parte norte del estado de Veracruz, el cual extiende su gran longitud a lo largo de la porción central de la costa del Golfo de México. Gran parte de la zona del norte de Veracruz forma parte de una región mayor de México, que abarca secciones de seis estados, conocida como la Huasteca. Además de su porción veracruzana, la Huasteca incluye partes de los estados de San Luis Potosí, Tamaulipas, Hidalgo, Querétaro y Puebla (para trabajos generales acerca de la Huasteca, véanse Bernal y Dávalos, 1952-1953; y Stresser-Péan, 1979).

Los expertos y los habitantes de la localidad no están de acuerdo respecto a los límites precisos de la Huasteca, aunque hay cierta aceptación de que, al menos en Veracruz, está limitada al sur por el río Cazones y al norte por el Pánuco. El borde occidental de la Huasteca veracruzana (la porción que pertenece a Veracruz) está dominado por la alta y escabrosa Sierra Madre Oriental, que se extiende hacia el sur para juntarse con su pareja de la costa occidental y formar el gran Altiplano Central de México. Al este se halla el Golfo de México. Entre estos accidentes geográficos encontramos, al norte una planicie interrumpida sólo por la Sierra de Otontepec, que pareciera una isla. Al sur de la región de Otontepec se presenta una gran extensión de cerros muy accidentados, que corresponde a las estribaciones de la Sierra Madre Oriental. Es en el centro de esta región de terreno agudo y desnivelado donde se encuentra Amatlán. Los cerros terminan por allanarse conforme se acercan por el este hacia la costa y por el sur hacia el río Cazones.

Todo Veracruz se encuentra al sur del Trópico de Cáncer, pero debido a que es en gran parte montañoso, el clima de cada región está determinado más por la altitud que por la latitud. Las altitudes del estado alcanzan desde el nivel del mar hasta más de 5 600 metros en la cima del Pico de Orizaba, en el estado de Puebla, muy cerca de la frontera con Veracruz. Tanto los geógrafos como los habitantes locales dividen al estado en tres zonas verticales: tierra caliente, desde el nivel del mar hasta los 800 metros; tierra templada, desde los 800 hasta los 1600 metros, y tierra fría, por encima de los 1 600 metros. Cada una de estas regiones se define por un conjunto distinto de características ecológicas, que influyen en las culturas que se desarrollan en su interior (véase Puig, 1976, 1979).

La proximidad de las montañas, las colinas y el Golfo de México contribuyen a la complejidad del clima del norte de Veracruz (véase Vivó Escoto, 1964). El clima y la vegetación cambian de selva tropical húmeda a temperaturas frescas donde abundan los pinares, cuando uno viaja desde la región del golfo hacia las alturas de la sierra. Amatlán, sin embargo, se encuentra justo en tierra caliente, a una altitud de 180 metros sobre el nivel del mar. Los geógrafos describen el clima de esta zona como caluroso y húmedo, con lluvias abundantes en el verano [Am(f), Am, Am(w) en el sistema modificado de Köppen].

La comunidad y su entorno reciben un promedio de 2 000 mm de lluvia por año. En comparación, en los Estados Unidos un estado agrícola como Indiana recibe más o menos la mitad de esta cantidad. Sin embargo, en Amatlán las lluvias son problemáticas porque no se distribuyen de manera uniforme. La cantidad de lluvia puede cambiar de manera significativa de un lugar a otro y de año en año. Los campesinos me dijeron que no es raro que un lugar tenga demasiada lluvia, lo que resulta en comunidades inundadas y milpas derrumbadas, mientras que a 40 kilómetros se sufre de sequía. Esta falta de regularidad en las lluvias constituye una de las más frustrantes características del medio ambiente y es un tema de conversación constante entre los campesinos. Aunque el promedio anual de lluvia es alto, hay una marcada época de sequía durante la cual puede no llover durante varios meses. La temporada seca, llamada *tonamili* en náhuatl, se extiende aproximadamente desde mediados de noviembre hasta mediados de mayo. En este periodo muchos arroyos y manantiales se secan por completo o se reducen a charcos estancados. La temporada de lluvias, o *xopajmili* en náhuatl, empieza a mediados o finales de mayo y por lo regular continúa hasta más o menos mediados de noviembre. Los aguaceros más fuertes ocurren en junio, julio y agosto, cuando los ríos y arroyos se llenan hasta desbordarse y los terrenos bajos a menudo se transforman en pantanos. Hay arroyos tranquilos que se convierten en violentos torrentes, veredas y caminos que se transforman en lodazales y viajar en este tiempo por el sur de la Huasteca puede ser peligroso o imposible durante varios días o hasta por semanas.

Esta característica estacional extrema y la desigual distribución de la lluvia constituyen el mayor obstáculo para los agricultores. En los mapas de la región los geógrafos indican que el suelo agrícola en Amatlán es bueno para el cultivo porque retiene la humedad durante un mínimo de 11 meses al año. Este hecho lo contradicen otros mapas geográficos que muestran que un porcentaje muy alto del agua de lluvia, entre 24 y 30%, no penetra en la tierra sino que se fuga hacia la red de arroyos y ríos. Los campesinos afirman que la mayor parte de la lluvia se escapa de las milpas escarpadas y que la tierra permanece seca por periodos extensos, aun en la época de lluvias. Además, la temperatura promedio anual en la región de Amatlán es muy alta y varía entre los 22 y los 26 grados centígrados, de tal manera que la evaporación en las milpas y la tasa de transpiración de los cultivos son altas, en particular bajo el tórrido sol tropical. Los habitantes de Amatlán, al igual que campesinos de todas partes, están dominados por las fuerzas de la naturaleza. Pero debido a la topografía, latitud y su proximidad al Golfo de México ellos parecen estar atrapados en un ciclo imprevisible de sequías e inundaciones. Los campesinos no rezan por la lluvia, rezan por conseguir armonía y equilibrio entre las extremas fuerzas de la naturaleza que afrontan.

Las tierras por lo general son rocosas y pobres, con excepción de las planicies y las vegas aluviales de los ríos y arroyos, donde en la mayoría de los casos se prohíbe el acceso a los campesinos indios. Los habitantes de Amatlán reconocen tres tipos básicos de tierras, cuyos nombres en náhuatl son: *atlali* ("tierra plana" o "lugar cenagoso", en sentido literal "tierra de agua"), que se halla a lo largo de las orillas de los ríos y arroyos y es excelente para sembrar; *cuatlali* ("tierra montuosa", en sentido literal "tierra del bosque"), que es el tipo principal de suelo en Amatlán y en general es bueno para el cultivo; y *tepetlatl* ("estera de piedras"), tierra rocosa que se halla en algunas laderas y es muy pobre para el cultivo (véase De la Cruz, 1982: 41-42). Igual que en muchas regiones tropicales, los elementos nutritivos no se quedan en la tierra sino en la espesa vegetación que cubre toda la región. En la tierra caliente del sur de la Huasteca la vegetación se clasifica como "selva tropical mediana subperennifolia". Cerca de 25% de los árboles son caducifolios y la mayoría, en su madurez, llega a una altura menor de 20 metros. En la época de sequía hay muchos árboles y matorrales que pierden todas o algunas de sus hojas, aunque la mayor parte de las plantas retiene su follaje durante todo el año. Los indios del sur de la Huasteca han practicado la horticultura de roza y quema durante muchos siglos y, por lo tanto, ahora queda muy poco de la selva original. Debido a que la vegetación retiene los nutrientes, la horticultura de roza y quema es muy eficaz. Al cortar la selva y luego quemar la vegetación seca los nutrientes regresan a la tierra para ser utilizados por las plantas domesticadas.

La cubierta de la selva, aunque secundaria, es verde y espesa, e incluye muchas especies tropicales y subtropicales. Se presentan especies de *ficus* o higuera tropical, cedro tropical (blanco y rojo), palo de rosa, palo de Brasil, bambú, aguacate, mango, plátano, zapote, framboyán, álamo tropical, palmas, numerosos tipos de árboles frutales y muchas gramíneas, así como arbustos y otras plantas (véanse Puig, 1976; Romualdo Hernández, 1982: 18; y Reyes Antonio, 1982: 97-105 para ver la clasificación nahua de los varios hábitat de la región, y las páginas 187-202 del último trabajo para ver una lista de plantas). Los árboles más grandes están cubiertos de plantas parásitas florecientes, que abren de manera espléndida durante ciertos periodos del año. El crecimiento de las plantas es rápido y extraordinariamente denso, sobre todo en la época de lluvias. Las veredas se encuentran amenazadas de continuo por enredaderas y ramas que las invaden, y la mayoría de la gente lleva consigo un machete para abrirse paso. Las condiciones del clima y del suelo permiten que los campesinos cultiven una amplia variedad de plantas tropicales y subtropicales, que incluye caña de azúcar, café, tabaco, yuca, camote, jícama, cítricos y muchos más.

El número de animales e insectos que vive en el bosque influye en la vida de la comunidad. En el capítulo que sigue se mencionan los más buscados y consumidos por los campesinos. La región conserva la reputación de tener jaguares, aunque yo en realidad nunca llegué a verlos. Más preocupantes son las varias especies de culebras que habitan la selva y que a veces aparecen en la comunidad. La más peligrosa es la mahuaquite (*mahuaquijtli* en náhuatl), una serpiente mortífera que yo solía encontrar en las veredas o mientras me bañaba. Varias personas de la comunidad sufrieron mordeduras de mahuaquite durante mi estancia y una vez encontré una en mi catre. Hay varios otros tipos de serpientes, incluidas la coralillo (rojas y amarillas); la ponzoñosa *metlapili,* que asemeja una mano gruesa de metate, de donde le viene el nombre; y una especie de color verde que no pude identificar, que habita en los matorrales a lo largo de las veredas y que ataca a los transeúntes en la cara. Debajo de los troncos o las piedras puede uno encontrar alacranes y, a veces, por las veredas o en las viviendas se ven tarántulas del tamaño del puño de un hombre. En mi opinión, el ser más desagradable de la selva es un ciempiés extraordinario (*pahuaneluatl* en náhuatl), cuya ponzoña es mortífera; puede llegar a medir más de treinta centímetros de largo. Este animalejo no tiene par por lo feo que es y por el terror que provoca entre la gente. Los campesinos me dijeron que el tratamiento que aplican para su picadura es cortar con un machete una porción grande de la carne viva alrededor de la herida. Por último, hay muchos tipos de mosquitos y zancudos que pican, cada uno durante su temporada. Aparte de causar picaduras sangrantes e irritantes, algunos pueden transmitir enfermedades peligrosas, como el dengue y el paludismo. La selva puede ser en verdad hermosa, por su verdor rebosante y los tonos de sus exóticas flores tropicales; sin embargo, ni los indios ni los visitantes pueden olvidar los muchos peligros ocultos que en ella se encuentran (véanse Reyes Antonio, 1982: 21, y Romualdo Hernández, 1982: 15-18).

La parte veracruzana de la Huasteca es especialmente remota e inaccesible. Una carretera bien pavimentada sigue la orilla de la costa, y conecta el puerto de Tampico, desde el norte con el de Veracruz al sur. Los caminos que conducen al interior están revestidos y empedrados con tierra y guijarros de río y son tan pedregosos que el tránsito de los vehículos se restringe a los 15 kilómetros por hora. La mayoría de los caminos del interior se hacen intransitables durante la época de lluvias fuertes. Son pocos los puentes que cruzan las centenas de arroyos y riachuelos que serpentean desde las montañas hacia el Golfo de México, y los vehículos que llevan pasajeros o productos con frecuencia se ven obligados a regresar. Los autobuses de tercera clase pasan traqueteando por muchos de los caminos del interior aunque, como descubrí, un viaje a la mayoría de los lugares requiere largas jornadas a caballo o a pie. En la Huasteca veracruzana hay sólo dos pueblos de tamaño mediano: Tuxpan en la costa y Pánuco, al norte.

El estado de Veracruz está dividido en unidades políticas, llamadas municipios, que son análogas a los condados de los Estados Unidos. Cada municipio está dirigido por un líder político local, llamado presidente, quien es elegido por la población por un periodo de tres años. La Huasteca veracruzana está conformada por 33 municipios, todos los cuales tienen su propio presidente y manejan sus propios asuntos internos. Los gobiernos estatales o nacionales siempre trabajan a través de la estructura del municipio y es este estrato de autoridad política el que tiene la mayor influencia directa en la vida de los habitantes locales. Amatlán se encuentra en el municipio de Ixhuatlán de Madero. Ixhuatlán, nombre náhuatl, se traduce a veces como "el lugar donde nacen las plantas", pero los habitantes de Amatlán dicen que significa "lugar donde abunda la hoja de *papatla*" (una planta de hojas grandes). Ixhuatlán era el nombre de la aldea india anterior y ahora sirve como el centro administrativo del municipio, llamado cabecera municipal en México.

Así, el nombre Ixhuatlán de Madero denomina tanto al municipio en su totalidad como al pueblo pequeño que sirve como centro administrativo. El "de Madero" fue añadido después de la Revolución Mexicana, para llamar la atención al hecho de que Ixhuatlán había sido el centro de primer apoyo para al general Francisco Madero, presidente de México entre 1911 y 1913 (véase el mapa 2.1).

El *X Censo general de población y vivienda, 1980* y el *Anuario estadístico de Veracruz, 1984* dicen mucho acerca de Ixhuatlán y la región circundante. En esa fecha la Huasteca veracruzana tenía 1 003 697 habitantes, de los cuales 253 506 hablaban idiomas indígenas; esta cantidad constituye alrededor de 25% de los habitantes. De los hablantes de lenguas americanas nativas, por lo menos 67% habla náhuatl, el mismo que se

Mapa 2.1
México, con el estado de Veracruz y la ubicación del municipio de Ixhuatlán de Madero

habla en Amatlán. El municipio de Ixhuatlán de Madero tiene 53 883 habitantes, de los cuales alrededor de 1 500 viven en el centro administrativo. El censo mencionado registra 39 195 hablantes de lenguas indígenas en el municipio, de los cuales 26 793 hablan náhuatl (68%). Las lenguas restantes son el otomí (18%), el tepehua (9%) y el huasteco (menos de 1%), cuyos hablantes se autodenominan *teenek*.

Hay dos fuentes de error en estas cifras, que deben explicarse. En primer lugar, muchos de los números sobre la población india son cálculos aproximados. Es difícil obtener cuentas precisas de los habitantes de comunidades remotas e incluso los profesores residentes a veces se equivocan al calcular la población local donde trabajan. En segundo lugar, al contar a los hablantes de lenguas indígenas, por lo general sólo se incluye a las personas de cinco años y mayores. Esto contribuye a restar importancia al número de indios en relación con los no indios, porque, por lo general, 25% de los habitantes de las comunidades se encuentran por debajo de este límite de edad. Teniendo en cuenta esas posibles fuentes de error, podemos ver que la mayoría de los habitantes de Ixhuatlán de Madero son indios. Más adelante, en este mismo capítulo, se discutirá el problema que supone definir otras características que distinguen a los indios de los no indios.

El municipio tiene alrededor de 600 kilómetros cuadrados y se encuentra en los montuosos extremos del sur de la Huasteca veracruzana. El centro administrativo está a 306 metros sobre el nivel del mar, lo cual lo sitúa justamente dentro de la zona de tierra caliente. De hecho, a pesar de la variación en las condiciones microclimáticas provocadas por los interminables valles y cerros, Ixhuatlán de Madero completo puede clasificarse como tierra caliente. Hay alrededor de 130 comunidades esparcidas por todo el municipio, donde los hablantes de náhuatl ocupan las dos terceras partes que quedan por el norte, y los hablantes de otomí y tepehua viven en la tercera parte que queda por el sur. En la línea divisoria entre estas dos áreas se encuentran el centro administrativo y la sede del control político. El centro se une con el exterior mediante un sistema de caminos no pavimentados en forma de "Y". Un brazo conduce en dirección noroeste, hacia el vecino municipio de Benito Juárez, mientras que el otro va hacia el noreste, a través del municipio de Temapache, hasta Tuxpan y Poza Rica, situadas a una distancia de casi 160 kilómetros. Los brazos de este sistema de caminos se juntan en el pueblo mercado de Llano de Enmedio (*huextlahuac* en náhuatl), y siguen hacia el sur hasta llegar al centro administrativo de Ixhuatlán de Madero. El camino de grava termina de repente en el pequeño pueblo, como si se quisiera bloquear la entrada a la sierra brava que se encuentra más allá.

La población india está esparcida por todo Ixhuatlán en pequeñas comunidades, la mayoría de las cuales oscila entre 200 y 800 habitantes. Muchas ocupan terrenos comunales llamados ejidos. Éstos fueron establecidos por ley en todo México después de la Revolución de 1910, como un esfuerzo para restituir la tierra a la enorme y desposeída población india. A las comunidades ya existentes se les asignó una cantidad fija de tierra, de acuerdo con el número de jefes de familia varones que vivían allí. Al poseedor se le concedían plenos derechos para el uso de su tierra, incluso el de heredarla a sus hijos o a su esposa después de su muerte. Sin embargo, se prohíbe vender el terreno o traspasarlo a alguien fuera de la comunidad. La estructura política interna formal del ejido está determinada por la ley, pero esta estructura y el conjunto de normas que gobiernan el ejido varían según el estado y la región. Por lo general, una serie de miembros de la comunidad, elegidos democráticamente, encabezan varios comités que responden por la administración del ejido.

La situación de la tenencia de la tierra en la Huasteca es en extremo compleja y no susceptible a una fácil generalización. Indios, terratenientes ricos, líderes políticos locales y delegados de los gobiernos estatal y nacional representan grupos constitutivos divergentes que raras veces están de acuerdo respecto a la índole precisa de los varios tipos de posesión agraria (véase Schryer, 1986). Un número importante de indios de la región vive en comunidades que no han sido reconocidas oficialmente como ejidos; la mayoría quisiera pertenecer a uno debido a los beneficios que ofrece el hecho de ser miembro de tal comunidad. Que el terreno ejidal esté protegido por ley contra la compra o la usurpación por parte de ganaderos locales y especuladores de tierras no es la menor de estas ventajas. Sin embargo, como ya hemos visto, las divisiones políticas y económicas entre los mismos campesinos pueden complicar los esfuerzos para lograr el estatus de ejido.

La mayoría de los mestizos en el municipio vive y trabaja en los grandes ranchos ganaderos entreverados con los ejidos. Por regla general, los ranchos ocupan las ricas y planas tierras bajas mientras que las de los campesinos se localizan en las áreas más montuosas. La Huasteca es famosa en todo México por ser una área de producción de ganado vacuno con muchos ranchos prósperos. Con frecuencia, los propietarios de los ranchos viven en la ciudad de México o en otra parte y unos cuantos viajan a sus propiedades hasta en avión o helicóptero particular. A pesar de las simuladas elecciones libres, el gobierno municipal está por completo en manos de estos propietarios mestizos o de sus representantes. Sólo ellos tienen el respaldo financiero necesario y las relaciones con el Estado y los políticos nacionales para ser candidatos a estos cargos. De manera igualmente importante, tienen el conocimiento cultural y lingüístico para actuar entre las élites de México, ningunas de las cuales son indias.

Ixhuatlán de Madero ha sido descrito por el antropólogo mexicano Roberto Williams García como un lugar "con fama de ricos ganaderos y pistoleros" (1963: 14). Esta descripción se puede aplicar a gran parte de la Huasteca veracruzana. Los peones y vaqueros mestizos raras veces andan desarmados y a menudo los indios les tienen miedo a estos representantes locales de las élites nacionales. Un viaje por la región se parece mucho al oeste norteamericano de hace 100 años: los vaqueros a caballo con rifles Winchester enfundados en sus sillas de montar y con pistolas en el cinturón son un espectáculo muy frecuente. Los tiroteos entre vaqueros borrachos no son la excepción y uno de sus pasatiempos favoritos es lazar el ganado, montados a caballo, para entonces lidiar con los animales hasta tirarlos al suelo. Pero la ilusión de vivir en el pasado es efímera. En ocasiones, un viajero que va por una vereda puede encontrarse con una patrulla del ejército, erizada de ametralladoras, experiencia que sirve como escalofriante recordatorio del siglo en que vivimos.

Entre los habitantes urbanos de México la región es conocida como remota y sin leyes, un lugar donde el asesinato puede quedar impune y donde los forasteros no son bienvenidos. Una pequeña sucursal de banco que abrió en Ixhuatlán de Madero hace varios años fue cerrada a los pocos meses porque fue asaltada en repetidas ocasiones. No es extraño que varios mexicanos citadinos se asombraran y horrorizaran cuando les dije que yo, un extranjero, realizaba una investigación en la Huasteca. Unos años después, cuando regresé a la región con mi esposa y mi hijo, la gente pensaba que yo actuaba de manera insensata y me recomendaron (en vano) que me comprara una pistola.

La Huasteca es fascinante porque es rica en carácter; es un lugar donde la gente local experimenta las tensiones de la modernización mexicana, mismas que son visibles al observador atento. Tal como lo demuestran las cifras del censo, la Huasteca es también un lugar donde habitan grandes cantidades de indios. Allí siguen sus tradiciones y habitan en un espacio estrechamente vinculado con su pasado prehispánico. Ellos también están atrapados por la violencia del presente, a la vez que intentan afirmar sus derechos en un mundo que se encuentra en perpetuo cambio y que les es ajeno. Sin embargo, por su número y su propia presencia, contribuyen a lo que es verdaderamente único en el carácter de la región.

La tierra y la gente

Definir quién es indio y quién no lo es resulta una tarea bastante difícil. La mayoría de los mexicanos distingue entre los mestizos, gente de raza mixta, amerindia y europea, que posee una perspectiva cultural hispanizada, y los *indios,* a quienes se identifica con los vestigios de las razas amerindias tradicionales y con culturas que existían en la época de la Conquista. En general, los mexicanos urbanos reconocen que los mestizos rurales comparten algunos rasgos culturales indios, pero saben que la cultura mestiza es básicamente la del México nacional urbano. El término *indio* tiene connotaciones peyorativas para la mayoría de los mexicanos, porque mucha gente urbana los considera atrasados y porque los indios están sobre representados en los niveles socioeconómicos más bajos de la sociedad mexicana. Una expresión más neutral de uso actual es *gente indígena*. Los mexicanos urbanos, en general, identifican a esta gente indígena con quienes viven o tienen su origen en pequeñas comunidades, hablan idiomas amerindios y pertenecen a una cultura tradicional que difiere de la de ellos. Sin embargo, esta distinción generalizada que se hace entre la gente de herencia mixta y la de herencia aborigen es sumamente falsa.

El primer problema radica en el uso del término *raza*. Prácticamente todos los mexicanos son de raza mixta. Pocas personas que se autodenominan "blancos" afirman ser de un linaje que se remonta hasta los *peninsulares* o españoles de la península ibérica, sin tener mestizaje indio alguno. Estos individuos son sumamente escasos y en la mayoría de los casos se equivocan. En todos los niveles de la sociedad mexicana se pueden encontrar personas con facciones indias; incluso de cabello negro y liso, ojos negros, piel morena y "estatura relativamente baja". Este hecho ha conducido a algunos observadores a afirmar que, por ende, México está libre del racismo y que las distinciones sociales se basan únicamente en la afiliación étnica o de clase. Aunque es verdad que es rara la discriminación racial explícita, como la que se nota con frecuencia en los Estados Unidos, y que sería imposible mantener en una población tan mezclada, existen claros prejuicios raciales en México. Mucha gente considera que las facciones indias son poco atractivas y, por tanto, indeseables. Incluso en Amatlán encontré que la gente admiraba a los niños que nacían con la piel más clara o con el cabello castaño en vez de negro. En México, el hecho de ser *güero* o de cutis más claro le concede a la persona ciertas ventajas frente a los miembros más morenos de su propio grupo. Pero ser más moreno no necesariamente implica que la persona sea más india. Un indio también puede ser güero.

Esta confusión no se elimina por completo si nos concentramos estrictamente en los factores socioculturales para distinguir a los indios de los mestizos. En cierto sentido, todos los mexicanos son mestizos y, de hecho, los académicos y los escritores a veces dicen "somos una nación de mestizos". Los indios han influido sobre muchos aspectos de la cultura nacional urbana, incluso en la dieta, el arte y la arquitectura, la lengua, las creencias religiosas y los rituales. A su vez, se puede afirmar que no hay indios en el México contemporáneo que hayan escapado de la influencia de la cultura nacional y urbana. Por lo tanto, desde el punto de vista de una persona ajena al tema, definir lo que significa ser indio es cuestión de grado más que de género. El criterio lingüístico tampoco funciona para distinguir a los indios de los mestizos. Muchos mestizos rurales hablan lenguas indias, de forma bilingüe, y en algunos casos el español es en realidad su segunda lengua; sin embargo, los individuos que son monolingües en alguna lengua nativoamericana pueden ser identificados como indios con toda certeza mediante la aplicación de cualquier criterio (véase Hill y Hill, 1986, para un estudio sociolingüístico acerca del idioma y la etnicidad entre los nahuas del México central).

La dificultad para distinguir entre indios y mestizos es un problema que enfrenta el gobierno mexicano al tratar de resolver conflictos agrarios, instrumentar políticas para estimular el desarrollo económico y proveer de servicios a la población india. En el pasado, los funcionarios requerían de un indicio fácil respecto a la "indianidad" y acordaron que el calzado sería una característica distintiva: el que usaba zapatos era mestizo y el que no los usaba era indio. Esta solución ayuda a explicar algo peculiar en los censos mexicanos. Al igual que en muchos países, el gobierno federal realiza un censo cada 10 años. Por lo general, las encuestas contenían preguntas acerca de la afiliación lingüística, creadas para identificar a los indios. Al fin y al cabo se hizo evidente que la lengua por sí sola, como medida de la indianidad, era demasiado imprecisa para ser de utilidad. En consecuencia, a partir del sexto censo nacional (1943) se preguntaron datos culturales adicionales, incluso sobre el uso de zapatos (Marino Flores, 1967: 17). La intención detrás de esta pregunta era dar seguimiento a la población india y medir su crecimiento o disminución en relación con la de los mestizos; lo interesante es que para el censo de 1980 ya se había eliminado (véase Castile, 1981, para una discusión paralela de la indianidad tanto en América del Norte como en México).

El ejemplo de Julio Martínez, de Amatlán, ayudará a clarificar algunos problemas para distinguir a los indios de los mestizos. Julio nació en la comunidad y, como todos los demás habitantes, aprendió el náhuatl como lengua materna. Su esposa es de una comunidad nahua vecina y ella también es hablante nativa de náhuatl. Tanto Julio como su esposa hablan español con fluidez. De hecho, probablemente figuran entre los habitantes de Amatlán que mejor lo dominan. Julio es agricultor, como otros de la comunidad, pero se distingue por ser uno de los pocos que también posee ganado. Su hato bovino es grande, por lo que mantiene un trato constante con los rancheros vecinos para asegurar el acceso a pastos y agua. En un pequeño mostrador al lado de su casa está una de las dos cantinas que funcionan en Amatlán. Tiene amplio surtido de mercería, pero la mayor parte de sus ganancias proviene de la venta de alcohol de caña a los campesinos. Su esposa sale a vender el pan que cuece en un horno casero hecho de piedra y barro, y sus hijos atienden a los clientes en la cantina. Julio es un verdadero empresario; además de su vida aldeana tiene un puesto de venta de ropa y mercería en los mercados semanales de Ixhuatlán de Madero y de Llano de Enmedio. En 1986, cuando la electricidad llegó a Amatlán por primera vez, él compró un refrigerador pequeño que mandó a traer en burro hasta la comunidad. Ahora, además de refrescos y cerveza, vende "hielitos", un término local para referirse a unas bolsitas de agua congelada mezclada con azúcar, colorantes y saborizantes, algo parecido a una paleta helada.

Cuando llegué por primera vez a la comunidad, en 1970, Julio era uno de los pocos hombres que usaba tanto ropa al estilo occidental como zapatos. Él tenía curiosidad acerca de los Estados Unidos y me hizo muchas preguntas acerca de nuestras prácticas agrícolas y sobre cuánto les pagaban de salario a los obreros que trabajaban la tierra. Él se encuentra muy bien acomodado en comparación con los demás aldeanos y está claro que desea lo mismo para sus varios hijos. En 1986 su hija mayor asistía a la escuela secundaria en un pueblo lejano; un gasto que no está al alcance de la mayoría de los aldeanos. Además de sus actividades empresariales, para 1986 Julio ya se había hecho partidario activo del cambio en la comunidad.

Es miembro de un comité para solicitar al gobierno municipal que construya un camino que conecte Amatlán con el mundo exterior y trabajó diligentemente para que se trajera la electricidad a la comunidad. En resumen, su visión del mundo, sus numerosas actividades económicas, su vestuario, su habla y sus demás características parecieran relacionarlo con el mundo mestizo. Sin embargo, en muchos sentidos es indio por completo.

Julio y su esposa hablan bien el español, pero para ellos el náhuatl es el idioma de uso cotidiano. Con la excepción del refrigerador (comprado en 1986) y el mostrador de la cantina, nada distingue su casa de cualquier otra en la comunidad. Además, tanto Julio como su esposa participan en forma dinámica en las actividades comunales de la aldea. Él nunca falta al trabajo comunal e interviene con entusiasmo en los comités de la comunidad. Es más, Julio y su familia participan en forma activa en la religión tradicional. Tiene un altar en su casa, vigilado por un espíritu guardián representado en un recorte de papel, e invita a los curanderos tradicionales cuando cae enfermo algún miembro de su familia. Patrocina los rituales principales, tales como la ceremonia anual a *tonantsij,* un importante espíritu de la fertilidad. Julio no parece participar en estas actividades sólo para apaciguar los celos de los vecinos o para defenderse de las críticas de los menos afortunados. Él cree con fervor en el panteón nahua de los espíritus, sigue las costumbres tradicionales y participa de forma activa en su cultura. Se esfuerza por su propio beneficio y el de su familia, pero no se mantiene alejado de sus vecinos ni intenta acumular poder a costa de ellos. Es una de esas pocas personas sobre quienes se escribe poco en la literatura científica social: un indio que ha logrado cierta prosperidad sustancial, aun manteniéndose dentro del sistema de valores indígena.

Las complejidades para distinguir entre indios y mestizos provienen del hecho de que no existen líneas divisorias claras y estables entre ambos grupos. Aunque las orientaciones culturales de los dos son diferentes, desde la perspectiva de la persona ajena al asunto parecen sombras que se funden de manera imperceptible. Como en cualquier escala móvil, los extremos son fáciles de distinguir. Los casos en la parte media plantean la dificultad. Quisiera añadir aquí que los habitantes de Amatlán no parecen tener dificultad alguna en determinar la identidad de una persona. Sólo tiene dificultad el forastero, quien no está familiarizado con el medio simbólico para distinguir entre ambos grupos (véase Caso, 1971: 83 y ss., para un análisis sobre las complejidades para definir a los indios).

Para el lector que no esté familiarizado con las divisiones étnicas en México, quiero señalar algunas características generales que distinguen a los indios de los mestizos. La etnicidad muchas veces es situacional en el sentido de que la gente decide cuándo y cómo afirmar su identidad y emplea diferentes estrategias en distintas ocasiones. Un factor adicional para las complicaciones consiste en que la autodefinición de un grupo cambia con el tiempo, para hacer frente a nuevos desafíos, y los símbolos que la gente escoge para representar su identidad pueden ser modificados, recreados, eliminados de manera intencional o revividos de una época previa. Por lo tanto, cualquier lista de características conlleva el riesgo de simplificar en demasía y, por ende, de falsificar la compleja y siempre movediza situación multiétnica. Teniendo en cuenta estas advertencias, identificaré algunos rasgos de la etnicidad nahua que son reconocidos tanto por los indios como por los mestizos, y que también son significativos para el observador externo.

El ejemplo de Julio plantea una nueva percepción sobre cómo podríamos establecer los criterios mínimos para definir el estatus de los indios, que fueran válidos para el periodo de mi trabajo de campo. Tal definición debería incluir las siguientes características: el individuo debe *1)* definirse a sí mismo como indio; *2)* ser un hablante nativo de una lengua indígena, que sea la lengua preferida en el habla cotidiana; *3)* participar de forma voluntaria en las actividades comunales; *4)* venerar el panteón de espíritus y participar en los rituales que, aunque influidos en mayor o menor grado por el catolicismo español, proceden de las tradiciones americanas nativas; *5)* intentar por medio del ritual, u otros medios, entrar en equilibrio o en armonía con el mundo social y natural en lugar de rivalizar con ellos para lograr su control absoluto. Esta última característica es difícil de aplicar, pero se refiere al hecho de que la mayoría de los mestizos participan en la visión del mundo euroamericano, con su imperativo de dominar tanto el universo natural como el social. Ser indio no es un estado de riqueza material, ni tampoco es antítesis del espíritu empresarial o de la perspectiva progresista que ve algunos beneficios en adoptar la tecnología occidental. Julio y su familia son totalmente indios según su propio juicio y de acuerdo con las cinco características mencionadas arriba (Reck, 1986 [1978] escribió una novela en la que intenta aclarar la distinción entre la visión del mundo de los indios y la de los mestizos).

Hay que destacar dos características de esta lista. En primer lugar, ninguno de estos criterios es biológico. En segundo lugar, con la posible excepción del primer criterio (autodefinición como indio), cada característica cubre un grado de adhesión por parte de los participantes. Por ejemplo, una persona puede participar en las actividades comunales sólo en grado mínimo o tal vez permanecer en segundo plano durante los rituales. Los individuos dividen su tiempo y sus energías en forma diferente, pero para ser indios deben satisfacer hasta cierto punto los cinco criterios. Estas características no se pueden aplicar en forma rigurosa y cada una es difícil de evaluar. Sin embargo, si una o más de ellas no se cumplen, hay alta probabilidad de que la persona esté en vías de convertirse en mestizo. Es la movilidad entre el sector indio y el mestizo lo que contribuye a enturbiar la distinción entre estas dos categorías sociales. También, como se verá en el capítulo 7, los indios tienen su propio interés en mantener borrosos los límites culturales entre ellos y la población mestiza dominante.

Otro método para apreciar las diferencias entre los indios y los mestizos es ver la situación desde una perspectiva regional. Los indios habitan en comunidades con una estructura social distinta, mientras que los mestizos viven en ranchos, pueblos o ciudades. Dondequiera que los mestizos viven en comunidades agrícolas, por más pequeñas o aisladas que sean, conservan la perspectiva y los valores básicos de sus compañeros mestizos que viven en los pueblos. En el ámbito regional, los indios y los mestizos interactúan bajo condiciones muy especiales. Es posible que los indios trabajen para los rancheros en forma temporal o que comercien con intermediarios mestizos en el mercado; sin embargo, prácticamente no hay trato social fuera de situaciones bien definidas como éstas. Incluso, cuando los indios invitan a los vaqueros mestizos a sus comunidades para la doma de toros (jaripeo), los vaqueros montan los toros y los indios simplemente los observan desde afuera del corral. La gente de la región reconoce con claridad la línea que separa a los indios de los mestizos y esto se refleja en las reglas de interacción que obedecen ambos grupos las veces que interactúan.

Los habitantes de Amatlán están plenamente conscientes de su estatus como indios, y esta conciencia se refleja en las palabras que emplean para describirse a sí mismos y a los foráneos. Se autodenominan con el término general *masehualmej,* que en náhuatl significa "indios cultivadores" o "campesinos". Éste es el mismo término que usaban los antiguos aztecas para referirse a los plebeyos y, por ende, la palabra guarda relación con el México prehispánico (Soustelle, 1961 [1955]: 70 y ss.). Cuando quieren ser más concretos, los de Amatlán se refieren a sí mismos como *mexijcaj* (singular, *mexijcatl*), la misma palabra que usaban los aztecas antiguos para referirse a sí mismos. Ellos denominan a todos los mestizos, campesinos o no, con el término náhuatl *coyomej* (singular, *coyotl*), que ha sido traducido por algunos antropólogos como "caballeros", pero que también tiene una connotación despectiva. Aunque James Taggart traduce el término como "caballero", también señala que la palabra nahua *coyotl* ("coyote") representa a un animal al que los nahuas relacionan con una persona tramposa y maldiciente, además de inteligente y egoísta (1983: 260). A los *coyomej* se les ve como gente agresiva y arrogante, que explota a los demás cuando se puede (véanse Romualdo Hernández, 1982: 27-30, 158; y Reyes Martínez, 1982: 93, 154, para las descripciones de los nahuas acerca de los *coyomej;* véase, también, Wolf, 1959: 237). Los campesinos de mayor edad de vez en cuando usan el nahuatlismo *caxtiltlacamej* ("castellanos") o la expresión del español *gente de razón* para describir a los mestizos, herencia obvia de la época colonial. Estos aldeanos a veces usan la palabra española *indio* cuando se describen a sí mismos o a otros indios no nahuas; sin embargo, en este caso, modifican la palabra y añaden el sufijo diminutivo *-ito*. En otras palabras, hablan acerca de *inditos*, pero nunca de *indios*. Usan nombres tomados del náhuatl para referirse a sus vecinos indios no nahuas: *huaxtecatl* para los huastecos, *otomitl* para los otomíes y *tepehuatl* para los tepehuas. A toda esta gente denomina también la voz *masehualmej* (o "campesinos").

La manera en que los aldeanos usan estos términos depende, en gran medida, del contexto en que hablan. Para distinguir a los indios de los mestizos usan los términos generales *masehualmej* y *coyomej*. En otros contextos pueden optar por distinguir a los nahuas de los demás grupos indios y entonces usan la denominación *mexijcaj*. Como se sugiere arriba, el uso de estas designaciones étnicas es situacional y depende de la posición de quien habla en relación con sus oyentes y de lo inclusivo o lo exclusivo que desea ser el hablante. Las sumamente ambiguas distinciones entre los indios y los mestizos, y la lenta pero constante migración de los indios hacia el mundo mestizo, complican la manera en que los campesinos emplean las designaciones étnicas. Los habitantes locales que se trasladan a la ciudad siempre mantienen una identidad india positiva a los ojos de los que se quedan atrás. Los aldeanos reservan el término despectivo *otomimej* (singular, *otomitl*) para referirse a los indios que disimulan, vistiéndose o actuando como mestizos para darse ínfulas o para aprovecharse de los demás indios (Reyes Martínez, 1982: 93, 176;

Romualdo Hernández, 1982:158). El uso del término *otomimej* en un contexto tan negativo revela el grado de hostilidad en las relaciones interétnicas que existe entre los indios. No obstante, la división social de más significado en la Huasteca está entre los indios y los no indios. Prácticamente en todas las situaciones los indios de diferentes afiliaciones étnicas se unen para afrontar la amenaza común del mestizo.

La relación que la gente tiene con la tierra en la Huasteca veracruzana también refleja la distinción entre los indios y los mestizos. En la mayoría de los casos, los indios viven en ejidos o en otros pequeños poblados o aldeas. Es muy probable que estén rodeados de varias generaciones de su familia y que cultiven parcelas de tierra relativamente pequeñas. También es posible que los mestizos vivan en aldeas y que cultiven parcelas pequeñas, pero es más probable que usen el arado y que tengan acceso a la tecnología agrícola moderna. Para ellos, la agricultura es un negocio o un trabajo. Para los indios, la agricultura no es sólo una manera de ganarse la vida sino también un estilo de vida coherente, la actividad central que sirve como punto de referencia de su sistema social y de sus creencias y prácticas religiosas. Quienes poseen granjas independientes o ranchos ganaderos en la región son siempre mestizos y es éste el grupo que domina la toma de decisiones políticas y económicas en la localidad. Los indios y los mestizos pueden vivir uno al lado del otro, pero habitan mundos diferentes. Para que un indio entre en el mundo mestizo, con su atractivo de oportunidades de riqueza y de conseguir poder, tiene que abandonar mucho de lo que es característicamente indio y adherirse a una cultura ajena (véase Wolf, 1959: 235 y ss., acerca de la naturaleza y el desarrollo del México mestizo).

Es fácil observar que, a pesar de los problemas y las ambigüedades para distinguir entre los dos grupos, existen verdaderas diferencias entre los indios y los mestizos que tienen consecuencias importantes para los habitantes de la Huasteca. Una diferencia crucial es que los indios en general se relacionan con los mestizos desde una posición de desigualdad social, política y económica. Sin embargo, el bajo estatus, la relativa impotencia y la pobreza no se expresan de manera directa cuando los indios interactúan con los mestizos. En lugar de ello, éstas y otras realidades de la vida de los indios y los mestizos quedan sumergidas en las distinciones étnicas que existen en la región; éstas sirven para definir los valores culturales del propio grupo y para diferenciarlos de los valores del grupo ajeno. De modo que una de las más importantes variables que conforman la interacción indio-mestizo es la etnicidad. Los procesos que determinan las estructuras internas de los grupos étnicos, o que conducen desde un principio a su creación, son sumamente complejos y están mal entendidos por los académicos en ciencias sociales. La etnicidad ha resultado ser un fenómeno tan variable, con tantas manifestaciones diferentes, que los expertos ni siquiera concuerdan en la definición precisa de la expresión "grupo étnico".

Yo defino a un grupo étnico como una población dentro de una sociedad mayor, cuyos miembros se identifican a sí mismos, para fines de conseguir ventajas políticas, sociales o económicas, como un grupo distinto, basado en características culturales como la religión, el carácter social, el vestuario y un claro origen histórico común, las cuales son reconocidas tanto por los miembros del grupo como por los extraños. Ninguna característica separa de por sí a un grupo étnico de los demás. Como señala Fredrik Barth:

> Es importante reconocer que aunque las categorías étnicas toman en cuenta las diferencias culturales, no podemos asumir una relación sencilla de uno a uno entre las entidades étnicas y las similitudes y diferencias culturales. Las características que se tienen en cuenta no son la suma de las diferencias "objetivas", sino que son sólo aquéllas que los actores mismos consideran significativas. (1969: 14)

El problema para definir un grupo étnico puede ser resuelto, al menos en forma parcial, mediante un enfoque sobre factores que conducen a la gente a forjar y mantener una identidad distinta. Hay que analizar las ventajas que se derivan de estar asociado a un grupo étnico, ventajas que impelen a los miembros del grupo étnico a establecer límites entre sí y los demás, independientemente de las verdaderas distinciones culturales que se puedan observar. Los actores individuales reconocen las diferencias étnicas y hay que examinar lo que les motiva a perpetuar estas diferencias a través de sus creencias y su comportamiento (para un estudio actual acerca de la etnicidad, véase Nash, 1989).

Un aspecto importante es que los grupos étnicos nunca existen aislados, sino siempre en relación con otros grupos étnicos. De modo que, hasta cierto grado, la identidad india y la mestiza deben su existencia la una a la otra. En vista de que los grupos étnicos no siempre pueden ser distinguidos de manera objetiva, de acuerdo con su contenido cultural, y debido a que es imposible predecir cuáles aspectos de su cultura escogen los miembros para distinguir su grupo, Barth recomienda que los estudiosos concentren su atención en los límites entre los grupos étnicos para ver cómo los miembros crean y mantienen su identidad (1969: 15). Por lo tanto, según Barth, los límites entre los indios y los mestizos conforman y definen sus respectivas identidades étnicas. Ser indio es participar en un sistema cultural que, según dan por entendido todos los de la región, es distintivamente indio. La misma definición se aplica a la identidad mestiza; sin embargo, debido a que los mestizos están más estrechamente vinculados a la dominante corriente urbana, su identidad tiende a permanecer implícita. Para comprender la naturaleza de los límites entre estos grupos hay que entender no sólo lo que motiva a los indios y los mestizos a crear para sí mismos identidades separadas, sino también cómo estas identidades separadas influyen en las interacciones que cruzan dichos límites.

De acuerdo con la importancia que otorgo a este aspecto en este trabajo, una forma de aclarar la compleja situación étnica en la Huasteca es ver la identidad india como una reacción ante circunstancias reales con las que se enfrentan los campesinos y reconocer que la interacción entre los indios y los mestizos está mediada por sus respectivas identidades étnicas. La identidad étnica y la formación de los grupos étnicos se analizan más adelante, en el capítulo 7 (véase, también, Tambiah, 1989: 335-336, para encontrar una definición del grupo étnico donde se subraya la "pragmática de la selección calculada y el oportunismo").

El vestido

Aparte de la lengua, la evidencia más importante de la identidad étnica en el sur de la Huasteca es el vestido. El estilo de vestir puede distinguir a los indios de los mestizos a la vez que a los varios grupos indios entre sí. Incluso, dentro de los grupos étnicos las diferencias sutiles en la ropa suelen identificar a la comunidad que se vista de esa manera. En Amatlán, los tipos de vestimenta son marcadores simbólicos importantes que vinculan a la persona con ciertas categorías sociales. De entrada debo aclarar que este sistema de clasificación simbólica de la gente ahora se encuentra en proceso de descomposición. En 1970, cuando llegué por vez primera a Amatlán, cerca de 95% de los hombres y 100% de las mujeres se vestía al estilo tradicional. Por tradicional me refiero al estilo de vestido identificado como indio, aunque los propios estilos parecen basarse principalmente en el vestuario campesino español de la época posterior a la Conquista. En 1986 sólo 20% de los hombres y alrededor de 75% de las mujeres seguía el patrón antiguo. Cada vez más, los campesinos compran ropa de estilo mestizo o euroamericano en los puestos de venta de ropa de segunda mano los días de mercado. De hecho, la ropa usada más preferida proviene de los Estados Unidos. En varias ocasiones me quedé sorprendido al encontrarme por la vereda con alguien que llevaba puesta, por ejemplo, una sudadera de la Universidad de Michigan.

En el sistema tradicional, los hombres y aquellos jóvenes lo suficientemente grandes como para trabajar su propia milpa usan pantalones de talla suelta de tela de algodón blanca que se atan en la cintura y en los tobillos. Los pantalones los llaman *caltsoj* (del español *calzón*) y como todo el vestuario tradicional de la comunidad son cosidos a mano por las mujeres con telas compradas en el mercado. Arriba de la cintura, los hombres visten camisas cerradas, muy sueltas, blancas y de manga larga, que les llegan hasta los muslos y son del mismo material. La abertura del cuello baja unos diez centímetros desde el escote por enfrente y se cierra con tres o cuatro botones de color. Algunos hombres lucen camisas con los puños y el área de los botones bordados en hilos de vivos colores. La mayoría de los hombres raras veces usa calzado, aunque algunos se ponen un tipo de huaraches hechos con parte de una llanta de hule (la huella de una llanta neumática o los lados de la misma se cortan en forma de suela) amarrada con correas blancas de cuero entrecruzadas, ensartadas por grapas de alambre pesado. Este calzado se llama *tecactli* (singular) en náhuatl y *huarache* en español. Al vadear las aguas o durante los días calurosos en extremo, los hombres se suben los perniles de los pantalones, enrollándoselos hasta rebasar el borde de sus largas camisas, en forma de "shorts". Algunos hombres mantienen subidas las mangas con una liga elástica alrededor de cada brazo.

Las mujeres casadas, independientemente de su edad, visten una falda de un vivo color sólido que envuelve la cintura y les llega hasta los tobillos. Se ciñe y con frecuencia se hace de una tela dura satinada. Esta falda, llamada *enagua* en español o *cueitl* en náhuatl, por lo general tiene una o dos rayas horizontales de tela o cinta de color contrastante, que circunda más o menos a la altura de las rodillas. Las mujeres visten una blusa de manga corta que lleva el nombre español de *camisa*. Esta hermosa prenda está hecha de tela de algodón blanca, bien ajustada debajo del brazo mediante una serie de plisados, y cae suelta de manera espaciosa más abajo de la cintura. Por lo general las blusas van metidas en la falda. La parte superior de las mangas y un rectángulo grande de tela que sirve como el cuello de la blusa se cosen aparte. Este canesú rectangular, que se extiende casi una tercera parte a lo largo del pecho y de la espalda, y la parte superior de las mangas se bordan elaboradamente antes de fijarse a la camisa. Los diseños de punto de cruz representan patrones geométricos o flores y para bordarlos se usan hilos de color rojo claro, amarillo, anaranjado, azul, verde y de otros colores intensos. Alrededor de la orilla de las mangas y dentro del cuello, las mujeres a veces cosen un ribete negro. El borde entre los paños bordados y las dos terceras partes lisas de la camisa muchas veces se adornan con una raya estrecha de un bordado de azul intenso o rojo. En ocasiones las mangas y las orillas de las blusas se decoran más todavía, con una filigrana parecida a un encaje, que las señoras añaden con esmero mediante una costura de hilo blanco. Las blusas son de notable hermosura y la fina artesanía es fuente de orgullo para las mujeres. Tanto las mujeres como las niñas andan descalzas.

Los niños pequeños, antes de recibir algún terreno del padre, visten una prenda parecida a un camisón, llamada *cotoj,* palabra probablemente derivada del español de la Conquista donde *cota* significaba blusa o jubón. Les llega hasta las rodillas. La tela que se escoge para el *cotoj* es blanca o levemente estampada. Los niños pequeños no usan ni ropa interior ni calzado. Cuando el padre les permite trabajar una pequeña porción de terreno, más o menos a los nueve años, los muchachos cambian su vestuario por el de los varones adultos. Las niñas pequeñas llevan vestidos de una sola pieza, que suelen ser de un vivo color sólido y, con frecuencia, están hechos con los sobrantes de la misma tela satinada usada para hacer las faldas de sus madres. Los vestidos de las muchachas jóvenes pueden estar decorados en los bordes, pero son sencillos en comparación con los de las mujeres casadas. Cuando una mujer no se casa, cosa que ocurre muy raras veces, sigue poniéndose el vestido de una sola pieza durante toda su vida adulta. Hasta más o menos los tres años, a los niños de ambos sexos se les permite andar sin ropa alguna.

Ni los hombres ni los muchachos se adornan más allá de unos pocos bordados en las camisas. Los hombres suelen llevar al hombro un morral tejido de ixtle, el cual está moderadamente decorado con detalles geométricos. Éste sirve de uso general, pero casi siempre guardan dentro el pañuelo rojo que suelen anudarse al cuello. Los hombres jóvenes pueden cargar en su morral botellitas de perfume y un espejo y, en ciertas ocasiones, se les puede ver arreglándose. Los hombres raras veces salen del caserío sin su machete Collins de mango negro. Esta herramienta de uso general se lleva en una funda de cuero, colgada al hombro o atada en la cadera con un tirante de cuero. A las niñas les perforan las orejas al nacer y desde entonces siempre llevan puestos los aretes (singular, *pipiluli* en náhuatl). A medida que crecen, las niñas prefieren aretes de largos pendientes con joyas de fantasía. Además, las niñas y las mujeres siempre lucen varias hebras de collares de cuentas de vivos colores que compran en el mercado semanal.

Las mujeres nunca se cortan el cabello y suelen peinarlo en dos trenzas largas que pueden llegarles hasta las piernas; con frecuencia llevan entretejidas tiras de tela o hilos de color. El cabello de los hombres se mantiene medio largo y tienen muy poco o nada de barba. Durante los viajes, las mujeres pueden cubrirse la cabeza con una prenda parecida a un chal, llamada *rebozo,* palabra tomada del español. Cuando se encuentran lejos de la comunidad, los hombres utilizan un típico sombrero de paja que compran en el mercado. El estilo del sombrero y la manera en que éste se lleva puesto es lo que asocia a la persona que lo luce con una comunidad específica. Los sombreros sirven también para protegerse de la insolación o del tiempo inclemente durante las largas caminatas hasta el mercado. La escrupulosa limpieza de la ropa es tarea de las mujeres, quienes pasan gran parte de cada día lavándola entre las rocas y las frescas aguas del arroyo. Tanto los hombres como las mujeres usan ropa vieja y hasta hecha jirones cuando hacen trabajos duros, pero en las demás ocasiones suelen vestirse y arreglarse con esmero y elegancia. Las mujeres son las más llenas de colorido en su vestir, pero los hombres lucen impresionantes en su holgado vestuario blanco con el machete en su funda de color café oscuro, suspendido de un costado.

La ropa que llevan los campesinos no sólo es atractiva sino también se presta para usarla en este tipo de clima, de manera bastante funcional. La ropa suelta de algodón puro es la mejor para el clima húmedo y caluroso, y tiene el efecto de disuadir a los insectos que pican. En los periodos de frío la gente se pone una prenda de vestir parecida al poncho, que llaman *jorongo* en español y que compran en el mercado. Las piezas de plástico comunes les sirven de impermeables. Como hemos visto, para los nahuas, como para la mayoría de la gente, el vestido sirve mucho más que sólo para fines funcionales; éste a veces dice algo sobre la persona que lo luce. En la cultura nahua la ropa indica el sexo de una persona, su estado civil, su identidad étnica y su pueblo de origen. Curiosamente, la ropa no revela mucho acerca de la riqueza material de la persona; tanto para los ricos como para los pobres la calidad de la ropa entre los campesinos es más o menos la misma.

En los últimos años, con la introducción de la ropa urbana comprada, tanto el sistema funcional como el simbólico están desapareciendo con rapidez. La ropa comercial muchas veces es de corte demasiado ceñido y está hecha de poliéster o de otras fibras sintéticas. Es incómoda, calurosa, difícil de lavar, de calidad muy corriente y no es duradera. Arturo Warman sostiene que los productos industriales que llegan a las comunidades con frecuencia son sustituciones que resultan inferiores a los artículos producidos en la localidad. Por lo tanto, estos productos manufacturados no contribuyen a mejorar el estándar de vida y más bien puede que lo disminuyan (1976: 277). Por supuesto, lo anterior es verdad con respecto a la ropa en Amatlán. Es más, el mensaje simbólico del vestido se ha vuelto confuso en lo esencial. La línea entre el indio y el mestizo se ha hecho borrosa, y ahora es aún más difícil, tanto para el indio como para el mestizo, distinguir entre los dos mundos. En mi opinión, los campesinos no cambian su vestuario motivados por un deseo abstracto de lucir como modernos. Ellos optan por la ropa incómoda y costosa porque les otorga una ventaja en el contexto de la vida real en que funcionan. Por ejemplo, los aldeanos que periódicamente acuden a las ciudades para trabajar tienen más éxito en su trato con los mestizos urbanos si descartan algunos signos explícitos que los identifica como indios. El hecho de tener una identidad étnica tiene ventajas y desventajas, y los nahuas, como la mayoría de la gente, intentan en forma activa consolidar los beneficios y limitar las pérdidas. Más adelante, en otro capítulo, se analizará la naturaleza de estas ventajas y desventajas.

Los vecinos

Como parte de mis esfuerzos para entender las características significativas en el entorno inmediato de Amatlán, les pedí a varios campesinos que me ayudaran a construir un mapa de la región. Curiosamente, sus ideas de cómo dibujar un mapa diferían de las mías en forma considerable. En vez de perfilar los límites alrededor de los ejidos o ranchos vecinos de propiedad privada, trazaban tres o cuatro puntos sobre el papel e identificaban estos puntos como lugares específicos dentro de los límites de cierto rancho ganadero o pueblo regional. Luego dibujaban algunos puntos más y los reconocían como lugares dentro de un ejido colindante. Por lo visto, ellos identifican determinada área con base en los rasgos geográficos clave y no en los límites lineales. Cuando caminan por los alrededores de Amatlán, los hombres saben con toda precisión dónde termina su propia tierra y dónde empieza la del vecino, aunque ésa no haya sido la manera que eligieron para representar en el papel la tenencia de la tierra. Después de mucha discusión logré que aceptaran el diseño de un mapa que incluyera los límites lineales. Luego comparé su concepto con un mapa oficial basado en fotografías aéreas. Al tomar en cuenta lo escarpado del terreno, me quedé impresionado con la precisión de su plano.

A pesar de lo remoto del lugar y del accidentado terreno de la región, es evidente que alguien reclama prácticamente toda la tierra. Amatlán tiene límites al norte, al noreste, al sur y al sudoeste con otros ejidos o rancherías nahuas. Al noroeste y al sudeste se encuentran ranchos ganaderos de propiedad privada, manejados por administradores contratados para tal efecto. La mayoría de los dueños vive en las grandes ciudades, por todo México, o en poblaciones mestizas de otras partes del municipio. Alrededor de la comunidad y más lejos se encuentran otros ejidos nahuas y ranchos privados. Todos se conectan entre sí por medio de una red compleja de veredas y caminos de herradura. Desde el noroeste hacia el sudeste serpentea un arroyo rocoso, llamativo por su belleza, que desemboca en el río Vinazco algunos kilómetros más adelante. En los mapas este arroyo se llama el Pilpuerta, palabra mixta nahua-español que significa "pequeña puerta" o "pequeña abertura". Sin embargo, el nombre oficial no es reconocido en las comunidades, porque ellos nombran el arroyo por secciones y no en su totalidad.

Las relaciones de Amatlán con las localidades y los ranchos circundantes son factores cruciales para su medio ambiente sociopolítico. Por lo general, los ranchos privados son áreas donde se prohíbe el acceso a los campesinos y a éstos les sirven sólo como recursos potenciales de trabajo asalariado temporal durante algunos periodos del año. No obstante, la interacción no siempre ha sido pacífica. En los días en que el gobierno les expropiaba la tierra a los ricos rancheros de la región para distribuirla entre los indios, la hostilidad llegó a envenenar estas relaciones. El propietario absentista de un rancho ganadero vecino al oeste de Amatlán, al igual que otros terratenientes privados al sur de la comunidad, están inmersos en luchas legales para repeler a los indios, quienes a su vez requieren de más tierra cultivable. Sin embargo, Amatlán no está involucrado de manera directa en ninguna de estas batallas.

La base de terrenos relativamente fija, junto con el incremento de la población, ha causado problemas para la comunidad. El resultado ha sido la formación de aldeas hijas en el área circundante. Una de ellas solicitó su propio estatus de ejido y se le otorgó hace algunos años. En vista de que la ruptura fue amistosa, las relaciones entre Amatlán y esta comunidad siempre han permanecido cordiales. Al sur de Amatlán hay otras dos pequeñas aldeas hijas que se separaron de la comunidad principal en los últimos 15 años. Sin embargo, las rupturas no fueron amistosas y persisten todavía muchas animadversiones. Todavía no se les ha otorgado el estatus de ejido a ninguna de estas nuevas comunidades y sus habitantes están en constante peligro de perder sus casas y cultivos por acción de una invasión del ejército o de pistoleros contratados por el dueño del terreno. La inseguridad de esta gente les condujo a invadir una parte de Amatlán justo en el momento en que esta comunidad negociaba la ampliación de su propia tierra con la comisión agraria del estado, de modo que hay una suerte de "tierra de nadie" entre Amatlán y sus vecinos del sur, donde nadie se arriesga a sembrar. La invasión fue sangrienta y los resentimientos perduran.

Los aldeanos me dijeron que a fines de los años setenta se formó la cuarta aldea hija, a una distancia de más o menos cuatro horas a pie hacia el oeste. Los habitantes de Amatlán y varias otras comunidades limpiaron una área baldía que pertenecía a un ranchero y sembraron cultivos básicos. Después de tres años construyeron casas y empezaron a vivir en forma permanente en la nueva comunidad. Un otoño, cuando los cultivos estaban listos para la cosecha, el ejército los invadió y quemó todas las casas. Bajo órdenes del comando local, mataron a tiros a todos los animales domésticos, quemaron las milpas en plena maduración y se llevaron a la gente en camionetas. La aldea quedó destruida y el ejército reubicó a las familias sin hogar en varios ejidos distantes. Al hablarme acerca de este suceso, los campesinos expresaban indignación mayúscula por la forma desenfrenada en que los soldados destruyeron tantos alimentos en perfecta condición.

Cada comunidad, sea o no ejido, participa en una batalla solitaria en contra de sus vecinos indios y no indios, para incrementar su base territorial. La lucha no es sólo para aumentar la capacidad productiva sino también para acomodar el incremento en la población. En vista de que la cantidad de terrenos disponibles es fija, muchos individuos tienen que salir de la comunidad antes de llegar a ser adultos y formar sus propias familias. Por lo tanto, no es sólo una situación de indios enfrentados con los rancheros mestizos, sino también de indios contra indios. En mi opinión, esta compleja situación es una razón por la cual los indios se separan, por ejemplo mediante el vestuario, tanto de los mestizos locales como de los otros indios campesinos. El grupo de apoyo para el individuo tiene su enfoque en la comunidad donde reside, y las distinciones simbólicas se manifiestan entre los miembros de esa comunidad y todos los demás.

Un factor importante que debe considerarse aquí es que la comisión agraria y otros organismos gubernamentales prefieren repartir las tierras más bien a comunidades establecidas antes que a individuos. Por esta razón, incluso las aldeas hijas que mantienen relaciones amistosas con la comunidad madre ven que les conviene establecer su propio sentido de comunidad y así distinguirse simbólicamente al poco tiempo después de separarse. Como hemos observado, la aldea en sí puede estar dividida internamente, sin embargo es necesario que cada esfuerzo para incrementar su base territorial sea originado y sostenido por los miembros de toda la comunidad. El vestuario es sólo una de las formas en que la gente establece este sentido de causa común. Otra manera más importante en que se alcanza este objetivo es mediante las pequeñas variaciones en la ejecución de los rituales tradicionales. En capítulos subsiguientes se verán ésta y otras estrategias para establecer una comunidad y las razones por las cuales se realizan.

En Amatlán funcionan dos panteones: uno se comparte con un ejido vecino y el otro, recién abierto, está en un lugar lejos de las casas. El nuevo cementerio se abrió para remediar la aglomeración del anterior. Menciono los cementerios en esta sección sobre los vecinos porque éstos son para los nahuas las entradas al inframundo y a lugares habitados por las ánimas de los fallecidos. Desde la época prehispánica los indios de Mesoamérica han centrado su cultura, en forma significativa, en la muerte. La influencia de esta herencia se mantiene en el México moderno, cuyas celebraciones del Día de los Muertos son reconocidas en el ámbito internacional. Para los nahuas, las sepulturas son puertas al inframundo y ven los panteones como sitios donde se reúnen los antepasados. En general, los campesinos los consideran como lugares aterradores, de intenso significado emocional. Allí celebran elaborados rituales para hacer ofrendas a los muertos, quienes, si no se les satisface, mandan enfermedades y muerte a la comunidad. Como veremos, los rituales de curación son, en esencia, esfuerzos para establecer la paz con los espíritus de los muertos; por ello muchos se originan en el panteón.

De modo parecido, los nahuas creen que numerosos lugares sagrados en la vecindad de sus pueblos son residencias de entidades espirituales. Como explicaré en los capítulos 3 y 6, los nahuas de Amatlán tienen una relación muy íntima con las características del paisaje dentro del pueblo y en sus alrededores. Los nahuas sostienen que la tierra está viva y que casi toda forma geográfica desempeña un papel en la mitología o el folclore, o que es la morada de un espíritu vivo. De hecho, sostendré que la religión nahua tiene cierto aspecto panteísta, donde el universo y todos sus componentes participan de una esencia espiritual viva. Así que las cimas de los cerros, las cuevas, los manantiales, los pantanos, las ruinas prehispánicas, los cañones y las cadenas montañosas son vistos como manifestaciones locales de una fuerza motora superior. A través de los rituales y del comportamiento de los chamanes, la comunidad se congrega en una interacción casi diaria con su entorno geográfico. La gente ofrece huevos al espíritu que habita la fuente, cada vez que obtienen agua, velas al espíritu del árbol que acaban de cortar o comida y copal a la milpa que acaban de sembrar. El mundo nahua incluye entidades espirituales vivas que, como los vecinos humanos, son parte del sistema social. Hasta sus contornos físicos se incorporan en una sociedad espiritual universal que, en gran medida, supera su contraparte humana.

Los mercados

Una característica clave del escenario de una comunidad es su ubicación en relación con los mercados. En muchos casos el acceso a los mercados es un factor decisivo en las estrategias productivas del pueblo. Hay que hacer una distinción entre el pequeño local de ventas, que llaman *tienda,* palabra tomada del español, y el mercado semanal, que llaman *tianquistli* en náhuatl. Casi todos los poblados mestizos tienen una o más tiendas permanentes que están abiertas 6 o 7 días a la semana. Es posible que vendan mercería, ferretería, medicinas y un sinnúmero de artículos, para atender a la comunidad local o a los ranchos ganaderos circundantes. Los indios casi nunca hacen compras en las tiendas. Los mercados se organizan cada semana en localidades específicas, y atraen compradores indios y mestizos de varios kilómetros alrededor. Cualquiera puede montar su puesto y vender lo que desee. El único requisito es pagar el alquiler del puesto a las autoridades del pueblo. La mayoría de los vendedores son mestizos profesionales, que viajan en circuito de mercado en mercado. Sin embargo, buena proporción es de indios, muchos de quienes han llegado a ser comerciantes profesionales o semiprofesionales.

Amatlán está situado al alcance de tres mercados regionales. El primero se realiza los viernes en *Huextlahuac* (su nombre en náhuatl; Llano de Enmedio en español), pequeño poblado mestizo a una distancia de hora y media a pie desde Amatlán. La gente expresa que los precios aquí son un poco más altos que en otros sitios, quizás porque es el primer mercado regional de la semana y la demanda de los consumidores es un poco más alta. El segundo tiene lugar los sábados en *Colatlaj* (Colatlán en español) y se encuentra a unas tres horas a pie desde la comunidad. Colatlán es un poblado más grande que Llano de Enmedio y en este mercado se maneja la mayor parte del negocio ganadero. El último mercado semanal se celebra en *Ixhuatlaj* (Ixhuatlán de Madero en español) y tiene lugar los domingos. Éste es el más grande de los tres y allí hay muchos más artículos en venta. Si se va desde Amatlán, el pueblo se encuentra al otro lado del río Vinazco, más o menos a dos horas a pie desde la comunidad. Hay que cruzar el río en canoa o, durante la temporada seca, vadeando, nadando o a caballo. El mercado de Ixhuatlán es popular por su tamaño y porque allí se encuentran las oficinas administrativas del municipio (y están abiertas los domingos). El problema es que el río es un obstáculo e impide que los animales crucen y casi imposibilita el transporte de mercancías a granel.

Estos mercados se realizan al aire libre, bajo rústicos toldos de lona que protegen del sol tropical a los vendedores y sus mercancías. Son ejemplos típicos de mercados rurales de todo México y otras partes del mundo, que para un forastero parecen tanto una feria de carnaval como un lugar serio para los negocios. Multitudes de personas vestidas en sus mejores ropas se arremolinan alrededor de los pequeños mostradores de frutas, verduras, herramientas, ropa, juguetes y otras incontables mercancías. Los vendedores se encuentran sentados de forma pasiva o desempeñan un papel más activo al pregonar la calidad de los productos que venden. Los habitantes de las comunidades llegan con su carga de productos para vender o canjear y en el curso del día se les puede ver salir con las cosas que han comprado y tal vez con un pequeño juguete o dos para sus hijos. Paradójicamente, la mayoría de la gente parece pasar el tiempo conversando, casi sin realizar ninguna compra o venta. Al final del día, sin embargo, todos los participantes de las comunidades han negociado alguna transacción, se han puesto al corriente de las noticias regionales, han establecido contacto con parientes de las comunidades vecinas, han pasado y recibido mensajes y han hecho planes.

El ambiente del mercado oculta otra actividad clave en la mente de la mayoría de los presentes. Tanto hombres como mujeres se encargan de averiguar los precios vigentes que se pagan por los productos importantes durante esa semana. A mí siempre me asombraba lo bien informados que estaban todos en Amatlán acerca del precio en el mercado del maíz, el frijol, el café y demás cosechas y productos. En general, los campesinos están muy interesados en el precio de todo, pero muestran mayor entusiasmo por saber los precios que se están pagando por sus cosechas. Los precios siguen un ciclo anual que hasta cierto punto puede ser pronosticado con anticipación una vez que se hace accesible la información. Los precios que se pagan por las mercancías básicas están determinados por las condiciones del mercado regional y por las políticas del gobierno y de los comerciantes profesionales; por lo tanto, están fuera del control de la comunidad. Durante ciertas épocas del año, los campesinos tienen que vender y comprar productos agrícolas si quieren mantenerse en el mercado, y el ciclo de los precios es un factor importante para su éxito o su fracaso (véase el capítulo 5).

La historia de la región y de la comunidad: el legado de la violencia

Ni la prehistoria ni la historia del sur de la Huasteca son bien conocidas. Los académicos han menospreciado la región bajo la suposición de que lo ocurrido en la Huasteca ha sido de importancia marginal para el desarrollo espectacular de las civilizaciones del Altiplano Central. La investigación se ha concentrado en los logros de los aztecas y toltecas, y las culturas interesantes de la periferia han permanecido opacadas. Parte del problema radica en que los conquistadores españoles encontraron poco que les atrajera en la región. No había oro, los minerales preciosos eran escasos, el clima era opresivo y el terreno inhóspito. Pocos cronistas escribieron acerca de la Huasteca, y por lo tanto, hay escasez de fuentes etnohistóricas sobre esta misteriosa región. Los datos que tenemos suelen provenir de observadores aztecas, quienes expresaban su desagrado y consternación por el comportamiento de los indios huastecos. Es una de las pocas áreas en Mesoamérica donde se practicaba el culto fálico y, para el gran horror de los puritanos aztecas, se reputaba que los hombres huastecos andaban desnudos. Había también rumores de rituales eróticos de fertilidad entre los huastecos y se cree que, entre otros atributos, la deidad azteca Tlazolteotl, diosa del amor sexual, tuvo origen en la Huasteca.

Sabemos que en la época prehispánica los indios huastecos, hablantes de lenguas mayas, ocupaban la región entera que ahora lleva su nombre. Las expediciones de reconocimiento arqueológico organizadas a principios de los años cincuenta y finales de los sesenta estableció que hay ruinas y estatuas huastecas en el sur de la Huasteca, donde ahora viven pocos hablantes del idioma huasteco (Medellín Zenil, 1982: 202-4; Wilkerson, 1979: 41, 44; Ochoa, 1979). Amatlán en sí está construido sobre todo un complejo de muros de piedra prehispánicos, montículos elevados y áreas cercadas, en su mayoría cubiertos de vegetación espesa y escombros del bosque. En las milpas al noroeste de las casas se pueden ver los restos de un camino elevado de piedra, de tipo prehispánico, que sigue en línea recta hacia el oeste, hasta cruzarse directamente con la falda de un gran cerro puntiagudo. Continúa por el otro lado del cerro en dirección de una comunidad vecina que está a varios kilómetros de distancia. Al oeste de las casas, a unos dos kilómetros, los campesinos me enseñaron un gran conjunto de montículos de templos en ruinas, construidos en una terraza artificial, ancha y nivelada. El sitio está en un remoto rancho ganadero y se utiliza como potrero. Desde la cumbre del montículo más elevado pude ver Amatlán y también determinar que todas las ruinas en una área de varios kilómetros cuadrados forman parte de un solo conjunto.

Mi investigación preliminar demostró que Amatlán está situado en medio de un conjunto mayor que era desconocido para los forasteros antes de que la gente me lo mostrara. La mayor parte del sitio está cubierto de selva densa y, por consiguiente, es difícil determinar su extensión o sus límites. En 1986 envié dibujos y fotografías del sitio a expertos en la ciudad de México y un arqueólogo vino a investigar. Él recogió varios fragmentos de cerámica e informó que el sitio es extraordinariamente grande y, casi seguro, de origen huasteco. Les pregunté a los habitantes de Amatlán acerca de las ruinas, las cuales ellos llaman con el término general de *tetsacual* (singular) en náhuatl y el de *cube* en español. La mayoría de la gente tiene escasas opiniones acerca de ellas, salvo para señalar que son muy antiguas. Algunos creen que fueron construidas por gentes antiguas desconocidas, que luego desaparecieron. Varias personas me dijeron que un espíritu del inframundo, al que ellos llaman *montesoma* en náhuatl, construyó todas las ruinas junto con la iglesia de Ixhuatlán de Madero. Los chamanes están de acuerdo en que las ruinas son puertas al inframundo. De hecho, yo he presenciado muchos rituales curativos al pie de los montículos en ruinas, en los cuales los chamanes dedican ofrendas a los espíritus de los muertos que provocan enfermedades. Todos con quienes yo hablé, convenían en que es incorrecto molestar las piedras, aunque no concordaban en sus razones. Algunos decían que hay culebras venenosas dentro de los montículos, mientras que otros sólo decían que las ruinas son antiguas y hay que respetarlas.

Estudios preliminares de los yacimientos de la región señalan que los huastecos abandonaron sus poblados en el sur de la Huasteca antes de la llegada de los españoles; nadie sabe por qué, pero la historia legendaria registrada en el siglo XVI apunta a cierto número de migraciones e invasiones en el sur de la Huasteca, que pudieron haber ahuyentado a sus habitantes hacia el norte. Se considera que toltecas de habla náhuatl del Altiplano pudieron haber entrado al sur de la Huasteca, pues hay cierta evidencia arqueológica de que esto ocurrió. Se dice que gente de la costa, como los totonacos, ubicados justamente al sur de la Huasteca, adquirieron esclavos del Altiplano Central; puede ser que estos esclavos finalmente hayan formado poblados y hecho que los huastecos se fueran hacia el norte. Además, los cronistas del siglo XVI registraron hambrunas prehispánicas en el Altiplano, durante las cuales gran número de gente migró a las tierras bajas de la Huasteca para radicar allí en forma permanente (Kelly y Palerm, 1952:16 y ss.; véase Wolf, 1959, capítulos 3 y 4, para una discusión general de las migraciones de las poblaciones en México, incluyendo la costa del golfo).

Debido a éstas y otras migraciones e invasiones, las partes oeste y sur de la Huasteca han sido ocupadas por otomíes, tepehuas y hablantes de dialectos tanto del nahuat como del náhuatl. El censo de 1980 encontró sólo 10 hablantes del huasteco, quienes se autodenominan *teenek*, en todo el municipio de Ixhuatlán de Madero que, como hay que recordar, se encuentra en el sur de la Huasteca. De acuerdo con Guy Stresser-Péan, experto en la Huasteca, los nahuas ya habrían llegado a la región para el siglo XIII a fines del periodo tolteca, o tal vez más temprano (1971: 584-587; véase, también, Stresser-Péan, 1952-1953). No sabemos si los toltecas llegaron en son de guerra o de paz ni si fundaron poblados que hayan persistido hasta la llegada de los españoles. Los registros históricos se hacen más confiables después, durante la época azteca, y hablan de repetidas invasiones violentas y sangrientas en el sur de la Huasteca.

En el siglo xv, Netzahualcóyotl, rey de Texcoco (1431-1472) y aliado de los aztecas, conquistó partes de la región costera cercanas al sur de la Huasteca. Como representante de la famosa Triple Alianza de los aztecas, que incluía las ciudades de Tenochtitlán, Texcoco y Tlacopan, parece ser que Netzahualcóyotl conquistó tanto el reino de Tzicoac, al sur de la Huasteca, como la ciudad costera de Tuxpan. La comunidad de Amatlán se encuentra dentro de los antiguos límites de Tzicoac y Tuxpan sigue siendo una ciudad costera importante en la región. Con el fin de protegerse, los totonacos formaron alianzas con sus vecinos huastecos al norte y con los tlaxcaltecas de las tierras altas, enemigos de la alianza azteca. Motecuhzoma (por lo general llamado Moctezuma) Ilhuicamina, quien gobernó desde 1440 hasta 1468, emprendió una invasión hacia el sur de la Huasteca en la década de 1450 y marcó una división entre los huastecos y sus aliados totonacos al sur. Los emperadores aztecas Axayacatl (1468-1481), Tizoc (1481-1486), Ahuizotl (1486-1502) y Motecuhzoma (Moctezuma) Xocoyotzin (1502-1520), emprendieron todos invasiones sangrientas hacia el sur de la Huasteca y la región totonaca varias veces durante sus reinados. Los ataques se realizaron o para extender control político o, de manera alterna, para suprimir las frecuentes revueltas de las poblaciones sometidas (Kelly y Palerm, 1952: 21 y ss.; Hassig, 1988: 163, 188, 204 y 350).

Al momento de la invasión española, en 1519, toda la región totonaca, llamada Totonacapan, y una parte del sur de la Huasteca estaban bajo el firme poder de los aztecas. Hoy, la distribución de los grupos indios en el norte de Veracruz refleja estos hechos históricos. Al sur se encuentran los totonacos, quienes para Cortés resultaron ser aliados dispuestos a participar en su marcha contra la capital de los aztecas. Más al norte, una franja de hablantes del náhuatl se extiende desde el Altiplano Central hasta la ciudad costera de Tuxpan; probablemente representan los remanentes de la división azteca que separó de manera tan efectiva a los huastecos de sus aliados del sur. Amatlán se encuentra en el límite sur de esta franja nahua, alrededor de 75 kilómetros al norte de la principal concentración de población totonaca. Al norte y sur de la franja encontramos pequeños grupos dispersos de tepehuas, otomíes y hablantes del dialecto nahuat. Finalmente, en el extremo norte se encuentran los *teenek,* o sea los huastecos, quienes todavía ocupan lo que fue un vasto imperio.

Tras la derrota de los aztecas en 1521, México entró en su periodo colonial y empezó en serio la persecución de los habitantes nativos. La brutalidad de la ocupación española se refleja en la drástica disminución de la población que ocurrió después de la Conquista. Un académico ha escrito que en 1519 la población de Mesoamérica era de 22 millones y que al paso de varios años su número disminuyó a menos de un millón (Gerhard, 1972: 23-24). Esto representa una reducción espantosa, de más de 95%. Con respecto a la población de la costa del golfo, el mismo académico afirma: "En las primeras décadas después de la Conquista un número inmenso de indios, probablemente en los millones, sucumbió en la tierra caliente más allá de Veracruz" (1972: 23-24). William Sanders escribe que la población del estado de Veracruz fue casi destruida después de la Conquista y que la población de la costa del golfo disminuyó hasta llegar a 9% del total en el año 1519 (1952-53: 46; 1971: 547). Sherburne Cook y Lesley Byrd Simpson, al tratar de calcular la población prehispánica total, expresan que se puede proveer muy poca información acerca del sur de la Huasteca, por la sencilla razón de que la población allí casi había desaparecido cuando se empezaron a hacer los registros (1948: 2-3).

Los indios morían por enfermedades, trabajo forzado y negligencia; la responsabilidad por este holocausto recae directamente sobre los españoles y sus políticas. Después de la Conquista, las autoridades coloniales establecieron un sistema de tipo feudal para premiar a los conquistadores. La Corona otorgó concesiones tributarias (que incluían a los indios que residían allí), llamadas *encomiendas,* como pago a los soldados y funcionarios por sus hazañas. La tierra y los indios habitantes debían ser administrados por el *encomendero,* quien era responsable por sus indios encomendados (incluida su conversión al cristianismo) y en recompensa recibía de ellos mano de obra gratis o el tributo. El sistema de la encomienda explotaba en forma cruel a los indios y un número incontable murió en las minas y los campos pertenecientes a los conquistadores. Hacia fines del siglo XVI, algunas encomiendas se estaban transformando en haciendas, ranchos privados manejados como negocios, que contrataban mano de obra indígena. El resultado fue que los indios fueron cada vez más desposeídos de la tierra que les quedaba y su condición como campesinos casi independientes quedó reducida a la de mano de obra rural. De este modo, el proceso de proletarización discutido por Bartra y Friedlander (y presentado en el capítulo primero) empezó antes de haberse cumplido los cien años de la Conquista.

Es probable que los indios de la costa del golfo, incluidos los nahuas, reaccionaran a estos estragos escapando hacia las partes más inaccesibles de la Sierra Madre para seguir su vida en pequeñas aldeas campesinas y mantener la mayor parte de la tierra en común. La disminución en la población india, en combinación con el gran número de familias que huían del alcance de los españoles, causó una continuada crisis de mano de obra entre los grandes terratenientes y encomenderos. Para 1592, en la vecindad de Amatlán, las autoridades españolas instituyeron una política de reducciones, por la cual reunían a las familias y las forzaban a vivir en localidades centralizadas. Pensaban que esto haría más fácil administrar a los indios y ayudaría a resolver la escasez crónica de mano de obra. Los poblados recién formados que resultaban de las reducciones se llamaban congregaciones. Es interesante que Amatlán esté clasificado como una congregación, lo cual indica que pudo haber sido creado durante ese periodo. En apariencia, la táctica no funcionó muy bien y muchos indios siguieron huyendo hacia la sierra cuando su situación se hacía intolerable. Al final, las élites rurales resolvieron el problema de la mano de obra con la importación de esclavos negros de África, para que trabajaran en sus tierras.

El trabajo de los misioneros en el sur de la Huasteca empezó antes de 1530 con la llegada de los franciscanos. Después de pocos años, arribaron al escenario sus rivales, los agustinos, y la parte sur de la Huasteca quedó sometida a uno de los periodos más largos de evangelización de todo México. A principios del siglo XVI se encontraba establecido un sacerdote en Chicontepec, en el corazón de la tierra nahua, a varios kilómetros de Amatlán. A pesar del largo contacto con misioneros, el sur de la Huasteca sigue como un fuerte baluarte de las creencias y los rituales prehispánicos. Esta falta de éxito por parte de los misioneros puede explicarse en parte por lo disperso de la población india y por lo difícil que es viajar o comunicarse en el terreno escarpado de la región. Cuando la presión de los misioneros se hacía demasiado fuerte, la gente simplemente se trasladaba más adentro de la sierra. Un factor adicional es que los franciscanos y los agustinos estaban en conflicto entre ellos y sin duda esas luchas impidieron su trabajo misionero (Kelly y Palerm, 1952: 30 y ss.; véase, también, Burkhart, 1989, para un análisis de los esfuerzos misioneros en México y la reacción de los nahuas hacia ellos).

El principio del siglo XIX trajo la Guerra de Independencia de México. De modo sorprendente, la región totonaca y el sur de la Huasteca se transformaron en centros de la insurrección y los indios fueron participantes activos en la lucha contra España. Armados frecuentemente con arcos y flechas con punta de piedra, lucharon bajo las órdenes de sus propios jefes. Los más grandes opresores de los indios eran los terratenientes locales y los funcionarios del gobierno; la lucha por librarse de España era casi sólo para beneficiar a las élites mexicanas urbanas y rurales. Una pregunta natural es: ¿por qué los indios lucharon por una causa que prometía beneficiar a los terratenientes y no a sí mismos? La paradoja de la participación india en la guerra se resuelve al darse uno cuenta de que muchos combatientes nativos siguieron en lucha mucho después de haberse logrado la Independencia. Es evidente que ellos pensaban que estaban luchando por su independencia propia y que la campaña también incluía el objetivo de librarse del nuevo gobierno republicano de México. Un famoso líder indio totonaco, Mariano Olarte, luchó en los cerros alrededor de Amatlán durante muchos años después de la Independencia. Finalmente, en 1838, fue muerto por tropas del gobierno y muchos de sus partidarios indios escaparon, metiéndose aún más en la sierra. Yo no pude determinar el alcance de la participación de los nahuas locales en estos sucesos, pero supongo que jugaron algún papel. Las comunidades remotas establecidas por los indios refugiados para escaparse de la opresión y mantener su integridad cultural son probablemente del tipo cerrado que sugieren Redfield y Wolf (véase el capítulo 1).

Aun después de la guerra con España, muchas tierras indias quedaron en manos de las aldeas, bajo tenencia comunal, igual que en el sistema tradicional prehispánico. En 1856, para promover el desarrollo de la agricultura moderna, el gobierno mexicano implementó leyes de desamortización que se habían proyectado para transformar la propiedad comunal en propiedad privada. El resultado fue que los indios perdieron aún más tierras, mismas que se adjudicaron los propietarios de haciendas y los especuladores de terrenos. En 1864 los franceses lograron instalar al archiduque austriaco Maximiliano como emperador de México (1864-1867) y la lucha resultante se extendió hasta el sur de la Huasteca y la región totonaca. Otra vez los indios pelearon, y de nuevo siguieron luchando contra el gobierno mexicano recién formado después de que se retiraran los franceses y de que Maximiliano fuera fusilado. Los indios tenían su propio plan y ése no incluía cambiar un conjunto de opresores por otro. Estos eventos dan credibilidad a la posición de Aguirre Beltrán, presentada en el capítulo 1, donde argumenta que los indios son naciones casi separadas dentro del propio México y que las condiciones feudales existentes en las áreas rurales han detenido su desarrollo económico y social, y les han impedido participar de lleno en la vida nacional.

Una nota interesante para la historia de la región del sur de la Huasteca durante este periodo es que, aparentemente, algunas comunidades fueron atacadas por guerreros comanches oriundos de lo que al presente constituye la parte sudoeste de los Estados Unidos. La Sierra Madre Oriental forma un camino natural norte-sur que pudo haber encauzado a los invasores del norte hacia la región de la Huasteca. Aunque los campesinos contemporáneos de la región no tienen recuerdo de estas incursiones, muchos las conmemoran en los rituales asociados con la celebración del Carnaval. En Amatlán, jóvenes disfrazados, llamados mecos, invaden cada recinto de la comunidad e interrumpen la vida normal con sus travesuras salvajes (véase el capítulo 6). La palabra *meco* puede derivarse de *chichimecaj,* que fue el nombre general que los aztecas prehispánicos dieron a los cazadores y recolectores que en forma periódica invadían el México central desde el norte. Durante las celebraciones del Carnaval, en otras comunidades del sur de la Huasteca, los jóvenes se ponen tocados decorados con plumas de guajolote (pavo) o papel de colores brillantes. En sus manos llevan arcos y flechas y, de igual manera que los mecos, gritan de manera salvaje al bailar en los recintos de las casas. Los campesinos llaman *comanches* a estos actores (véanse Reyes García, 1960: 54-59, 89-92, y Provost, 1975: 22).

En 1875 el gobierno restableció leyes de colonización que les daban incentivos a los empresarios para que adquirieran tierras en la región y las transformaran en haciendas modernas. Los líderes nacionales suponían que la baja densidad de población india era insignificante y que el potencial para la producción se desperdiciaba. A los pocos años esta política logró despojar a los indios de las tierras que les quedaban y no fue sino hasta poco antes de la Revolución Mexicana de 1910 que estas leyes fueron abolidas. Otro desarrollo que a fines del siglo XIX presagiaba problemas para la población india fue el descubrimiento de petróleo en el sur de la Huasteca. En 1901 el gobierno otorgó las primeras concesiones de la región a empresas petroleras, pero la Revolución Mexicana y la subsiguiente nacionalización de la industria petrolera eclipsaron los planes de las empresas privadas para explotar este importante recurso. Cuando mi familia y yo regresamos a Amatlán en 1985, vimos que se hacían perforaciones petroleras a menos de 60 kilómetros de la comunidad.

A medida que la búsqueda del petróleo penetre más en la región, comunidades como Amatlán se enfrentarán con un nuevo conjunto de circunstancias y problemas (véase Reyes Martínez 1982: 128-143, para la descripción del impacto negativo de la exploración petrolera en varias comunidades nahuas de la Huasteca).

Es difícil determinar qué papel directo, si es que alguno, desempeñaron los habitantes de Amatlán en estos distantes hechos históricos. Para mi propósito es más importante examinar el patrón general de las reacciones que mostraron los indios de la región ante estos sucesos y averiguar si los nahuas, los totonacos, los tepehuas o los otomíes, gente indígena de la región, tenían intereses en común que les hicieran ser aliados por naturaleza. En las luchas para controlar la región del sur de la Huasteca, que se remontan a la época prehispánica, los habitantes locales han sido activos protagonistas en el drama que se ha desarrollado. Tomaron las armas no para servir los intereses de los conquistadores o las élites urbanas, sino para luchar por librarse de la dominación. Por lo general, obedecían a los líderes militares indios y se oponían a cualquier grupo que amenazara su autonomía, fuese invasor extranjero o fuese representante del México republicano. Es interesante señalar que habitantes de pequeñas poblaciones, como Amatlán, con frecuencia desempeñan un papel significativo en las grandes transformaciones históricas, pero la historia raras veces registra su contribución y, menos todavía, las agendas que los motivaron a participar. La suma total de éstos y otros procesos históricos condujo, al final, a la gran conflagración que empezó en 1910 (véase Melgarejo Vivanco, 1960).

Con la Revolución Mexicana llegamos a los acontecimientos que recuerdan los campesinos de mayor edad. En apariencia, nadie de Amatlán participó en realidad en la lucha armada, aunque unos cuantos presenciaron sucesos locales (véase más abajo). La gente de mayor edad recuerda algo de cuando la iglesia de Ixhuatlán de Madero fue quemada, aunque desconocen las razones por las cuales esto sucedió o quiénes tomaban parte en la lucha en esa ocasión. Parece que la iglesia quedó severamente dañada y sólo ha sido reconstruida de manera parcial. Algunas personas recuerdan haberse escondido en el bosque con sus padres cuando había soldados en las cercanías; sin embargo, la mayor parte del movimiento revolucionario apenas vino de paso por la comunidad. Los sucesos de la Revolución Mexicana eran en extremo complejos, con muchas facciones contrarias, alianzas transitorias y personalidades contradictorias que marcaban el progreso de la lucha. Estoy seguro de que muy pocos campesinos hablaban el español con fluidez en esos tiempos y es probable que no estuvieran del todo conscientes de las cuestiones políticas y filosóficas, a veces oscuras, que estaban en juego (véase Schryer, 1980, para una interpretación histórica de las complejidades de la Revolución y sus secuelas, tal como ocurrieron en la Huasteca hidalguense). Sin embargo, tal como se verá adelante, los de Amatlán supieron aprovechar con prontitud los nuevos programas para devolver las tierras a los indios.

Los sucesos de la Revolución fueron de menor importancia para los habitantes de Amatlán que las reformas agrarias que ésta produjo. El sistema ejidal instituido por los legisladores, sistema modelado en parte según las costumbres prehispánicas de tenencia de tierra, dio a los indios la oportunidad para recuperar el control de las tierras. Los registros de los archivos estatales y locales muestran que el 5 de agosto de 1923, poco tiempo después del final de la Revolución, los habitantes de Amatlán solicitaron a la comisión de la reforma agraria la entrega de terreno de cultivo para "poder satisfacer las necesidades de la vida". Esta solicitud fue enviada y apareció en el *Diario Oficial* publicado por la Comisión Agraria el 20 de septiembre de 1923. El 18 de abril de 1932, nueve años después de la solicitud inicial, tres representantes de la comunidad presentaron una petición a la Comisión Agraria, que contenía los resultados del censo que habían tomado. En ese tiempo, en la comunidad había 178 habitantes, de los cuales la comisión consideraba que 44 llenaban los requisitos para que se les asignaran tierras. Los candidatos debían ser jefes de familia u hombres casados que tuvieran como mínimo 22 años de edad.

Las tierras que solicitaban formaban parte de una hacienda llamada Amatlán, donde la gente vivía y trabajaba. La dueña se llamaba Felícitas Ramírez de Martínez y tenía un total de 727 hectáreas. El 10 de septiembre de 1934, dos años después de la segunda petición, la comisión asignó 352 hectáreas de forma provisional para que fueran divididas entre 44 individuos. La comunidad se iba a llamar Ejido de Amatlán. Sin embargo, los campesinos no estaban satisfechos con el reparto de tierras y enviaron documentos oficiales a la comisión. Dos días después, el gobernador de Veracruz les asignó ocho hectáreas más, para un total de 360 hectáreas, designándose el terreno adicional para la construcción de una escuela. Finalmente, el gobernador acordó establecer las asignaciones en 45 parcelas de ocho hectáreas cada una, más 40 hectáreas adicionales de uso común para pastizales y bosque para el uso colectivo de la comunidad. Cuatro años después, en 1938, por fin fue aprobado el reparto, mientras tanto la comunidad ya había crecido hasta alcanzar

57 individuos que llenaban los requisitos. El reparto total fue de 400 hectáreas, lo cual, según los documentos, dejaba 327 hectáreas para doña Felícitas.

En 1960 los campesinos solicitaron terrenos adicionales para ajustarse al crecimiento de la población. Su petición fue rechazada porque las autoridades concluyeron que no se estaban aprovechando bien las tierras que ya tenían. Los campesinos ya cultivaban el terreno adicional que habían solicitado y sólo buscaban protegerse de manera legal. Aquí hay que señalar dos hechos, los cuales serán analizados después con más detalle. El primero es que los campesinos tradicionales aprovechan la tierra en forma radicalmente diferente que la de los agricultores modernos. En Amatlán, aunque algunas parcelas parezcan estar en desuso, en realidad se encuentran en barbecho por un periodo necesario antes de poder ser cultivadas de nuevo o, de manera alterna, son zonas de reserva que proveen a los campesinos de materias primas muy necesarias. Para la mayoría de los estadounidenses el uso eficiente de la tierra implica la presencia de enormes campos de monocultivo de granos; para un nahua en el sur de la Huasteca el uso eficiente de la tierra significa tener un mosaico de campos que se encuentran en varias etapas de barbecho, entremezclados con bosque inalterado.

El segundo hecho importante es que, desde la Revolución, los habitantes nativos de México apenas acaban de recuperarse de las devastaciones de la Conquista y el colonialismo. En vista del crecimiento de la población, los indios necesitaban aun más tierras, por sus métodos de cultivo. Desde 1932, cuando la población de Amatlán era de 178 individuos, el número creció hasta alcanzar unas 600 personas en 1972. Aun así, oficialmente la superficie de terreno ha permanecido limitada a tan sólo 400 hectáreas durante este periodo. En respuesta a la presión demográfica, la gente se ha visto forzada a emigrar (véase De la Cruz Hernández 1982: 13). Sólo una minoría se va a los pueblos y ciudades; la mayoría, con frecuencia en grupos familiares, se va para formar nuevas comunidades en remotas tierras baldías. El cultivo de terrenos pertenecientes a otras personas, aunque no aparenten estar utilizados, es designado como "invasión" bajo la ley mexicana y pone al responsable en serio riesgo. Los rancheros a veces llaman al ejército o, con resultados más devastadores, pueden tomar el problema en sus propias manos y contratar a pistoleros para expulsar a los colonos. A pesar de la seria escasez de tierra, el 2 de julio de 1982, el *Diario Oficial* registró que 17 jefes de familia de Amatlán habían sido privados de sus derechos a la tierra por haber dejado de cultivarla por tres años consecutivos. De inmediato se les otorgaron derechos dentro del mismo ejido a 17 nuevos cultivadores, todos ellos parientes entre sí, que se habían quedado y que habían estado trabajando en el cultivo de las milpas abandonadas. Este proceso de fisión por medio del cual se forman comunidades hijas será visto con más detalle en los capítulos 3 y 4.

Según la descripción presentada, es evidente que la historia del sur de la Huasteca ha sido sangrienta y ha estado llena de disturbios. Desde la época prehispánica los indios han tomado parte en una lucha concertada para ganar y conservar sus derechos a la tierra. No fue sino después de la Revolución Mexicana que se puso en permanente retroceso el largo proceso de desposeer a los indios de sus tierras. A lo largo de los años, los indios han respondido de varias maneras, que van desde la huida hasta la manifiesta rebelión. Sin embargo, a pesar de los beneficios de la Revolución, la lucha por la tierra sigue hasta el presente. La Huasteca se menciona con frecuencia en los periódicos de Veracruz, con respecto a invasiones de tierras, represalias sangrientas y peticiones tanto por parte de los indios como de los mestizos para expropiar terrenos de los ranchos privados. El asesinato y el proceso subsiguiente que se describen en el capítulo anterior son ejemplos de la pauta general de tales luchas y tragedias.

Las historias del sur de la Huasteca y de la comunidad de Amatlán no pasan de ser un bosquejo preliminar. Como muchas otras historias, contienen fechas y sucesos pero carecen del factor humano que les dé vida. En el transcurso de mi trabajo de campo en Amatlán entrevisté a personas mayores y les pedí que recordaran sucesos significativos de la historia de la comunidad. Sus respuestas fueron interesantes. La mayoría se acordaba de la gente y de los lugares con gran detalle, pero nadie podía proveer las fechas. Los hechos no se relataban en una secuencia lineal, como se presenta arriba, sino más bien como pequeños agrupamientos de sucesos, más o menos relacionados entre sí. Luego se discutían los mismos gran número de veces y en cada repetición surgían detalles un poco diferentes. Esta forma de relacionar los momentos culminantes del pasado requiere de mucha paciencia, tanto por parte del narrador como del oyente, pero el resultado es excelente. Poco a poco surge un panorama de tiempos pasados y el oyente adquiere un verdadero sentido de cómo y por qué ocurrieron ciertos hechos.

La siguiente es una entrevista que grabé con dos personas mayores de Amatlán. Edité hasta cierto punto el diálogo para mejorar su legibilidad, pero en su mayoría está transcrita acorde a sus propias palabras. Un señor, a quien llamaré Manuel, de casi 70 años de edad. Tiene un rostro grande y bien proporcionado y transmite un aire de dignidad y aplomo. Su abundante cabello negro apenas comienza a encanecer y esto, combinado con la energía en sus movimientos, hace que parezca un hombre mucho más joven. El otro señor, a quien llamaré Aurelio, tiene más de 60 años y es un chamán importante en la comunidad. Es alto, buen mozo y de pelo negro azabache. Igual que la mayoría de los habitantes de Amatlán, es muy risueño y agudo en sus comentarios. Es conocido como una persona íntegra que ha empleado mucha energía y muchos años en estudiar las técnicas para librar a la comunidad de las enfermedades y del mal. Lo conocí en 1970 cuando él era aprendiz de curandero y con el tiempo se convirtió en uno de mis más apreciados y confiables amigos. La corta historia que recuerdan se funde con la historia personal de Aurelio y con el roce que tuvo con la muerte a manos de la policía local. Otra vez, como siempre, la cuestión es la tierra, y el relato de Aurelio nos hace recordar que la historia, aun cuando se cuenta de manera imparcial, involucra a personas verdaderas. Ambos hombres querían que yo grabara sus memorias para que se escribieran y no se perdieran. Ellos hablaron, con frecuencia, de manera muy expresiva, en náhuatl.

Etnógrafo: Ahora quisiéramos saber quiénes fundaron esta comunidad. ¿De dónde vinieron los que la fundaron? ¿Quiénes construyeron las primeras casas? ¿De dónde eran los *masejualmej* ("campesinos") que primero vinieron a vivir aquí? ¿Quiénes fueron los primeros en ordenar que se hiciera esta comunidad?

Manuel: Nosotros sólo hemos oído que los primeros que estaban eran los *tetatajmej* ("antepasados"). Yo todavía los conozco como los que vivían en el pueblo de arriba. Uno de ellos se llamaba Agriano [pronunciación local de Adrián]. Le decían *chinanpixquetl*, es decir, el que era recaudador o guardián de la comunidad. Él era algo así como el Comisariado. Era el que cuidaba de la comunidad (véase el capítulo 4).

Esta comunidad perteneció a Felícitas Ramírez de Martínez. En el predio de ella es en el que nosotros nos asentamos. De ella era la tierra. Porque después [de la Revolución] fue que surgieron los Comisariados. Ellos tomaron la tierra porque empezaron a pensar.

Allá en [un municipio vecino] había un señor al que le llamaban Guadalupe Osorio. Él ayudó a los indios con papeles y trámites. Él fue el que ayudó a los Comisariados para conseguir esta tierra.

Nuestra patrona de este lugar se murió. Felícitas se murió. Nosotros nunca la conocimos. Eso nada más lo oímos. En ese tiempo don Guadalupe Osorio estuvo en contra de Raymundo Ortiz Hernández. Ortiz asesinaba a los *tequihuejquej* (las autoridades) de esta comunidad. Aunque no era solamente en esta comunidad, sino que en todas las comunidades fueron recogiendo tierras. Porque las autoridades y todos nosotros éramos revolucionarios. Ellos empezaron a tomar las tierras. Ellos ordenaban en El Mirador...

Aurelio: A todos los representantes los fueron matando.

Manuel: Y Guadalupe Osorio defendía a los indios y por eso Raymundo Ortiz se enojó. Él defendía a los indios de Amatlán. Juan Hernández era el representante de aquí [en ese tiempo].

Pero Raymundo era uno de ésos que le gustaba matar a los indios; él quería acabar con ellos. Él robaba animales, burros, caballos, de todo lo que encontraba. Por eso se hizo rico. Robaba a montones: pollos, puercos, caballos, vacas. Todo eso vino a traer.

Aurelio: Sí, así se inició esto.

Manuel: Pues, nosotros sólo oímos de dónde vinieron los primeros que empezaron la comunidad. Del primero que supimos fue de Agriano, que vivió en una casa que llamaban *tlajcocali*.

Etnógrafo: ¿Y en dónde era eso?

Manuel: Hasta allá donde está mi compadre Cruz. Todavía se conoce el lugar como *tlajcocali*. También había un viejito al que le decían Agustín quien vivió en *tlapani*. Y por aquí estaba la casa *tlamaya* de Nicolás, el que era abuelo de Nicolás [que todavía vive en la comunidad]. Dos hermanos estaban ahí. A ésos todavía los conocemos. Y de aquí otros, a uno le nombraban Emilio, que vivió en *atlalco*, cerca de donde vive un hombre que tiene su mano cortada. Y ahora, uno de los nuestros, el que llegó primero fue un viejito que vivía allá abajo por Palma Real en un lugar se llamaba *tlalapanco*. Todavía me tocó conocerlo. Era un viejito que no era muy alto. Estaba asentado allá donde ahora nosotros estamos y desde siempre le llamaron al lugar *tlalapanco*. Todos los pedacitos [de terreno] tenían nombre (véase el mapa 3.1).

Etnógrafo: Bueno, ¿entonces los mestizos los asesinaban?

Manuel: Sí, los mataban, pero a ese viejito no lo mataron. Él nada más se murió. Pero nosotros lo conocimos. Pero a todos ellos los mataron, a los que fueron autoridades. Los primeros sólo se fueron muriendo uno por uno; [los mestizos] no los mataron. Mataron a los demás cuando empezó aquello y Máximo tuvo que ver en esto [un ranchero de la localidad]. Él anduvo de nuevo matando indígenas. En este tiempo Raymundo [Ortiz Hernández] no andaba [todavía] como si nuestra tierra fuera de él. Pero Máximo tenía sus tierras en [lo que ahora es de un ejido vecino]. Allí estaba Celso Rodríguez y Máximo era su hijo joven. Ellos eran tres hermanos, pero dos de ellos no andaban matando gente, sólo Máximo. Él empezó a matar gente [en Amatlán], dicen, porque alguien de aquí de la comunidad lo hirió. Por eso empezó a matar gente. Cuando salió un día, le robaron todo el alambre de púa del rancho unos que vivían aquí, y ésa es [otra razón]. Por eso empezó a matarlos. Después empezaron a solicitar la tierra. La solicitaron y entonces a nosotros nos tocó ésta de aquí.

Aurelio: Pero primero plantaron milpas en los terrenos [que ahora] pertenecen a los de *cuatsapotl;* ahí plantaron milpas todos los de esa comunidad. Entonces las tierras de aquí las abandonaron porque nos las quitaron los ricos. [Los mestizos ricos] se metieron [y tomaron los terrenos]... ellos se metieron. Entonces fue cuando sacaron a los de aquí; los que aquí comenzaron a trabajar... pero como los perjudicaban los ricos... pues, pasó... y no se pudo recuperar así nada más la tierra. Ellos estaban enojados y entonces nos comenzamos a enojar. Pero el Comisariado que estaba aquí antes no le movía porque le tenía miedo a las palabras...

Manuel: Veinte años estuvo de Comisariado mi padrino Tomás y a nosotros nos correspondió cambiarlo. Y ya cuando nosotros empezamos [a defendernos] ya nos habían quitado mucha tierra porque nuestra tierra terminaba en el río, hasta el otro lado. Pero él tuvo miedo y no quiso meterse en líos con los *coyomej* (mestizos).

Aurelio: En cierta ocasión yo oí —yo aún era niño— que él dijo: "¡Hum! ¿Para qué voy a esforzarme tanto si yo no tengo ni un hijo? ¿Para qué, pues, voy a meterme tanto? Si así es, pues que así sea; pero yo no voy a hacer nada para que otros coman".

A mí no me gustó mucho lo que dijo y cuando crecí fui en su contra. A mí no me pareció bueno, y ni modo. Hubo gente que quiso ser Comisariado y después cambiaron a este señor Tomás.

Bueno, comenzaron a movilizarse, a andar y andar... y hasta que supimos por dónde iba el asunto.

Manuel: Comenzaron a pelearnos los de Ixhuatlán porque *tata* ("padre") Hilario había comprado terreno cerca de aquí. Hacía 13 años que había comprado aquí *tata* Hilario. Así fue como a nosotros nos empezaron a cobrar en el municipio por 48 hectáreas que nos habían aumentado; pero eso no era cierto. Vino el ingeniero [de la Comisión Agraria] y nos quitó y puso en el acta que nos había dado de más. Desde ahí las cosas se pusieron mal y no tuvimos cuidado y todos firmamos [el documento], todos los ejidatarios, y por eso fue que [las tierras] nos las quitaron —como nosotros no sabíamos— éramos trabajadores y no sabíamos lo que querían decir [los papeles] y sólo firmamos. Como pensábamos que todos ellos, Faustino Lagos, Teófilo... sí sabían bien lo que hacían, todos se ayudaban entre sí, pero no tuvieron cuidado, por eso fue que después nosotros vinimos a tener el pleito... un enojo.

Diego Velasco comenzó a provocarnos, a citarnos. Él era agente del ministerio [en Ixhuatlán].

Aurelio: Era peor que un perro; era como un *costimahuaquijtli* (culebra *mahuaquijtli* de quijadas amarillas) donde estaba, hijo 'e pu...

Manuel: Nos llamaba y nos amenazaba, porque quería regañarnos. Le dijimos a Velasco y al presidente [del municipio]: "Sí, vamos a pagar; pero debes ver que a nosotros en este plano nos han quitado [tierras], nos han tomado un pedazo y ahora resulta que debemos y han puesto en el documento que nos han dado de más y no es cierto. Porque yo he estudiado los expedientes y he visto cómo está todo y he visto que no es así; que no es verdad. Nos han engañado".

Y así les dijimos, que nos hicieran el favor de darnos esa tierra y que sí la íbamos a pagar. Y no nos dieron nada; nos ordenaron que fuéramos a Tuxpan [a casi 160 kilómetros de distancia]. Allá Hilario, que era de [por] aquí, nos acusó. Ahí empezamos. Y a Chicontepec [a más o menos tres horas a pie] también fuimos, pero eso era sólo puro caminar. De aquí salíamos a las cinco de la mañana, entonces llegábamos a Álamo. Andábamos sólo a pie y en algunas partes el lodo nos llegaba hasta aquí. De aquí salíamos a las cinco de la mañana y llegábamos a Álamo a las seis de la tarde. Un día entero andábamos, caminando. Allá los acusábamos y veían que habíamos venido caminado de muy lejos y entonces pasamos con lo de [Gilberto y] Raúl [ambos ganaderos de la localidad, véase más abajo]. Comenzamos a ir después una y otra vez porque nada se había resuelto.

Y Gilberto compró allá en el río 70 hectáreas; este otro, Raúl, nos quitó 80 hectáreas. Era grande lo que se habían agarrado, era una extensión de tierra que llegaba hasta [una comunidad vecina], por todo eso fue lo que habíamos firmado. Ahí comenzamos, y después, por no poderlo resolver, nuestros representantes empezaron a ir a la ciudad de México. Fueron a México como diez veces y así fue como nos ayudó un procurador que llegó a la zona de Colatlán, que venía de Huejutla; él nos ayudó. Nosotros siempre anduvimos a pie.

Aurelio: Cuando mi compadre Rogelio estaba de Comisariado fue entonces cuando tomaron los terrenos de [un poblado vecino]. Raúl se instaló ahí. Otro en los terrenos de [otro lugar]. Entonces, éste mi compadre se metió con su gente [de aquí de Amatlán]. Ellos se instalaron en medio de 80 hectáreas de tierra de Raúl y de las 70 hectáreas de

Gilberto. Bueno, después comenzaron a enojarse los ricos y nos traían a raya. ¿Cómo? Bueno, nos empezaron a acusar. ¡Juta! Entonces así fue como se agarraron a pelearnos verbalmente. Entonces [pensamos que era] mejor de una vez agarrarnos lo de Raúl, que todavía no había resuelto. Bueno, ahí fuimos a limpiar [terrenos] y otros plantaron su milpa y se metieron, pero sí dijeron que nadie se echara para atrás. Pero todos nos ayudamos, parejo, parejo.

Todos los hombres empezaron a llevar armas. En un pozo ahí estaban los *tetajmej* ("consejo de ancianos"). Ahí se habían reunido con carabinas; como veinte hombres. Tomamos la tierra con puro valor. El más valiente fue un hombre llamado Cruz, *totlayi* ("nuestro tío"). Cruz, que, ¿quién sabe dónde andará ahora? ¿Quién sabe dónde lo dejaría nuestro señor Dios? ¿Quién sabe dónde lo pondría? ¡Ese hombre! ¡Ah su mecha! ¡Qué valor tenía! ¡Sí que tenía valor! Fue él quien exactamente nos fue protegiendo y defendiendo. Para entonces ya no íbamos al mercado de Ixhuatlán; íbamos a Colatlán. Allá también había mercado.

Entonces José Hernández [a quien más tarde lo encontraron asesinado] allá fue. Entonces fue que lo nombraron Policía Cobrador de Piso. Entonces fue allá que [los policías] me amarraron; me agarraron. ¡Hijo de mala! Me amarraron una cadena por aquí. Bueno, y le pusieron candado. Era como un cerdo al que habían amarrado. Así me amarraron los policías. ¡Juta! Ahí me estuve hasta que vinieron los hombres de mi comunidad a defenderme, a sacarme. Pero no me sacaron. Me metieron a un carro los policías. Amaneciendo fue que me pusieron a barrer la plaza de Colatlán. A las nueve de la mañana llegó [el presidente del municipio de Ixhuatlán de Madero]. Él me puso en su carro y me dijo:

—Vamos a Ixhuatlán.

Bueno, nos vinimos a Ixhuatlán y como a las seis [de la tarde] llegamos allá.

—¡Juta! dijo Diego Velasco— Hijo de los chihuahuas.

Estaba enfurecido como una culebra enroscada.

Entonces yo estaba ahí solito. ¡Juta, ahora verás! Este... me metieron en la cárcel y al mediodía me fueron a sacar los policías y un soldado.

—Vamos al cuartel [dijeron].

No había cuartel sino que era sólo una comandancia adonde me llevaron. Y ahí me colgaron, me pararon... Unos se quedaron ahí como guardias afuera de la comandancia, pensando que podría huirme y así poderme pegar. Unos se metieron y me preguntaban quiénes éramos nosotros [en la comunidad], quiénes eran los más gallos. [Me decían] que me iban a tumbar y a revolcar.

[Yo les dije a mis captores:] —Lo que les voy a decir, se los voy a decir: que si me van a matar, mátenme; pero eso sí, no me vayan a tirar. Que me vengan a recoger mis gentes de Amatlán... [Entonces me interrogaron].

—¿Es verdad que es tu hermano Lorenzo?

—No, sólo es mi compadre.

—Bueno, ¿y Nicolás? ¿Qué eres de él?

—Sólo es mi vecino.

—¿Y él es el Comisariado?

—Pues, yo no sé qué es.

—¿Cómo que no sabes? Eso es suficiente. Con eso tienes bastante. Tendrás que enseñárnoslo. ¿Quién es el líder, el que va adelante? ¿Quién es el Comisariado que encabezó la toma de terrenos del Sr. Raúl?

—Pero ésos no son los terrenos del Sr. Raúl; son tierras de Cormena Corventa.

[Y entonces,] ¡Juta!, que dispara un cañonazo por mi cabeza que hasta me zumbaron los oídos. Bueno, de nuevo me levantaron. Otra vez me agarraron.

—¿Y de veras no nos vas a decir nada?

—Pues, no les diré nada porque no he visto nada.

—Pues, dicen que tú eres el mero gallo de Amatlán, junto con Lorenzo, con Nicolás, junto con Antioco. Son ocho ustedes junto con Esteban.

—No es verdad —les dije.

—¿Cómo que no es verdad? De aquí no sales [vivo] aunque no te parezca. Bueno, ¿entonces no nos vas a decir nada?

—No les diré nada. Mátenme. Aquí estoy solo con mis manos y ni un pelo se me para por lo que me pase aquí, aunque les parezca poco. Y cuando yo nací estaba solito; y así moriré, solito. —Así les dije a los policías.

—Éste sí que es un pendejo, —dijeron los policías— cree que no nos dirá nada. ¿Y ahora? Pues, metámoslo al bote, a la cárcel.

¡Juta! Me aventaron de tal manera que querían que me fuera a estrellar con la puerta. Pensé: "Si me golpean aquí, me voy a morir". Pero no me golpearon; me metieron en la cárcel; me tuvieron como quince días allá en Ixhuatlán. También estaban [en la celda] dos personas de Pisaflores. Me dijeron:

—De aquí te van a sacar algún día. Pues aquí estamos nosotros [aquí nos tienes]. dijeron— Acuéstate en medio [de nosotros] por si te alumbran o te llaman.

Ellos me defendieron.

¡Juta!, al amanecer, juta, nos vinieron a decir, que a fuerza habíamos de hablar con Diego Velasco. Juta, como a los ocho días me sacaron a las tres de la mañana y yo me dije: —No ha llegado la hora de que me maten.

Le dije al comandante:

—Háganme el favor de llevarme allá a la iglesia. Voy a prender una cerita.

—¿Qué?

—Voy a ir a prender una vela a la iglesia.

—Ah, bueno, [le dijo a sus hombres]. Llévenselo.

—Pues [dije], bueno, ahora sí estoy muy contento porque [ustedes los policías] me van a llevar.

—Pues, sí, te vamos a llevar; eso nos han ordenado.

Bueno, nos fuimos, y fui a encontrar a mis compañeros Casiano junto con mi tío Martín. Ahí [en la iglesia] los encontré y me trajeron tortillas y me preguntaron que hacia dónde me llevaban [los policías].

—Pues, no sé adónde mero me llevan.

—Ah —dijeron —si te llevan para [un poblado cercano], entonces, allá iremos [a sacarte].

Y, de verdad, allá me estaban esperando. Junto con mi tío Cruz y otros que ahí estaban. Allá iban a matar al comandante y al policía. [Mis vecinos] habían llevado palas y barretas para cuando [a los policías] los mataran y los enterraran. [Los policías] me llevaron por Tsapoyo y por Oxital. En la casa de Leobardo, ahí me dieron una cerveza y compraron muchas municiones. El comandante me las enseñó y dijo:

—Esto será tu herencia, si tratas de escaparte, —me dijo así. Puras municiones de calibre 38.

Bueno, me dieron una Coca-Cola y me la tomé. Y de ahí me llevaron a Corral Viejo y ahí estaba un señor que era también indio. Dijo:

—Ahora sí ya se fue el comandante. Fue a ver a una india, ¡ahora pélate!

Pero, ¿cómo me iba a pelar si estaba descampado, era un lugar visible y yo estaba bien amarrado?

Bueno, cuando aparecieron, otra vez me llevaron, nos fuimos hasta [un lugar llamado] *tecsispaj* y allí en la parte baja había un changarrito [tienda pequeña], ahí se quedaron bebiendo. Me dieron una Coca-Cola y me la tomé. Ahí fue donde me alcanzó Juan Cabrera, el de Cruz Blanca.

—Bueno —dijo. ¿Qué pasó, Aurelio?

—Pues, aquí estamos, me llevan para Chicontepec.

—¿Y qué hiciste?

—Pues, nada; fue por lo del terreno.

—Ah —dijo. Yo creía que habías matado a alguien.

—No, me llevan por lo del terreno.

Bueno, empezamos a subir a Buenavista, un poblado. Entonces dijo el comandante:

—Llévate a este puerco, que yo iré a ver a una novia que tengo aquí.

Se fue. El policía me dijo:

—Aquí, párate y estate quieto, que yo también iré a ver "una carne" que tengo.

Entonces Juan Cabrera dijo:

—Aquí te han dejado, vete. ¡Órale!

Juta, a fuerza me hizo que me huyera. Juta, cuando me desamarró, me aventé como un venado. Me fui y me fui a topar con un alambrado que ahí estaba y lo pasé al brinco y salí allá abajo, donde estaba un viejito que se estaba bañando. Lo vi y me fui por en medio de un cafetal. Y fui a salir así, dándole vueltas. Subí de frente y me fui subiendo hasta allá a lo alto.

¡Juta!, cuando me iban a encontrar los policías, me detuve y oí que decían:

—Bueno, ¿y por qué te fuiste?

Y empezaron a disparar, y a disparar, y por aquí me pasaban las balas, por aquí me pasaban las balas. Las ramas de un [árbol] *petlacuauitl* se seguían cayendo. Las ramas se seguían cayendo.

Juta, me fui a chocar con un pretilito que ahí habían hecho. Ahí me fui a estrellar y dijo el policía:

—Bueno [apuntándome con la pistola]. Así, para que no andes huyendo. Para que no huyas, yo ya te maté.

Pero yo me fui por en medio del cafetal hasta allá abajo. Después otra vez subí de frente y de nuevo me topé con el comandante y ahí de nuevo me disparó con la pistola, ¿quién sabe cuántos tiros me soltó? Ahí terminé por sentarme y así de hinchada traía la rodilla. Bueno, ahí me recuperé un poco y de ahí me fui arrastrando hasta una puerta que estaba agujerada. Y ahí me metí para resguardarme. Ahí me pasó así de cerquita el comandante y se fue. Se fue hasta llegar a [un lugar que llamamos] *teponastla* [y dijo a unas personas]:

—¿Y ustedes, de casualidad no han visto un venado?

—Por aquí no. Aquí nosotros estamos haciendo una casa.

—Hijos de su chingada madre, no les estoy preguntando si están haciendo una casa, les estoy preguntando si no han visto pasar a un bandido.

—Pues, aquí no hay nada; nadie ha pasado por aquí.

¡Juuuta!, se empezó a enojar y yo sólo lo estaba observando.

—¡Hijos de puta!

Y luego otra vez se fue. Tal vez se fue a Chicontepec, o no sé adónde. Ya atardecía. Entonces, cuando pasé por un potrero descampado, ahí por *teponastla,* vi una rehoya y por ahí me fui. Pues, ha de saber que vi que estaba un árbol un poco grueso, me fui a sentar y ahí me quedé. Juta, como cerca de las 10 o 12 de la noche empezaron a disparar allá por el pueblo. Y así empezó a amanecer y yo había dormido poco. También fue a dar un puerco que andaba por ahí haciendo perjuicios. Todavía lo oí cómo andaba comiendo maíz en la milpa.

Un animal me pasó quebrando palos y me fui detrás de él, y fui a salir al Camino Grande, ahí por el arroyo, hasta [un ejido que queda a varias horas a pie desde Amatlán]. Y ahí dije que era un mensajero, que quería que me hicieran una puerta para alguien en Chicontepec, que la iba a pagar. Juta, ahí me vine a detener. [Luego] me fui por el arroyo y fui a salir a El Limón. Decidí irme por el Camino Grande (Camino Real). "Ya no voy a huir. Aquí me iré a entregar para que me maten", pensé. Bueno, llegué adonde siempre acostumbraba llegar: a la casa de una señora que vende velas. Le compré las velas. Compré unas velas y me persigné, las prendí así y le dije que si me podía vender unas tortillas porque tenía hambre.

Dijo:

—Sí, cómo no, siéntate, aunque sea un bocadito, aunque sean sólo tortillas.

Bueno, vi que tenía fuerzas; después de que comí, y le dije que ahí me cuidara mis velas. Le pagué ahí. Dijo que sí. De ahí salí y me fui hasta [un lugar llamado] *ahuimol*, pero con trabajo llegué a *ahuimol*. Me dolía mi pierna y me compré algunas pastillas [para el dolor]. ¡Jíjuela! Por ahí iba Jorge Vargas y yo levanté una piedra grande para defenderme al pasar frente a él. ¡Juta! Así me vine y nos encontramos.

Me dijo:

—Qué tal, muchacho, ¿ya te regresaste…?

—Sí, ya de regreso.

—¿Ya saliste?

—Sí, ya salí.

—Ah, está bueno, está bueno.

Nada más nos saludamos así. Me fui hasta Colatlán, a la casa de Othón, y ahí llegué porque es muy mi amigo. De ahí fui a la casa de Pedro. Y entonces sale él y que me pregunta que por qué me dejaron, que por ahí andan mis compañeros. Juta, ellos eran los que venían de Amatlán y entonces me paré y le dije:

—Dame medio litro de aguardiente [alcohol de caña]; te lo voy a quedar a deber.

Hasta el otro día me quedé. Y así, con Gregorio mandé avisos que vinieran los del pueblo por mí. Y así fue cómo me vinieron a encontrar. Y traían carabinas, y después Raúl llegó con sus tropas.

Raúl [me] dijo:

—Tú no me has matado porque de veras quieres trabajar. No me has matado porque en realidad eres buena gente. Si otro fueras, desde cuándo me hubieras cortado las orejas. Y yo pienso [que es] porque tengo ganado, tengo animales.

¡Terminó invitándome dos cervezas!

Manuel: La gente de Amatlán empezó a trabajar las tierras que recuperamos. Lo primero que recogimos fueron las tierras de Hilario. Y después se las quitamos a Raúl. Después se las quitamos a Gilberto. Pero él no fue pendejo; él primero las vendió. Entonces se las quitamos a Narciso, que las compró.

Etnógrafo: ¿Y a Máximo [el que] seguido les robaba?

Manuel: Bueno, eso fue mucho antes, y esto de lo que estamos hablando es de ahorita, y de todas maneras teníamos cuidado con los caminos cuando íbamos al mercado porque [aquello] estaba cabrón. Y, desde luego, siempre he tenido buena suerte, siempre llevo buena suerte. Es más, nunca me metieron a la cárcel y eso que vinieron dos veces por mí los policías y no me encontraron en mi casa. Nomás vinieron y se regresaron. Dos veces los trajo Raúl, pero yo me escapé. Nos fuimos por toda la orilla del arroyo. Después se fueron los policías.

Etnógrafo: En la época de la Revolución, ¿cómo estaba la comunidad?

Aurelio: Mi compadre Alonso me contó, me decía que unos eran carrancistas (partidarios de Venustiano Carranza, líder revolucionario y luego presidente de México) y otros eran villistas (partidarios de Francisco "Pancho" Villa, líder revolucionario). Decía que villistas eran Raymundo Ortiz Hernández y sus hombres. Y cuando nos contó eso estaba así, rodeado de gente, y entonces nos dijo:

—Ahora les voy contar cómo es que destruimos [terminamos con] las haciendas. Yo lo sé aunque era muy pequeño, pero es porque andaba atrás de ellos (los hombres mayores). Entonces el Camino Real salía hasta *ayotlaj* y por ahí pasaban los carrancistas buscando a los villistas. Y entonces, como éramos jóvenes, nos armaron hasta hacernos parecer como tropas. Y cuando entramos a Chicontepec se nos quedaron viendo todos y se nos quedaban viendo las señoras porque todos llevaban sus chichalaqueras [carabinas de chimenea]. ¡Juta!

[Sigue mi compadre Alonso] "Y su fortín era allá arriba, allá se habían puesto los chiconeros. Allá tenían una posición ventajosa y podían ver si venía gente y había una especie de muro que tenía aberturas por las que podían disparar las armas. Entonces, ahí estaban unos que eran también indígenas, en el fortín.

"De ahí [los jefes del fortín] nos vinieron a traer y nos llevaron hasta [el lugar que llamamos] *ahuatenoj*... y de ahí hasta Tantoyuca. De ahí a Potrero del Llano, luego al Álamo, de ahí a Llano de Enmedio. [Los jefes] dijeron que don Raymundo estaba en camino a Llano de Enmedio. Juta, nos llevaron a la fuerza. Tres representantes de esta región nos vinieron a encontrar... Pero don Raymundo llegó con sus otras tropas. ¡Juta! Les aventó la caballería y fue así como mataron a dos representantes... Ellos estaban acorralados y como los indígenas iban por delante con sus carabinas, cuando salieron ellos los indígenas tuvieron que retroceder y fue así como se les aventaron, matando a nuestro representante también. [Hubo mucha batalla] y así fue como se acabaron las haciendas. Muchos de los hacendados huyeron.

"Uno, al que le decían Acosta, que también mataba hasta animales, se paraba allá en potrero de *ayojtlaj* y se ponía a vigilar. Mataba ganado de Raymundo y así acabó. Cuando venía Máximo también echaba tiros y de todo robaba: cubiertos, machetes, platos, tazas y todo lo que encontraba. Máximo hacía como él quería."

Aurelio: Un punto importante es el asunto de hablar sobre la tierra y es donde nos metemos más profundamente, y cuando nos metemos a él no es cuestión de aventarse adonde caigas. Debe uno ir derecho, como una carretera que la ves que derecho va a un solo hilo, que no se va metiendo así, por el monte o por donde quiera, para que así no se meta uno tan como quiera con los ricos, sino lo que es correcto, lo que está ordenado, como va la ordenanza de la ley, así le dije a Erón. Le dije:

—Tío, no te metas muy hondo. Yo, aunque no sé ni tres o cuatro cosas de la ley, pero por mi parte te digo que no te metas porque tienes tu certificado de derechos [en el ejido] y lo que van a dar debe de ser claro, ¿para qué te sirve la cabeza? Deja aquellos otros y defiende a tus hijos, que esas tierras van a ser para ti y mañana para tus hijos. Así está establecido en el documento.

Entonces él dijo:

—Aquí ninguno puede darme consejos. Tú no puedes mucho.

Yo le dije:

—Yo también sé lo que tú sabes. Ten cuidado cómo andas porque yo te estoy dando una orientación y no andes calentando a los ricos, porque los ricos se defienden con los otros ricos, aunque sea un poquito el dinero.

Un campesino no debe andar por donde quiera, porque lo matan, y lo que le dijimos, eso sucedió. ¿Ahora dónde está? Lo mataron.

Y ahora, un agente, como ha tomado cargo, es pequeño; no es grande. Pero te ordena que te controles, que te comportes como gente, como peón, y [si hay] una persona mayor que no respeta al agente, entonces no es válido... El agente, aunque sea chiquito, debe valer. Ahora, si eres cabo y eres un hombre grande y quieres mandar al agente, no vale. El agente debe mandar al cabo. Yo así lo pienso. Yo le decía a mi tocayo Valente:

—Mira, tocayo... este... los hijos se van formando, se van haciendo muchos y la tierra se acabó, pues ahora se requiere de buscar otro pedazo para los que van creciendo, porque hay ya jóvenes y hay una solicitud, aunque compremos la mitad y la mitad la solicitamos, para que no haya más lío. Así lo pienso yo... Es así como yo consideré y le dije:

—Para la tierra, si es que vas a tramitarla, yo les ayudaré a ustedes también... Por eso, sí te están ayudando tus vecinos de [un ejido cercano] de Amatlán, sí te están ayudando, bueno, aquí hay manera de defender a la gente, porque les buscaremos de comer... No es cosa para morirme, no sería tristeza. Si me muero, yo también tengo cariño para eso.

Le dije así también:

—Como nacimos solitarios, solitarios hemos de morir.

La etnicidad y la historia

El tema de la identidad étnica es un hilo oculto que se desenrolla a través de la historia del sur de la Huasteca y de la comunidad de Amatlán. En la época prehispánica, a pesar de las profundas semejanzas entre las culturas de Mesoamérica, la identificación étnica siempre era de suma importancia. Los huastecos (autodenominados *teenek*) y los totonacos, en una alianza difícil, defendieron su territorio en sangrientas luchas en contra de los aztecas. La Conquista complicó y a la vez simplificó la situación. Un grupo ajeno, étnico y racial, llegó a ser el dominante, en estrecha alianza con algunos grupos indígenas y en mortal oposición a otros. En poco tiempo, los conquistadores acorralaron a todos los indios dentro de una sola categoría social inferior. Despectivamente les decían *indios,* denominación que, para la mayoría de la gente, guarda connotaciones peyorativas. Al principio fue relativamente fácil segregar a los indios de los españoles. Pero pronto la población de tipo racial mixto, la mestiza, comenzó a crecer. La importación de esclavos negros del África y su subsiguiente absorción dentro de la población aumentaron las dificultades que enfrentaban los españoles para mantener la segregación en México.

Con el fin de resolver este problema, los grandes señores españoles inventaron un complicado sistema de clasificación humana, mediante el cual se evaluaba a cada persona al nacer y se le asignaba un escalón en la jerarquía de tipos raciales. El color de la piel era el criterio principal para colocar a un individuo en la escala, pero también se usaban otros factores. Era tan importante la ilusión de la pureza racial que a menudo bastaban rumores de pasados amoríos interraciales para arruinar a una familia (Marino Flores, 1967: 12). Después de la Revolución se declaró que todos los ciudadanos eran iguales bajo la ley, independientemente de su origen racial o cultural. Sin embargo, como ya hemos visto, en realidad no se ha logrado la igualdad en los ámbitos social y económico. Desde la perspectiva de los nahuas, ellos han pasado por un periodo largo en el que han estado acorralados en una masa no diferenciada junto con variedad de otros grupos étnicos indígenas, y han sido puestos en lo más bajo de la pirámide social. Mucho tiempo después de la Revolución, en la que tantos indios lucharon y murieron, ellos todavía se encuentran en gran desventaja social, económica y política, en relación con los mestizos. En síntesis, para los nahuas de Amatlán siempre ha existido conflicto interétnico. La diferencia es que después de la Revolución, al eliminarse muchas de las barreras legales y al hacerse los criterios raciales cada vez más difíciles de aplicar en una población en verdad mixta, se han abierto brechas en la muralla que había sido levantada entre indios y mestizos. Los indios ya podían, bajo ciertas circunstancias, entrar y salir del mundo mestizo si eso les convenía.

La historia incompleta que tenemos acerca de esta región y esta comunidad muestra a los indios luchando por su tierra y sus derechos. En la lucha, sus enemigos han sido tanto los españoles como los mestizos y los demás indios. Hoy los indios siguen luchando en favor de los intereses de su grupo étnico, en particular, y a la vez en busca de sus intereses individuales. En el panorama más amplio, son los débiles contra los poderosos. Pero, desde la perspectiva de los indios, esto ha sido más que una simple guerra de castas, de indios oprimidos enfrentándose con los mestizos opresores. Esto ha sido, sin lugar a dudas, una faceta importante de la lucha y, como relató Aurelio de manera dramática, los habitantes de Amatlán no sienten afecto por sus ricos vecinos terratenientes. Pero la gente que se identifica como indio no odia automáticamente todo lo que representan los mestizos. Esta situación difícil se revela en la aventura de Aurelio. Hay que recordar que él estuvo a punto de ser asesinado por un rico ganadero y, entonces, como para hacer parodia de la posición paradójica del indio en la cultura nacional, ¡el rico le ofreció a Aurelio unas cervezas y un empleo!

Ser indio significa ser cultivador de la tierra. Quien interfiere, o lo que interfiere, con ese estilo de vida también amenaza a la cultura india con la aniquilación. Sin embargo, en el mundo complejo del México moderno los indios necesitan del sector mestizo de la economía nacional para conservar muchos aspectos de sus tradiciones comunitarias. Por lo tanto, el mundo mestizo representa a los opresores y, a la vez, es la válvula de seguridad para la sociedad india.

Capítulo 3
Amatlán y su gente

La vida en una comunidad india está basada en una tecnología simple, de acuerdo con el punto de vista estadounidense. Paradójicamente, esto no significa que la vida sea más sencilla para el campesino típico ni que la aplicación de una tecnología de escala reducida requiera de menos conocimiento o destreza. En realidad, suele ser todo lo contrario. En las modernas sociedades industriales la tecnología está cada vez más en manos de especialistas, lo cual deja al ciudadano común con escaso conocimiento directo de las herramientas, las máquinas y las técnicas que aportan al funcionamiento de la sociedad. Las representaciones sombrías que aparecen en películas y novelas sobre lo que pudiera ocurrir en las naciones industrializadas ante una gran catástrofe nos brindan testimonio sobre este proceso. Al desaparecer el servicio de agua corriente, la electricidad, la gasolina y los supermercados con sus pasillos de alimentos congelados, se encontraría en peligro la vida de los ciudadanos de las naciones económicamente avanzadas. Los campesinos, por lo contrario, son mucho más autosuficientes en aplicar su tecnología. Hay poca especialización laboral y, por lo tanto, cada hombre y mujer necesita tener conocimientos prácticos de una amplia gama de actividades necesarias para perpetuar su estilo de vida. Éstas incluyen: construcción de casas, prácticas de cultivo, cría de animales, pesca, cacería, recolección, técnicas para el parto, medicina, artesanía de cerámicas, confección de ropa, fabricación de cestas, preparación de alimentos y muchas otras aptitudes necesarias para la subsistencia (véase Chamoux, 1981a, para un análisis de los conocimientos técnicos y de su transferencia dentro de una comunidad nahua).

Esto no implica que Amatlán, o cualquier otra comunidad semejante, sea autosuficiente e independiente ante las influencias externas. Las comunidades nahuas están relacionadas con los poderes locales, regionales, estatales y nacionales, de los que dependen en alto grado. Además, la baja tecnología incrementa la importancia de los factores locales cuando la gente efectúa actividades de producción o planificación para el futuro. Los campesinos necesitan tener plena conciencia de los posibles problemas con las lluvias, de las plagas en las cosechas y del agotamiento del suelo, precisamente porque no tienen acceso a sistemas de riego, insecticidas o fertilizantes comerciales. Necesitan conocer las fluctuaciones en los precios de mercado que se ofrecen por sus cosechas, de las tensiones políticas con los ganaderos y las comunidades vecinas, y de las nuevas políticas del gobierno que pudieran afectarlos. No obstante, como sostendré al final de este capítulo, muchas características de la comunidad que se describen aquí necesitan entenderse dentro del contexto de los deseos de los campesinos de mantenerse independientes, en cierto grado, de la economía dominada por los mestizos.

Antes de presentar más información sobre Amatlán será de gran ayuda hacer un listado de lo que *no* se encuentra presente en la comunidad. Las ausencias son testimonio de cómo es la vida allí y ayudarán a poner en relieve lo que *sí* podemos encontrar (véase el capítulo 7, para los cambios tecnológicos que han ocurrido en las dos décadas desde 1970). Amatlán no tiene suministro de agua corriente y hasta 1986 no tenía electricidad. No hay camino que llegue hasta el pueblo, ni teléfonos, ni telégrafo, ni ningún otro medio de comunicación con el mundo externo. No hay iglesia edificada ni tampoco sacerdote o pastor residentes o itinerantes. Allí no viven representantes externos del gobierno regional o nacional, ni tampoco policías. El pueblo carece de mercado, tiendas, molino de nixtamal (para moler el maíz), carnicería y restaurantes. No hay suministro de gas para cocinar o para calefacción, ni baños o letrinas, ni tampoco pensiones o casas de huéspedes. Sólo una minoría puede hablar con cierta fluidez el español, la lengua oficial de México. Tampoco hay relojes, revistas, periódicos, libros, mapas (salvo los que se usan en la escuela o que son propiedad del maestro), maquinaria industrial de ninguna clase, tractores o transportes de ruedas. Éste es un mundo muy alejado del México urbano y del Occidente industrializado. Ahora, examinemos el tipo de mundo que *sí* es.

El trazo de la comunidad

El arroyo que atraviesa el ejido de Amatlán forma un gran recodo en el centro de las tierras de la comunidad. El recodo circunda por tres lados la agrupación central de casas, además de la parcela designada para las edificaciones escolares. Aunque las casas están bien dispersas, se encuentran concentradas en el área relativamente llana a lo largo de los terrenos inundables del arroyo. Rodeando las casas por todos lados hay cerros escarpados, cuya capa forestal primaria ha sido cortada en la mayoría de los casos, que se usan para los cultivos. El pequeño valle en que se encuentran las casas —la propia comunidad— es boscoso y el arroyo que serpentea por entre los grandes árboles y el denso follaje semeja un cuadro de belleza tropical. El arroyo tiene empinadas barrancas en ciertos lugares y el agua puede medir varios metros de profundidad donde su curso forma algún recodo. Por lo general, sin embargo, una persona puede vadearlo sin mucha dificultad si no fuera por las traicioneras piedras resbaladizas que cubren el fondo. Este ambiente de serenidad cambia de manera dramática durante las repentinas crecientes en la época de lluvias.

El recodo del arroyo se orienta hacia el norte y las casas se desbordan fuera de sus límites por el oeste y el este. A primera vista parece no haber orden en el trazo de la comunidad. Grupos de casas se hallan dispersos dentro de la densa selva tropical sin ninguna organización distinguible. Se comunican por una red de veredas que pasan como túneles por entre los árboles y los matorrales. Las casas están construidas en los claros del bosque que se encuentran bien separados entre sí y con frecuencia hay casas que están fuera de la vista de las demás. La escuela y sus edificaciones ocupan el extremo de una extensa área desbrozada que está en el centro de Amatlán. De hecho, el complejo escolar, construido por el gobierno mexicano y por lo tanto algo ajeno a la comunidad en sí, parece ser el único punto de actividad comunitaria. Este patrón de asentamiento da la impresión de que Amatlán no es del todo una comunidad, sino más bien una congregación artificial de casas, algo conveniente al gobierno y a la escuela.

A esta impresión se suma la manera en que los nahuas nombran sus comunidades. Han desarrollado un complejo sistema para designar las subáreas dentro de las comunidades, lo cual me causó una confusión interminable durante el primer año de mi residencia. Casi nunca tienen la necesidad de hacer referencias a la entidad completa que yo llamo Amatlán. De hecho el nombre *Amatlán* se refiere sólo a un pequeño agrupamiento de casas justo al noreste del claro de la escuela. Es un lugar donde crecían muchos amates (tipo de higuera), la misma especie usada en tiempos prehispánicos para hacer papel (*amatl* en náhuatl). Los funcionarios de gobierno usan la nomenclatura Amatlán en sus informes para referirse a la totalidad del complejo, pero cuando habla entre sí la propia gente siempre especifica las regiones dentro de la comunidad o los diversos solares. Las personas no miran el poblado como si fuera una comunidad coherente a la que debieran mucha lealtad. Sin embargo, aunque el estereotipo de una comunidad totalmente integrada no se aplica a Amatlán, hasta cierto punto las personas sí se identifican con la comunidad en su conjunto. No obstante, esta identidad se debe tanto a los derechos agrarios que administra el Estado, mediante la estructura política de la comunidad, como a cierto sentimiento bien arraigado de solidaridad con el propio Amatlán.

Los nombres que se asignan a las subáreas de la comunidad están basados en los rasgos geográficos, en alguna vegetación fuera de lo común, en la proximidad a alguna estructura distintiva, como la escuela, o en cualquier otra característica que les sirva a los habitantes locales para distinguir el sitio. El terreno se eleva de manera muy suave a medida que uno se traslada desde el sur hacia el norte y al oeste. De modo que la gente distingue entre la parte alta del poblado y la baja. Dentro de esta división se encuentran por lo menos 25 subáreas designadas por nombre y éstas se indican en el mapa 3.1. No es posible proveer una lista definitiva de subáreas porque existe variación en la manera en que la gente divide el poblado. En vista de que la residencia refleja el parentesco, los nombres de estos sitios llegan a asociarse con familias específicas.

Mapa 3.1

Subáreas identificadas en el pueblo de Amatlán

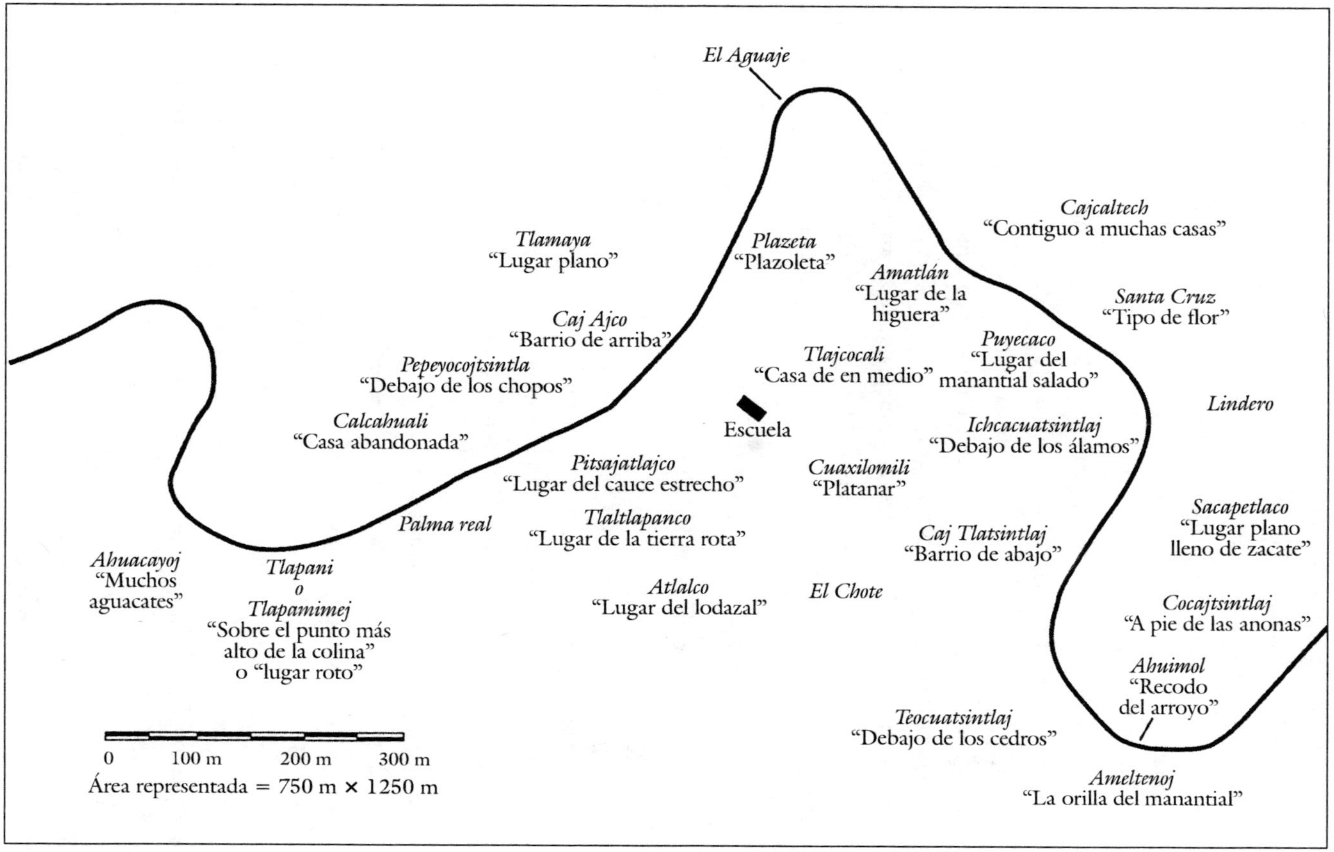

El Aguaje

Cajcaltech "Contiguo a muchas casas"

Tlamaya "Lugar plano"

Plazeta "Plazoleta"

Amatlán "Lugar de la higuera"

Santa Cruz "Tipo de flor"

Caj Ajco "Barrio de arriba"

Puyecaco "Lugar del manantial salado"

Tlajcocali "Casa de en medio"

Pepeyocojtsintla "Debajo de los chopos"

Lindero

Escuela

Calcahuali "Casa abandonada"

Ichcacuatsintlaj "Debajo de los álamos"

Pitsajatlajco "Lugar del cauce estrecho"

Cuaxilomili "Platanar"

Sacapetlaco "Lugar plano lleno de zacate"

Palma real

Tlaltlapanco "Lugar de la tierra rota"

Caj Tlatsintlaj "Barrio de abajo"

Ahuacayoj "Muchos aguacates"

Tlapani o *Tlapamimej* "Sobre el punto más alto de la colina" o "lugar roto"

Atlalco "Lugar del lodazal"

El Chote

Cocajtsintlaj "A pie de las anonas"

Ahuimol "Recodo del arroyo"

Teocuatsintlaj "Debajo de los cedros"

0 100 m 200 m 300 m

Área representada = 750 m × 1250 m

Ameltenoj "La orilla del manantial"

Además, si hay individuos que llevan el mismo nombre o sobrenombre, la gente utiliza el nombre del sitio para distinguir entre ellos. De modo que si hay dos hombres llamados Juan (y de hecho hay muchos más), a uno le pueden llamar Juan Atlalco ("lugar enlodado" o "donde el agua pasa sobre un pequeño llano" en náhuatl), mientras que al otro le llamarán Juan Tlajcocali ("casa de en medio" en náhuatl). Surge confusión para el foráneo cuando una persona o una familia retiene el nombre del sitio después de reubicarse. Sistemas complejos de toponimia como éste parecen ser una característica de las comunidades nahuas en todo México.

Los campesinos dividen aún más las subáreas de Amatlán, hasta llegar al recinto o complejo individual de casas. Cada complejo (o a menudo cada casa individual) lleva el nombre del solar o *caltocayotl* en náhuatl. Los nombres están basados en el mismo tipo de características medioambientales que se usan para designar las subáreas del poblado y es posible que el individuo que vive en una casa en cierto momento, asuma su nombre. De igual manera, puede suceder que el sitio retenga el nombre mucho después de que la casa haya desaparecido. De modo que las casas y las varias características medioambientales llegan a ser conocidas mediante una profusión de nombres. Por ejemplo, aunque el arroyo en sí no tiene un nombre general, las diferentes secciones sí lo llevan. Un lugar favorito para bañarse, donde el agua tiene cierta profundidad, se llama *el aguaje,* palabra tomada del español, y otra sección se llama *ahuimol,* "recodo" en náhuatl. El sistema de nomenclatura se extiende hacia fuera para incluir características medioambientales que quedan bastante distantes del poblado. Cuando yo les enseñaba a las personas los mapas del sur de la Huasteca ellas podían nombrar muchos poblados y localidades geográficas específicas dentro de un radio de 40 kilómetros distantes de la comunidad.

Este sistema de nomenclatura y especialmente el uso del nombre del solar, o *caltocayotl,* se encuentra en todos los poblados nahuas y crea un tipo de mapa cognitivo que les es familiar sólo a las personas de la localidad. Los forasteros, aun los demás indios, no pueden tener idea de dónde se encuentran los lugares que se mencionan ni tampoco las familias a que éstos están asociados. Los maestros de escuela y los funcionarios del gobierno municipal muchas veces se quejan de la dificultad para lograr que los indios les informen acerca de personas y lugares debido a esta práctica. Un trabajador del censo tendría que pasar meses enteros en un poblado para entender tanto el trazo de la tierra como los patrones de residencia antes de conseguir un recuento preciso. Por esta razón, suele asignárseles a los maestros de las escuelas locales la tarea anual de recolectar información para el censo, y ellos se quejan de lo difícil que es y de la aparente falta de voluntad por parte de los indios para aclarar los asuntos. La situación también se complica por las costumbres que siguen los nahuas al poner nombre a las personas (luego se hablará más sobre las prácticas de nomenclatura personal). En suma, los poblados son redes de información autocontenidas. Los habitantes del poblado utilizan un sistema de códigos para nombrar a las personas y los rasgos geográficos, sistema para el cual sólo ellos tienen la clave.

El resultado de esta ubicación del conocimiento es benéfico para los indios y trae como legado una práctica que probablemente deriva de la época prehispánica y que, por lo tanto, es posible que afirme vínculos con el pasado. Tiene importantes implicaciones para su religión, la cual está ordenada en torno a un sagrado complejo geográfico. Establece un mapa cognitivo entre los habitantes, lo cual crea un sentido de comunidad y de pertenencia. Es más, siempre es útil mantener confundidos a los forasteros, peligrosos en potencia, acerca de la ubicación precisa de las cosas. La aparente confusión en los nombres mantiene a raya a los entrometidos: maestros de escuela, funcionarios de gobierno o policías en busca de alguien. Obliga a los oficiales foráneos a negociar a través de las autoridades políticas de la aldea, porque evitarlos resultaría infructuoso. En suma, en un mundo en que los indios se encuentran en el ínfimo peldaño de la jerarquía sociopolítica, los sistemas esotéricos de dividir y calificar al mundo físico y social les dan cierta medida de control que pueden utilizar frente a los extraños.

La manera en que las personas utilizan el espacio suele reflejar algo acerca del subyacente mundo social que habitan. Las comunidades nahuas no son la excepción y Amatlán ofrece un excelente ejemplo. La profusión de nombres y lo disperso que están las casas sirve para ocultar un patrón definitivo de residencia y cierta identidad que la gente tiene con el poblado entero. Una investigación más detallada de la ubicación de las casas revela que entre dos y ocho de éstas, por lo regular pertenecientes a varones con parentesco patrilineal, se encuentran agrupadas en los claros del bosque. Un grupo de casas que ocupa un claro individual se llama sencillamente *caltinej,* "casas" en náhuatl. Los habitantes de cada claro suelen ser hermanos varones con sus esposas e hijos, junto con sus padres ancianos. Es posible que otros parientes construyan en claros aledaños. Así, los patrones de residencia reflejan la organización social nahua.

Las casas

Al construir sus viviendas, los nahuas incorporan los tres fundamentos principales de su habilidad artesanal: la funcionalidad, la durabilidad y la construcción a base de recursos disponibles en la localidad. Las casas son pequeñas, de acuerdo al punto de vista estadounidense, y con frecuencia consisten de una sola pieza. Sin embargo, en ese pequeño espacio la familia prepara y consume alimentos, almacena utensilios y cosechas, hace ofrendas rituales, socializa a los niños, duerme y realiza las numerosas actividades cotidianas de la vida comunitaria.

Las edificaciones de Amatlán consisten en el complejo escolar, construido por el gobierno, las 110 viviendas de los jefes de familia varones activos y sus familiares inmediatos, las numerosas estructuras adicionales que se dividen entre las instalaciones para almacenamiento, las casas de edificación parcial que se usan como cobertizos abiertos, las chozas separadas que sirven de cocina, las casas para los hombres solteros que esperan casarse y un santuario. Salvo en el caso de un número reducido, todas estas estructuras están construidas a la manera tradicional. Primero, los hombres abren un claro en el bosque y el matorral. Es posible que esto lo hagan en una nueva ubicación o que simplemente extiendan un claro que ya contenga casas. La casa normal, o *cali* en náhuatl, comienza a hacerse con seis pilotes, por lo general tallados a mano, de cedro tropical, los cuales los constructores clavan en la tierra formando dos filas de tres pilotes cada una. Luego sujetan largas vigas en lo alto de los pilotes, a más de dos metros desde el suelo, para formar un rectángulo cerrado. Entonces amarran vigas a través de lo ancho de este rectángulo de modo que sobresalgan de cada lado, y luego construyen el armazón para un techo alto de pronunciados pendientes. Los hombres extienden la base de este armazón del techo aproximadamente un metro más allá de los pilotes, por todos los lados, y unen los extremos cortos del rectángulo usando una viga encorvada. Vista desde abajo, la base del armazón del techo aparenta dos lados paralelos unidos por semicírculos a los dos extremos.

Luego, comenzando por la orilla de abajo, los hombres cubren el armazón con fardos de paja o de ramaje bien amarrados. Hay tres tipos de material para el techado: las hojas de un árbol llamado *xihuitl cali* ("hoja-casa" en náhuatl), material para techados que se considera el más duradero y de más alta calidad; la fina hierba que se llama *sacatl* ("zacate" en el español de la región); y el material de la peor calidad, que son las hojas de caña de azúcar. Después de haber amarrado los fardos al armazón, los trabajadores detienen la construcción por varias semanas para que el techado se asiente y se haga impermeable. En esta etapa inconclusa la casa es denominada *ramada,* palabra adaptada del español ("cobertizo hecho de ramas"), y a menudo las personas la usan como un cobertizo al aire libre, sentándose bajo su sombra al final del día. El dueño hace ajustes en los fardos hasta que el techo no gotee aun durante el más fuerte aguacero.

Una vez que consideran que el techo se encuentra impermeabilizado, los hombres construyen las paredes. Para este propósito cortan gran número de varas rectas, con un diámetro de cinco centímetros; luego las erigen de forma vertical y las amarran juntas de modo que alcancen hasta las piezas transversales a lo alto de los pilotes. Reparten dos o a veces tres varas horizontalmente y luego amarran también a éstas las vigas verticales de la pared. Los constructores no toman en cuenta ventanas para las paredes, pero sí dejan un espacio aproximadamente de un metro para la puerta. Tienen cuidado de tomar en cuenta la medida desde encima de la puerta hasta el tope de la pared para que una mujer pueda entrar cargando un cántaro de agua en la cabeza. El dueño hace la puerta o de tablas talladas a mano o de varas amarradas a un marco. Los hombres dejan abierto el espacio entre la superficie inferior del techo y el tope de las paredes. En ocasiones hacen un relleno de barro por entre las varas verticales de la pared, pero lo más común es dejar los espacios abiertos para que entre el aire. Las casas no tienen chimeneas para que salga el humo de los fogones de las cocinas, de modo que se acumula dentro del techo empinado. El humo sube, dejando que las personas vean y respiren, para colarse finalmente por entre el techado o por debajo de los aleros. Esta característica resulta ser muy efectiva para evitar que el techado se plague de insectos y animales.

Los hombres apisonan y aplanan una área de tierra de cerca de 30 centímetros de elevación, tanto adentro como por fuera, alrededor de la casa, de tal manera que ésta parece estar construida sobre un montículo bajo y nivelado. La elevación adicional impide que el agua inunde la casa durante la época de lluvias. Las casas varían en tamaño, pero el promedio aproximado es de unos cuatro por cinco metros, con el caballete del techo a más o menos cinco metros sobre el nivel del suelo. Se necesitan cerca dos semanas para que cinco hombres construyan una casa luego de reunir los materiales. Según los lugareños, una casa puede durar entre 10 y 25 años con muy poco mantenimiento, siempre y cuando el techado esté hecho del mejor material. Otras edificaciones, como los graneros o las trojes, las cocinas independientes y los santuarios son simples variaciones en el diseño básico de una casa (véase la sección sobre el ciclo doméstico, en el capítulo 4). Los hombres construyen las edificaciones tradicionales exclusivamente de materiales que consiguen en el bosque.

Hay muchas modificaciones en este diseño básico. Por ejemplo, no es inusual que los constructores coloquen una pared, de tal manera que los tres pilotes de apoyo queden independientes bajo el alero. Esto crea un tipo de porche angosto que sirve de refugio contra el sol tropical. Algunas personas han remplazado el techado tradicional con techos hechos de láminas corrugadas de cartón asfaltado. Aunque existe cierto prestigio asociado con este tipo de techo, existen también desventajas asociadas con él. Primero, el costo es prohibitivo (2.40 dólares cada lámina, en 1970) y son necesarias por lo menos 30 láminas para un techo promedio. Segundo, necesita clavos, también costosos desde el punto de vista de la comunidad. Tercero, el color es negro, lo cual transforma el interior de la casa en un horno durante los meses de verano. Cuarto, por lo general no dura tanto como un techado de zacate o de hojas. Las ventajas consisten en que la construcción avanza mucho más rápido (un solo hombre puede terminar un techo en dos días) y elimina la muchas veces penosa tarea de recolectar centenas de kilos de material vegetal para el techado. Las opciones frente al cartón asfaltado son los materiales para techos de láminas corrugadas, de metal o de asbesto, los cuales comienzan a aparecer en algunos poblados de la región y tienen algunas de las mismas desventajas que el cartón asfaltado.

Por dentro, todas las viviendas son bastante parecidas. La mayoría son de una sola pieza, aunque algunas personas han montado tabiques para separar el área de dormir. El piso es de barro apisonado, que las mujeres mojan con agua por lo menos una vez al día; lo barren con escobas hechas de ramitas. Esta costumbre de rociar agua sobre el piso de tierra sirve para refrescar la casa aun en los días más calurosos. Contra una de las paredes se encuentra el fogón elevado, una estructura parecida a una plataforma, hecha de leños pesados tallados a mano y revestida con una gruesa capa de barro reseco y piedras planas. Sobre esto, el ama de casa construye dos o tres fogones, cada uno delimitado por tres piedras que rodean un área ennegrecida. Llamadas *tenamaxtle* en náhuatl, estas piedras dan albergue al espíritu del fuego descrito en el capítulo 6. Ella pone a cocer todas las comidas sobre el fogón elevado y raras veces deja que se enfríen las piedras. En el suelo, muy cerca, se encuentran dos o tres fogones adicionales rodeados de piedras más grandes. Éstos son para las tareas culinarias mayores, tales como cuando se ponen a hervir grandes ollas de maíz para preparar el nixtamal. Es posible que las casas nahuas contengan escasos muebles y que estén poco decoradas, pero dadas las condiciones climáticas resultan sorprendentemente cómodas. Permanecen secas bajo las lluvias y son bastante frescas y ventiladas cuando hace calor. Una persona sentada adentro puede ver hacia afuera a través de las paredes, pero es imposible que los transeúntes vean para adentro. Una casa nueva tiene un olor a fresco, como a heno recién cortado, y es especialmente atractiva.

Los campesinos abastecen sus casas de artículos funcionales y duraderos. Los miembros de la familia fabrican la mayoría de los bienes domésticos, aunque les compran muchas cosas a los demás campesinos o las consiguen en el mercado. El área de la cocina contiene el mayor número de objetos. Esparcidos por encima del fogón, suspendidos de clavijas o colocados sobre una o más repisas rústicas, se encuentran los utensilios culinarios de la casa. De éstos, los mayores son toda una serie de ollas de barro con fondo redondeado, con una capacidad que varía desde menos de un litro hasta varios galones. Estas ollas son hechas a mano por las mujeres de la comunidad mediante la técnica de tiras de arcilla y se balancean a la perfección sobre las tres piedras que rodean cada fogón. Además, cada casa tiene dos o más comales de barro, cuyo diámetro varía entre los 40 y los 80 centímetros. Las mujeres los colocan sobre el fuego para freír sin grasa. La plancha de barro se llama *comali* en náhuatl (*comal* en el español) y ahí se ponen a cocer las tortillas de maíz, el "sustento de la vida" para los nahuas.

Además de los artículos de alfarería hay variedad de cucharas, cucharones y recipientes hechos de calabazos de jícara o guaje. Cada cocina incluye también un cuchillo, por lo general hecho de un machete desgastado, unos pocos platos y tazas de cerámica o metal de fabricación industrial comprados en el mercado, uno o dos vasos para beber, cada uno de los cuales contuvo antes una vela votiva de cera, tal vez una cazuela o un recipiente de metal ennegrecido para hervir líquidos, una o dos cucharas simples de metal o esmaltadas y alguna que otra cubeta de metal o de plástico. Colocado junto al fogón elevado se encuentra un mortero grande de tres patas con un cilindro de piedra del tamaño de un rodillo de cocina, llamados *metlatl,* el mortero, y *metlapili* en náhuatl (*metate* y *mano* en español). Ambos artículos son labrados de piedra volcánica tosca. Las dos patas traseras del metate se colocan sobre una repisa baja o sobre la superficie del fogón elevado mientras que la pata delantera se coloca sobre un trozo independiente de bambú que va bien clavado en el suelo. Esta estructura permite que la mujer pueda estar de pie directamente encima del metate mientras muele, y así disminuir la tensión en su espalda. Las mujeres usan este importante utensilio de cocina para moler variedad de alimentos, el primordial de los cuales es el maíz. Cuando el metate no está en uso la mujer lo inclina hacia arriba, lo apoya sobre las dos patas traseras y lo recuesta contra la pared de la casa.

Entre otros muebles y accesorios típicos de una casa nahua se pueden encontrar una pequeña mesa rústica y varias sillas muy pequeñas de respaldo curvo, llamadas *botaqui* (singular), palabra probablemente derivada de *butaca,* del español. En el piso, muchas veces hay varios pequeños bloques de madera alargados que han sido acanalados y se usan como asientos. Éstos se llaman *bancos,* palabra tomada del español. Los miembros de la familia montan contra la pared una repisa alta y angosta que sirve de altar religioso y sobre la cual colocan artículos rituales, como las velas de cera de abejas, imágenes de santos (compradas), una pequeña cruz de madera, un brasero de barro para el incienso y uno o más recortes de papel de los espíritus testigos. De las vigas del techo los campesinos cuelgan sacos de fibra tejida y cestos hechos en la localidad que contienen ropa, frutas y demás alimentos, para mantenerlos fuera del alcance de los voraces roedores. Por la noche, para dormir, la gente extiende sobre el suelo esterillas de palma, llamadas *petlatl* en náhuatl y *petate* en español. Por la mañana enrollan los petates y los guardan contra la pared. Por lo general, en el centro de la casa hay una cuna hecha con un aro de madera y palmas tejidas, que cuelga de las vigas del techo. Los padres ponen al niño recién nacido en la cuna, la cual mecen dándole un simple y leve empujón.

Los miembros de la familia se alumbran con velas de cera de abejas que se producen en la localidad o con pequeñas lámparas de mecha alimentadas con queroseno, improvisadas en algún envase de hojalata. Además, hay muchos artículos pequeños y de uso potencial que coleccionan, como botellas de refresco vacías, rollos de alambre, pedazos de mecate, pliegos de plástico, piezas irregulares de hierro, periódicos traídos del mercado (que sirven para envolver cosas), etcétera. En algunas casas puede haber un hacha o una sierra, una tabla tachonada de clavos, para desgranar el maíz, un radio de transistores o un rifle calibre 22. En la casa de un músico se encontraría un violín, una guitarra, o tal vez una *jarana* (guitarra pequeña de cinco u ocho cuerdas). En cada casa también pueden estar almacenados los utensilios para la agricultura o la pesca. En un reconocimiento que hice sobre los artículos domésticos encontré que una casa promedio contenía entre 45 y 55 artículos diferentes (véase el cuadro 3.1). De manera sorprendente, las pertenencias domésticas de las familias más ricas casi no se distinguen de las de las familias más pobres ni en calidad ni en cantidad. Los modelos de consumo no parecen estar afectados en forma notoria por el nivel de riqueza material de la unidad familiar.

Cuadro 3.1. Inventario de las pertenencias halladas en dos casas representativas de Amatlán

Casa 1

- Alambre, rollos pequeños (2)
- Arpón para pescar
- *Bancos* pequeños (bloques alargados de madera y acanalados para sentarse) (2)
- Bateas de madera (2)
- *Botaquis* (pequeñas sillas) (2)
- Botellas para refrescos vacías (6)
- Brasero para el copal
- Cabo de escoba
- Caja pequeña con retratos y documentos legales
- Canasta con utensilios para coser
- Canastas para cargar *(cuahchiquihuitl)* (2)
- Cántaro para guardar el agua
- Cántaros de barro para el agua (varios)
- Comales (4)
- Cuadros de santos (varios)
- Cubeta de metal
- Cucharas de metal (3)
- Cuencos para el chile (2)
- Cuencos para la sopa (4)
- Cuencos pequeños de barro (3)
- Cuencos pequeños hechos de calabazos, de jícara o guaje (varios)
- Cuencos pequeños de plástico (2)
- Cuerda de tender sobre la cual está doblada la ropa que se guarda
- Fogón elevado
- Funda de machete
- Lámpara de mecha a base de queroseno, hecha de un envase de hojalata
- Machetes desgastados (2)
- Maíz almacenado
- Martillo
- Máscara usada durante la celebración de *nanahuatili*
- Mesas pequeñas (2)
- Metate y mano
- Morrales de ixtle para guardar cosas (3)
- Nasas para pescar (2)
- Ollas grandes de barro (2)
- Ollas pequeñas de barro (5)
- Papel, un paquete pequeño doblado
- Petates (3)
- Platos (4)
- Repisa sobre el fogón elevado para guardar pilones de azúcar
- Repisa utilizada como altar
- Tazas para el café (6)
- Vaso para el agua

(continúa)

Cuadro 3.1. *(continuación)*

Casa 2

Banco pequeño (bloque alargado de madera y acanalado para sentarse)
Bateas de madera (2)
Botaquis (pequeñas sillas) (2)
Bolsa de papel, doblada
Bote para los dulces
Botella para el kerosén
Botellas de plástico (4)
Botellas de refrescos vacías (10)
Brasero para el copal
Caja grande de madera para guardar retratos y documentos
Caja grande de madera para guardar ropa
Canasta con utensilios para coser
Canasta pequeña
Canastas grandes (7)
Canastas para cargar *(cuachiquihuitl)* (2)
Comales (5)
Contenedores grandes derivados de calabazos de jícara o guaje (varios)
Cubeta grande de metal
Cubeta mediana de metal
Cubeta pequeña de metal
Cucharas de metal (4)
Cuencos para el chile
Cuencos para la sopa (4)
Cuencos pequeños de plástico (2)
Cuna colgante, pequeña y redonda
Escoba
Espejo
Fogón elevado
Jarana (guitarra pequeña típica de la región)
Lámpara de mecha a base de querosén hecha de un envase de hojalata
Machetes (2)
Machetes desgastados (2)
Maíz almacenado
Mesa pequeña
Metate y mano
Morrales cargados de pilones de azúcar (3)
Morrales vacíos (2)
Ollas grandes de barro (2)
Ollas con tapaderas de metal usadas para almacenar el agua
Ollas pequeñas de barro (4)
Ollas pequeñas de metal (3)
Petates (3)
Platos (4)
Pliego de plástico pequeño
Red para pescar
Repisa usada como altar
Retratos de santos (varios)
Sillas pequeñas con respaldos derechos (3)
Tazas para el café (9)
Tendedero sobre el cual está doblada la ropa que se guarda
Utensilios (lima de metal, clavos, mazo de madera)

Aunque las casas nahuas son el centro de gran parte de la actividad familiar, la gente pasa sorprendentemente poco tiempo en ellas. En Amatlán se vive básicamente afuera. Las personas pasan gran parte de su tiempo libre sentadas bajo algún árbol frutal en medio del clareado o tal vez bajo el nuevo techo de una casa en construcción. Los niños juegan afuera y las mujeres cosen o bordan a plena luz del día, con frecuencia sentadas bajo los aleros de sus casas. Es afuera donde se realizan gran parte de los centenares de labores de la vida diaria, como reponer los mangos de las herramientas, reparar los muebles, fabricar juguetes para los niños, fabricar cerámica, tejer canastas o construir un arco en preparación de un ritual. El interior de la casa es más que todo para cocinar, comer y dormir. En parte es cuestión de clima, pero la actitud para con la casa va más allá de ello. La casa es un refugio ante la intemperie y la noche. Es un lugar donde se puede comer con cierta privacidad, pero aparte de eso no es lugar donde la gente prefiera pasar su tiempo.

Una casa representa la más grande inversión que hace una familia nahua. Además, cuando un hombre construye su primera casa está señalando que está por casarse o que está buscando cónyuge. Es más, la colocación de las casas en Amatlán suministra un importante mapa de las relaciones sociales clave que sustentan la vida de la comunidad. Hasta finales de los años setenta los hombres tenían libertad de construir sus casas donde querían. Aunque es necesario presentar una solicitud ante las autoridades del ejido para fundar un solar, nunca se le niega a un miembro legítimo de la comunidad. Unos pocos optan por construir más bien apartados de los demás, tal vez cerca de sus milpas o sus potreros. Sin embargo, la mayoría construye cerca de las casas de personas a quienes estiman. En la mayoría de los casos esto implica parentesco. El lugar que un hombre elige para construir su casa desde luego señala a los demás residentes algo acerca de su identidad de parentesco y el estado general de las relaciones dentro de su propia familia. Esta situación cambió a mediados de los años ochenta cuando las autoridades del ejido local presentaron una solicitud ante el gobierno para que se trajera la electricidad a la comunidad (véase más abajo y el capítulo 7).

¿Quiénes viven en Amatlán?

En el transcurso de mi trabajo de campo realicé dos censos en la comunidad, primero en 1972 y luego en 1986. Éstos fueron complementados por los censos realizados por el maestro de la escuela durante varios años, comenzando en 1969. Descubrí que el proceso de hacer un censo requiere de mucho tiempo y es bastante frustrante. Los habitantes me habían concedido permiso para realizar la encuesta, pero desde un principio se hizo evidente que ellos no mostraban ningún interés. No es que sospecharan de mí en particular, sino que yo recibí la impresión de que ellos no estaban acostumbrados a ofrecer a gente extraña información sobre sí mismos. Los diferentes maestros de escuela que yo conocí a través de los años compartían la misma impresión y, tal como he notado antes, algunos de sus censos invariablemente contenían inexactitudes. Un problema que por lo general no se le ocurre a quienes no han emprendido este tipo de recolección de datos es que, por más pequeña que sea, ninguna población es estática. Durante los meses de investigación nacieron y murieron personas, y hubo movimiento continuo de personas que entraban y salían de la comunidad por largos periodos de empleo laboral o que regresaban por visitas prolongadas.

Según el censo de 1986, en Amatlán vivían 506 personas, 260 mujeres y 246 hombres. En esta cifra no se incluyen el maestro de escuela y su familia. Tomando esta información como base, examinaré las fluctuaciones en la población total de la comunidad a través de los años. Según la documentación archivada, la población de la comunidad en 1923 puede fijarse en 178 personas. Los censos nacionales dan las siguientes cifras para Amatlán: 190 en 1930, 288 en 1940, 343 en 1950, 358 en 1960 y 563 en 1970. Mi recuento de 1972 halló 583 personas, lo cual sugiere que entre 1930 y 1970 se triplicó la población de la comunidad. Aun reconociendo las inexactitudes de los primeros censos, se puede concluir que durante este periodo la población pudo aumentar de manera significativa. La disminución de la población en 77 personas entre mi primero y último censo puede atribuirse al proceso de fisión en la comunidad; los recursos naturales se disminuyeron a tal extremo con respecto a los niveles de población que la comunidad se vio obligada a fraccionarse. Es muy probable que un proceso similar haya ocurrido entre 1950 y 1960, cuando se registró un incremento de sólo 15 individuos en la población.

En cierta ocasión durante este periodo se estableció una comunidad hija, pero no pude obtener una fecha precisa de tal suceso.

La ilustración 3.1 compara la distribución de edades entre la población en los censos de 1972 y 1986. Estos datos son aproximados debido a que las personas no celebran su cumpleaños y sólo los más jóvenes están seguros de su propia edad. No se mantienen registros de nacimientos, de modo que tuve que aceptar edades aproximadas. Verifiqué mis cálculos con los demás residentes y comparé el orden de nacimiento entre hermanos; no obstante, las edades siguen siendo aproximadas. Tal como se ha de esperar dentro de una población en auge, la mayoría de los individuos son menores de 14 años. En el recuento de 1986, casi la mitad de la población queda por debajo del límite de los 14 años. No tengo cifras específicas sobre la mortalidad infantil, pero mi impresión es que existe una tasa elevada antes de la edad de cuatro o cinco años, de modo que no todos los niños registrados en el censo llegarán a ser adultos. Esta enorme sobre representación de personas en las agrupaciones de edades menores no se transfiere más allá de los últimos años de la adolescencia, después de los cuales la gráfica asume una forma de pirámide más normal.

Las anomalías en la pirámide edad/sexo resultan de dos factores adicionales. Primero, los datos revelan que las mujeres sobreviven a los hombres por un margen sustancial. En el último censo fueron contadas 36 mujeres mayores de 50 años, a diferencia de sólo 21 hombres. Segundo, una comparación de los dos censos revela que hay menos personas dentro del rango de edades de 30 a 54 años en 1986. Esto refleja emigración y da una idea de las edades en las que las personas tienen más tendencia a irse de la comunidad. Los hombres se van porque han enviudado o tal vez por no haber heredado suficiente terreno como para mantener a una familia. En algunos casos los individuos se han ido por las posibilidades de trabajo en las ciudades. Una causa más importante de la emigración es la fisión periódica de la comunidad, por la cual gran número de familias jóvenes se van, casi siempre para fundar una cercana comunidad hija. En conclusión, los contornos generales de esta gráfica reflejan la tasa de nacimiento relativamente alta de la comunidad, tasas de mortalidad diferenciadas entre hombres y mujeres, y procesos de emigración.

Figura 3.1. Distribución conforme a edad y sexo en Amatlán, en 1972 y en 1986

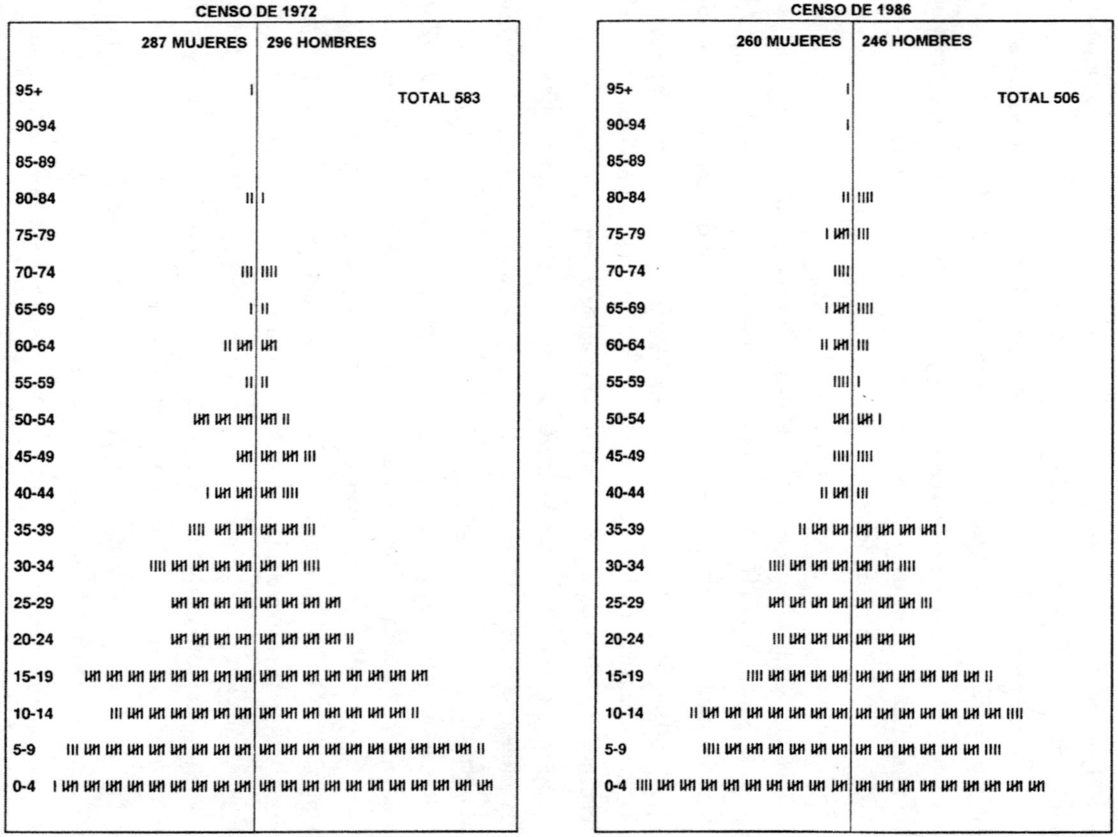

CENSO DE 1972 — TOTAL 583

Edad	287 MUJERES	296 HOMBRES
95+	I	
90-94		
85-89		
80-84	II	I
75-79		
70-74	III	IIII
65-69	I	II
60-64	II 卌	卌
55-59	II	II
50-54	卌 卌 卌	卌 II
45-49	卌	卌 卌 III
40-44	I 卌 卌	卌 IIII
35-39	IIII 卌 卌	卌 卌 III
30-34	IIII 卌 卌 卌 卌	卌 卌 IIII
25-29	卌 卌 卌 卌	卌 卌 卌 卌
20-24	卌 卌 卌 卌	卌 卌 卌 卌 II
15-19	卌 卌 卌 卌 卌 卌 卌 卌	卌 卌 卌 卌 卌 卌 卌 卌
10-14	III 卌 卌 卌 卌 卌 卌	卌 卌 卌 卌 卌 卌 卌 II
5-9	III 卌 卌 卌 卌 卌 卌 卌 卌	卌 卌 卌 卌 卌 卌 卌 卌 卌 卌 II
0-4	I 卌 卌 卌 卌 卌 卌 卌 卌 卌	卌 卌 卌 卌 卌 卌 卌 卌 卌 卌 卌

CENSO DE 1986 — TOTAL 506

Edad	260 MUJERES	246 HOMBRES
95+	I	
90-94	I	
85-89		
80-84	II	IIII
75-79	I 卌	III
70-74	IIII	
65-69	I 卌	IIII
60-64	II 卌	III
55-59	IIII	I
50-54	卌	卌 I
45-49	IIII	IIII
40-44	II 卌	III
35-39	II 卌 卌	卌 卌 卌 卌 I
30-34	IIII 卌 卌 卌	卌 卌 IIII
25-29	卌 卌 卌 卌	卌 卌 卌 III
20-24	III 卌 卌 卌	卌 卌 卌
15-19	IIII 卌 卌 卌 卌	卌 卌 卌 卌 卌 卌 II
10-14	II 卌 卌 卌 卌 卌 卌 卌	卌 卌 卌 卌 卌 卌 卌 IIII
5-9	IIII 卌 卌 卌 卌 卌 卌	卌 卌 卌 卌 卌 卌 IIII
0-4	IIII 卌 卌 卌 卌 卌 卌 卌 卌 卌	卌 卌 卌 卌 卌 卌 卌 卌 卌

Ciertos datos adicionales del censo de 1986 ayudarán a completar el concepto de quiénes viven en Amatlán. Yo hallé que residían ahí 71 parejas casadas. De éstas, 63 se encontraban en lo que se conoce en términos legales como *unión libre* o matrimonio de hecho. Las ocho restantes se legalizaron mediante una ceremonia civil. En el censo anterior no había ningún matrimonio por lo civil ni legalmente registrado. Ya cuando salíamos del trabajo de campo, en 1986, fuimos invitados a una boda en la comunidad en la que un sacerdote visitante ofició la ceremonia. Ésta fue la primera vez que esto ocurrió en Amatlán y puede ser un indicio de que están ocurriendo cambios en las costumbres nupciales. Las costumbres matrimoniales tradicionales son sencillas y se analizarán más adelante.

El número promedio (la media aritmética) de niños que viven en casa con sus padres es de 3.8, y la moda (el número con mayor frecuencia) es de tres. Al no haber registros de nacimientos se hace difícil conseguir un recuento preciso del número promedio de nacimientos vivos por mujer, pero yo calculo que es de entre cinco y siete. No pude conseguir mucha información acerca del control de la natalidad entre los nahuas, pero algunas mujeres me hablaron acerca de una planta que llaman *xalcuahuitl,* que provoca abortos. No pude identificar esta planta botánicamente, ni tampoco determinar si es efectiva. Sin embargo, su mención indica que los nahuas están interesados en controlar el número de niños que van a tener. El número promedio de personas que vivían en una sola casa en 1986 (y que por lo tanto cooperan en lo económico) es de 6.2, incluidos adultos y niños. En el censo de 1972 el número promedio de miembros en una unidad doméstica fue de 5.3 personas. Esta cifra es menor debido a que incluye a muchas parejas recién casadas con pocos hijos y que luego se fueron de Amatlán para fundar otras comunidades. Prácticamente todas las agrupaciones residenciales reflejan el proceso de un ciclo doméstico de largo plazo en que el conjunto de miembros de la unidad doméstica oscila entre el de familia nuclear y el de familia extensa patrilineal. Según lo que se analiza con mayor detalle en el capítulo 4, los grupos residenciales de familia nuclear representan la mayoría de las unidades domésticas de la comunidad y alcanzan un promedio de 5.4 personas. Por otra parte, las unidades domésticas del tipo familia extensa patrilineal tienen un promedio de 7.5 residentes y las pocas unidades domésticas de familia extensa matrilineal en Amatlán tienen un promedio de 8.3 miembros. Tal y como se espera, las unidades domésticas de familia extensa son más grandes en promedio, en forma notoria, que las unidades domésticas tipo familia nuclear.

Mi censo de 1986 revela que hay 33 viudas viviendo en la comunidad, a la vez que cuatro viudos. Es probable que estas cifras respecto a viudas y viudos sean bajas, ya que los cónyuges sobrevivientes solitarios a veces se ven obligados a abandonar la comunidad en busca de trabajo en las ciudades o, si son ancianos o débiles, a irse a vivir con hijos varones que residen en otra parte. Por último, encontré que todos los niños menores de cinco o seis años son monolingües en náhuatl. El náhuatl es la única lengua que se habla en el hogar y los niños tienen su primer contacto con el español cuando comienzan a ir a la escuela. Más o menos 60 adultos son monolingües y el resto de los campesinos tienen varios grados de dominio del español. La mayoría de las personas mayores de 55 años son monolingües, pero aun los que hablan español no pueden leerlo ni escribirlo. Los campesinos que han asistido a la escuela por lo menos cuatro años son capaces de leer y escribir en español, aunque logran esto en varios grados de fluidez. Las mujeres tienen más tendencia a ser hablantes monolingües del náhuatl que los hombres.

Mientras yo realizaba el primer censo, casi al inicio de mi investigación de campo, durante 1972-1973, descubrí que los nahuas tienen tradiciones para poner nombre a los niños que difieren un tanto de las tradiciones culturales eurooccidentales. Cuando nace un niño nahua le ponen nombre los padres o los padrinos. Los hijos primogénitos muchas veces reciben el nombre del abuelo o la abuela paterna. Los nombres de los hijos subsiguientes por lo regular se toman de un almanaque popular en las regiones rurales que se llama *Calendario del más Antiguo Galván,* el cual cataloga todas las fechas del año con sus santos asociados. Con frecuencia al niño se le pone el nombre del santo que corresponde al día de su nacimiento. En muchos casos el santo es poco conocido y los nombres resultan ser trabalenguas polisilábicos. Para el mexicano de las ciudades, un nombre de pila que suena extraño suele ser el primer indicio de que al individuo le han puesto un nombre del *Calendario* y que por ende es indio.

En general, el niño adquiere dos apellidos, según la costumbre hispana. El primero es el del padre y el segundo el de la madre. Sin embargo, en un número considerable de casos, no se sigue este modelo de manera rigurosa. Con frecuencia uno o dos hermanos tienen un apellido por completo diferente del apellido del resto de la familia. Cuando yo preguntaba acerca de esto, la gente me contestaba que simplemente les gustaba el apellido alterno o que al niño le gustaba. En uno de los casos un hombre tenía un apellido totalmente diferente al de sus tres hermanos. Le pregunté por qué, creyendo que su familia lo había adoptado o que sus hermanos tenían un padre diferente. Me contestó que cuando él tenía 12 años le estaban llenando unos papeles en Ixhuatlán y que cuando le preguntaron su apellido él inventó uno. Desde entonces él asumió el apellido inventado como si fuera el suyo y lo usa en todos los documentos oficiales. Es curioso que algunos de sus hijos recibieron el apellido original del padre, mientras que otros asumieron el nombre que él inventó. Es fácil imaginarse las dificultades que un extraño enfrenta al tratar de averiguar las relaciones de parentesco en una sociedad sin normas rígidas para los apellidos.

Cada persona también tiene su apodo. Éstos siguen el modelo mexicano tradicional. Por ejemplo, a Jesús le dicen Chucho o a Manuel, Manolo. Sin embargo, aparte del apodo tradicional casi todo mundo tiene un nombre completamente distinto, que se usa en la conversación cotidiana. Por ejemplo, a Luis Magdalena le dicen Carlos, mientras que a Juan Hernández le dicen Cirilo. Para abonar la confusión, en Amatlán se usa un número muy limitado de apellidos como en la mayoría de las comunidades indias. Es probable que más de las tres cuartas partes de los campesinos usen Hernández o Martínez como uno de sus apellidos, o ambos. Además, casi todas las mujeres usan María Angelina como nombre de pila, de modo que varias personas comparten el nombre María Angelina Hernández Hernández. A diferencia de las culturas eurooccidentales, donde las personas se identifican de manera estrecha con su propio nombre, los nahuas usan el suyo con flexibilidad. Les parece perfectamente natural adquirir uno o dos nombres nuevos en el curso de su vida. Por ejemplo, como se vio antes, cada persona tiene un nombre toponímico basado en la ubicación de su propia casa. Igual que en el caso de los nombres de las casas y de los que se dan a los rasgos geográficos de acuerdo a la comunidad específica, el sistema para poner nombre y apellido a la persona sirve para crear una comunidad cognitiva para los campesinos y para crear una barrera informativa ante los representantes de la cultura nacional.

La agricultura de la milpa y los huertos familiares

Los habitantes de Amatlán viven del cultivo de las tierras que rodean a la comunidad por todos lados. La agricultura es la actividad productiva más importante y, por lo tanto, no es sorprendente que el ciclo de barbechar, sembrar y cosechar influya en todos los aspectos de la vida de la comunidad. Los hombres pasan la mayor parte de su vida laboral ocupados en las numerosas tareas que resultan de técnicas agrícolas que han cambiado poco desde la época precolombina. Las mujeres y los niños también contribuyen en el duro trabajo de cultivar la selva tropical. Con la excepción de la producción del azúcar, los campesinos realizan todo el trabajo a mano, sin usar potencia mecánica o animal. Los instrumentos principales son el machete de acero, que compran en el mercado, y un bastón plantador, que usan para sembrar. La agricultura ocupa no sólo el tiempo, sino también los pensamientos de las personas. Los campesinos hablan de ella con entusiasmo y con minucioso detalle, y sirve de enfoque para la representación simbólica durante los rituales más sagrados.

Todos los hombres de la comunidad, con excepción del maestro escolar, trabajan en sus milpas para ganarse la vida. A pesar de que a veces existen diferencias considerables de riqueza entre los campesinos, todos los hombres se ven a sí mismos de manera igualitaria como agricultores. La agricultura es básica para la vida en sí, no sólo para la comunidad como entidad abstracta sino también para cada individuo que vive en ella. Describiré en seguida las arcaicas técnicas para el cultivo del maíz (*sintli* en náhuatl), la cosecha más importante para los nahuas. El ciclo agrícola comienza a mediados de mayo, cuando los hombres hacen los preparativos para la siembra de la época de lluvias, llamada *xopajmili* en náhuatl. Muchos nahuas creen que el trabajo tiene que iniciarse un día que sea sábado, lunes o miércoles, para conseguir una cosecha óptima. Para ellos puede ser que un día domingo, martes, jueves o viernes sea *cococ tonati,* que en náhuatl significa día "malo" o "de mala suerte" (véase Reyes Antonio, 1982: 85-86). Un hombre organiza a un grupo de asistentes (*peones* en español, *tlanejmej* en náhuatl) para que lo ayuden a barbechar una nueva área del bosque o, como es más común, la densa maleza de una de sus milpas que está en barbecho. Los campesinos llaman *milcahuali* ("milpa abandonada" en náhuatl) a una milpa en barbecho. El espeso matorral tropical, que se llama *cuatitlaj* en náhuatl o *monte* en español, en poco tiempo tapa cualquier lugar no cultivado, y a veces alcanza una altura hasta de cinco o siete metros. Al hombre le conviene cortar el monte en uno o dos días, para que se seque de manera uniforme y se queme de manera más pareja. Cada hombre trae su propio machete, el cual ha sido afilado hasta parecer navaja, usando una piedra arenisca. Los hombres trabajan juntos, en fila, usando un gancho hecho de una rama en la mano izquierda para apartar la hierba a medida que dan amplios machetazos contra la base de la vegetación. Se debe tener cuidado para evitar las víboras y las arañas venenosas que se esconden en el espeso matorral.

Después de haber barbechado todo, los montones de matorral y los árboles cortados se dejan secar una semana o más. Durante este periodo los campesinos guardan la esperanza de que no caigan las lluvias y mojen la vegetación que está por secarse. Es durante estas semanas cuando una persona devuelve el favor a sus ayudantes y trabaja el tiempo equivalente en las milpas de ellos. Cuando está seca la vegetación la queman en forma espectacular y llega a formar un fuego cuyas llamas pueden alcanzar hasta 30 metros en el aire. Después de la quema, la tierra queda calcinada y en apariencia sin vida, pero enriquecida por los minerales de las cenizas. En unos pocos días el campesino reúne otra vez a sus ayudantes para comenzar con la siembra. Cada asistente corta un bastón plantador (*cuatlatoctli* o *cuahuitsoctli* en náhuatl) de unos dos metros de largo, al que le saca punta en un extremo. Luego, el dueño de la milpa echa las semillas en los morrales de ixtle que cada uno lleva colgado del hombro. Los hombres se ponen en fila y caminan directamente a través de la milpa, hunden el bastón a intervalos de más o menos 80 centímetros y echan cuatro o cinco semillas en cada hoyo. Tapan el hoyo y de manera delicada apisonan la tierra antes de seguir. Ya sembrado, el campo se transforma en una milpa (también *milaj* en náhuatl).

Las semillas para sembrar el maíz se seleccionan de manera cuidadosa, de acuerdo con su tamaño y frescura. Son frecuentes los casos en que se hace necesario comprar semillas nuevas en el mercado si lo que ha sobrado de la cosecha anterior es insuficiente o si está en condiciones dudosas. Las semillas más viejas tienen una apariencia polvorienta y los hombres me dijeron que de estas semillas son menos las que brotan. Las semillas frescas son lustrosas y tienen una alta tasa de germinación. Dentro de cada casa nahua siempre se encuentra colgado del techo un atado de mazorcas finas que se guardan para usarse como semillas.

Los campesinos llaman *criollo* al maíz que siembran y reconocen cuatro variedades según el color. Consideran el maíz blanco mejor para comer y cultivan un excedente de esta variedad en la época de lluvias para venderlo en el mercado. El maíz amarillo es resistente y tiene un periodo más corto de crecimiento; por lo tanto, los campesinos tratan de sembrar esta variedad sobre todo en la época de sequía. Sin embargo, debido a la escasez de agua, muchas veces el maíz amarillo tarda más tiempo para madurar que el blanco. Los campesinos señalan que al maíz amarillo le falta el sabor del blanco y aunque a veces ellos mismos lo consumen prefieren dárselo a sus animales. Raras veces se cultiva para vender en el mercado. Las variedades negra y roja, que maduran de manera rápida, se cultivan en pequeñas cantidades y desempeñan un papel insignificante en la dieta o en la economía de la comunidad. La gente está consciente de las variedades híbridas modernas del maíz y varios individuos han intentado sembrarlas. Sin embargo, han descubierto que éstas son propensas al ataque de insectos y que sin la aplicación de insecticidas costosos rinden poco en la región. Véase el cuadro 3.2 para un resumen de las principales variedades que se cultivan en Amatlán.

Más o menos una semana después de la siembra el agricultor visita su milpa para determinar si hay que escardarla. Como por lo regular esto es necesario, en especial si ha habido lluvia, el campesino dedica varios días para limpiar la milpa usando un machete curvo especial que se llama *huíngaro* o, en algunos casos, un azadón cuya hoja de acero ha sido comprada en el mercado. Los hombres consideran ésta una tarea ardua, pero dicen que es necesaria para que las plantas recién brotadas tengan mejor oportunidad frente a las hierbas nocivas que crecen de manera más rápida. La segunda escarda se lleva a cabo más o menos cinco semanas después y a veces se necesita la tercera pocas semanas después de ésta. Mientras tanto, la planta del maíz ha crecido, con lo cual impide que la luz del sol llegue al suelo y así evita de manera efectiva ser rebasada por la maleza.

Durante el tiempo entre las escardas el campesino examina su milpa en forma cuidadosa cada pocos días. Si se forman hondonadas, debido a las lluvias fuertes, él las bloquea con piedras grandes y con tierra. También amontona tierra en la base de cada grupo de plantas de maíz para impedir que el agua se reúna alrededor de los tallos y anegue las raíces. Una vez sembrada, una milpa aumenta su rendimiento según el cuidado que se le dedique. La agricultura milpera consume mucha mano de obra, en el sentido de que el rendimiento a la hora de la cosecha está en proporción directa al trabajo que se invierta para mantener la milpa. No es sorprendente que la milpa sea una fuente de inmenso orgullo para los hombres y los muchachos varones. Una milpa bien cuidada y con alta tasa de rendimientos contribuye a la buena reputación de un hombre. En su mayoría, las milpas se mantienen en impecables condiciones y los hombres les dedican muchas horas cada semana, colmándolas de cuidados.

Cuadro 3.2. Variedades de los cultivos principales en Amatlán

Cultivo	*Variedades*	*Características*
Sintli ("maíz en general de tipo criollo")		
	1. *chipahuac* ("blanco")	La variedad más importante cultivada para el consumo familiar y para vender en el mercado. Se caracteriza por un largo ciclo de cultivo y se siembra, sobre todo, a principios de la época de lluvias.
	2. *costic* ("amarillo")	Los campesinos declaran que el maíz amarillo no es tan sabroso como el blanco, aunque lo consumen en ocasiones. Tiene un ciclo de cultivo más corto y se cultiva, por lo general, en la época de sequía.
	3. *chichiltic* ("rojo")	Tanto el maíz rojo como el negro se cultivan con poca frecuencia en Amatlán.
	4. *yayahuic* ("negro")	
Etl ("frijol")		
	1. *pitsajetl* ("frijol pequeño")	Los campesinos prefieren esta variedad de frijol negro para el consumo de la familia; es también la preferida para vender. Su temporada de cultivo es de septiembre a diciembre.
	2. *chichimequetl* ("frijol *chichimeqaj*")	La palabra *chichimecaj* significa "silvestre" y el nombre de esta variedad de frijol quizás venga de su semejanza a una enredadera silvestre que crece en la región. Se da en variedades negra y amarilla.
	3. *emecatl* ("frijol enredador")	El frijol *emecatl* es más grande que el *pitsajetl* o el *chichimequetl*. Hay variedades negra y roja.
	4. *patlachetl* ("frijol ancho")	Es otra variedad de menor importancia cultivada en Amatlán para consumo de la familia.
	5. *torojetl* ("frijol toro")	Es la variedad de frijol cultivado más grande, aunque raras veces se siembra en la comunidad.
chili ("chile")		
	1. *xoxochili* ("chile verde")	Es un chile jalapeño de tamaño mediano que se cultiva en mayor parte para consumo familiar aunque su excedente a veces se vende en el mercado. Es la variedad de chile más popular y se puede consumir fresco o seco.

(continúa)

Cuadro 3.2. *(continuación)*

Cultivo	*Variedades*	*Características*
	2. *pitsajchili* ("chile pequeño")	Esta variedad crece más que todo por su cuenta en milpas en barbecho o a lo largo de los arroyos y sus semillas las distribuyen los pájaros. Produce un fruto pequeño muy picante y por esta razón se le valora mucho. A veces los campesinos lo cultivan para vender, pero la mayoría lo puede conseguir de las plantas silvestres.
	3. *cuajteco* ("chile de Huautla")	El nombre de este chile se deriva del nombre de la región donde lo cultivan de manera extensa. Es el chile cultivado con más frecuencia para vender en el mercado. Las semillas tienen que haber brotado en el semillero antes de sembrarlas en la milpa.
	4. pico de pájaro	El nombre se deriva de la forma del chile. Se cultiva para consumo familiar.
camojtli ("camote")		
	1. *cuacamojtli* ("camote seco") = guacamote, yuca o mandioca	Este tubérculo se da en dos variedades, el rojizo y el blanco. Se cultiva para el consumo familiar.
	2. *tlacamojtli* ("camote de tierra") = batata o camote	Es el camote dulce; hay tres variedades: blanco, amarillo y morado. El camote dulce es igual que la batata y la cultivan los campesinos para el consumo familiar.
ohuatl ("caña" en general de tipo criollo)		
	1. *xolohuatl* ("caña sin espinas", de *xolotl*, un pez sin escamas)	Es una variedad de caña que se puede utilizar para la producción del pilón de azúcar.
	2. *tlapalohuatl* ("caña pintada")	Esta variedad morada de la caña se cultiva para su consumo directo. Se corta el tallo en pedazos y se chupa el zumo.
ohuatl (caña de azúcar comercial de tipo no criollo)		

(continúa)

Cuadro 3.2. *(continuación)*

Cultivo	*Variedades*	*Características*
	1. *ohuatl chipahuac* ("caña blanca")	La caña blanca se cultiva para producir piloncillo. Los informantes afirman que este tipo comercial de caña es una introducción reciente en la comunidad que rápido ha remplazado las variedades criollas introducidas anteriormente.

Según mis apuntes del trabajo de campo, así como según De la Cruz Hernández, 1982: 43-52; véanse, también, Reyes Martínez, 1982: 70-89, e Ixmatlahua Montalvo *et al.*, 1982: 74-75, para consultar nombres adicionales de variedades de frijol y de chile cultivados en la Huasteca (todos los nombres están en náhuatl, a menos que se indique lo contrario).

Un poco después de la siembra y de nuevo en septiembre, cuando las mazorcas recién formadas alcanzan unos cuantos centímetros de largo, existe el peligro de perder la cosecha por los pájaros. No pude identificar la especie de pájaros que presenta la mayor amenaza, pero parecen ser de color oscuro y más pequeños que los cuervos. Los hombres construyen plataformas que se levantan alrededor de dos o 2.5 metros por encima del nivel del suelo, en medio de la milpa, y allí apostan a un centinela para espantar a los invasores. Los campesinos llaman a este periodo *tlapiyalistli* ("cuidar o guardar algo"). Los miembros de la familia se turnan en la plataforma y la guarnecen de día y noche por un periodo de dos o tres semanas. Los niños son especialmente útiles durante este tiempo, con su letal puntería con las hondas y resorteras (*tehuitlastli,* singular en náhuatl) contra los pájaros. Otros miembros de la familia gritan y tiran piedras para cumplir con la labor, o pueden hacer un espantapájaros vestido con ropa blanca.

Las variedades de maíz cultivadas por los indios se caracterizan por sus duros y pétreos granos, que hay que procesar antes de que se puedan comer. Sin embargo, en septiembre y a principios de octubre ya se puede consumir el elote, nombre que se le da en el español de la región a la mazorca tierna del maíz, derivado de la palabra *elotl* del náhuatl. Los campesinos lo saborean como una delicadeza. La cosecha principal de maíz tiene lugar en noviembre y hacia principios de diciembre. En esta época los hombres y otros miembros de la familia van a la milpa para cargar las canastas (*cuachiquihuitl,* singular en náhuatl) de mazorcas maduras. Llevan la canasta llena hasta la casa, montada en la espalda, sostenida mediante un *mecapal* (faja ancha) que se pasan por la frente, y allí amontonan de manera ordenada contra un muro las mazorcas, sin haberles quitado el *totomoxtle* (la hoja que cubre la mazorca). Muchas veces el campesino acostumbra cosechar sólo unas pocas canastas cada día durante varias semanas. Si tal es el caso, puede que doble la planta del maíz para impedir que se pudran las mazorcas. El proceso consiste en doblar por la mitad la caña del maíz mientras permanece sembrada en la milpa, así se evita que el agua penetre en las mazorcas. El maíz doblado puede permanecer en las milpas durante muchas semanas sin que se dañen las mazorcas (Reyes Martínez, 1982: 56).

Después de la cosecha se dejan sin tumbar los tallos y la milpa permanece sin cultivar hasta el siguiente periodo de barbecho y siembra. Las condiciones climáticas posibilitan dos cultivos al año. Sin embargo, el campesino procura alternar las milpas, de modo que no se siembre ninguna parcela dos veces en el mismo año. La siembra de la época de sequía (*tonamili* en náhuatl) sigue el mismo patrón de trabajo que el de la temporada húmeda. Las milpas se limpian, se dejan secar, se queman y se siembran durante diciembre y a principios de enero. El maíz amarillo, que madura más rápido, es el cultivo favorito en esta temporada. Si es posible, las semillas se siembran en las milpas de menor elevación para que la escasa precipitación de esta época de sequía sea aprovechada de manera más eficiente. Se requiere de menos escardas debido a la escasez de lluvias y éstas suelen efectuarse a las cinco y a las diez semanas después de la siembra. El tiempo de la cosecha cambia de acuerdo con las lluvias; sin embargo, la planta suele madurar para mediados de junio. El elote (maíz tierno) está listo para comerse a finales de abril o a principios de mayo. La vigilancia contra los pájaros tiene lugar justo después de la siembra y durante la temporada de los elotes. La siembra de la época de sequía es un asunto sumamente inseguro. No es raro que se pierda toda la cosecha debido a la sequía. En otras áreas de la Huasteca las condiciones permiten una tercera temporada de cultivo, llamada *sehuamili* en náhuatl. Las milpas se siembran a principios de noviembre y el cultivo madura durante los meses más fríos del invierno. Sin embargo, nadie en Amatlán recuerda haber podido sembrar una tercera vez (véanse el cuadro 3.3, para un resumen del ciclo de barbecho y quema; también Ixmatlahua Montalvo *et al.*, 1982: 76-84, 86-87; Reyes Martínez, 1982: 45-63 y Reyes Antonio, 1982: 85-91, para las descripciones del cultivo de maíz por los nahuas y las etapas de crecimiento de la planta del maíz).

Cuadro 3.3. Etapas en el ciclo agrícola de roza, tumba y quema para el maíz

Operación	*Náhuatl*
1. Cortar la maleza	*tlayistli*
Cortar los árboles grandes del bosque	*tlamaximasi*
2. Dejar que el sol seque la vegetación cortada	*ma huaqui*
3. Quemar la vegetación cortada	*tlajchinoa*
4. Sembrar	*tlatocalistli*
5. Escardar	*tlamehualistli*
6. Vigilar la milpa	*tlapiyalistli*
7. Cosechar	*pixquistli*
8. Cargar	*tlatsaquilistli*
9. Amontonar	*tlatecpicholistli*
10. Separar la mazorca del totomoxtle (deshojar)	*tlaxipehualistli*
11. Desgranar	*tlaoyalistli*

El maíz es un producto de primera necesidad para los nahuas y ellos dedican la inmensa mayoría de cada parcela a su cultivo. Sin embargo, la milpa es un huerto complejo que contiene muchos diferentes tipos de cultígenos. Hay secciones que siempre se siembran con frijol negro, calabazas, chile, amaranto, melones y varias hierbas finas que se usan como condimentos, tales como el cilantro o la menta, junto con tomates, cebollas, tubérculos como el camote, frutales como el banano, caña de azúcar, café y muchos otros cultivos (véase Reyes Antonio, 1982: 45). Las técnicas para el cultivo de estas plantas adicionales en casi todos los casos son simples variaciones del método para cultivar el maíz.

El frijol (*etl*, singular en náhuatl) y la caña de azúcar (*ohuatl*, singular en náhuatl) son cultivos comerciales importantes que merecen una mención aparte. El frijol para consumo familiar se siembra con frecuencia entreverado con el maíz y la planta del frijol crece subiendo como enredadera por lo bajo de los tallos del maíz. Sin embargo, el frijol que cultivan ciertos individuos expresamente como producto comercial a veces es sembrado en su propio terreno. Los campesinos cultivan muchas variedades del frijol (véase el cuadro 3.2); no obstante, para la venta cultivan sólo el frijol negro pequeño llamado *pitsajetl* en náhuatl. Siembran las semillas en grupos separados entre sí por unos 20 centímetros, de modo que la milpa tiene cabida para cuatro veces más plantas de frijol que de maíz. Las variedades de frijol que se cultivan en Amatlán son bastante productivas; sin embargo, no son tan resistentes como el maíz, de manera que las variaciones en la precipitación pluvial afectan más al frijol que al maíz, y el frijol puede ser cultivado en gran escala sólo durante cierta temporada cercana al final de la época de lluvias. Un tercer cultivo de importancia comercial es la caña de azúcar. Los campesinos establecen el cultivo de las nuevas plantas de caña a partir de esquejes que plantan en hoyos hechos con el bastón plantador. Véase más abajo, para una descripción del procedimiento para producir el piloncillo de azúcar.

Para suplementar los cultivos de la milpa, la mayoría de las familias tienen pequeños huertos adyacentes a la casa donde cultivan hierbas finas, algunos cultivos comestibles, flores y una que otra planta de plátano. Además, los árboles frutales de propiedad privada que se cultivan dentro y alrededor de los solares de las casas añaden variedad a la dieta. Los campesinos prefieren las ciruelas, los aguacates, las guanábanas, los mangos, los zapotes, los limones dulces, las limas y otros frutos cítricos menos conocidos. Algunos de estos árboles son bastante viejos y los habrán sembrado los abuelos de los presentes moradores del claro. Los campesinos cultivan el tabaco, el cual, luego de secarlo a la sombra, fuman los hombres y las mujeres mayores de edad. Enrollan cigarros cortos y los atan con una tira de fibra vegetal. Entre las plantas no comestibles que se cultivan se encuentran el *ojtlatl* (*otate* en español), una especie parecida al bambú que se usa como material de construcción, y muchas variedades de flores bonitas y fragrantes. Tanto hombres como mujeres aprecian las flores y a veces se les puede ver caminando por la comunidad con un pequeño ramillete. La flor de mayor importancia es la dorada flor de cempasúchil, *cempoasuchitl* en náhuatl, la cual desempeña un papel muy importante en todos los rituales.

Igual que en el caso de agricultores en todas partes del mundo, los nahuas tienen que contender con numerosos animales nocivos que amenazan sus cultivos. Ya he mencionado los pájaros, que infligen grandes pérdidas en el rendimiento de cada año. En apariencia, diferentes especies de pájaros atacan los cultivos durante las distintas etapas de su desarrollo. El animal silvestre más destructivo es el mapache (*mapachij* en náhuatl), que puede arruinar muchas plantas al alimentarse durante una sola noche. El ratón de campo (*quimichij*, singular en náhuatl) también ataca los cultivos, tanto en la milpa como en el sitio de almacenamiento. No obstante, los animales domésticos forrajeros, como los puercos y el ganado, constituyen el mayor peligro para la milpa. Los dueños son responsables por la destrucción causada por sus animales y se les hace recompensar las pérdidas de los cultivos. Otro peligro es el voraz gusano elotero (*eloocuilij* en náhuatl) que entra en el elote por la parte superior y devora el maíz tierno. Después de la cosecha, un gorgojo llamado "cortador de maíz" (*sintequiyotl* en náhuatl) consume grandes cantidades de maíz durante su almacenaje. Otro gorgojo llamado "cortador de frijol" (*etequiuj* en náhuatl) ataca de la misma manera al frijol cosechado. Éstos y otros animales nocivos, junto con las enfermedades de las plantas, hacen de la agricultura tradicional en el sur de la Huasteca un negocio riesgoso (De la Cruz, 1982: 61-64; Reyes Martínez, 1982: 54-56).

Recolección, caza y pesca

La mayoría de los miembros de la familia, en particular las mujeres y los niños, se dedican a recolectar productos silvestres de la frondosa selva. Hay verdaderamente centenares de cosas que se recolectan, desde la leña hasta un delicioso sustituto para el café. La mayoría de las comidas se sazonan con algún comestible que algún miembro de la familia ha encontrado al regresar del arroyo o la milpa. Estos productos llegan a madurar en épocas precisas conocidas durante el año y la gente siempre está al pendiente de ellos. En tiempos de escasez de alimentos, las familias dependen en mayor medida de la recolección, razón por la cual las mujeres están ausentes durante horas en busca de provisiones útiles. Al observar las costumbres alimenticias de varias familias en la comunidad calculé que casi 30% de la dieta no basada en el maíz consiste en productos silvestres. Los cultivos de segunda importancia, las frutas y los productos recolectados pueden venderse en pequeñas cantidades en otras comunidades o en uno de los mercados regionales, pero en su mayoría son consumidos en casa por la familia. Sin embargo, a pesar de la importancia de estos recursos alimenticios, los campesinos consideran el maíz como la necesidad absoluta de la vida, la fuente de nutrición que tiene prioridad sobre todas las demás. Cuando los nahuas dicen "el maíz es nuestra sangre", el significado literal de esta metáfora es que el maíz es el más importante de sus alimentos. En una sección posterior mostraré que el cultivo del maíz también tiene sentido desde un punto de vista económico.

La caza y la pesca también desempeñan un papel en el abasto de los campesinos. Hoy día son pocas las veces que los hombres cazan, debido a la relativa escasez de animales salvajes en la región. Aparentemente, los incrementos en la población, junto con la deforestación a consecuencia de la agricultura de roza y quema han causado que los animales emigren hacia la sierra por el oeste y el sur. Los hombres mayores cuentan haber cazado venados y jabalíes en su juventud; sin embargo, también remarcan su presente escasez. Pocos hombres jóvenes que tienen acceso a rifles calibre 22 cazan conejos, pero éstos no son una fuente importante de alimento. Cazar y atrapar pájaros comestibles resulta ser un tanto más importante. Los hombres instalan trampas en perchas improvisadas, que sirven para atrapar los pájaros por la cabeza o por las patas. Los muchachos pequeños también ayudan en esta hazaña y muestran asombrosa puntería con sus hondas o resorteras al derribar pájaros que se posan en los árboles o se alimentan en la tierra. La presa favorita es un pájaro de tamaño mediano que se parece a una paloma.

La pesca representa un papel más importante en las actividades de subsistencia. Apenas pasa una semana sin que se sirva un plato de pescado o de crustáceos en la casa de una familia nahua. Es interesante notar que los hombres enseñan a sus hijos varones a pescar varios años antes de enseñarles las técnicas del cultivo. Tanto los hombres como los muchachos dedican bastante tiempo y utilizan varias técnicas para pescar peces y cazar cangrejos grandes de río y muchas variedades de crustáceos parecidos a los camarones. En las pozas más hondas del arroyo se usa una red hecha a mano para atrapar a los peces. Ésta es circular y los hombres la tejen de cuerda de nailon comercial. Se atan plomos en torno al borde de la red, la cual se tira de manera que caiga abierta y plana sobre la superficie del agua. Los hombres cuentan que en tiempos pasados, cuando las redes se hacían a mano, de cuerda de algodón, se usaban pequeñas piedras en vez de plomos. En las partes menos profundas de los arroyos y los ríos, y en particular después de las lluvias, colocan largas nasas de forma cónica (llamadas *achiquihuitl* en náhuatl) entre unas piedras acomodadas en forma expresa. Los pescadores encauzan el torrente de agua por entre dos muros bajos, colocados de manera ensanchada en el extremo de río arriba para formar un embudo que se estrecha poco a poco hasta desembocar en una pequeña abertura río abajo. El pescador coloca la nasa en dicha abertura y los peces, arrastrados por la corriente, quedan atrapados en ella y allí los mantiene la fuerza del agua. Entre los demás métodos utilizados por los habitantes de Amatlán se encuentran: el arponeo con varas de punta afilada, varas con punta de arpón hecho de alambre afilado o fusiles lanzaarpones hechos a mano y accionados por una goma elástica grande; la caza de cangrejos grandes de río comestibles usando pequeños arcos y flechas y, finalmente, la pesca con petardos de excesiva detonación para aturdir a los peces. La mayoría de los campesinos considera que este último método es una práctica inapropiada y destructiva, ya que mata demasiados peces y molesta a *apanchanej*, un espíritu importante que reside en las aguas.

Animales domésticos

Gran número de animales domésticos suelen rondar las veredas y los claros de Amatlán. A diferencia de la mayoría de los agricultores euroamericanos, los campesinos no encierran a los animales domésticos en corrales. Por el contrario, cercan sólo aquellas áreas donde buscan impedir la entrada de los animales, de modo que sólo circundan los huertos familiares, los árboles frutales y a veces toda la milpa, para impedir la entrada de éstos. Esta práctica da a los animales plena libertad para explorar y buscar comida, y a veces se alejan hasta varios kilómetros del recinto de su dueño. Una vez, mientras yo caminaba hacia una comunidad distante, me encontré con un cerdo de Amatlán en la vereda. Reconocí al animal por su mancha, que era tan extraordinaria que los indios ya habían comentado sobre ella. Me sorprendió verlo allí, a una distancia de dos horas a pie desde el caserío. Esa noche el puerco regresó a Amatlán para recibir su ración de maíz. Cuando les mencioné el incidente a los demás ellos no le prestaron mucha atención y varios comentaron que los guajolotes (pavos) también suelen alejarse varios kilómetros de la comunidad. Los campesinos conocen bien los hábitos de sus animales y darles de comer dos veces al día parece siempre asegurar su regreso.

Los perros son ubicuos y se les puede oír ladrando día y noche por todo el caserío. Los indios favorecen cierta clase de perros pequeños, cuya función principal es avisar a los miembros de la familia cuando se acercan personas o animales. Los perros no son mascotas en el sentido acostumbrado de la palabra y la gente no puede hacerles cariños o acercárseles. Les dan de comer sobras de la mesa y no es raro que estén flacos y sarnosos, y que tengan mal genio. Los campesinos consideran a los perros una molestia y pasan mucho tiempo echándolos para afuera. Una visita a la casa de alguien siempre implica un alboroto, en la que los miembros de la familia buscan controlar a los numerosos perros que ladran y mordisquean los tobillos del visitante que se acerca.

El animal más importante en relación con el presupuesto familiar común es el cerdo. A cada unidad familiar se le atribuyen varios puercos, que varían en tamaño, desde pequeños lechones hasta enormes animales de varios años de edad. Se les da de comer maíz y se les deja buscar alimento en el bosque durante el día. De noche duermen afuera, bajo el alero de la casa o en algún lodazal cercano. Algunos animales los reservan para consumirlos en ocasión de los rituales especiales y en muy raras ocasiones se mata uno para que los miembros de la familia aprovechen la carne; pero por lo general los cerdos se crían para venderlos en el mercado. Un cerdo adulto consume más maíz a diario que un hombre, de modo que es muy costoso mantenerlos. No obstante, como se expondrá en el capítulo 5, un cerdo le sirve a la familia de "cuenta bancaria ambulante", aprovechable para acumular poder adquisitivo para el futuro. Los cerdos son voraces y hay que impedir a toda costa que invadan las casas, los huertos y las milpas. No es raro verlos caminando por las veredas con horquetas que les amarran en el pescuezo para evitar que entren en las áreas cercadas.

En menor grado, las familias también crían guajolotes (pavos), pollos y patos. Los campesinos les dan de comer maíz a estas aves y las valoran tanto por sus huevos como por su carne. Debido a que éstas también andan por su cuenta, a veces se hace difícil encontrar los huevos dentro del bosque. Si la familia decide aumentar su producción avícola toman una hembra y la colocan bajo una canasta volcada boca abajo junto con cuantos huevos fertilizados encuentren. A los polluelos recién salidos del huevo les dan de comer nixtamal hasta que éstos alcanzan suficiente madurez como para conseguir comida por su cuenta. Estas aves domésticas pasan la noche encaramadas sobre el techo de la casa o en un árbol cercano, para evitar a los depredadores.

Entre los demás animales domésticos se encuentran los burros, las mulas, los caballos y, finalmente, el ganado. En 1972-1973 había dos familias que tenían cada una un burro; estos animales sólo los usan como bestias de carga. Una de estas familias también tenía una mula y la usaban no sólo para girar el trapiche durante la época en que se produce el azúcar, sino también para transportar cargas durante el resto del año. Había tres familias indias cada una con un caballo y, otra, con dos. Los caballos son bestias de carga que se usan para llevar y traer productos al mercado. A estos animales raras veces se les da de comer maíz, más bien los dejan pastar en un terreno que cada familia aparta para ese fin. Ser dueño de una bestia de carga representa una clara ventaja para el campesino como individuo, pero el precio para comprarla, junto con el terreno que se requiere para mantenerla, está más allá de los recursos de casi todos. De hecho, casi todas estas bestias de trabajo son propiedad de familias que también tienen ganado.

La Huasteca es una área ganadera y una de las metas de la mayoría de los indios de la región es ser dueño de ganado. La ganadería permite que el individuo avance más allá de las predeterminadas restricciones del cultivo del maíz y del frijol a la manera tradicional. En cierto sentido, lo eleva y lo coloca fuera de la economía de la comunidad local y le permite un nivel más alto de productividad y acumulación de capital. No obstante, la incorporación de la ganadería a las actividades agrícolas tiene costos que la ponen fuera del alcance de la mayoría de los campesinos. En 1972-1973 sólo 13 hombres en Amatlán criaban ganado, además de sus actividades agrícolas. A pesar de que es difícil conseguir cifras exactas debido a la dispersa distribución de los potreros y a la renuencia de los ganaderos para revelar el grado de su propia riqueza, el rebaño promedio resulta ser de unas cinco cabezas, con 16 cabezas el que más tiene. Estas cifras las corroboran los documentos del registro del ganado que examiné en Ixhuatlán, los cuales indican que el rebaño promedio es de 5.3 cabezas. Los rebaños son pequeños pero representan un grado de riqueza según las normas de la comunidad. La ventaja de la ganadería para quienes tienen suficiente terreno para sostenerla es que un rebaño es un sistema que se automantiene y que depende del pastoreo. Al ganado nunca se le da de comer maíz, de modo que, a diferencia de los cerdos, no compite en forma directa con los humanos por el cultivo básico.

Varios factores impiden que la mayoría de las personas lleguen a ser ganaderos. Para empezar, el precio para comprar un becerro es elevado y resulta prohibitivo para la mayoría de los indios. Mayor problema aun es el costo de alimentar y abrevar un animal. Para ser dueño de un solo rebaño el campesino necesita tener acceso a un potrero que tenga suficiente agua. Esto, por supuesto, sustrae tierras de valor para la milpa, que en otro caso podrían utilizarse para sembrar cultivos adicionales. Es más, mantener ganado en el trópico es costoso. Periódicamente los animales necesitan ser bañados contra la garrapata, requieren de vacunas y medicinas contra enfermedades y son vulnerables a las mordeduras de serpiente, a los murciélagos, a los jaguares y a daños físicos que resultan del uso de potreros disparejos y a veces peligrosamente empinados. Además, existe el problema de que el ganado no tiene ninguna utilidad inmediata. No puede utilizarse para transportar cargas y la gente jamás consume leche o productos lácteos. La carne bovina se come sólo en la rara circunstancia de la muerte prematura de un animal. En fin, a pesar de que la ganadería representa el nivel más alto de la actividad económica en las comunidades, parece contradecir el carácter pragmático y utilitario de los demás intereses económicos.

En vista de que la tierra se encuentra dividida supuestamente de manera equitativa entre los miembros del ejido, es sorprendente que 13 familias hayan logrado integrarse a la economía ganadera. Este hecho revela algo muy importante acerca de la vida en Amatlán, algo que socava la creencia de que las comunidades indias son homogéneas. Las familias ganaderas forman una especie de élite económica dentro de la comunidad. Esta élite puede entrar en conflicto con aquellos que dependen en exclusiva de los cultivos para su sustento. Un indicador del alto potencial de los problemas que se pueden presentar entre los ganaderos y los demás campesinos es el hecho de que los animales vacunos son los únicos que se encuentran encerrados y no se les permite andar errantes. Un solo animal es capaz de devastar una milpa en unas pocas horas y causar un tremendo conflicto dentro de la comunidad. A las familias ganaderas les conviene evitar conflictos que revelen diferencias económicas. Por lo tanto, los potreros están cuidadosamente cercados y las cercas se mantienen con todo escrúpulo. Si un animal llega a invadir una milpa, el dueño de la parcela recibe una indemnización sin mucha discusión (véase Harnapp, 1972, para un análisis sobre el desarrollo de la industria ganadera en la Huasteca).

Comida

Todas las actividades productivas sirven para asegurar que la gente de Amatlán reciba suficiente alimentación. En general, la comida abunda y las personas reciben una dieta variada e interesante. Sin embargo, se han visto periodos de escasez alimentaria. Distintas personas me hablaron sobre las pasadas cosechas desastrosas, cuando los campesinos se veían obligados a comer nada más que tortillas y sal. De vez en vez una unidad familiar se empobrece debido al alcoholismo, a la mala suerte o a la planificación inadecuada; pero esto es raro. Las malas cosechas son más que todo resultado de la adversidad climatológica: o muy poca lluvia o demasiada. También existe la escasez cíclica. Los periodos anteriores inmediatos a las dos cosechas a fines de primavera y a principios de otoño se llaman tiempos de hambre (*mayantli*, singular en náhuatl). Durante estas épocas del año las reservas familiares de maíz y demás sustentos disminuyen, lo que obliga a la gente a recolectar la mayor parte de su alimento en el bosque o a comprarlo en el mercado. Mi experiencia ha sido que la escasez de la precosecha raras veces resulta en que la gente no reciba suficiente comida. La cosecha de 1972 fue escasa debido a una sequía y a un incremento repentino e inexplicable en la población de ratones que infestaron todas las casas y las milpas. Los campesinos me dijeron que estaban preocupados por la escasez alimentaria del año siguiente, cuando podrían agotarse las inadecuadas reservas de la mala cosecha. Sin embargo, las unidades familiares se ajustaron ante el problema y yo no noté ninguna seña seria de hambre ese año.

La dieta nahua se basa en el maíz. Llamarlo sustento en el mismo sentido en que la papa es un elemento esencial en la dieta del estadounidense sería menospreciar en forma grave su importancia. Ningún plato está completo sin el maíz, por más cantidad de sabrosos alimentos que éste contenga; las personas se quejan de hambre si el plato carece de algún ingrediente a base de maíz. Además de dar sustento a las personas, el maíz sirve de alimento para los animales, es la base de la economía de la comunidad y, de manera indirecta, sustenta la política campesina. No es sorprendente que el maíz protagonice un papel importante en la ideología nahua. En el ritual y el mito, el maíz sustenta a las personas física y espiritualmente. El espíritu del maíz, *chicomexochitl* ("7-flor"), es tanto el proveedor del sustento físico como el nutriente del alma humana (véase el capítulo 6).

Para los nahuas, la manera más común de comer el maíz es en forma de tortillas (*tlaxcali*, singular en náhuatl). Mujeres y niñas pasan gran parte del día ocupadas en el largo proceso de prepararlas. Después de desgranar suficientes mazorcas, las mujeres colocan los duros granos de maíz en agua hirviendo, a la que se le ha añadido una pequeña porción de cal viva. Esta cocción se realiza en una olla grande de barro, colocada encima de un fogón sobre el piso de la casa. Después de más o menos hora y media, los granos se ablandan e hinchan; en esta etapa se llaman nixtamal (*nixtamali* en náhuatl). Después se lavan bien en el agua del arroyo. Las mujeres dicen que si se lava repetidas veces las tortillas resultan superiores y más blancas. Cuando ya están fríos, los granos enjuagados se muelen por lo menos tres veces, usando la mano y el metate. Después de colocar el nixtamal en el metate la mujer pasa la mano del metate por encima de los granos, torciendo levemente la muñeca. Finalmente se forma una pasta húmeda que se llama *tixtli* en náhuatl. La mujer separa una pequeña porción de la masa, la cual palmea con destreza entre sus manos hasta darle la clásica forma circular y pone a cocer la tortilla en un comal de barro (*comali* en náhuatl). Para cualquier comida, por más pequeña o improvisada que sea, el ama de casa siempre tiene preparada una confiable provisión de tortillas frescas.

Las mujeres nahuas preparan muchos otros platos a base de la masa de maíz. Al mezclarla con frijoles se forma una deliciosa tortilla gruesa (*gordita* en español, *piqui* en náhuatl) que se pone a cocer en el comal. Luego de darle forma, las mujeres también rellenan la masa con una mezcla de trozos de carne y chile, que envuelven en hojas de plátano y ponen a hervir al vapor para hacer el tamal (*tamali* en náhuatl). El atole (*atoli* en náhuatl) se prepara con masa de maíz disuelta en agua, que se hierve junto con azúcar de piloncillo, lo que constituye una bebida favorita que se prepara para las celebraciones. Las variaciones en los platos preparados con la masa de maíz no tienen límites. Las tortillas, por ejemplo, se doblan o se enrollan y se rellenan con frijoles, carne u otros alimentos, y se cubren con una de las varias salsas hechas a base de chile para hacer las enchiladas. Para la mayoría de los platos, el maíz primero pasa por un proceso que lo convierte en masa. Sin embargo, como hemos mencionado, en cierta etapa de su ciclo de crecimiento se puede comer el maíz como elote. Durante esta época las mujeres preparan los tamales directamente de los dulces y tiernos granos sin hervirlos de antemano. Este tipo de tamal se llama *xamitl* en náhuatl (singular, literalmente "adobe"). Durante el auge de la época del elote las mujeres muchas veces hacen un gigantesco *xamitl* llamado *xamconetsij* ("niño *xamitl*" en náhuatl) que es del tamaño de un niño recién nacido. La llegada de los elotes es tiempo de emoción y anticipación. Cuando los elotes están listos para comer se sabe que ya se aproxima la época de la cosecha.

Los frijoles negros son una fuente importante de proteínas en la dieta nahua. Si no se cocinan como gorditas o *piqui* entonces se hierven junto con cebollas, chiles y hierbas finas tropicales, como cilantro o *epazote* para hacer una sopa que se toma acompañada de las siempre presentes tortillas. Luego del maíz y el frijol, el tercer alimento en importancia para la dieta india es la calabaza. La calabaza (*ayojtli* en náhuatl) se cultiva en diversas variedades y se consume hervida y endulzada con piloncillo. También se ponen a hervir tubérculos como el camote y el guacamote (la yuca) y se endulzan con piloncillo. Las cebollas se pican y se utilizan para contribuir al sabor de las salsas. Hay gran variedad de tomates (*tomatl,* singular en náhuatl) que se cultivan y se utilizan en la cocina nahua, especialmente para las salsas, incluyendo desde el conocido jitomate rojo grande hasta el tomatillo verde cubierto de hojas, así como un tomate verde pequeñito que crece en racimos y se parece a la uva. Los cacahuates se ponen a tostar con todo y cáscara y luego se comen. Los mangos, las bananas, las guanábanas, los aguacates, los zapotes, las ciruelas, las naranjas y los limones verdes son algunos de los muchos víveres que crecen en los árboles y que se comen sin preparación. Los campesinos también cultivan sandías y papayas, y como ya se ha mencionado, recolectan centenares de víveres domésticos y semidomésticos del bosque y de entre la maleza de las milpas. Durante su temporada, la mayor parte de estos productos vegetales se consiguen en pequeñas cantidades en los mercados semanales. Los miembros de la unidad familiar tratan de vender sus pequeños excedentes periódicamente para incrementar los ingresos de la familia.

El condimento más común que utilizan los indios se deriva de las diversas variedades de chile picante (*chili*, singular en náhuatl). Muchos de los platos que se preparan, en especial los platos de carne que se describen abajo, son picantes en exceso para el gusto angloamericano y pueden causarle severas molestias gastrointestinales al foráneo que no está acostumbrado. Curiosamente, no a todos los de Amatlán les gustan los chiles, aunque casi todas las mujeres los usan en forma generosa en su cocina. Por lo regular, los huevos de gallina se consumen fritos y colocados dentro de una tortilla doblada. Como las aves domésticas no se mantienen encerradas, una consecuencia es que no se llegan a recuperar muchos huevos. Varias familias mantienen colmenas de una variedad de abejas que no pican, por no tener aguijón, y que hacen más fácil y segura la recolección de la miel. La mayoría de los campesinos disfruta de la suculenta miel y la aprovecha como bebida. A algunas personas, para complacer su antojo, les gusta chupar cortes de caña de azúcar. Las mujeres preparan un dulce, llamado *alegría* en español, que se hace hirviendo semillas de amaranto junto con piloncillo y que tiene muchas proteínas. También preparan una cocción de calabazas o de fruta, donde los grandes trozos se preparan a medio cocer en un jarabe hecho de piloncillo. Este plato se come frío y se llama *nectli* en náhuatl.

Los pescados y crustáceos, atrapados por los hombres y los jóvenes varones, se ponen a cocer enteros y se comen en tacos. Por lo general el pescado se pone a hervir, se envuelve en hojas de plátano y se pone a cocer al vapor, o se asa en el comal envuelto en hojas de maíz. Hay unos crustáceos parecidos al camarón que se comen enteros en los tamales, mientras que las *acamayas,* parecidas al langostino de río, se ponen a cocer al vapor en hojas de plátano. Raras veces se consume carne en Amatlán. De vez en cuando una familia mata y prepara un pollo o un guajolote como lujo especial. Casi nunca se come carne de cerdo, salvo como parte de una celebración ritual, y la única vez que se consigue carne de vaca es cuando una res se muere por causas naturales. Se acostumbra poner a hervir la carne y prepararla en sopa con cebollas, chiles o hierbas finas. Se come enrollada en tortillas y suele complementarse con salsa recién hecha de chile rojo o verde. En ciertas ocasiones las mujeres preparan la carne en forma de tamales, pero ésta tiende a ser comida asociada con las fiestas rituales. La manera favorita de los campesinos para servir cualquier tipo de carne es en un espeso y oscuro adobo a base de chile o *mole* en español. Su preparación es complicada y toma mucho tiempo, pero es uno de los platillos más ricos de la cocina nahua. El mole es conocido en todo México y cada región lo prepara según su estilo característico. En Amatlán se prepara con un número de ingredientes que incluyen ajo, gran variedad de tomates y chiles, entre ellos los chiles rojos secos y los pequeños chiles verdes frescos, y condimentos recién molidos, como la semilla de comino, los clavos y la pimienta negra. Hay muchas variedades locales de este guisado, pero siempre es extremamente condimentado. El mole se sirve en un plato hondo, junto con arroz, y se come con tortillas. Cuando los campesinos nos visitaban en la capital del estado y yo los llevaba a su primera comida en un restaurante, siempre ordenaban mole, hasta para el desayuno.

Los campesinos suelen sentarse a comer sin mucha ceremonia, utilizando un plato hondo que sostienen en la mano o que colocan sobre una mesita o en el piso. En vez de tenedor o cuchara lo único que usan es la tortilla, aun para tomar la sopa. Mientras comen, arrancan una pequeña porción de la tortilla, le dan forma de cono y la usan como cuchara para llevar los alimentos a la boca. Esta cuchara improvisada la consumen con cada bocado. Como resultado de esta costumbre, la gente suele lavarse las manos tanto antes como después de comer. Hay tres comidas al día y las mujeres las sirven al amanecer, luego a mediodía más o menos y de nuevo al anochecer. Si un hombre se encuentra trabajando en la milpa, a mediodía su esposa le envía con uno de sus hijos un recipiente lleno de tortillas o enchiladas calientes. A menudo los hombres y los muchachos varones comen primero, pero esta costumbre no se sigue de manera estricta. Durante las comidas el ama de casa prepara las tortillas mientras los demás comen. Por último, las costumbres y los buenos modales estipulan que los invitados tienen que comer antes que los miembros de la familia.

Los campesinos consiguen agua para beber o cocinar en los numerosos manantiales que se encuentran en Amatlán y en sus alrededores, cerca del arroyo. Es tarea de las mujeres y de las muchachas jóvenes mantener en casa dos o tres recipientes llenos de agua, en todo momento. En el mercado la gente compra cántaros de barro que se usan para cargar y almacenar el agua. Son hechos expresamente con el fondo abollado hacia dentro para equilibrarlos con más facilidad sobre la cabeza. En el proceso de cocción de estos cántaros se usan bajas temperaturas y tienen las paredes muy delgadas para que el agua se evapore a través del cántaro, a fin de enfriar el agua que contiene. Las mujeres transfieren el agua a estos cántaros con un tazón hecho de un calabazo de guaje o jícara, el cual dejan flotando encima durante el viaje de regreso a casa. En cualquier momento durante el día se puede observar a muchas mujeres y niñas que caminan hacia los manantiales y que cargan un cántaro vacío o que regresan a sus casas con el recipiente lleno, que balancean sobre su cabeza. Si por alguna razón la mujer se encuentra incapacitada o muy ocupada, entonces un hombre o un muchacho varón traen el agua en una impráctica y pesada cubeta sujetada con torpeza. A ningún varón se le ocurre cargar cosas sobre la cabeza.

En general, yo concluiría que en Amatlán la comida es variada, abundante y nutritiva. Aunque no tengo ninguna evidencia científica, parece probable que la dieta sea un poco deficiente en proteínas. El maíz es un grano relativamente bajo en proteínas y debido a la falta de leche o sus derivados en la dieta, además de la pasajera disponibilidad de frijoles, carne y pescado, yo me imagino que el consumo de proteínas está por debajo de un nivel óptimo. Esto no causaría ningún problema para los adultos, pero puede ser perjudicial para los niños. Es posible que el bajo nivel de proteínas explique en parte la aparente alta tasa de mortalidad infantil.

Prácticamente no hay obesidad, sin duda debido al activo estilo de vida. Un problema de salud entre algunos hombres y unas pocas mujeres es el excesivo consumo del potente aguardiente de caña que es muy popular en la región. Es imposible conseguir las estadísticas, pero pienso que el consumo de alcohol puede ser el factor clave en las muertes prematuras entre los adultos de la comunidad. La dieta india que se evidencia en Amatlán se diferencia muy poco de la de los mestizos rurales de esta área. La mayor diferencia es que los indios consumen muchos más víveres recolectados, mientras que los mestizos consumen más carne y alimentos procesados, como víveres enlatados, dulces y bebidas gaseosas.

Cultivos comerciales y trabajo asalariado

Todas las unidades domésticas en Amatlán necesitan ganar cierta cantidad de dinero en sus actividades agrícolas para comprar machetes, tela y otros productos en el mercado y para cubrir los gastos periódicos del mantenimiento del ejido y la escuela. La cantidad de dinero que circula dentro de la comunidad en dado momento es muy baja, pero la gente de hecho actúa en una economía monetaria. Muy pronto durante mi trabajo de campo me di cuenta de que convenía portar sólo monedas y billetes de baja denominación. Durante toda mi estancia en la comunidad, nadie pudo cambiarme un billete de 20 pesos (equivalente a 1.60 dólares en 1972). Al ver los problemas que enfrentan los agricultores angloamericanos en ganarse la vida, a pesar del hecho de que emplean la más moderna tecnología del mundo, no es difícil entender por qué los milperos de Amatlán tienen dificultades para manejar una operación monetaria. Para ganar dinero, las familias necesitan producir un excedente para luego venderlo en el mercado. No obstante, los campesinos como individuos enfrentan restricciones prácticamente insuperables, ya incorporadas en los sistemas de producción y mercadeo. Estas restricciones, las cuales se verán en el capítulo 5, impiden que la unidad familiar participe a plenitud en la economía nacional.

Los campesinos han hecho experimentos con la siembra de gran variedad de cultivos que pueden venderse en el mercado. Varias familias sembraron café, un cultivo que ha transformado con éxito la economía de las comunidades indias de la cercana Sierra Norte de Puebla. Descubrieron que el café no rinde bien en Amatlán. Algunos han hecho experimentos con el tabaco, pero para que éste sea rentable necesita cultivarse en cantidades que superan la capacidad de los campesinos. Dos o tres familias trataron de cultivar plátano para obtener utilidades, pero ellos también se enfrentaron a los problemas de volumen y la dificultad de transportar su producto a mercados distantes. En términos generales, el cultivo de más rendimiento para la comunidad sigue siendo el maíz. El cultivo del maíz tiene varias desventajas, entre ellas su bajo precio en el mercado y los altibajos cíclicos, lo cual ha llevado a ciertos expertos en agricultura y desarrollo a concluir que los campesinos indios muestran irracionalidad al persistir en cultivarlo. Ellos mantienen que los indios siguen cultivando el maíz por razones de tradición y que les convendría más bien sembrar un cultivo de mayor rentabilidad. Sin embargo, desde la perspectiva del indio, el cultivo del maíz tiene sentido económico, como veremos abajo (véanse Kvam, 1985, para un informe sobre los nahuas cercanos al pueblo de Álamo, en el sur de la Huasteca, quienes se han transformado en prósperos cultivadores de cítricos; también Reyes Antonio, 1982: 28-29).

El frijol negro tiene un alto precio en el mercado y constituye una importante fuente de proteínas en la dieta de la región; pero, como ya hemos visto, sembrar este cultivo con fines comerciales es riesgoso en Amatlán (véase, también, el capítulo 5). Todas las unidades familiares cultivan frijol para su propio consumo, pero la producción comercial de este cultivo conlleva muchas desventajas. Sin embargo, más que en el maíz y el frijol negro, los campesinos ven en la caña de azúcar el mayor potencial para el desarrollo de la economía local. La caña de azúcar cultivada en la milpa es procesada por las unidades familiares individuales para transformarla en piloncillo. Los precios que se pagan por el azúcar de piloncillo producido en la comunidad son bajos, pero ésta puede producirse en cantidades suficientemente grandes como para generar ingresos considerables. Casi todas las unidades familiares han producido piloncillo en alguna ocasión, pero menos de 15 lo producen cada temporada con regularidad. Un problema es que la caña de azúcar tarda más de un año para madurar, por lo que, mientras tanto, otros cultivos quedan excluidos de un espacio valioso de la milpa. Una segunda consideración es que la producción de azúcar requiere de equipo especial, lo que incluye recipientes de cobre para hervir el jugo, una prensa costosa para exprimirlo y un caballo o una mula para girar el mecanismo. Fabricar piloncillo es un ejemplo interesante de cómo opera la tecnología nahua en el trabajo.

La caña de azúcar madura en marzo, que es cuando los campesinos se organizan para el *tlapatsquistli* ("proceso de exprimir"). El jefe de familia y sus ayudantes, por lo general parientes, comienzan por montar en la milpa un toldo de paja o de ramas. Construyen esta estructura sobre una excavación que se ha hecho para formar un profundo horno enterrado. Los hombres cortan una abertura en la parte superior del horno de barro, para colocar una enorme caldera de cobre con capacidad de unos 250 litros. Mientras se completa esta labor, otros ayudantes montan el trapiche de madera. Construyen el trapiche con tres grandes cilindros de madera, montados de lado a lado e interconectados por los dientes de un engranaje de madera. Cuando el cilindro central da vueltas, a su vez hace girar los dos cilindros que lo flanquean. Un palo largo va sujeto a este cilindro central y a los arneses de un animal de tiro, que al caminar en círculos hace que el trapiche siga girando. Los largos tallos de caña se hacen pasar por los cilindros rotatorios y se recolecta el jugo en la caldera de cobre. Cuando la caldera está colmada la transfieren y la colocan sobre el horno y dejan que el jugo hierva hasta reducirse. Un armazón de madera, de forma cónica y forrado de una tela extendida, va suspendido por encima del jugo hirviente, de manera que la espuma se derrame sobre éste y se escurra, introduciéndose de nuevo en la caldera. Este ingenioso implemento evita rebosamientos que pudieran mermar el valioso jugo. A lo largo del proceso de reducción, para eliminar las fibras vegetales el jugo se filtra en un colador especial (*cuahuajcali* en náhuatl) derivado de un calabazo de guaje o jícara. Conforme se concentra, el líquido se agita en forma rápida, para aumentar su uniformidad y consistencia.

Cuando ya se ha consumido alrededor de 80% del jugo, el espeso residuo restante se vierte en moldes cónicos de barro, más o menos del tamaño de un vaso de mesa grande. Éstos se dejan enfriar y dos de los cilindros se envuelven juntos, de punta a punta, en hojas secas de caña, y se atan con hebras de la misma caña. Estos piloncillos se venden en pares, que pesan un kilogramo, por el valor de entre 0.16 y 0.24 dólares. El piloncillo, que se llama *xancacaj* en náhuatl, es de color moreno y de consistencia dura, un poco pegajoso, y tiene el sabor de una deliciosa melaza ahumada. Hay que preparar todo de antemano, porque una vez que se ha echado leña al fuego del horno para atizarlo y que la caldera está caliente, el proceso no se detiene hasta que toda la caña esté exprimida y el jugo quede evaporado. La producción del azúcar de piloncillo a veces tarda dos o tres días en completarse y durante este tiempo toda la familia acampa en el lugar. Para los niños, éste es un tiempo de mucho entusiasmo, y para complacerlos se les permite probar el dulce jugo de la caña las veces que quieran. Véase el capítulo 5, para información sobre la productividad del azúcar y su potencial para los ingresos.

Además del maíz, el frijol y el azúcar, como los tres mayores productos comerciales de Amatlán, los campesinos a veces venden otros cultivos en cantidades mínimas. Las ventas suelen efectuarse dentro de la comunidad, o en una o dos comunidades vecinas. Por ejemplo, una mujer puede cultivar una canasta de chiles, mucho más de lo que ella puede aprovechar, y luego vender el restante por unos pocos pesos. Este mercadeo a baja escala produce ciertos ingresos para la unidad familiar, pero representa sólo una pequeña fracción de los ingresos totales derivados de los mayores cultivos principales. Es posible vender animales, como pollos y guajolotes (pavos), en la localidad o hasta en el mercado, pero esto tampoco rinde mucho. De hecho, en el capítulo siguiente considero que la cría de animales parece ser un mal negocio para los campesinos. El costo de mantener el ganado es elevado y con frecuencia los campesinos no pueden recuperar su inversión cuando venden un animal. Demostraré, sin embargo, que este hecho no significa que la cría de animales sea algo irracional o antieconómico.

Muchos campesinos participan en trabajos secundarios de tiempo parcial para suplementar sus ingresos. El dinero que se gana en estas ocasiones es poco y muchas personas trabajan en ellas tanto por recreo y prestigio como por la recompensa monetaria. Dos hombres mantienen pequeñas cantinas desde sus propias casas, donde ofrecen la venta de un pequeño surtido de artículos. Los dueños de las cantinas compran los artículos en el mercado y aumentan el precio en unos centavos para costear la molestia de transportarlos hasta la comunidad y para obtener una pequeña ganancia. A fin de cuentas, sus mayores ingresos se derivan de la venta del aguardiente de caña, que se llama *xochiatsij* ("agua de flor") en náhuatl. Este ron claro es de muy alta graduación alcohólica y muchos hombres de la comunidad lo beben con entusiasmo. El dueño de la cantina determina la medida con un recipiente y luego vierte el contenido en una botella traída por el cliente. Muchas veces utilizan un *olote* (corazón de la mazorca del maíz) como tapón. El consumo de alcohol es una parte importante de la vida comunal y hasta tiene un significado religioso. Sin embargo, siguiendo las pautas prehispánicas, por lo general sólo los campesinos de mayor edad se dan el gusto de embriagarse (véase Soustelle, 1961 [1955]: 156-1957). Cada anochecer, después de que se ha cumplido la jornada diaria, es posible ver a grupos de hombres hablando y riendo mientras comparten una botella de aguardiente.

Hay varios trabajos secundarios en la comunidad que pueden conseguir tanto los hombres como las mujeres. Es posible que una mujer de mayor edad se haga partera (*tetejquetl* en náhuatl) o huesera (curandera de huesos, *texixitojquejtl* en náhuatl). Éstos son oficios muy apreciados que se remontan a los días prehispánicos. Aunque las mujeres se hacen cargo de todos los quehaceres domésticos, pueden emplear a una mujer adiestrada, de edad mayor, como alfarera o bordadora. Como especialista ella cuenta con cierta remuneración las veces que se requiere de sus servicios. Hay algunas unidades familiares donde los miembros han construido un horno de pan, en forma de cúpula, hecho de barro y piedras, con lo que la mujer gana dinero haciendo y vendiendo pan. También sucede que una mujer ponga en venta comida que ha preparado o que salga a vender cargas de leña que ha recogido, más o menos con regularidad. Puede que un hombre sea aserrador (todos los maderos se cortan a mano), carpintero, guitarrista o violinista ritual, porteador, o jornalero para uno de sus vecinos. La cantidad de dinero más significativa la ganan los hombres que se alquilan como jornaleros en los ranchos ganaderos de la región. En 1972 y aun en 1986, trabajaban por más o menos un dólar el día. Por lo general, los contratan para limpiar la maleza y abrir potreros para que paste el ganado. El ranchero suministra el alimento y al finalizar el día también cabe que les proporcione a los hombres una botella de aguardiente. Las mujeres a veces se alquilan como cocineras en los ranchos o tal vez en casa de los maestros de escuela, pero estas oportunidades son escasas. Un oficio secundario al alcance tanto de los hombres como de las mujeres es el de curandero. Los curanderos pueden atraer gran número de seguidores y ser seleccionados para organizar los rituales de la comunidad entera. Los clientes pagan bien por sus servicios, pero, como veremos, llegar a ser curandero no es por completo una cuestión optativa (Romualdo Hernández, 1982: 33-35, enumera las ocupaciones y las actividades de ganancias monetarias en una comunidad nahua en el vecino estado de Hidalgo).

Los habitantes de Amatlán se dan cuenta cabal de que necesitan cierto dinero para sobrevivir y que la agricultura milpera no puede satisfacer sus necesidades. He oído a muchas personas decir: "No puedes ganar nada de una milpa, por más duro que trabajes". Esto no debe ser ninguna sorpresa en vista de que la agricultura milpera no se elaboró para ganar dinero en una economía capitalista y no se ha beneficiado ni de las inversiones externas ni de las investigaciones científicas. También, como han indicado tanto Warman como Stavenhagen (véase el capítulo 1), numerosos factores impiden que comunidades como Amatlán participen en la economía nacional mexicana. Los campesinos cultivan productos comerciales, además de lo que necesitan para su propio consumo, pero siempre buscan trabajos de servicio o empleos asalariados para suplementar los ingresos familiares. Se puede ganar algún dinero dentro de la propia comunidad o en las vecinas, pero los habitantes de Amatlán saben que el trabajo temporal en el mundo mestizo es indispensable si han de sobrevivir. Y sus oportunidades de veras están limitadas. Estos campesinos no producen artesanías adecuadas para el mercado turístico; y aunque ése fuera el caso, no tienen establecido ningún acceso al mercado de la industria folclórica. Algunas personas han respondido a esta situación yéndose a vivir de manera permanente a las ciudades, donde se consigue empleo asalariado. Estos "expatriados" a veces envían remesas a la comunidad de origen para ayudar a los miembros de la familia, pero con frecuencia no ganan lo suficiente en las ciudades como para sustentarse a sí mismos. Los campesinos han descubierto que necesitan contar con los mestizos para sobrevivir, pero aún tienen dificultad para hacerlo debido al sistema que representan estos últimos.

Carácter social nahua

Los nahuas muestran muchos y diversos tipos de personalidad que se esperaría encontrar en un grupo de personas relativamente pequeño en cualquier parte del mundo. Algunos son serios, reservados e introvertidos. Otros son sociables y tienen chispa y carisma. Pero en todas las sociedades existe un conjunto de normas tácitas, raras veces articuladas, las cuales determinan cómo un individuo ha de presentarse ante los demás. Las personas a quienes les salen bien las cosas expresan sus personalidades dentro de estas normas y los que se desvían demasiado sufren de estrés y son presionados por los demás para que se apeguen a las normas. Estas normas socialmente compartidas son las que yo llamo "carácter social". Sin duda, la mayoría de los campesinos presentan rasgos que caen dentro de la gama del carácter social nahua y, por lo tanto, comparten muchas características en su personalidad. También está claro que el carácter social nahua es bastante diferente del de los vecinos mestizos y del de la mayoría de los angloamericanos. Mis observaciones sobre el carácter social nahua se derivan de mi estancia de largo plazo en Amatlán, donde pude presenciar numerosas ocasiones en que, tanto en público como en privado, los individuos desempeñaban sus papeles sociales, manejaban adversidades y discutían las desviaciones de los demás. No les hice exámenes psicológicos a los campesinos ni empleé ningún otro método para recolectar datos sistemáticos sobre la personalidad; por lo tanto, mis observaciones deben considerarse provisionales.

El antropólogo Paul Jean Provost llevó a cabo un estudio de una comunidad nahua de la Huasteca donde él bosqueja cinco "principios culturales" básicos que sustentan la interacción social y reflejan algo del carácter social (1975: 138 y ss.). Yo comprobé que estos principios son una descripción acertada de las pautas interactivas en Amatlán. Provost llama elusividad o "lo indirecto" al primer principio. Los nahuas por lo general valoran la interacción social que sea oblicua y que evite la confrontación directa. Las preguntas contundentes, las afirmaciones autoritarias, los mandatos o las solicitudes directas son considerados groserías y agresiones. La interacción social requiere de paciencia, pues los participantes se comunican mediante la circunlocución y la suave sugerencia. Como forastero tuve que aprender el diálogo indirecto antes de que mis interacciones con los campesinos marcharan bien y lograra que me dieran información correcta. Al segundo principio cultural, relacionado con el primero, Provost lo llama atrición o "agotamiento". Los campesinos persuaden pero no presentando argumentos directos, lo cual sería contrario al primer principio cultural, sino agotando al oyente mediante la sugestión sutil y constante. Ninguna excusa o acción evasiva puede detener la avalancha de súplicas hasta que al final, el oyente se encuentra agobiado y se ve obligado a capitular.

El tercer principio cultural entre los nahuas es la "informalidad". La mayor parte de los ámbitos de la vida nahua se encuentra libre de reglas rígidas y procedimientos estrictos y, por lo tanto, muchas actividades comunitarias se realizan de manera relajada y flexible. Los rituales religiosos, las reuniones comunitarias y las cuadrillas de trabajo comunal parecerían casi desorganizados a un forastero. Pero la informalidad no significa desorganización y los campesinos son muy eficientes para realizar sus tareas cooperativas. Una excepción al principio de la informalidad se da en el ámbito de la hospitalidad nahua. A los visitantes siempre se les ofrece una silla especial, se les prepara comida y se le trata con mucha cordialidad. Los nahuas son renombrados en toda la región por su hospitalidad, por su cortesía y por el respeto que manifiestan hacia las demás personas. El cuarto principio que propone Provost es la "individualidad". Los campesinos se ven a sí mismos y a los demás como individuos y esperan que cada quien actúe en consecuencia. Hasta en cuestiones de parentesco se permite y se promueve bastante la individualidad dentro del grupo. El último principio es la "reciprocidad". Los campesinos se ven a sí mismos en el centro de una compleja red de obligaciones y expectativas en la que tienen que ver con los demás campesinos, con los mestizos y aun con los espíritus de su panteón. La idea del intercambio recíproco se extiende a la manera en que piensan sobre el mundo y sobre el lugar del campesino en él. La vida campesina está organizada en gran parte en torno al intercambio de obsequios y trabajos, y a las ofrendas rituales para los espíritus en recompensa por la salud, el alimento y el bienestar.

Estos cinco principios —elusividad, atrición, informalidad, individualidad y reciprocidad— se combinan para crear un carácter social que difiere en forma notoria del de los mestizos. Para muchos mestizos los indios parecen ser lerdos, lentos y poco dispuestos a cooperar. En contraste, una vez que yo me di cuenta de su estilo de interacción descubrí que ellos aprenden con mucha rapidez y curiosidad. Yo les enseñé a muchas personas unas pocas palabras en inglés, cuando yo estuve allí a principios de los años setenta, y ellos pudieron repetirlas perfectamente en 1986. Según los indios campesinos, muchos mestizos carecen de la debida discreción y son excesivamente directos y abruptos. Por eso es que los mestizos les parecen groseros, agresivos, exigentes e imperiosos. Cuando los indios y los mestizos interactúan se puede ver con facilidad que ambos actúan correctamente de acuerdo con las normas de sus propios grupos étnicos, pero a la vez refuerzan los respectivos estereotipos negativos.

Manning Nash ha hecho varias observaciones acerca del carácter social de los maya-quichés, las cuales también concuerdan con lo que yo presencié en Amatlán (1973 [1958]: 97 y ss.). Las observaciones de Nash respecto a este grupo guatemalteco y las mías respecto a los nahuas señalan una semejanza notoria en el carácter social, aun entre diversos grupos indígenas de Mesoamérica. Él nota el alto valor que los indios otorgan al hecho de ser reservados y de controlar las emociones. Esto sin duda es cierto en Amatlán, donde las personas valoran el estoicismo y consideran poco dignos, en su mayoría, los arrebatos de cualquier emoción. De la misma manera que los quichés, los nahuas procuran lograr una presentación de su propia persona que sea plácida y controlada, aun ante desastres y noticias de desgracias. Entre los quichés y los habitantes de Amatlán hay ciertas ocasiones en que se permite expresar fuertemente las emociones. Durante los entierros he presenciado a dolientes perder el control y lamentarse con gritos de dolor. He observado tanto a hombres como a mujeres llorar abiertamente cuando los individuos están por separarse durante un gran periodo de tiempo. También es posible que los hombres se muestren bastante emotivos cuando están ebrios. A veces se ríen a carcajadas y es durante las borracheras que se vuelven violentos. He sido testigo de riñas con machetes entre borrachos, que se produjeron por algún asunto de poca importancia. Sin embargo, por lo general, los nahuas que yo conozco tienden a ser pacientes, precavidos y plácidos, y parecen preferir proceder con dignidad mesurada antes que precipitarse a hacer las cosas con sobresalto.

Nash menciona que los quichés a quienes él investigó son propensos al chisme y esto también es cierto en cuanto a los nahuas. A veces parecen sospechar de los motivos de los demás y están dispuestos a creer lo peor sobre ellos. Los campesinos consideran que lo natural es que las autoridades ejidales y municipales sean deshonestas y no tienen inconveniente en revelar en privado a los demás su desconfianza. Por supuesto, ciertas sospechas pueden basarse en las experiencias previas de los campesinos con funcionarios públicos poco honestos. Debido a que ser pobre forma parte de la identidad india, es normal que la gente sospeche que los campesinos más ricos hayan robado o hecho trampas para conseguir su dinero. Yo no noté ningún resentimiento universal en contra de los miembros más acomodados de la comunidad, pero la riqueza a veces se atribuye más a la buena suerte que al trabajo duro o a la planificación. El temor de que los demás tengan sospechas de ellos hace que los campesinos a veces se muestren poco comunicativos y aun sigilosos. También detecté una tendencia por parte de los campesinos a valerse de su estatus de indios pobres, que da la impresión de que tal vez estén expresando un tanto de autocompasión. Estoy dispuesto a creer, sin embargo, que posiblemente esto es más bien una estrategia para hacer frente a los mestizos y no un distintivo del carácter social nahua.

Se espera que las mujeres nahuas sean modestas y que muestren aun más autocontrol y reserva que los hombres en la interacción cotidiana. Las mujeres ocupan un mundo dominado por los asuntos domésticos y familiares, y se espera que no estén interesadas en la política comunitaria ni que se involucren en ella. Puede ser que a un forastero le den la impresión de ser personas tímidas y retraídas, que exigen poco y están satisfechas con su vida de trabajar duro por sus familias. Las mujeres, en particular las más jóvenes, parecen sentirse incómodas en público y prefieren darle el cargo de enfrentarse con un visitante desconocido a un pariente varón, aunque éste sea mucho más joven. Al mismo tiempo, los campesinos atribuyen a las mujeres cierta firmeza y resistencia que hace que ellas sean excelentes regateadoras en el mercado. Cuando las mujeres pasan la edad de tener hijos se les concede más libertad para expresarse. Algunas empiezan a fumar cigarros hechos a mano o a beber aguardiente de caña en público. Por lo general las mujeres parecen no competir con los hombres, sino ocupar un mundo apartado de la esfera de éstos.

Descubrí que los nahuas que llegué a conocer son tranquilos y joviales, y están bien dispuestos a sonreír y a reírse. Aunque reservados en su conducta, son generosos, tolerantes y sumamente corteses. Nunca parecen codiciar lo ajeno y pese a las numerosas oportunidades que tuvieron mientras yo viví en Amatlán nunca tomaron nada mío sin permiso. Los campesinos son un tanto puritanos y yo no detecté rastro alguno de machismo entre los hombres, ni en su conversación privada ni en su comportamiento público. Al cruzar el arroyo grupos de hombres o mujeres a menudo se encuentran con miembros del sexo opuesto bañándose. Simplemente desvían la mirada, mascullan un saludo y siguen adelante. Nunca he visto a hombres o a mujeres haciendo algún gesto sexual abierto. Ni los matrimonios ni los enamorados expresan su afecto amoroso en público. La única excepción a esta observación es el comportamiento extraordinario de los bailadores enmascarados durante la celebración de *nanahuatili* (véase el capítulo 6). Los campesinos toleran la adversidad con valor y ecuanimidad, y a pesar de los grandes esfuerzos que realizan como resultado de su posición en la sociedad mexicana, nunca los escuché quejarse. Aunque se niegan a darse prisa o a comprometerse con fechas tope, descubrí que tienen autodisciplina y enorme capacidad para el trabajo bajo circunstancias difíciles.

La vida familiar en Amatlán expresa mucha calidez y apoyo. Aunque el hombre es considerado la cabeza de la unidad doméstica, descubrí que hay mucha cooperación entre el marido y su esposa. En muchas ocasiones he visto a matrimonios discutiendo como iguales sus planes, cada quien haciendo sugerencias para luego llegar juntos a una avenencia factible. Dentro y en torno a la casa, y con respecto a los niños, la mujer tiene bastante autoridad sobre su marido, aunque esto no es cierto fuera del hogar. A los niños nahuas los aprecian mucho y los colman de atención. Raras veces vi que se le pegara a un niño y la disciplina se aplica sin levantar la voz. A los niños pequeños los miman y ellos siempre pueden contar tanto con el padre como con la madre para que los levanten y los carguen en sus brazos. A los niños les otorgan responsabilidades desde temprana edad y la mayoría de ellos para la edad de 10 u 11 años ya tienen cierta madurez y confianza en sí mismos. A esta edad las niñas de la comunidad ya pueden cuidar a un hermano bebé y los niños varones pueden recibir la encomienda de caminar hasta un mercado distante para hacer las compras familiares. Después de la cena las familias se sientan alrededor de las entradas de sus casas y hablan y ríen en voz baja hasta el anochecer. Uno por uno, a medida que les entra el cansancio, los niños se van para adentro, extienden sus petates de palma sobre el piso y se acuestan a dormir.

La escuela

La escuela, con su gran potrero, mantenido por la comunidad para beneficio de los caballos del maestro, destaca como lugar de encuentro para las actividades de todos los habitantes. Es aquí afuera, junto a la escuela construida hace ya una generación, donde las autoridades convocan las reuniones comunales y donde se reúnen los hombres para la jornada laboral comunal de cada semana. La estructura está construida con piedras sacadas del arroyo y el techo está hecho de metal corrugado. Al norte, y adyacente a la escuela, se encuentra toda una serie de edificaciones bajas construidas y mantenidas por la comunidad para el alojamiento del maestro y su familia. Al crecer la población en edad escolar, después de unos años, un segundo maestro fue asignado para Amatlán. Éste habita una vivienda de bajareque de una sola pieza, con una casucha anexa que sirve de cocina. En cada aula hay un pizarrón y bancas con pupitres para los alumnos, todos suministrados por el gobierno. Los mapas, las tijeras, el papel y algunos libros los tiene que comprar la comunidad. Usan dinero aportado por las familias de los alumnos o ganado mediante las actividades de labor comunal.

Todos los niños de la comunidad asisten a la escuela hasta el sexto grado. Los que desean continuar con su educación necesitan caminar una hora y media a una escuela cerca de Llano de Enmedio, pueblo con plaza y mercado. El maestro me informó que ninguno de los niños habla español antes de ingresar por primera vez a la escuela, a la edad de seis años. Esto hace que los primeros meses sean difíciles, porque ninguno de los dos maestros habla náhuatl. Cuando terminan la escuela los niños ya han aprendido a hablar, leer y escribir en español, así como aritmética elemental. Mediante los libros de texto se les introduce a la vida de la ciudad de México y de otras regiones del país. En esencia, a los alumnos se les enseña acerca del mundo mestizo, un mundo lleno de trenes, automóviles, apartamentos y niños de piel blanca, que se ponen pantalones cortos y reciben lecciones de música. Es mediante una lengua extranjera que son introducidos por maestros mestizos a un mundo ajeno, muy alejado de la vida de Amatlán.

Les pregunté a muchos padres acerca de lo que pensaban de la escuela y de sus efectos sobre los niños. Casi todos respondieron que estaban de acuerdo con la instrucción y que sentían que era importante que sus hijos comprendieran la aritmética y que aprendieran algo sobre la vida en otras partes del país. La mayoría de ellos participaba con ganas en los proyectos de trabajo comunal para mantener el funcionamiento de la escuela. Igual que en nuestra sociedad, cada unidad familiar nahua se encuentra adornada con dibujos y papeles que los niños han llevado para sus casas. Ninguno de los campesinos con quienes hablé veía la escuela como amenaza a sus valores o a su manera de vivir. De hecho, noté la reacción opuesta. Los adultos de la comunidad ven la escuela como una importante institución mediante la cual sus hijos aprenden acerca del mundo mestizo. ¿De qué otra manera —pensaban— la próxima generación podría adquirir la aptitud para actuar con éxito en ese mundo no indio? El conocimiento que adquieren podría serles útil a los niños al tener contacto con extraños. La mayoría de los campesinos considera que su propio dominio del español es deficiente pero que, con todo, el español es indispensable si el niño ha de trabajar fuera de la comunidad de manera temporal o permanente. Aunque los campesinos muchas veces desconfían de los maestros, a quienes consideran autointeresados y distanciados, sí reconocen los beneficios que éstos traen a la comunidad.

En 1972 se abrió una grieta en una de las paredes de mampostería de la escuela, lo cual debilitaba en forma grave su estructura. Los campesinos se preocupaban por el peligro que representaba para los niños y temían que las demoras burocráticas en remplazar la estructura amenazaran la existencia de la escuela en Amatlán. Esto ocurrió al mediar el plazo de mi trabajo de campo y decidí que para corresponder a los campesinos su hospitalidad yo les ayudaría a obtener una nueva edificación. Viajé a la capital del estado y por suerte llegué a conocer al señor encargado de las construcciones escolares para el estado. Pienso que él se sorprendió al ver que un extranjero estuviera haciendo la solicitud y, con toda gentileza, aceptó inspeccionar en persona la vieja edificación. Después de unas semanas llegó al lugar, hizo la inspección y presentó una orden para que se construyera una nueva estructura. El gobierno estatal les proporcionó dos albañiles y los materiales de construcción. Los campesinos tenían la obligación de cargar con todo desde el lugar de entrega, que quedaba en una carretera distante del lugar. Se requería que suministraran a los trabajadores toda la materia prima, tal como la arena y las piedras. Los hombres hicieron el trabajo con mucho gusto y todos en Amatlán se sintieron dichosos de tener una edificación nueva y moderna. Fue un acontecimiento afortunado, puesto que me permitió hacer algo por la comunidad, que ofreciera iguales beneficios para todas las familias y que todo el mundo apreciara.

Conclusiones

Este breve esbozo resume algunas de las características sobresalientes de Amatlán entre los años 1970 y 1977. Hasta este punto hemos visto que las comunidades como Amatlán representan el ámbito de los indios en México, pero que ni aun una descripción sencilla puede ocultar el hecho de que éste es un mundo de contradicciones e ironía. Amatlán presenta características idílicas, como los riachuelos tropicales y la vegetación exuberante, las casas con techos de zacate envueltas en el aroma de los fogones de la cocina, el resplandor de las velas de cera de abejas durante los pintorescos rituales, el verdor del maíz en la milpa y las personas que saben recibir a una visita y que siempre están dispuestas a reír de sí mismas y de su propia circunstancia. Al mismo tiempo, los campesinos se enfrentan a una vida donde no pueden recibir un pago decente por el trabajo de una jornada; donde, como veremos, sus cosechas pierden casi todo su valor como consecuencia del ciclo de precios que determinan los intermediarios mestizos; donde la escasez de tierras ocasiona la desintegración de sus familias; donde el hostigamiento y la tortura por parte de las autoridades son métodos aceptados para el trato con los indios. A pesar de la plenitud de su vida en la comunidad, la gente de Amatlán vive al margen del México mestizo que en ciertas ocasiones quiere ayudarlos pero que en otras desea que desaparezcan.

La comunidad de Amatlán es probablemente resultado de programas, primero españoles y luego mexicanos, cuyo fin era la consolidación demográfica y bajo los cuales se reconcentró a poblaciones anteriormente dispersas con el fin de lograr mejor control administrativo. Aun después de la reconcentración forzada, las casas esparcidas de Amatlán, organizadas más por principios de parentesco que por eficiencia administrativa, probablemente reflejan las pautas prehispánicas. Los habitantes se identifican, en forma clara, más con sus parientes y con las pequeñas subáreas de nombre propio en la comunidad que con la comunidad en su totalidad. Con todo, el gobierno creó una comunidad legal mediante su política de dotación de tierras, que a la vez convirtió a Amatlán en ejido. Tal como veremos, la categoría de ejido requiere que los campesinos se gobiernen a sí mismos mediante cargos políticos locales autorizados por el Estado. De este modo la comunidad centralizada, donde los indios cultivan sus antiguas tradiciones como respuesta a los mestizos, es en sí, muy probablemente, producto de la Conquista.

Surgen aún más contradicciones si examinamos la tecnología nahua. He señalado que los campesinos se han adaptado admirablemente a vivir en su hábitat forestal. De manera increíble dependen de pocos implementos para proporcionarse el alimento y satisfacer las necesidades de la vida. Con la excepción del machete de acero, que es relativamente barato, la mayoría de los implementos esenciales pueden fabricarse en la localidad. El efecto de esta tecnología reducida es independizar a los campesinos de la economía del sector mestizo. No son autosuficientes, pero han tenido cuidado de no depender demasiado de los mestizos en sus actividades productivas. Lo que han adoptado de la tecnología hispánica, incluso el azadón de acero, los estilos de vestir, el trapiche para la caña y el horno de pan hecho de piedra, no incrementa de manera significativa su dependencia del sector externo. La tecnología sencilla, tal como la que encontramos en Amatlán, crea un grado de autonomía para los campesinos, pero a la vez les impide competir de igual a igual con los agricultores mestizos que tienen acceso a maquinarias, fertilizantes, semillas híbridas y al conocimiento moderno y científico. De modo que la falta de dinero es sólo parte del problema para los indios. Invertir en los métodos de cultivo modernos, aun en grado medio, pondría a las personas a merced de los intermediarios mestizos y llevaría a los campesinos pobres a pagar precios que crecen de manera vertiginosa por productos manufacturados. Al quedarse con la tecnología "india", los campesinos mantienen su relativa independencia pero al costo de no poder participar plenamente en la economía nacional.

Mucho de lo dicho sobre Amatlán hasta aquí puede verse como una serie de mecanismos que sirve para que los indios creen y mantengan su autonomía frente a la amenaza de los mestizos. Los campesinos construyen sus casas sin clavos y las amueblan con muy pocos artículos de manufactura industrial. Recolectan, cazan y pescan, lo cual reduce aún más su dependencia, y crean comunidades cognitivas, excluyendo efectivamente a todos los foráneos, salvo los más persistentes. La autonomía de la comunidad se manifiesta en las costumbres, que hacen que los indios se distingan de los mestizos, y mediante la lengua náhuatl. Por medio de las ocupaciones secundarias los campesinos mismos pueden satisfacer las necesidades comunitarias en cuanto a cuidado médico; a oficios especializados, como la alfarería o la carpintería; y en cuanto a la expresión religiosa. Las características de la vida campesina en torno a las cuales la gente conserva su autonomía son en parte de origen prehispánico, pero un número significativo son poshispánicas. Los campesinos parecen estar bien dispuestos a pedir préstamos con tal de que éstos no incrementen la magnitud de su dependencia. Incluso el carácter social nahua hace que los campesinos se distingan de la mayoría mestiza.

Sin embargo, debido a la posición política y económica de la comunidad india en México, Amatlán no puede librarse del todo de su dependencia de los grupos dominantes. Las leyes de reforma agraria devolvieron tierras a los indios, permitiéndoles una existencia más independiente, pero a la vez los sometió a leyes que gobiernan el funcionamiento del ejido. Los indios necesitan tener la posibilidad de actuar dentro del mundo mestizo para sustentar su propia existencia cuasi independiente dentro de la comunidad. Creo que ésta es la razón por la cual la gente de Amatlán está feliz de tener una escuela local. Ésta les proporciona a los niños las aptitudes necesarias para que tengan acceso al ajeno mundo mestizo. Pero el delicado equilibrio que han logrado los campesinos entre la independencia y la dependencia, entre el mundo indio y el mestizo, ha sido alterado por la paradoja final: a medida que la economía mexicana crece, extrae más riqueza a los agricultores campesinos. Mientras tanto, la población de todo el país aumenta con rapidez. Las cifras demográficas para el microcosmos de Amatlán reflejan tanto estos incrementos nacionales como las alteraciones sociales que éstos causan, al verse obligados a emigrar grandes números de personas. Cuando los campesinos ya no pueden sustentarse como indios, entonces tienen que apoderarse de más tierras para no perder su independencia.

Vista de esta manera, la respuesta de los indios ante la dominación mestiza parece ser bastante razonable. Los campesinos no están atrapados en un mundo irracional que sobrevive de una época previa, sino que responden de manera creativa y racional ante la amenaza de la dominación y la aniquilación de su cultura por parte de representantes de las élites hispánicas. Como veremos luego, los campesinos están dispuestos al cambio y, por cierto, no se oponen al desarrollo económico. Sin embargo, rechazan cualquier nueva tecnología que los conduzca a perder lo que tienen de independencia. Desde su perspectiva, el mejor plan de largo plazo es aprovechar lo que puedan del sector mestizo y mantener su condición india e independiente. Dentro de la comunidad en sí, tal como veremos en el capítulo siguiente, los individuos idean numerosas estrategias para aprovechar de manera óptima lo que ya poseen.

Capítulo 4
Organización social y acción social

Al igual que todo grupo humano persistente, Amatlán es una comunidad en el sentido de que es un sistema social compuesto de una red compleja de obligaciones mutuas y de expectativas entre las personas, la cual es creada y recreada por las acciones de las personas y que, a la vez, les proporciona el contexto para sus vidas. Al igual que la gente en todas partes del mundo, los nahuas tienen una conciencia sólo parcial de la totalidad de su sistema social. Sin embargo, sí hay individuos que tienen plena y especial conciencia del lugar que ocupan en la red local de posiciones y desempeños sociales. Las personas hablan sobre cuánta ayuda se puede esperar de un yerno, si el actual comisariado tiene o no responsabilidad de solicitar más tierras y qué hacer con una hermana viuda que quiere regresar a la casa. Al igual que el antropólogo visitante, la gente dedica constantes esfuerzos para comprender lo que está pasando y así poder actuar en consecuencia.

En este capítulo hago un resumen de las principales características de la vida comunitaria de Amatlán. Me centro en la organización política formal del ejido y en el sistema de parentesco nahua. Como en todos los grupos humanos, por supuesto, existe una distinción entre el sistema social formal o ideal y el comportamiento efectivo o real. Ya hemos visto cómo pueden formarse facciones en torno a líderes carismáticos y cómo la lucha por la tierra puede llevarse a cabo fuera de los conductos oficiales del ejido. Entre los indios de México, muchas de las tensiones que causan que las personas se desvíen de las normas establecidas de comportamiento social tienen su origen fuera del contexto de la comunidad inmediata. De nuevo, la posición del indio dentro del Estado-nación vuelve a ser decisiva. Para dar un ejemplo de cómo los factores exógenos afectan la organización social nahua, presentaré evidencia de que la desintegración de ciertas relaciones de parentesco en la comunidad puede estar relacionada con la crónica escasez de tierras. Es más, demostraré cómo estas áreas de tensión en los sistemas de parentesco se expresan claramente en los mitos y cuentos tradicionales de los nahuas.

Un mundo de veredas

La vereda (*ojtli* en náhuatl) guarda un lugar especial en la vida de los nahuas. Las veredas representan la comunicación entre las diversas casas y, por lo tanto, son una especie de sistema nervioso que canaliza las interacciones sociales de la comunidad. Son verdaderos túneles en la selva que salvan al grupo residente de ser una entidad aislada; representan cordones umbilicales que comunican a familias individuales con la sociedad del poblado. Las veredas son la prueba viva y física de que Amatlán es una comunidad en el sentido de ser un sistema social con partes que interactúan entre sí. Una vereda entre agrupaciones de casas implica una relación entre los habitantes, y un poblado como Amatlán presenta toda una maraña de senderos muy trillados. Un aspecto asombroso de la vida nahua es lo frecuente que cambia el sistema de veredas para ajustarse a nuevas y emergentes pautas de interacción social. Las veces que yo regresaba a la comunidad después de intervalos de varios años tenía que aprender de nuevo el sistema de veredas antes de poder iniciar las investigaciones. Fue una lección acerca del carácter dinámico de la vida comunitaria.

La mayoría de las veredas no son más que estrechos senderos que el denso tráfico mantiene abiertos. Puede que al pasar alguien por ahí, sea hombre o mujer, corte con su machete algunas ramas molestas o raíces, y estas acciones, repetidas miles de veces en el transcurso de los meses y años, ayudan a mantener despejado el sendero. Las veredas mayores, que conectan a las comunidades entre sí, son más anchas y en ellas cabe un caballo con su jinete. Mientras el caballo camina a paso lento, el jinete a veces corta las ramas que tiene por encima y que amenazan con alcanzarle la cara. Además, las cuadrillas de trabajo comunal mantienen limpias las veredas mayores. Los hombres podan la vegetación invasora y rellenan con piedras y ramas de árboles los arroyos que producen las lluvias. De esta manera, individuos y comunidades enteras renuevan su comunicación con las demás de la región y enfatizan su compromiso de mantener abiertas las líneas de comunicación.

La conducta que se guarda en las veredas huastecas es un importante indicador del estatus de las personas. La mayoría de los senderos sólo permiten circular en fila de uno en uno, o como dicen los diccionarios, en *fila india*. De esa manera, una familia que camina rumbo al mercado suele ir encabezada por el hombre, seguido de su esposa, quien a su vez va seguida de sus hijos en orden decreciente según las edades. Aunque las familias no siempre siguen esta pauta, se puede observar con frecuencia, sobre todo en situaciones formales. Por ejemplo, las veces que yo acompañaba a los campesinos a alguna parte ellos se apegaban a esta costumbre. Esperaban que yo, como visitante, guiara la fila, aunque no tuviera idea de adónde íbamos. Esta situación fue frecuente motivo de hilaridad entre mis compañeros de viaje. De recién llegado, como indicio de mi estatus ambiguo dentro de la comunidad, los campesinos solían mandar a un niño para que éste me guiara las veces que yo caminaba por mi cuenta a algún lugar. Esto fue una humillación que yo llegué a aceptar de buena gana debido a que en dos ocasiones me perdí en el bosque al alejarme solo. En ambas deambulé por veredas desconocidas hasta ya entrada la noche antes de encontrar por casualidad el camino de regreso a Amatlán. Ésas fueron experiencias que jamás quisiera repetir.

Es costumbre que las personas de rango social más bajo se aparten del camino cuando desea pasar alguien de mayor estatus. De modo que caminar por una vereda resulta una lección interesante sobre las cuestiones de estatus dentro de la comunidad. Los niños siempre se hacen a un lado para que pasen los adultos y los jóvenes siempre se apartan para dejar pasar a los mayores. Una mujer se hace a un lado para dejar pasar a un hombre y los indios se apartan para dar paso a los mestizos. Un factor que complica el asunto consiste en que los no indios raras veces transitan a pie por las veredas entre las comunidades. Ir montados a caballo es indicador de su mayor estatus. Entonces, en general existe una regla tácita que hace que los caminantes cedan el paso a los jinetes, lo cual es tanto testimonio de estatus como de necesidad, dado lo estrecho de las veredas.

La vereda también desempeña un papel interesante en la ideología nahua. Los campesinos la emplean como metáfora del transcurso de la vida de una persona. Dicen, por ejemplo, que a cada individuo le corresponde seguir su propia vereda. Dentro de la visión nahua, una persona que va caminando por una vereda se encuentra en un estado de transición, sin el acostumbrado amparo de la familia o del hogar. Al andar por la vereda alguien puede ver el espíritu de la muerte en la forma de un tecolote (búho), un suceso con potenciales consecuencias nefastas. La vereda también es un lugar donde es común encontrarse con los peligrosos "malos aires", o vientos-espíritu, que pudieran atacar y causar enfermedades y muertes. Durante los rituales curativos el chamán a menudo hace una limpieza simbólica de las veredas en los alrededores de la casa del paciente. Este acto protege al paciente y a su familia de ser atacados por espíritus al transitar por ellas. Durante los rituales del Día de Muertos, cada jefe de familia riega sobre el piso pétalos de la dorada flor *cempoasuchitl* para crear una senda mágica desde la entrada de la casa hasta el altar especial construido para la ocasión. En náhuatl esta vereda se llama *xochiojtli,* "vereda de flores", que los espíritus de los antepasados siguen para recibir sus ofrendas.

Así que las veredas son mucho más que un simple medio de comunicación. Tienen para los nahuas un significado social e ideológico que para los forasteros a veces es difícil de comprender. Dentro de nuestra propia cultura también se emplean como metáforas los caminos y las veredas. Pero, en general, la mayoría de los euroamericanos ven las calles y aceras como vías públicas que se construyen con ingresos tributarios para facilitar el tránsito y como parte de la infraestructura necesaria para el bienestar económico. Para los nahuas, las veredas son enlaces literales y figurados entre las familias y las comunidades. Son una especie de modelo derivado de las pautas interactivas y que a la vez sirve para seguirlas. Es más, forman parte de la geografía sagrada, tan importante para la visión del mundo de los nahuas.

Organización social

La organización social de Amatlán es poco complicada si se compara con la de algunos grupos tribales o con la de mayores unidades sociales, como los pueblos y las ciudades. La división laboral se basa en el sexo y la edad, y a pesar de que existen oficios secundarios para los cuales hay individuos que se especializan en ciertas tareas calificadas, todas las personas se sustentan ante todo de la agricultura. Sin ninguna especialización de tiempo completo y sin ninguna estructura interna de clases, a primera vista la comunidad parece homogénea en su composición. Cada unidad familiar parece funcionar en gran parte por su cuenta, sin necesidad de contratar a especialistas externos o de someterse a estructuras formales de autoridad. Hasta cierto punto este ideal igualitario se aplica a Amatlán, aunque las personas del lugar se encuentran entretejidas en una red de obligaciones sociales, políticas y económicas que forma un sistema mayor que cualquier individuo o familia. Después de analizar la organización del ejido y la organización nahua del parentesco y de la familia haré un resumen del ciclo doméstico y presentaré una breve descripción de la agrupación por edades entre los nahuas.

El ejido

Los cargos y procedimientos para elegir a los funcionarios del ejido están establecidos por las leyes que se derivan de la reforma agraria que surgió tras la Revolución Mexicana. Sin embargo, en la mayoría de las comunidades indias existe una estructura de autoridad que se remonta a la organización prehispánica de la comunidad. Los campesinos cuentan con un Consejo de ancianos, que en náhuatl se llama *tetajtlajlamitianij* o simplemente *tetatajmej* ("ancianos"), para servirles de guía y de máxima autoridad en las decisiones de la comunidad. Está integrado por hombres de mayor edad que han servido a Amatlán en cargos específicos, por lo general como funcionarios del ejido y organizadores de ciertos actos religiosos. Sólo los hombres que gozan de la más alta estima son considerados dignos de tener el cargo de ancianos. No hay procedimiento formal para integrar a los nuevos miembros. Un hombre entra paulatinamente en la categoría de los ancianos a medida que envejece y sigue llevando una vida ejemplar. Este grupo no convoca sesiones formales, pero sus miembros están presentes en todas las reuniones de la comunidad y sus palabras influyen mucho sobre los que están presentes. En Amatlán, el número de miembros en el Consejo de ancianos varía entre seis y ocho hombres, y su promedio de edad es de aproximadamente 70 años. Hay personas que me dijeron que ahora el Consejo no es tan importante como lo fue en el pasado. Sin embargo, es digno de observar que cuando los campesinos están en serias dificultades, como les pasó durante las luchas por la tierra en los años setenta, suelen acudir al Consejo de ancianos para asesorarse (véase el capítulo 2).

La ley agraria estipula que la máxima autoridad en el ejido es la Asamblea General, compuesta por aquellos jefes de familia que tienen plenos derechos a las tierras del mismo (véase Whetten, 1948: 182-189). La Asamblea General debe reunirse con regularidad para discutir y votar sobre asuntos relacionados con el manejo y la política del ejido. Este organismo ejerce su voluntad colectiva mediante una serie de comités elegidos, de los cuales tal vez el más importante sea el Comisariado Ejidal. Este comité está dirigido por un presidente, a quien por lo general suelen decirle comisariado, un secretario para guardar las actas, un tesorero responsable de la contabilidad financiera, dos vocales que informan a los demás campesinos las veces que se convoca una sesión, y un número variable de suplentes según las necesidades de cada funcionario. El Comisariado Ejidal es el responsable de dirigir muchos de los asuntos internos del ejido y de representarlo ante los funcionarios agrarios. Las disputas sobre linderos, las solicitudes de solares para construir casas y las peticiones de nuevas tierras, todas se manejan a través de este importante comité.

El Consejo de Vigilancia, encabezado por un presidente y apoyado por un conjunto de funcionarios similares a los del Comisariado Ejidal, es un comité de supervisión que asegura que el Comisariado y sus funcionarios actúen debidamente en el manejo de los asuntos del ejido. Este comité tiene pleno acceso a los registros del Comisariado Ejidal y puede convocar sesiones de la Asamblea General si es que descubre irregularidades. La ley estipula que cuando dos personas compiten por el cargo de presidente del Comisariado Ejidal, a las personas que votaron por el candidato perdedor se les permite elegir a los miembros del Consejo de Vigilancia.

Otro importante organismo de gobierno es el Comité del Agente Municipal. Éste lo dirige el agente, quien actúa como representante local o como agente del gobierno municipal. Gran parte de sus obligaciones gira en torno al manejo de las relaciones externas de la comunidad. Ciertas directivas del gobierno estatal pasan por esta oficina y luego llegan a los campesinos durante las sesiones periódicas que convoca el agente. Los visitantes, como es el caso de un antropólogo, son responsabilidad del agente. Este funcionario recibe ayuda de un asistente, un comandante de policías, un cabo de policías bajo su mando y cuatro *topiles* (policías), quienes son nombrados por el presidente del municipio por periodos de un año. El agente también tiene un tesorero, un secretario encargado de guardar actas y dos miembros del comité, que convocan las reuniones que abarcan a toda la comunidad. Con la excepción de los policías, todos estos cargos son de elección. Tanto el agente como el comisariado cumplen mandatos de tres años.

Un cargo asociado a este comité es el de juez auxiliar, quien junto con su asistente es responsable de asegurar que las personas reciban asistencia si se encuentran gravemente enfermas, de garantizar que las personas fallecidas reciban entierro como es debido y de actuar como juez informal para reclamos civiles en el ámbito local. Tiene la autoridad para meter a gente de la comunidad en la cárcel por delitos menores.

Otro comité ejidal importante es el Comité Escolar de Padres de Familia, que está encabezado por un funcionario llamado "el escolar". Éste consiste en un asistente, un secretario, un tesorero y dos miembros del comité que difunden los anuncios entre los vecinos. Es responsable de que la escuela marche bien y trabaja conjuntamente con el maestro de escuela, quien por lo general determina qué trabajo hay que hacer. Cuando los niños necesitan materiales escolares este comité recauda el dinero para comprarlos. Los miembros también ayudan con la construcción de una nueva edificación escolar y reparan la estructura, si es necesario. Además, es posible que tengan la responsabilidad de suministrar leña para el maestro y su familia. También hay un Comité del Desarrollo Integral de la Familia, compuesto por mujeres cuyas tareas en Amatlán incluyen mantener limpias la comunidad y las tomas de agua potable. Otro comité tiene como tarea el mantenimiento de las casas y del sistema de veredas de la comunidad. Mi experiencia, en los años que pasé en Amatlán, es que estos dos comités se encuentran moribundos. Por último, en 1986 había un catequista autonombrado, quien en respuesta a los esfuerzos proselitistas de los misioneros protestantes, de vez en cuando comenzó a convocar reuniones con muchachas jóvenes en la capilla de la comunidad para cantar y discutir asuntos relacionados con la fe católica.

En los ejidos más grandes la Asamblea General puede crear comités adicionales para cumplir tareas específicas. Por ejemplo, un comité para la gobernación del barrio o uno para supervisar las actividades de la parroquia o de la iglesia. En una pequeña comunidad como Amatlán no hay barrios, parroquias o iglesias, de modo que estos comités no son necesarios. Todos los cargos ejidales son voluntarios y cualquier adulto, miembro certificado del ejido, puede lanzar su candidatura. En Amatlán, sin embargo, es raro que dos hombres compitan por el mismo cargo. Un titular cuyo cargo está por vencer selecciona a un sucesor y, si nadie pone objeción, el designado es elegido oficialmente durante la próxima sesión de la Asamblea General. La cantidad de hombres elegibles en Amatlán es relativamente limitada y este sistema informal parece funcionar bastante bien. Ningún funcionario de la comunidad recibe pagos por desempeñar su cargo público. A pesar de esto, la mayoría de los funcionarios toma en serio sus responsabilidades y muchos trabajan arduamente para asegurar que la comunidad funcione sin problemas.

Los asuntos de la comunidad se atienden en las reuniones que convocan los funcionarios. Asisten los residentes varones que hayan cumplido 18 años, aunque sólo los habitantes con plenos derechos ejidales tienen derecho al voto. Para un forastero, las reuniones parecieran ser increíblemente desordenadas e infructuosas. En realidad son discusiones simultáneas donde cada hombre tiene la oportunidad de expresar su opinión. Raras veces se realiza una votación formal; más bien, mediante la libre discusión de los asuntos se logra la unanimidad para la mayoría de las decisiones. Parte de las posesiones de la comunidad son tierras comunes que pertenecen a la comunidad entera de manera colectiva. Una discusión constante versa sobre cómo se ha de utilizar esta tierra de mejor manera durante las temporadas venideras. A veces los campesinos deciden arrendársela como pastizal a algún ganadero vecino; también pueden decidir sembrar algún cultivo en ella, para ganar dinero para la escuela. Según el negocio que se realice, las reuniones por lo general las dirige el agente, siempre con la presencia del comisariado.

Un segundo tema de discusión importante en las reuniones de la comunidad es la *faena*. Esta palabra en español normalmente significa "trabajo" o "tarea", pero aquí se refiere al concepto legal que requiere que cada jefe de familia, de 18 años o mayor, trabaje un día por semana para la comunidad si se lo piden las autoridades. Los hombres enfermos o de edad avanzada quedan exentos de la *faena*. El trabajo se hace sin paga y si un hombre no se presenta se le aplica una multa. La única manera de librarse de la *faena* es pagar la equivalencia de un día de trabajo al funcionario que la convoque. El dinero es guardado en la tesorería de la comunidad para ser utilizado en proyectos públicos. La faena puede ser convocada por el agente, el comisariado o el escolar. En la reunión el funcionario analiza el trabajo que se propone y todos quedan de acuerdo con el plan. A veces se alquila la *faena* a un ganadero vecino, que paga una suma global por el trabajo que quiere que le hagan. También sucede que el dinero sea utilizado para adquirir materiales escolares o cubrir otras necesidades. En otras ocasiones el agente hace que con la *faena* se cultive maíz en la parcela comunal, con la idea de vender la cosecha. El hombre que constantemente deje de asistir a la *faena* o de pagar en vez de trabajar puede ser privado de sus derechos ejidales.

Ser agente y sobre todo comisariado puede ser un trabajo difícil y hasta peligroso, tal como lo demuestran los problemas históricos de los funcionarios de la comunidad registrados en el capítulo 2. Cuando llegué para mi trabajo de campo de largo plazo en 1972 el agente, Miguel, estaba casi desesperado en sus esfuerzos para renunciar al cargo. Recuerdo una noche cuando él llegó a su casa con la ropa hecha jirones. Por lo visto había sido atacado por alguien que esgrimía un machete y por poco pierde la vida. Su esposa estaba casi histérica y yo comencé a comprender los conflictos que se presentan en el desempeño de su cargo. Los funcionarios de la comunidad están siendo presionados por sus vecinos, quienes quieren que soliciten más tierras ante el gobierno. Por el otro extremo están los ganaderos, algunos de los cuales pueden recurrir al asesinato de funcionarios de la comunidad que pudiesen tener éxito en convencer al gobierno de expropiarles sus tierras. Pero aun en tiempos de paz se hace difícil mantener la simpatía de los vecinos mientras se tiene el cargo de hacer cumplir políticas del gobierno que tal vez causen resentimiento.

En resumen, los funcionarios son elegidos por los jefes de familia miembros del ejido plenamente certificados. Las mujeres, sin embargo, están excluidas del proceso político, a menos de que ellas por sí mismas sean jefes de familia; en tal caso pueden asistir a las reuniones de la comunidad y votar en todos los asuntos. Según mi experiencia, el sistema funciona bastante bien en cuanto al manejo de asuntos locales que no implican mayor controversia. Pero la estructura política del ejido constituye una contradicción, aun para los campesinos. Por ejemplo, es significativo que las entidades oficiales del ejido pasen y dejen de lado al tradicional consejo de ancianos. A pesar de que el consejo tiene prestigio, carece del respaldo del Estado y no tiene medios para hacer cumplir sus decisiones. Por otra parte, los funcionarios ejidales sí cuentan con el apoyo del poder de la ley y pueden movilizar a la policía o a la milicia para hacer cumplir sus resoluciones. Estos funcionarios, a pesar de que salen elegidos de entre los campesinos, representan una intromisión del Estado en los asuntos de la comunidad. Los funcionarios campesinos se ven obligados a hacer cumplir los mandatos gubernamentales y tienen que responder por el ejido ante las élites mestizas locales que ocupan todos los cargos de autoridad en los ámbitos regional, estatal y federal. En cierto sentido, el sistema político ejidal representa una pérdida de autonomía para la comunidad. Es uno de los precios que pagan los campesinos por la independencia que ganan al serles concedido el estatus de ejido.

Familia y parentesco entre los nahuas

El parentesco nahua se puede interpretar como producto de la interacción entre las estructuras sociales locales, probablemente antiguas, y las fuerzas políticas y económicas que se originan en los ámbitos regional y nacional (Hunt, 1976: 100). El sistema de parentesco nahua, al igual que el de muchos otros grupos indios en México, se caracteriza por su flexibilidad y accesibilidad. Está bien adaptado para responder a las muchas contingencias que han resultado de sus experiencias bajo la colonización, la Independencia, la servidumbre, la expropiación de tierras, la Revolución y los programas gubernamentales para la reasignación de tierras. El parentesco nahua está lejos de ser un conjunto rígido de reglas; es más bien un sistema por el cual la gente puede interactuar entre sí de manera coherente y a la vez ajustarse a las cambiantes circunstancias de su posición dentro de una sociedad más amplia. Hay que interpretar el parentesco sobre todo en relación con el sistema nahua de tenencia de la tierra, el cual les ha sido impuesto, en gran parte, por las élites del poder regionales y nacionales.

Recopilar información acerca del parentesco nahua es aun más difícil que hacer un censo. El problema de la denominación de las personas mencionado arriba se transforma en un verdadero obstáculo; los patrones de migración temporal conducen a confundir el número de miembros en las unidades domésticas y el trazado del poblado hace de la recolección sistemática de datos una experiencia frustrante. Para contrarrestar estos problemas yo reuní información a lo largo de varios años, desde 1972. De manera continua tracé y luego verifiqué mapas detallados de la comunidad e hice un listado de todas las personas en cada residencia. Registré genealogías y recorrí las historias de todas las familias a través de los años hasta 1986. Sólo de esta manera pude comenzar a identificar ciertos patrones. Hubo dos complicaciones. Una consistió en que la comunidad se dividió por lo menos dos veces durante el periodo de la investigación; una vez a mediados de los años setenta y luego a principios de los ochenta. Las comunidades hijas y Amatlán mantienen relaciones hostiles, de modo que yo no podía ir a ellas para reunir información sin suscitar serias sospechas. En 1972 conté 110 unidades domésticas independientes en Amatlán. Ya para 1986 había 81 unidades, con 77 personas menos viviendo en la comunidad. La segunda complicación consistió en que más o menos tres años antes de mi trabajo de campo de 1985-1986 la comunidad concentró las residencias; se formó un patrón que se clasifica como *zona urbana*, de acuerdo con las instrucciones de los ingenieros del gobierno. El motivo de la reubicación era facilitar la introducción de la electricidad en la comunidad.

A causa de estas complicaciones utilizó los 81 grupos familiares que vivían en Amatlán en 1986 como mi base de datos. Me consta que todas estas unidades domésticas se remontan hasta 1972, de modo que tengo información confiable de largo plazo en lo que respecta al ciclo doméstico. Incluyo información sobre familias que luego abandonaron la comunidad, pero sólo cuando tengo datos verificables que provienen de fuentes múltiples.

Ante todo, describo algunas características básicas del sistema de parentesco en Amatlán. Los nahuas hacen remontar su ascendencia de manera bilateral, o sea tanto mediante el lado materno de la familia como mediante el paterno. Al igual que la mayoría de los angloamericanos, los nahuas consideran su relación con los parientes matrilineales (por parte de la madre) igual a la que tienen con sus parientes patrilineales (por parte del padre). Aun así, como veremos más abajo, la mayoría de los campesinos pretende recibir más ayuda de sus parientes patrilineales y desea vivir cerca de ellos. Como resultado de la descendencia bilateral, muchos campesinos pueden identificar sus parentescos entre sí, aunque cabe que estos lazos sean bastante distantes. Los nahuas observan una regla que prohíbe el matrimonio entre primos hermanos o primos segundos y esto obliga a muchos hombres jóvenes a buscar posibles esposas en las comunidades cercanas. El resultado es que por lo general las personas tienen parientes en las comunidades hijas y en muchas de las comunidades nahuas circundantes.

Dada la prohibición de matrimonios entre primos hermanos o entre primos segundos y lo pequeño que es Amatlán, no existe ninguna regla de endogamia (que los individuos se casen dentro de la comunidad). Tampoco tiene Amatlán una regla de exogamia (que los individuos se casen fuera de la comunidad). De hecho, por razones que se analizan abajo, existen ventajas en conseguir cónyuge dentro de la misma comunidad. Aunque muchas personas podrían afirmar parentesco con otras personas en la comunidad si quisieran, sólo un núcleo reducido de parientes constituye el grupo emparentado activo. De esta manera, por ejemplo, la mayoría de los habitantes no reconoce como parientes, fuera de la línea directa paterna y materna y la de los abuelos, más allá de los primos segundos. También, entre pueblos que tienen un sistema bilateral es común que recuerden las genealogías familiares remontándose hasta sólo unas pocas generaciones, y los nahuas no son excepción. La mayoría de las personas alcanza a recordar a sus abuelos y de vez en cuando puede hablar de sus bisabuelos. En resumen, los nahuas no extienden sus parentescos reconocidos hasta gran distancia genealógica, ni cuando retroceden en el tiempo ni cuando salen de la ascendencia directa de los padres y abuelos. Los nahuas llaman a sus parientes "mi familia" o *noteixmaticahuaj* en náhuatl. Distinguen entre este grupo inclusivo más extendido y las personas que viven con ellos en la misma unidad doméstica mediante el término náhuatl *nocalpixcahuaj* ("mi familia de la casa"), el uso más restringido de "mi familia".

La figura 4.1 presenta los términos del náhuatl usados por los campesinos varones para designar a sus parientes. Dado que las designaciones cambian según el sexo de la persona que habla, he incluido la figura 4.2, que presenta los términos de parentesco aplicados cuando la persona que habla es de sexo femenino. Nótese que en náhuatl los términos de parentesco requieren del prefijo posesivo *no-*, en primera persona, que significa *mi*. De esta forma, el término *notata* se debe traducir como "mi padre". Al analizar el patrón de los términos de parentesco que usa la gente podemos descubrir algo acerca de la organización mental o cognoscitiva de su sistema de parentesco. Un método que han usado los antropólogos para clasificar los diferentes tipos de sistemas de terminología de parentesco, en todas partes del mundo, es según la manera de nombrar a los primos. Para aclarar estos sistemas, los antropólogos siempre enlistan los términos de referencia de parentesco desde el punto de vista de un individuo hipotético a quien llaman *ego*. En el sistema hawaiano de terminología de parentesco, ego se refiere tanto a hermanos

Figura 4.1

Terminología de parentesco nahua en Amatlán (ego masculino)

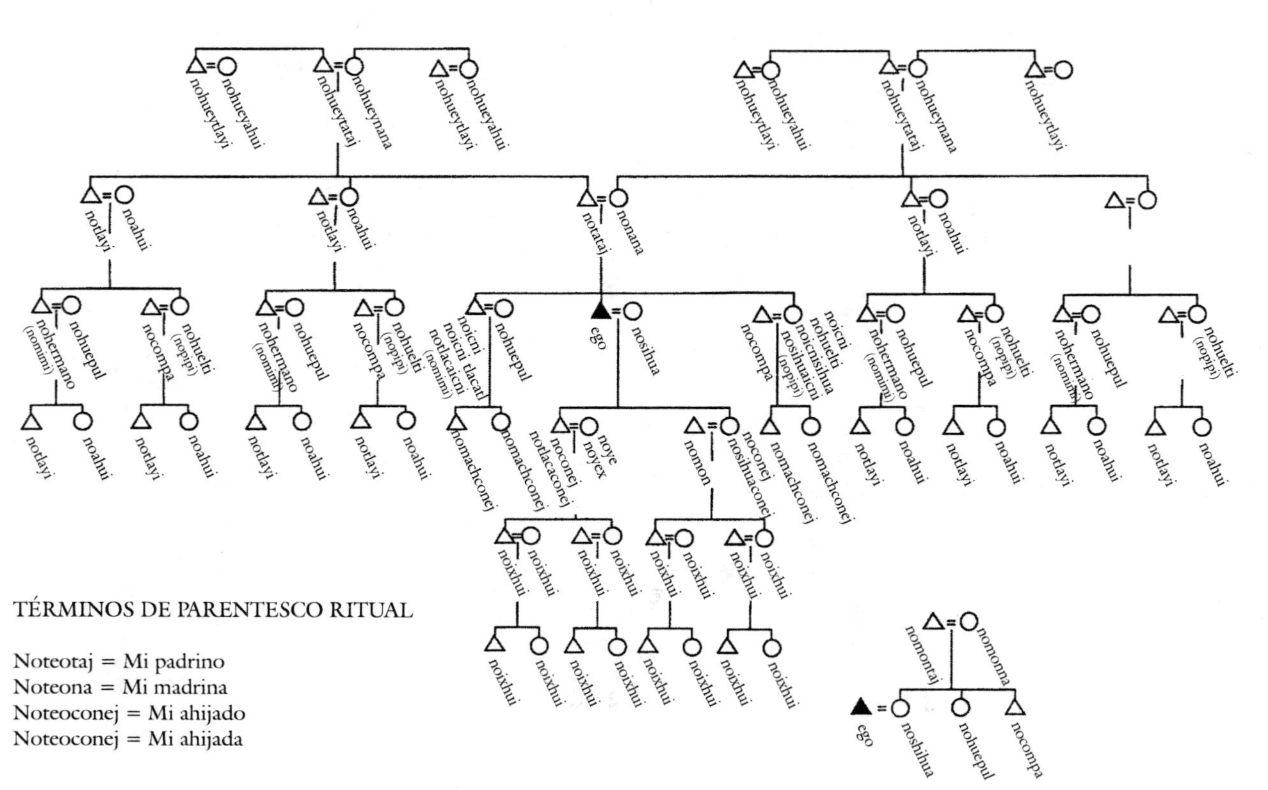

TÉRMINOS DE PARENTESCO RITUAL

Noteotaj = Mi padrino
Noteona = Mi madrina
Noteoconej = Mi ahijado
Noteoconej = Mi ahijada

como a primos. En otras palabras, en las culturas que aplican el sistema hawaiano no encontramos términos distintos para los primos. Los sistemas hawaianos de terminología de parentesco por lo general distinguen entre los parientes según el sexo y la generación con relación a ego, de modo que al igualar a hermanos y primos, mediante la terminología, este sistema enfatiza que todos estos parientes pertenecen a una misma generación.

Otra manera para designar a los primos es el sistema esquimal. En este patrón de términos de parentesco se distingue entre los hermanos y los primos de ego. El sistema esquimal para designar a los parientes no sólo indica la generación, sino que a la vez distingue entre los parientes de relación más cercana (hermanos) y los parientes de relación más distante (primos). La terminología esquimal crea la distinción entre los lineales (abuelos, padres) y los colaterales (hermanos de parientes lineales o parientes fuera de la línea directa de la parte de padres y abuelos) en todas las generaciones, ascendentes y descendentes. Este patrón para designar a los parientes también tiene el efecto de apartar a los miembros de la familia nuclear del grupo de parentesco más amplio mediante el uso de términos distintivos. La terminología de tipo esquimal es el mismo sistema de terminología usado por la mayoría de los angloamericanos (véanse Murdock, 1949: 223 y ss.; Fox, 1967: 256 y ss.; y Keesing, 1975: 104-105, acerca del análisis de los sistemas de terminología de tipo hawaiano y esquimal).

Tanto en el sistema de terminología hawaiano como en el esquimal, los términos que se usan para designar a los primos son idénticos para la familia de ego, ya por el lado paterno, ya por el materno, de modo que estos sistemas son compatibles con un tipo bilateral de descendencia. Si ego está relacionado en igual forma con parientes por ambos lados de familia, entonces tiene sentido denominarlos de manera idéntica. El sistema de terminología nahua parece ser básicamente de tipo hawaiano, pero con la incorporación de características esquimales significativas. Debido a que es el sistema mejor conocido por los estadounidenses, primero analizaré las características esquimales que se ilustran en la figura 4.1. Los abuelos de ego, llamados *nohueitata* ("mi abuelo") y *nohueinana* ("mi abuela"), se distinguen de acuerdo al sexo pero no de acuerdo al parentesco paterno o materno. Este patrón de nomenclatura también refleja la regla de descendencia bilateral. Es más, se distingue entre los abuelos y los hermanos de éstos, a quienes llaman *nohueitlayij* ("mi tío abuelo") y *nohueiahuij* ("mi tía abuela"). Esta práctica se aparta de la nomenclatura hawaiana, donde el mismo término se aplicaría para todos los parientes de la misma generación.

Los términos para los padres, *notata* ("mi padre") y *nonana* ("mi madre"), se distinguen de los términos para los hermanos de los padres, *notlayij* ("mi tío") y *noahuij* ("mi tía"). Esto también se aparta del uso hawaiano. Tanto en el sistema hawaiano como en el esquimal, sin embargo, cabe que a los hermanos de los padres y a sus cónyuges (aunque éstos no sean parientes consanguíneos) se les designe por los mismos términos y se les distinga sólo según el sexo. Por lo tanto, cabe que el término nahua *notlayij* ("mi tío") se refiera al hermano varón de cualquiera de ambos padres de ego, o al esposo de la hermana de cualquiera de ambos padres (la tía de ego). Ego utiliza el término *noconej* para referirse a sus propios hijos e hijas, pero los distingue de sus sobrinos y sobrinas (*nomachconej*), y de los hijos de sus primos (*notlayij*, para masculino singular y *noahuij*, para femenino singular). Estos términos para los primos son idénticos a los términos para los tíos y representan una desviación significativa fuera del uso hawaiano, debido a que hacen que la relación genealógica relativa a ego resalte por encima de la generación. Cuando pregunté a los campesinos por qué nombran con el mismo término a los hermanos de sus padres y a los hijos de los hermanos de sus padres me dijeron que los términos se refieren a personas que forman parte de la misma familia. En otras palabras, se percibe a los tíos junto con sus hijos como unidades domésticas diferenciadas y, en cuanto a la terminología de parentesco, este hecho toma prioridad sobre las consideraciones generacionales. En el sistema hawaiano los hijos de ego, los sobrinos y los hijos de los primos se agruparían bajo un término idéntico debido a que pertenecen a la misma generación. Hasta este punto en nuestro análisis, el sistema de terminología nahua, con las excepciones ya notadas, se parece al que utiliza la mayoría de los angloamericanos. No obstante, al referirnos a los términos que se utilizan para primos y nietos, surgen diferencias significativas.

A primera vista, los nahuas parecen distinguir a los hermanos de los primos. Ego denomina a su hermano varón como *noicnij* ("mi hermano-hermana" o mediante los términos alternos *noicnij tlacatl, notlacaicnij* y el cariñoso *nomimi*) y a su hermana también mediante el término general *noicnij* ("mi hermano-hermana"), pero mediante el término *nohuetli* cuando quiere expresarse más específicamente (o con los términos alternos *noicnisihuaj, nosihuaicnij* y el cariñoso *nopipi*). Él denomina a su primo varón mediante el término *nohermanoj*. Sin embargo, este último término se deriva de la palabra *hermano* del español. Yo creo que los nahuas han adoptado este término muy recientemente para introducir una distinción terminológica entre el primo varón y el hermano varón. En el sistema anterior la palabra para primo varón era indudablemente la misma que se usaba para hermano varón. La palabra para la prima es *nohuetli,* la misma que se usa para la hermana, de modo que parece que las palabras para el hermano varón y la hermana se han extendido para incluir a los primos varones y las primas. Como mayor evidencia de que los hermanos-hermanas y los primos-primas están igualados en el sistema nahua, el término para cuñado varón (*nocompaj,* de la palabra *compadre* del español en el sentido de "pariente ritual") es el mismo que se usa para referirse al esposo de una prima. El término para cuñada (*nohuejpul*) es también el mismo que se usa para referirse a la esposa de un primo varón. Por último, el término cariñoso para el hermano varón es *nomimi* y para la hermana es *nopipi,* los términos cariñosos idénticos que se usan para los primos varones y las primas.

Todo esto revela un sistema de términos subyacente de tipo hawaiano, para designar a los primos, que ha sido modificado para incluir características del sistema esquimal. Al igualar de manera terminológica a los hermanos-hermanas y los primos-primas, los nahuas están dando más importancia al criterio generacional que al genealógico para distinguir a los parientes. Como ya hemos visto, esta práctica representa una desviación fuera del patrón esquimal típico, donde se distingue entre primos-primas y hermanos-hermanas; es decir, donde la relación genealógica entre el primo y ego toma prioridad sobre la generación en relación con ego. Esta característica hawaiana de la terminología del parentesco nahua aparecerá de nuevo cuando examinemos los términos nahuas para bisnieto-bisnieta y nieto-nieta. Los nahuas usan el término *noixhuij* para todos los hijos-hijas, por debajo de la generación del hijo-hija de ego, independientemente de la relación genealógica específica. Además, aunque no aparece representado en la figura 4.1, al nieto-nieta de un primo se le refiere con el mismo vocablo que al nieto-nieta de ego. Esta práctica representa otro ejemplo más de un sistema terminológico tipo hawaiano, en el que las distinciones entre parientes se dan más por criterios generacionales que genealógicos. Desde luego, el uso de términos como *nomachconej* para "mi sobrino-sobrina", *nohermanoj* para "mi primo-prima", y *notlayij* y *noahuij* para los hermanos-hermanas de ambos padres y los hijos-hijas del primo, contradice el énfasis de las relaciones generacionales sobre las genealógicas. Por estas y otras razones anotadas arriba, es evidente que los nahuas de Amatlán tienen un sistema para denominar a los parientes que combina características tanto hawaianas como esquimales. Otros investigadores de la cultura nahua han reportado descubrimientos similares entre otros grupos nahuas (por ejemplo, Arizpe Schlosser, 1973: 134 y ss.; Dehouve, 1974: 56-57, 1978: 177 y ss.; y Taggart, 1975b:161-166, 206).

La figura 4.2 presenta los términos de parentesco desde el punto de vista de ego femenino. Es evidente, al comparar las figuras 4.1 y 4.2, que el sistema de términos que usan las mujeres coincide en alto grado con el que usan los varones. Hay, sin embargo, diferencias significativas. Las mujeres no distinguen entre los tíos y las tías, por un lado, y los tíos abuelos y tías abuelas, por otro, prefiriendo usar *notlayij* ("mi tío") y *noahuij* ("mi tía") para ambos conjuntos de parientes. Extienden los términos cariñosos para el hermano varón y la hermana, *nomimi* y *nopipi,* para denominar a los primos varones y a las primas, respectivamente. Puede que esto indique que las mujeres tienen, o se espera que tengan, una relación más informal con los parientes. El término *nohues* remplaza al término masculino *nohuejpul* para "mi cuñada", pero igual que con los varones, esta nomenclatura se extiende a las esposas de los primos. Para los varones el término *nohuejpul* se aplica a las cuñadas, pero para las mujeres se aplica a los cuñados. Así que el significado más profundo de la palabra *nohuejpul* es "mi cuñado-cuñada del sexo opuesto". Los términos *noye* y *nomon* para "mi nuera" y "mi yerno", respectivamente, son los mismos para ambos sexos. Sin embargo, el varón extiende el término para yerno, para referirse a los padres de su esposa, de modo que *nomontaj* y *nomonnaj* significan "mi suegro" y "mi suegra". Las mujeres extienden el término para nuera, para denominar a los padres de su esposo, así que *noyextaj* y *noyexnaj* significan "mi suegro" y "mi suegra". Estas diferencias no parecen representar alteraciones significativas para el patrón hawaiano-esquimal básico.

Los sistemas de términos de parentesco muchas veces reflejan las prácticas sociales. La terminología hawaiana concuerda bien con una sociedad en la que los individuos forman grupos significativos basados en la generación a la que pertenecen en relación con ego. Los términos basados en la generación, por ejemplo, con frecuencia señalan el puesto del individuo dentro de la jerarquía de agrupamientos por edad y, con ello, las obligaciones y expectativas del individuo para con los demás. El patrón hawaiano para nombrar a los parientes también sirve para incluir a la familia nuclear dentro de un mayor agrupamiento de parentesco y es por tanto

Figura 4.2

Terminología de parentesco nahua en Amatlán (ego femenino)

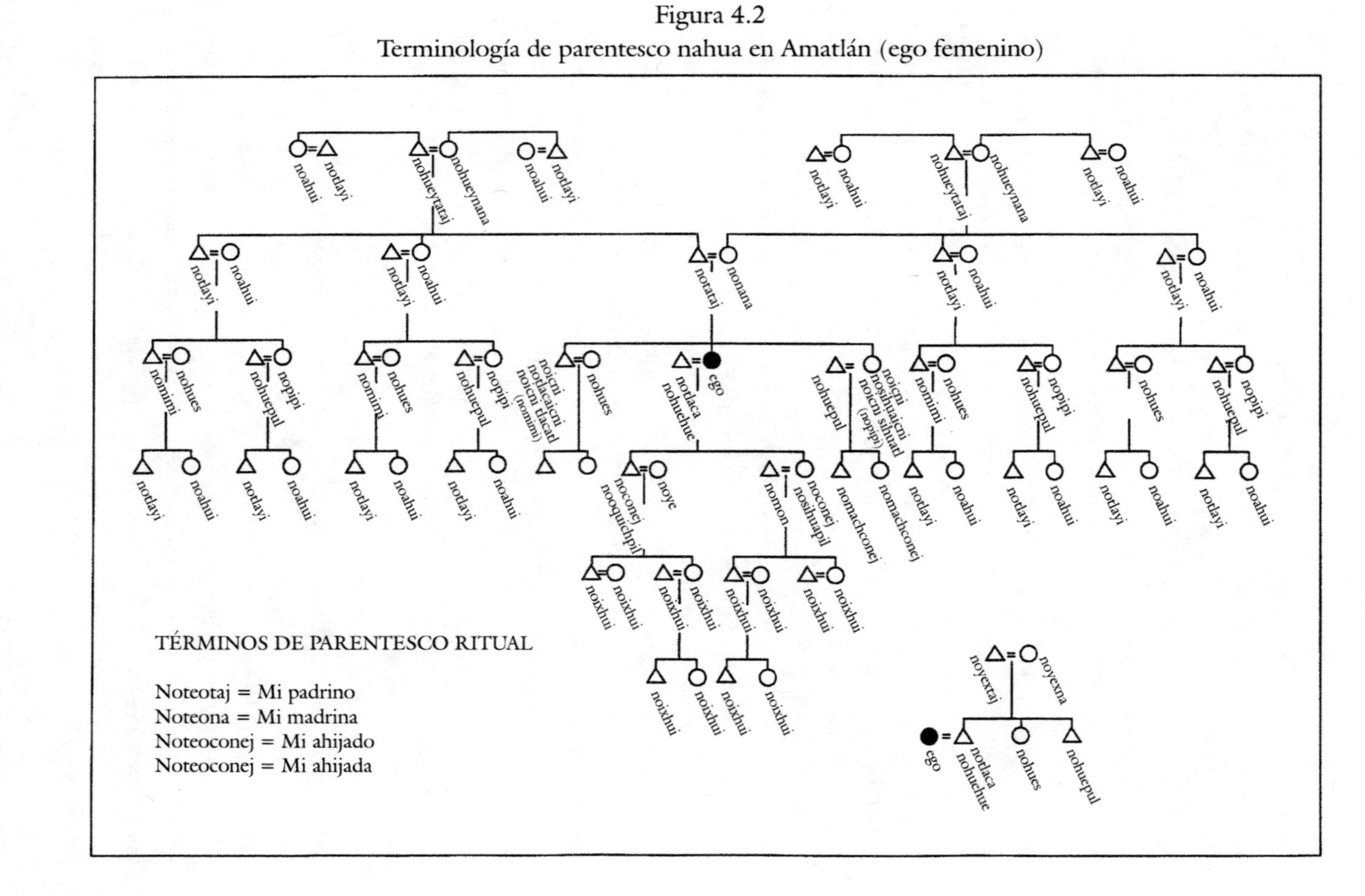

compatible con la existencia de grandes familias extensas u otros agrupamientos. Ninguno de los términos de referencia distingue entre los miembros de la familia y los demás parientes. Finalmente, la terminología hawaiana concuerda con la formación de grupos de compañeros por edad o hermanos-hermanas, incluyendo a primos-primas, quienes puede que se unan para una acción en común. Es interesante notar que los grupos de edad, las familias extensas y la cooperación a largo plazo entre hermanos-hermanas son características importantes de la organización social de Amatlán.

Sin embargo, como se ha señalado, los nahuas no designan a los parientes sólo con las reglas hawaianas; incorporan también características del sistema esquimal, como la práctica de distinguir entre los consanguíneos y los colaterales en generaciones de abuelos y padres, y también en el nivel de los hijos de ego. Además, han incorporado la palabra náhuatl-español *nohermanoj* para distinguir a los primos de los hermanos. Al principio yo pensaba que estas peculiaridades habían sido causadas por cambios en el sistema de parentesco como respuesta a presiones políticas, económicas y sociales. Pero sólo tuve razón en parte. Descubrí que el sistema azteca prehispánico de parentesco contenía algunas características similares (véanse Gardner, 1982; Berdan, 1982: 66-68; y Radin, 1925: 101). Sin duda alguna los propios antiguos aztecas experimentaban modificaciones en su organización social a medida que expandían y consolidaban su imperio y, de esta manera, el cambio social fue también un factor de cambio en la forma de nombrar a los parientes. La terminología nahua de parentesco refleja básicamente un sistema flexible que retiene las ventajas tanto del modelo hawaiano como del esquimal. Los nahuas viven en familias nucleares y extensas, y tienen grupos de edad como en el patrón hawaiano. Pero las familias extensas son en su mayor parte no residenciales y la residencia de la familia nuclear es el modelo ideal para las parejas casadas. Esos factores, en combinación con la independencia económica de la unidad nuclear, son más compatibles con la terminología esquimal. De esta manera, los nahuas tienen las ventajas de ambos sistemas y mantienen máxima flexibilidad para enfrentarse a futuras contingencias.

Amatlán está compuesto de unidades domésticas y es importante definir este término antes de proseguir. Al decir *unidad doméstica* me refiero a un grupo de parientes que viven como una unidad, que almacenan el maíz en común, que comparten un presupuesto doméstico común y que preparan la comida en una cocina común. El término náhuatl *nocalpixcahuaj* ("mi familia de la casa") es muy cercano a este concepto de unidad doméstica. Una unidad doméstica nahua puede consistir de una familia nuclear o de una familia extendida. Sin embargo, surgen varios problemas al aplicarse esta tajante definición de unidad doméstica a la situación real que hallé en Amatlán.

Dos factores hacen sumamente difícil que observadores externos identifiquen las unidades domésticas de la comunidad. En primer lugar, aunque es posible que miembros de una unidad doméstica ocupen lo que técnicamente sería una vivienda individual, por lo general viven en varias edificaciones contiguas. Una casa nahua pasa por un ciclo de vida durante el cual sirve para varios fines distintos. Muchas veces los campesinos aprovechan una casa vieja como cobertizo para una cocina y una casa parcialmente construida como quiosco al aire libre. Los miembros de la familia pueden utilizar una casa nueva estrictamente para dormir hasta que el cobertizo que sirve de cocina esté tan desmoronado que se vean obligados a hacer una cocina en la vivienda nueva. De modo que al forastero le es difícil determinar si un grupo de edificaciones lo ocupa una unidad doméstica extensa o tal vez, en lugar de ella, un grupo de unidades domésticas emparentadas.

Un segundo factor que hace difícil demarcar unidades domésticas independientes en Amatlán se relaciona con el proceso mediante el cual una pareja recién casada se separa de la unidad familiar patrilineal. Los campesinos expresan que como ideal, la residencia después del casamiento sería patrilocal, o sea, que al principio la joven pareja debe instalarse con la familia del novio y establecer una unidad doméstica común. Este ideal se refleja en el mayor número de unidades domésticas patrilocales en Amatlán, en comparación con unidades domésticas matrilocales (donde la pareja recién casada se instala con la familia de la novia). Con el tiempo los esposos tienen hijos y construyen una casa cerca de allí, y a la larga las funciones domésticas se separan a medida que la nueva familia pasa a ser una unidad doméstica independiente. Debido a que la separación es paulatina, se hace sumamente difícil calcular en qué momento la nueva unidad doméstica comienza a funcionar por su cuenta.

En la mayoría de los casos la nueva unidad doméstica mantiene lazos muy íntimos con las unidades domésticas del padre y los hermanos varones del novio, de modo que la mayoría de las nuevas familias nucleares en reciente proceso de formación se transforman en componentes de familias extendidas patrilocales más amplias y no residenciales (Nutini, 1967). Raras veces sucede que las hermanas entre sí vivan cerca, formando una familia extensa matrilocal no residencial. En resumen, la unidad familiar nahua no es equivalente a la familia nahua. Las unidades domésticas que componen la familia extensa no residencial por lo general procuran establecerse cerca entre sí. Los miembros de una familia extensa no residencial participan en los asuntos de la familia y cooperan en muchos quehaceres, pero no funcionan como una sola unidad doméstica. Sin embargo, los sentimientos de solidaridad entre los miembros de la familia extensa a menudo son muy fuertes. En varias ocasiones, cuando les preguntaba acerca de cómo cooperan las unidades domésticas dentro de una familia extensa, los campesinos contestaban que las diversas unidades familiares comparten todo. Yo sabía que éste no era el caso y que esas respuestas reflejaban el ideal de la cooperación entre toda la familia, en vez de la realidad en la que familias extensas no residenciales están compuestas por unidades domésticas independientes. Relatos como éstos añadían otra fuente de confusión, mientras trataba de comprender las unidades familiares nahuas y su relación con la familia extensa. Las veces que tenía dudas acerca de la constitución de una unidad familiar les preguntaba a las personas que figuraban en el asunto y verificaba sus respuestas con los criterios de otros parientes y vecinos.

En el estudio que realicé en 1986 sobre las unidades familiares de Amatlán hallé que de 81 unidades domésticas, 50 contenían miembros de familias nucleares completas o fragmentadas. Con estos términos me refiero a un varón adulto con una mujer adulta y sus hijos menores de edad, o una viuda o viudo con niños. Las familias nucleares representaban 61.7% del total de las unidades domésticas de la comunidad, pero sólo 53.5% del total de la población. Otras 27 unidades domésticas contenían familias extensas patrilineales. Éstas incluían a uno o ambos padres, posiblemente con hijos menores de edad, viviendo con uno o más hijos varones casados, con sus esposas e hijos. Este tipo de unidad familiar representaba 33.3% de las unidades domésticas de Amatlán y 39.9% de la población. El último tipo de unidad familiar es la familia extensa matrilineal, que incluye a uno o ambos padres junto con las hijas y sus esposos e hijos. En Amatlán había cuatro de tales unidades domésticas, que representaban 4.9% del total de las unidades familiares, y este tipo de familia extensa representaba 6.5% de total de la población (véanse Taggart, 1972:135-136, para un análisis de los tipos de unidades domésticas en una comunidad nahua de la vecina Sierra Norte de Puebla; también Dehouve, 1978: 173 y ss., para tipos de unidades domésticas entre los nahuas de Guerrero).

El mapa 4.1 es un plano de las unidades familiares de la comunidad tal como aparecían en 1972. Los símbolos del mapa indican las unidades domésticas específicas y no las edificaciones. Las unidades familiares de los padres y sus hijos varones, o en el caso de la muerte de los padres, las unidades familiares de los hijos varones aparecen circunscritas por líneas sólidas para indicar los vínculos entre ellos. El mapa señala que los hijos varones tienden a establecer sus unidades domésticas cerca de las de sus padres. Las unidades familiares que aparecen circunscritas singularmente son las que habitan los padres y un hijo varón soltero, los padres y un hijo varón casado y su esposa, por lo general un ajuste provisional hasta que el hijo varón construya una vivienda aparte y establezca su propia unidad familiar, o un matrimonio de edad mayor o un padre o madre sin pareja bajo el cuidado de un hijo varón y su familia. De vez en cuando una mujer logra establecer su unidad doméstica cerca de sus padres y sus hermanos varones. En casos más raros un núcleo de hermanas llega a establecer sus unidades familiares individuales cerca entre sí, por lo general cerca de sus padres, si éstos todavía viven. Las unidades familiares vinculadas por estos lazos de parentesco femenino aparecen en el mapa circunscritas por líneas quebradas. Las viviendas de la familia extensa a menudo ocupan un solo claro o claros contiguos en la selva. Prefiero designar las unidades domésticas que están dentro de un solo claro más como un conjunto que como una familia extensa, porque no todas las unidades familiares dentro de un claro pertenecen necesariamente a parientes. A veces la amistad, la necesidad económica, las relaciones hostiles para con su propia familia o cualquier número de factores conducen a un hombre a establecer su unidad doméstica entre no parientes (véase Carrasco, 1976: 58 y ss.).

El mapa 4.1 requiere de algunas explicaciones adicionales. Mi información genealógica, que vinculaba a las unidades familiares, no estaba completa en 1972. Hasta cierto grado pude suplir la información que faltaba mediante entrevistas realizadas tanto en 1986 como durante el transcurso de los años. Sin embargo, omití toda información genealógica que no pude confirmar con varios más colaboradores. El efecto de estas lagunas en mi conocimiento es subestimar los vínculos entre las unidades domésticas que aparecen en el mapa. Un segundo factor que sirve para subestimar los vínculos entre las unidades domésticas en el mapa está relacionado con los procesos de la división de la comunidad. En 1972 no tomé en cuenta el hecho de que muchos de los hijos varones menores y casados de las familias estaban abandonando el poblado para participar en la invasión de tierras. De modo que construían sus viviendas en las nuevas tierras como parte de la estrategia para ganar reconocimiento legal. El proceso de invasión efectivamente trasladó a familias fuera de la comunidad y, por lo tanto, redujo el número de unidades familiares que yo pude documentar en los conjuntos. Un factor final que disminuye el número de vínculos entre las unidades domésticas de la comunidad es el hecho de que no identifiqué, mediante la circunscripción, a aquellas unidades familiares de parientes que estaban separadas por una distancia mayor a los 150 metros. Asumí que a esta distancia ya no había ninguna intención verdadera por parte de los parientes para vivir cerca entre sí. La distancia entre las casas, sin embargo, no significa necesariamente que los parientes hayan dejado de cooperar entre sí. Aun entre las unidades familiares que yo he circunscrito, varias parecen estar lejanas entre sí. En casos en que las casas de los parientes se aproximaban al límite de los 150 metros, solían ocupar claros aparte que se comunicaban por un corto sendero.

Los varones que habitan un conjunto tienen una característica en común: son compañeros de trabajo. Como mencioné antes, al analizar las prácticas agrícolas, hay momentos en el ciclo de la siembra y la cosecha en los que el agricultor, como individuo, depende de la ayuda de cierto número de hombres. Los miembros varones del conjunto llegan a ser el núcleo del grupo de trabajo. Quizá cierto individuo requiera de la ayuda de hombres externos al conjunto para cumplir cierta tarea, pero los corresidentes cuentan entre sí con cada cual para conseguir la ayuda mutua consecuente (Taggart, 1976, analiza los factores que afectan el reclutamiento de grupos para la siembra de maíz en una comunidad nahua). En casi todos los casos, los miembros no parientes dentro de un conjunto están vinculados a los demás mediante los lazos de parentesco ritual, o sea, mediante el compadrazgo (véase más abajo). Los parientes dentro de un conjunto de viviendas son el hombre y sus hijos varones, o tal vez, más precisamente, los hermanos varones y el padre de éstos. A medida que el padre envejece y pierde la capacidad para trabajar las milpas, él les entrega porciones de su tierra a sus hijos varones, en forma gradual. Como se demostrará en seguida, cuando los hijos varones son jóvenes viven en la casa de sus padres y contribuyen a un presupuesto común. Después de haber establecido sus propias residencias todavía se les considera parte de la familia extensa con respecto a la cooperación laboral, pero a medida que comienzan a retener las cosechas de sus propias milpas, cada vez más adquieren las características de

Mapa 4.1
Unidades familiares de la comunidad, en 1972, indicando los vínculos de parentesco masculino y femenino entre las unidades domésticas ubicadas entre sí dentro de un radio de 150 metros

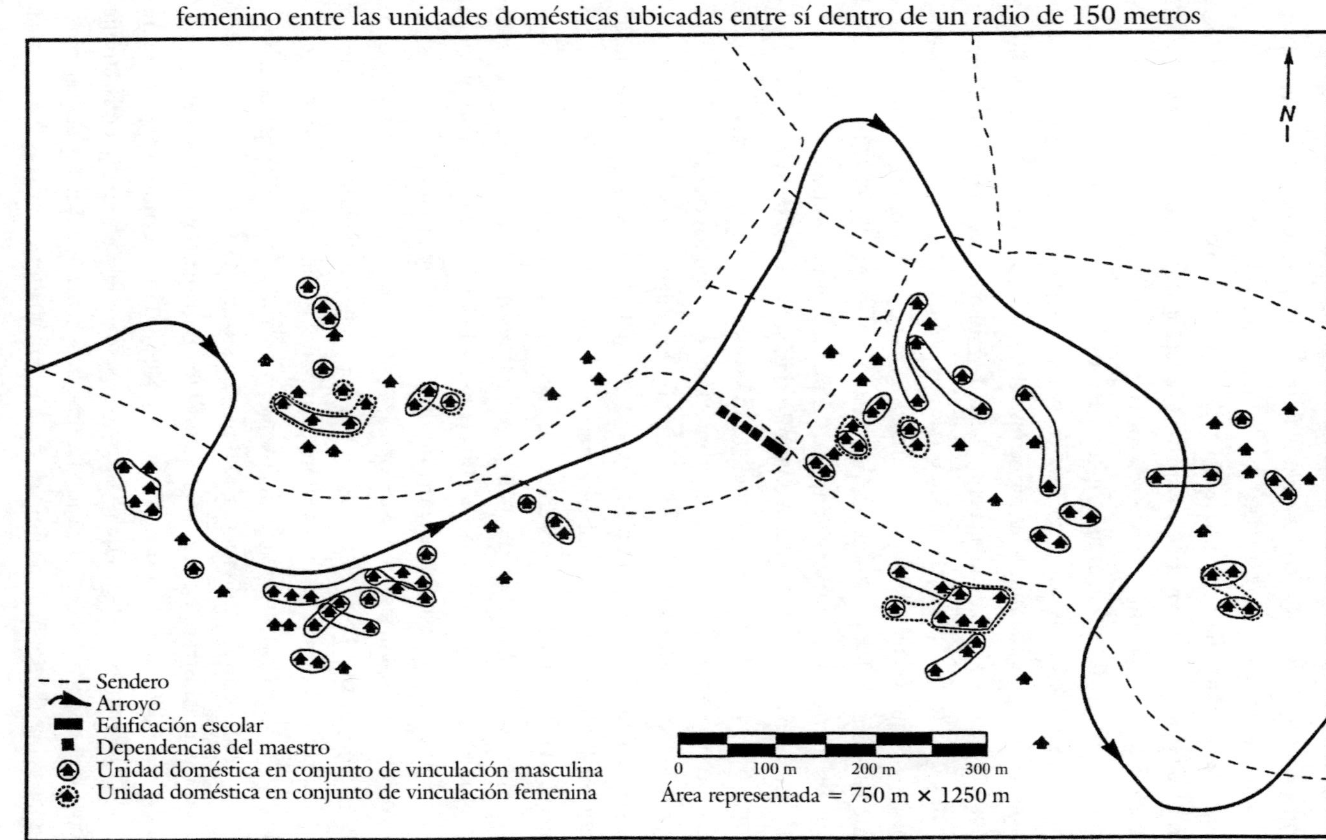

una familia nuclear. En suma, la mayor parte de las unidades familiares de Amatlán son familias nucleares y a la vez componentes de familias extensas partilineales no residenciales de mayor magnitud.

Por lo tanto, los ocupantes de una unidad doméstica mancomunan sus recursos presupuestarios, mientras que los varones que habitan un conjunto de viviendas mancomunan sus recursos de mano de obra. Por esta razón las personas que viven en una unidad familiar siempre son parientes, mientras que los habitantes de un conjunto de viviendas no necesitan serlo. Una característica clave de la organización social nahua consiste en los agrupamientos de hermanos varones que cooperan en su labor. El término en náhuatl para tal grupo es *noicnihuaj* ("mis hermanos-hermanas"). En lo posible, los hermanos varones y las hermanas tratan de permanecer juntos y muchos logran hacerlo durante toda su vida. Los campesinos se muestran especialmente explícitos respecto a las muchas ventajas del hecho de que los hermanos varones cooperen y sigan siendo vecinos. No sólo comparten el trabajo, sino que también forman un grupo natural de aliados en pos de la ventaja política o la autodefensa.

Aunque estos agrupamientos de hermanos-hermanas pueden ser mermados por muertes y migraciones, a medida que sus hijos crecen, siempre se siguen formando nuevos agrupamientos. En 1986, pese a dos divisiones recientes en la comunidad y a un alto grado de emigración, en Amatlán todavía predominaban los agrupamientos de hermanos-hermanas. De las 81 unidades familiares individuales en Amatlán, sólo ocho (9.9%) no tenían nexo, de alguna forma, con las demás unidades domésticas mediante lazos fraternales. Había 44 conjuntos de hermanos-hermanas en total, 41 de los cuales incluían por lo menos un hermano varón. Veintiuno de los conjuntos de hermanos-hermanas contenían dos o más hermanos varones y estos hermanos varones encabezaban 51 de las unidades domésticas en la comunidad (o 63%). En suma, la comunidad consiste esencialmente de conjuntos de hermanos varones quienes, a pesar de todas las desventajas, han logrado permanecer juntos en Amatlán. El tamaño de los grupos de hermanos varones oscila desde pares simples hasta cuatro conjuntos de tres hermanos y dos de cuatro hermanos varones. Todos estos hermanos varones encabezaban unidades domésticas individuales. Es curioso que aun después de que los patrones de residencia se desintegraran y se creara la zona urbana, muchos de estos hermanos varones, junto con sus padres, lograron seguir viviendo cerca entre sí (véanse el mapa 4.2 y el capítulo 7).

A pesar de que los campesinos hablaron repetidas veces de que era importante que los hermanos varones permanecieran cerca, en lo posible, yo hallé que las hermanas también son un componente significativo de los conjuntos de hermanos-hermanas. Sin embargo, es raro que ellas permanezcan juntas dentro de la misma comunidad sin la presencia de un hermano varón o más. Tres de los grupos de hermanos-hermanas que documenté en Amatlán son de hermanas sin hermanos varones que estén vivos. Dos de estos tres conjuntos de hermanas, sin embargo, consisten en mujeres de edad mayor que han sobrevivido a sus hermanos varones. Lo más probable es que ellas permanezcan en la comunidad si tienen hermanos varones viviendo allí. Entre los 21 conjuntos de dos o más hermanos varones se encontraban incluidas 16 de sus hermanas, quienes se habían casado con hombres de la localidad y habían logrado permanecer dentro de la comunidad. Además, de los 44 conjuntos de hermanos-hermanas que yo documenté, 20 consistían en un solo hermano varón y una o más hermanas. La mayoría de estas hermanas también ha logrado conseguir esposo en la localidad, lo cual les ha permitido permanecer ahí con sus hermanos-hermanas o sus padres-madres. En algunos casos, las hermanas han logrado vivir cerca de sus hermanos varones o sus padres-madres, tal como lo indican las líneas discontinuas en el mapa 4.2. Los hermanos varones protegen a sus hermanas y velan por su bienestar, de modo que a ellas les conviene permanecer cerca. Los casos en que las hermanas siguen siendo miembros activos de la familia son extraordinarios debido a que, como veremos más adelante, ciertas características del parentesco nahua, en particular la manera en que se heredan las propiedades, tienden a romper los vínculos entre las hermanas y sus hermanos varones. Dadas todas las dificultades, el hecho de que tantas hermanas hayan permanecido juntas con sus hermanos varones sirve para evidenciar la fortaleza de los lazos de parentesco entre los nahuas.

Gran parte de la dinámica del parentesco nahua está relacionada con el patrón de herencia de las propiedades, en particular con el de la tierra. Las propiedades pasan de una generación a otra de acuerdo a las normas de la ley federal mexicana. En teoría, debido a que los nahuas determinan la descendencia en forma bilateral, se supondría que las mujeres y los hombres heredarían por igual. Sin embargo, el sistema bilateral es un conjunto de reglas que determinan la afiliación a los grupos de parentesco y no un conjunto de reglas que determinan la herencia. Por ley, las mujeres pueden heredar propiedades, pero raras veces lo logran. Las milpas

Mapa 4.2

Unidades familiares de la comunidad, en 1986, indicando los vínculos de parentesco masculino y femenino entre las unidades domésticas ubicadas entre sí dentro de un radio de 150 metros

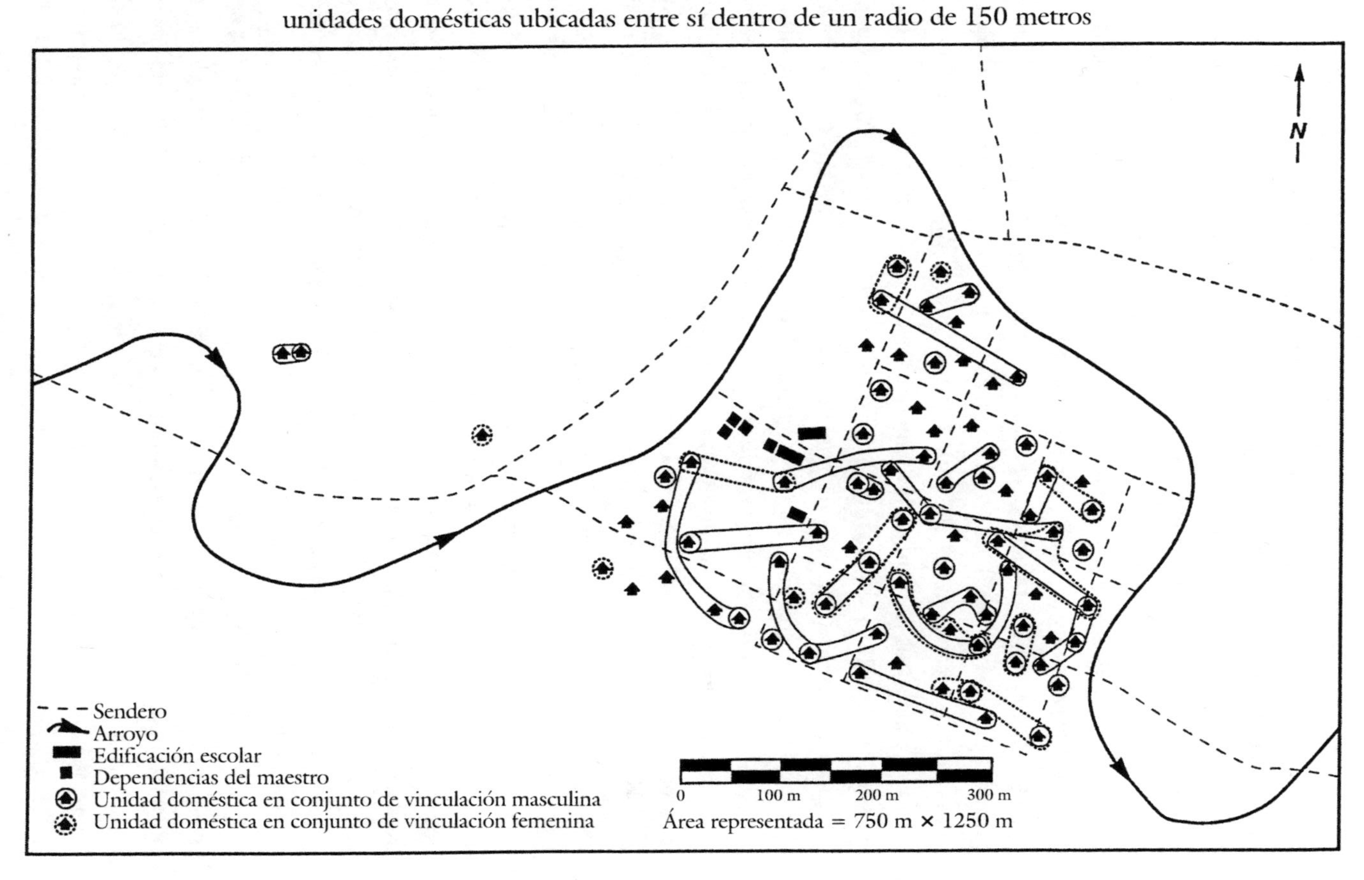

son dominio del varón y la mujer hereda tierras de su padre sólo en el caso de no tener hermanos varones. A primera vista parece injusta esta práctica, pero el padre espera que las hijas se casen y, de hecho, casi todas lo hacen. Esto significa que ellas se van de casa, de acuerdo con las reglas de la patrilinealidad, y luego han de tener acceso a las tierras de sus esposos. Cuando el marido muere joven las tierras normalmente regresan a la viuda y a través de ella a sus hijos; sin embargo, una viuda joven sin hijos se encuentra en un estado precario y en peligro de perder las tierras en favor de los hermanos varones menores de su esposo.

Dos factores que se refuerzan mutuamente han generado una crisis en la estructura de la familia nahua. El primero está relacionado con la posición económica del campesino en México, la cual describen Stavenhagen y Warman (véase el capítulo 1). Los campesinos me han dicho, repetidas veces, que con el transcurso de los años se les ha hecho cada vez más difícil proveer sus necesidades. Al principio yo pensaba que esto se debía a su creciente dependencia hacia los costosos productos industriales. Sin embargo, después de haber inventariado las posesiones de las unidades domésticas y haber reunido datos sobre los presupuestos domésticos, pude ver que no era así. La posesión de artículos manufacturados ha cambiado muy poco a través de los años. Los campesinos se quejan de que los precios que les pagan por el maíz se hacen cada vez más insuficientes para cubrir los gastos y de que los precios de los artículos de primera necesidad aumentan cada mes. Las unidades domésticas de la comunidad parecen estar atrapadas en las garras de las fuerzas del mercado, que transfieren las riquezas que producen a los intermediarios profesionales y, mediante éstos, al sector industrial de la economía. Dado su modo de producción basado en la agricultura de roza, las unidades individuales se enfrentan a la progresiva escasez de mano de obra, a la vez que intentan aumentar su producción. Puede que esta situación sea determinante y conduzca a las unidades familiares a incrementar el número de niños nacidos, así como a otorgarles especial valor a los hijos varones.

El segundo factor es el hecho de que el proceso de la redistribución de tierras aparentemente ha llegado a su límite en el sur de la Huasteca. Los ganaderos han emprendido una campaña efectiva, junto con el gobierno federal, para detener las expropiaciones adicionales y, a juzgar por las noticias, se mantiene el grado creciente de violencia en contra de los campesinos que invaden la propiedad privada. El efecto de estos dos factores es devastador para la unidad doméstica nahua. Sin espacio para expandir sus milpas, con una tecnología agrícola que requiere de gran cantidad de tierras para ser productiva, y con una población creciente, las familias se ven obligadas a desheredar a todos los hijos menos al varón primogénito. Esto ha conducido al desarrollo de una especie de primogenitura de *facto*. Por lo general, el padre le da una pequeña parcela de tierra a su hijo varón mayor cuando éste cumple más o menos nueve o diez años. Con el transcurso del tiempo el padre le transfiere más de esta tierra a su hijo, quien a su vez se independiza cada vez más. Es posible que parte de la tierra sea traspasada al segundo o al tercer hijo varón, pero éstos comprenden que no quedará suficiente para que ellos mantengan su propia unidad doméstica, de modo que varios factores actúan en forma concertada para fraccionar los conjuntos de hermanos varones que sirven de ancla para la organización social nahua. Es fácil que surja el resentimiento entre los hermanos varones, tal como presenciamos con el caso del asesinato de Lorenzo.

Estas circunstancias que actúan para dividir a la familia contra sí misma ayudan a explicar por qué la lucha por la tierra se realiza con tanta desesperación. La pura privación económica explica gran parte de esto, pero desde la perspectiva de los nahuas, la integridad de sus familias también está en peligro. Sin tierras adicionales, los hermanos se ven obligados a separarse, a medida que los hermanos menores abandonan la comunidad para ganarse la vida. En algunos casos los hermanos varones desheredados cortan un claro en una área bien remota de un rancho ganadero y comienzan el cultivo. Esto representa el comienzo de una invasión y muchas veces se les unen otros, cuyas familias, de manera similar, carecen de tierras. Si logran cultivar el área por tres años consecutivos existe alta probabilidad de que los funcionarios del gobierno reconozcan sus reclamos. Después de este periodo los hermanos varones menores trasladan a sus familias enteras a la nueva comunidad y puede ser que el padre y el hermano varón mayor de hecho renuncien a sus derechos legales en Amatlán y se integren a la nueva comunidad. Tales traslados grupales explican el paradójico retiro del certificado de derechos agrarios que ocurre periódicamente, tal como fue señalado para Amatlán en el capítulo 2. A medida que salen, los hermanos varones menores de las familias que se quedan asumen la tierra desocupada. De los 21 conjuntos de hermanos-hermanas con dos o más hermanos varones en Amatlán, 10 de ellos incluían a dos o más hombres con derechos agrarios certificados en la comunidad. De éstos, precisamente cuatro incluían a tres hermanos varones con derechos agrarios.

La división periódica en Amatlán hace que los hermanos menores entren en una especie de circuito de espera mientras aguardan las novedades. De los 81 grupos que ahora viven en Amatlán, 61 son miembros certificados del ejido, con derechos a fracciones iguales en la división de las tierras. Los campesinos los llaman *certificados* por haber recibido su "certificado de derechos agrarios". Es un estatus que todos los hombres más jóvenes se esfuerzan en conseguir. Los campesinos clasifican como *vecinos* a los demás grupos que tienen allí su residencia. Esta gente o sigue trabajando las tierras de sus padres o, según la disponibilidad de tierras, el Comisariado les asigna 2½ hectáreas para "milpear". Esto está muy por debajo de las siete hectáreas que se les asignan a los llamados *certificados*. Apenas se puede mantener a una familia con 2½ hectáreas y los llamados *vecinos* son quienes de verdad podrían llamarse los pobres de la comunidad. Pero el estatus de *vecino* muchas veces es una estrategia provisional que emplean los más jóvenes mientras aguardan participar de lleno en la repartición de las tierras. De los 20 llamados *vecinos,* en el caso de 15 cada uno es el menor de un grupo de hermanos varones o, por lo menos, tiene dos o tres hermanos varones mayores. Cuando el porcentaje de *vecinos* con respecto a los *certificados* se aproxima a 50%, la comunidad se desestabiliza y ocurre la división. En 1973 el número de unidades domésticas de llamados *vecinos* creció hasta casi 50% y éstos instigaron una invasión de tierras que resultó en la formación de la primera y luego, pocos años después, la segunda comunidad hija (véase Kvam, 1985, para una investigación de las invasiones de tierras por los nahuas en una área de cultivo de cítricos de la Huasteca).

La invasión de tierras significa problemas y, muchas veces, derramamiento de sangre. Unos indios mal armados no emprenden tal camino a menos de que la situación sea desesperada. Esto significa que todos los padres se ven enfrentados a un dilema crucial. Dada la crónica escasez de tierras, ¿qué hacer con los hijos varones menores? La solución ideal sería que los otros conjuntos de hermanos varones de las demás familias iniciaran una invasión de tierras, la cual liberaría nuevas parcelas para ser distribuidas a quienes permaneciesen en la comunidad. Ninguna familia puede contar con tal suerte, así que necesitan hacer planes para el futuro. Una opción, con la que cuentan sólo unos pocos, es mandar a uno de los hijos varones menores a la escuela, para que se haga maestro. Funcionarios del gobierno mexicano están deseosos de adiestrar a maestros bilingües, de modo que ofrecen diversas becas para los niños indios. Varias familias han mandado a sus hijas a la escuela regional, sobre todo a las menores, con el fin de evitarles que se casen con hombres que no están en condiciones de heredar terreno. Otra ventaja es que a los maestros les paga el gobierno y se les considera relativamente bien acomodados. No hay suficientes puestos para docencia en el propio Amatlán, pero existen buenas posibilidades de que esos hijos o hijas menores encuentren trabajo en la región y de esa manera vivan bastante cerca. Entre las opciones adicionales se encuentra la de conseguir trabajo permanente o provisional en algún pueblo de la región o en un rancho ganadero de las cercanías. En suma, una de las pocas opciones al alcance de los desheredados, aparte de invadir tierras privadas, es la de entrar en el mundo mestizo.

De vez en cuando una mujer hereda derechos sobre terrenos y un hermano varón menor, desheredado de otra familia, tiene la oportunidad de aprovechar sus tierras al casarse con ella e instalarse en su unidad doméstica. Los nahuas llaman esta práctica *monticaj*, lo que en nahua significa literalmente "él está de pariente político". Aparte de su rareza, esta opción tiene grandes desventajas, que hacen que sea una alternativa indeseable. Los campesinos convienen en que un hombre que se instala junto con la familia de su esposa está en clara desventaja. Él se encuentra separado de sus hermanos varones y es un extraño en el conjunto de viviendas de su esposa. Yo noté que las veces que el esposo se ha unido a la familia de su esposa pasa la mayor parte de su tiempo en compañía de sus hermanos varones, o trabajando fuera de la comunidad. De las cuatro familias matrilineales en Amatlán una es por completo anómala y es el resultado de factores idiosincrásicos. Los tres ejemplos restantes tienen en común el hecho de que la esposa no tenía hermanos varones o cuñados varones residentes y, por lo tanto, había heredado de su padre o de su esposo fallecido los derechos al terreno. El que estas mujeres no tuvieran ningún problema en conseguir esposos demuestra que, aunque la gente por lo general menosprecia la matrilinealidad, la necesidad del hombre de conseguir tierras sobrepasa todas las demás consideraciones. Aunque no tengo ejemplos de casos, debido al reducido número de familias matrilineales, me han dicho que si la esposa muere en tal circunstancia entonces las tierras no van al esposo sino directamente al hijo varón mayor de ambos, de manera que un hombre en tal circunstancia de verdad se encuentra al margen de la familia.

La crónica escasez de tierras es más severa para las mujeres miembro de los grupos de parentesco. Hay muchas evidencias anecdóticas en Amatlán que muestran que las cuñadas raras veces se llevan bien entre sí. Muchos las ven como enemigas naturales, que chismean sobre las demás cuñadas y se pelean. Las razones para esta relación problemática se aclaran al examinar los patrones de herencia. Una vez que una hermana se casa, efectivamente pierde sus derechos dentro del patrimonio de su familia. No obstante, a ella le conviene que sus hermanos varones permanezcan juntos, no sólo por razones sentimentales sino también porque los hermanos varones brindan protección contra esposos y parientes políticos abusivos. En suma, a la mujer le conviene que sus hermanos varones tengan tierras. Como se ha mencionado arriba, si ella enviuda y tiene hijos, está en buena posibilidad de heredar las tierras de su esposo. Sin embargo, si su esposo ya tenía hermanos varones menores, entonces puede ser que a ella no le toque nada, debido a que éstos podrían pretender que la tierra quedase en la familia de ellos. La nuera o cuñada viuda, sobre todo la que tenga niños, tiene derecho a reclamar parcelas que su suegro y los hijos varones cultivaran desde hace décadas.

Si los hermanos varones menores deciden permanecer juntos a toda costa y trasladarse para integrarse a una nueva comunidad en formación, es poco probable que incluyan a su cuñada viuda porque ella no tendría quién le trabajara la nueva tierra. Las viudas con hijos que retienen los derechos a la tierra de sus esposos contratan a hombres jóvenes de la comunidad para que la cultiven a cambio de una porción de la cosecha. En suma, la viuda muchas veces se encuentra en una posición indefensa si no tiene hijos o, sobre todo, si su fallecido esposo no era el hijo varón mayor. Sin embargo, a pesar de su posición, la viuda suele reclamar sus derechos ante sus parientes políticos en su intento de conseguir suficiente tierra para vivir. Si a una mujer se le muere el hermano mayor, lo más probable es que la viuda de éste (la cuñada de ella) herede parte o la totalidad del patrimonio original de la familia. Por lo tanto, miran a la cuñada viuda como una intrusa que podría quitarle tierra valiosa a la familia. Esta reducción en la base terrena de la familia podría socavarles a los hermanos y hermanas menores sobrevivientes la capacidad de permanecer juntos, de modo que las cuñadas son potenciales, y muchas veces verdaderas, adversarias.

Es una circunstancia rara dentro de un sistema bilateral que la hija viuda de la familia corra el peligro de perder su reclamo al componente más valioso del patrimonio familiar, mientras que una cuñada de repente puede ganarse el derecho a la tierra al morir su esposo. Sólo ocurrieron unos pocos casos de esta naturaleza durante mi residencia en Amatlán, pero causaron mucha discusión entre los campesinos. La posición precaria de las viudas en Amatlán se refleja en las estadísticas que reuní acerca de las personas que se habían marchado de la comunidad. Tengo documentación sobre 85 personas que se fueron, incluyendo información sobre qué parentesco tienen con los diversos jefes de familia. Cincuenta eran personas emparentadas mediante la esposa del jefe de familia, o eran hermanos varones menores, u otros que se habían ido de la comunidad por diversas razones. Un total de 35 de los emigrados (41%) eran las hermanas de un jefe de familia varón residente. Ocho de éstas siguieron a sus esposos, que eran hermanos varones menores, hasta las nuevas comunidades, pero las otras 27 eran mujeres a quienes, por la muerte de su esposo o por divorcio, no les quedó más remedio que irse de la comunidad. En estas circunstancias es posible que los hermanos varones de una mujer convengan en ofrecerles el amparo de sus casas a ella y a sus hijos, pero la carga financiera de mantener a dos familias hace que la situación sea muy difícil. Una excepción parece ser cuando la hermana es de edad avanzada o sin hijos en la casa; en tal caso es probable que un hermano varón le ofrezca su casa. En varios casos en que sus familias las ayudaron, las mujeres dejaron a sus hijos con miembros de la familia en la comunidad, viajaron a las ciudades para trabajar y periódicamente les enviaban dinero para su manutención. Las mujeres que se marchan en esta circunstancia se ven obligadas a participar en la economía mestiza cuando que se hace imposible continuar viviendo en la comunidad.

La viudez es común en Amatlán y por lo tanto lo que les pasa a las viudas es una cuestión crucial. Yo tengo documentación confiable sobre 33 mujeres que han perdido a sus esposos. Cuatro de ellas (y con toda probabilidad muchas más) han abandonado la comunidad, todas, menos una, para vivir con hijos que se han trasladado a comunidades hijas o que han entrado en la economía mestiza. De las 29 restantes en la muestra, seis viven solas con sus hijos o hijas solteros. Como ya se ha señalado, o cultivan la tierra de sus esposos mediante trabajo asalariado o las tareas las hacen sus propios hijos varones. De los 23 casos restantes, 12 viven con su hijo y su familia. Cuatro de las 11 mujeres restantes viven con los nietos por parte de sus hijos varones y los siete casos restantes son anómalos. En tres de éstos la viuda vive con la familia de la hija porque ninguno de sus hijos varones está vivo y en un solo caso una viuda joven regresó a vivir con sus propios padres. En los casos restantes, una mujer se fue a vivir con sus parientes políticos por parte de un previo matrimonio y las otras dos viven con parientes distantes. Hay siete casos de hombres que han enviudado, aunque en el momento de mi investigación tres de ellos se habían casado de nuevo. De los cuatro que siguen sin volver a casarse, uno vive solo, uno se fue de la comunidad, otro vive con sus hijos e hijas solteros y el último vive con su hijo casado. Aunque yo sólo he registrado tres casos en Amatlán, parece probable que los viudos con frecuencia elijan segundas esposas tomadas entre un gran número de viudas, muchas de las cuales se supone están todavía en su juventud. Mediante estas cifras también se hace claro que los hijos varones, en la mayoría de los casos, asumen la responsabilidad de cuidar a sus padres.

Los campesinos afirmaban que esta obligación de cuidar a los padres recae sobre el hijo varón menor. Esto me parecía difícil de entender, ya que el último hijo varón tiene menos oportunidades para heredar el terreno y por lo tanto de mantener a los padres ancianos. Sin embargo, de las 12 viudas que vivían con sus hijos varones, 10 de ellas de hecho vivían con el menor. Sólo dos veces hallé a viudas viviendo con el mayor de sus hijos varones y en ambos casos el último de los varones se había ido de la comunidad. La razón de esta aparente contradicción se puede encontrar en el ciclo doméstico, el cual se analizará luego con más detalle. En breve, el menor de los hijos varones es el último en ser cuidado por la madre, el último en seguir viviendo en casa con sus padres. La gente me explicó que cuando el más joven de los varones piensa casarse, éste construye una casa cerca de la de la madre para que ésta no tenga que reinstalarse, de modo que los nahuas consideran natural que él siga cuidando a uno o a ambos padres ancianos después de haber establecido su propia unidad doméstica.

Ciclos doméstico y vital

El ciclo doméstico de la familia nahua no es un conjunto fijo de etapas que están determinadas totalmente por las normas. Es más bien una progresión dirigida en parte por las normas culturales y en parte por las realidades económicas y políticas de la comunidad. Los agrupamientos de familias nucleares y extensas que hallé en 1986 no son estructuras permanentes sino pasos representativos en el ciclo evolucionista de las unidades familiares (cambios sistemáticos que ocurren en la estructura y composición de la unidad familiar a medida que los miembros pasan por las etapas de su vida). Yo he trazado, a lo largo de un periodo de 14 años, los ciclos para los 81 grupos de residencia que actualmente viven en Amatlán. Huelga decir que hay muchos factores que intervienen para que la familia haga ajustes. Por ejemplo, la insuficiencia de tierras, los pleitos, las muertes de jefes de familia o la invasión de tierras pueden causar cambios en la progresión normal de las formas de la familia (véanse Taggart 1972: 143 ss., y 1975b: 158 ss., para un análisis de factores que causan la fragmentación de los grupos domésticos nahuas).

Comenzaré mi descripción del ciclo a partir del momento en que un hombre y una mujer deciden casarse. En este caso el hombre suele estar viviendo en una unidad doméstica encabezada por su padre. La decisión de casarse señala el comienzo de la disolución de la unidad doméstica residencial de la familia nuclear. Para establecer su propia unidad doméstica el hombre joven necesita tener suficiente terreno bajo su control como para mantener a su esposa y a su futura familia. Antes de tener acceso a suficientes tierras es posible que el novio instale a su novia con la familia de él y que comparta el trabajo y la cosecha con sus hermanos varones y su padre. Esto crea una provisional unidad familiar patrilineal de familia extensa. No obstante, los campesinos expresan clara preferencia por la vida de familia nuclear y es meta de todas las parejas recién casadas establecer sus propias unidades domésticas.

Tan pronto como le es posible el novio empieza a construir una vivienda aparte, cerca de la casa de su padre, para por lo general formar un "conjunto" en el mismo claro de la selva. Si el claro ya se encuentra aglomerado, él se aleja y construye en una área adyacente. Taggert llama "segmentación" a esta división de la unidad doméstica (1975a: 348). Poco tiempo después de la boda el hombre comienza el paulatino proceso de separar sus provisiones de maíz y su presupuesto doméstico de los de su padre y sus hermanos varones ("fisión" en la terminología de Taggart, 1975a: 348). Durante el transcurso de los procesos de segmentación y fisión continúa la cooperación entre el padre y sus hijos varones dentro del ciclo de trabajo asociado con el cultivo y demás tareas, como la construcción de casas. Ya se ha mencionado que el varón primogénito recibe la mayor parte del terreno, lo cual deja a los hermanos varones menores con muy poco para mantener a sus propias futuras familias. Los campesinos me dijeron que esto no era tan problemático en tiempos pasados, cuando sobraba tierra para todos. Sin embargo, debido a la base restringida actual de terrenos, cuando el mayor de los varones se casa sus hermanos varones menores comienzan a buscar fuentes alternas para conseguir terrenos (véase más abajo).

Inicialmente la novia se instala en la casa de su esposo y se hace cargo de muchas de las responsabilidades domésticas bajo la dirección de su suegra. Las mujeres me dijeron que ésta es una época muy difícil para la joven porque ella es una extraña en la familia y los demás pueden tratarla como si fuera una sirvienta. Aun después de haberse instalado la pareja en su propia casa, la novia puede sentirse irritada por la crítica mirada de su suegra. El problema se hace peor si la novia es de otra comunidad y carece del apoyo inmediato de su propia familia. Se conocen casos en que una recién casada regresa a su comunidad después de unos pocos días para nunca volver. Suponiendo que el matrimonio funcione, la pareja tiene hijos poco tiempo después de la boda. Tanto la madre como el padre valoran mucho a los hijos y los colman de amor y atención. Éstos también legitiman el matrimonio, le dan a la nueva esposa un sentido de independencia ante los parientes políticos y después de varios años proporcionan ayuda en la casa o las milpas. Después de haber llegado el segundo y el tercer hijo, se valora en especial a las niñas porque a ellas se les da la responsabilidad de cuidar a sus hermanos y hermanas menores mientras la madre se encarga de los quehaceres domésticos.

Cuando un varón cumple los ocho o nueve años recibe su primera parcela de tierra y asume la responsabilidad de cultivarla. A él se le unen en el trabajo tanto sus hermanos varones como su padre y sus tíos. De esta manera desarrolla estrechos vínculos laborales con su grupo de parentesco y en particular con sus hermanos varones, quienes también están aprendiendo las técnicas agrícolas. Cuando el muchacho pasa de los 20 años se va sintiendo más independiente del padre y entonces puede empezar a buscar pareja. La muchacha por lo general se casa antes de los 20 años y, siguiendo la norma de patrilinealidad, se une con su esposo en el conjunto de viviendas de éste. El padre anciano suele morir primero, dejando a la viuda bajo el cuidado del menor de los hijos varones. Por lo general, cuando el menor de los varones se casa, la madre ocupa la misma casa o la de al lado y ella suele seguirlo si él se une con sus hermanos varones en una invasión de tierras. Siempre que sea posible los hermanos varones se mantienen juntos. No obstante, es como individuos que ellos controlan la tierra y su producto, de modo que, si es necesario, los hermanos varones emprenden su propio camino en busca de suficiente tierra o de sustento en el mundo mestizo. Ésta es la razón por la cual los campesinos dicen que cada persona sigue su propio camino en la vida.

La familia nahua oscila entre la unidad familiar patrilineal extensa, donde los hombres trabajan la misma tierra y mantienen en común una provisión de maíz y un presupuesto, y la familia extensa no residencial compuesta de varias unidades domésticas, donde todos los varones adultos mantienen aparte las provisiones de maíz y los presupuestos, pero trabajan juntos en las milpas de cada cual. Este patrón se refleja en lo aparentemente disperso y aleatorio del trazado de Amatlán. A medida que los conjuntos de hermanos varones mayores van teniendo hijos varones aparecen nuevos conjuntos de viviendas en la selva. La familia extensa se reduce a medida que va engendrando familias nucleares, pero el núcleo residencial se destruye sólo cuando mueren ambos padres, y el menor de los hijos varones es independiente por primera vez. Un censo de la comunidad congela este proceso, pero revela el equilibrio entre los tipos de familia existentes en un momento dado. En el transcurso de los años Amatlán ha mantenido una proporción de alrededor de dos veces más unidades domésticas de familia nuclear que de unidades domésticas de familia extensa. Sin embargo, el que hayan permanecido juntos los conjuntos de hermanos varones, que actuaran de tal manera, a pesar de las probabilidades adversas, sirve de testimonio al hecho de que la familia extensa patrilineal es el grupo de parentesco preferido.

Si examinamos los tipos de unidades familiares en términos de grado de riqueza, hallaremos que las familias dueñas de ganado tienden a vivir en unidades domésticas de familia extensa en una proporción un tanto mayor que las familias más pobres. La base de recursos más grande de estas familias puede que permita a los padres prolongar la fase de familia extensa dentro del ciclo doméstico por uno o dos años. Los llamados "vecinos", la mayoría de los cuales son las familias de los hermanos varones menores que esperan una oportunidad para conseguir terrenos, pertenecen a familias extensas no residenciales, pero tienden a vivir en unidades domésticas de familia nuclear en una proporción un tanto mayor que la comunidad en su totalidad. Debido a que estos campesinos provienen de familias con recursos más limitados, es probable que se les obligue a salir de la familia extensa residencial un poco antes de tiempo. También puede ser que sencillamente estén estableciendo un reclamo a un solar por si el terreno se hiciera disponible. Con estas excepciones menores, la proporción de diferentes tipos de unidades domésticas no parece variar radicalmente de acuerdo con el grado de riqueza en Amatlán.

Los nahuas marcan el progreso de la persona durante su vida poniéndole etiquetas a las etapas por las cuales pasa. En momentos previsibles dentro del ciclo vital, el hombre o la mujer estarán viviendo en diferentes agrupamientos residenciales. De niños o de niñas viven dentro de una familia nuclear, rodeados de tíos varones. De adultos los varones viven dentro de una familia nuclear, rodeados de hermanos varones o, en el caso de las mujeres, rodeadas de cuñados varones. Como ancianos los hombres o las mujeres viven dentro de una familia extensa residencial con el menor de sus hijos varones y tal vez la esposa y la familia del hijo. Las etapas del ciclo vital también se reflejan en parte en el vestuario distintivo que lucen las personas en diferentes momentos de su vida (véase el capítulo 2). Es significativo que los campesinos que pertenecen aproximadamente al mismo nivel generacional saben bastante acerca de cada cual y muy poco acerca de las personas de las generaciones anteriores y posteriores a la suya. De modo que, por ejemplo, las veces que yo deseaba obtener información acerca de una persona en particular me veía obligado a preguntarle a alguien dentro del mismo rango de edad. Los campesinos raras veces parecían saber mucho sobre las personas que eran mayores o menores que ellos mismos. El cuadro 4.1 resume la manera en que los nahuas dividen las etapas en la vida de la persona.

Cuadro 4.1 Etapas del ciclo de vida

Español	*Náhuatl*	
	Sexo masculino	*Sexo femenino*
1. Criatura de brazos	*pilconetsij*	*pilconetsij*
2. Niño (que ya camina)	*conetl* *conetsi*	*conetl* *conetsi*
3. Niño (de 4 a 14 años)	*oquichpil*	*sihuapil*
término alterno para niños de 10 a 14 años	*piltelpocatsij*	*pilichpocatsij*
4. Joven (desde los 14 hasta los 20 años y un tanto más)	*telpocatl*	*ichpocatl*
5. Persona adulta casada hasta alrededor de los 50 años	*tlacatl* (se le puede tratar de *totlayi,* "nuestro tío")	*sihuatl* (se le puede tratar de *toahui,* "nuestra tía")
6. Persona mayor	*huehuentsij (*se le puede tratar de *tetata,* "padre")	*tenantsij ("madre")*
7. Anciano	*tehueitata* ("abuelo")	*tehueinana* ("abuela")

Nota: Los términos de parentesco se aplican en las categorías 5, 6 y 7 aun para quienes no son parientes.

No es común que los nahuas marquen la transición entre los niveles con ritos de paso elaborados. Lo que sí celebran es un pequeño ritual de purificación, al nacimiento, cuyo propósito es más para proteger al recién nacido que para reconocer su llegada al mundo. El rito de paso más elaborado es el entierro. Los rituales funerarios requieren de enormes desembolsos monetarios en numerosas ocasiones durante varios años. Sin embargo, otra vez más, éste es un rito de paso que sirve más para proteger a los vivos que para marcar la transición del difunto (véase el capítulo 6, para más información sobre las prácticas relacionadas con el nacimiento y el entierro). La secuencia de las etapas en la vida de un nahua no está rígidamente definida ni tampoco vinculada por normas elaboradas. Tanto el ciclo vital como el doméstico permiten mayor libre albedrío por parte de los campesinos, lo cual hace que las etapas de ambos se desplieguen de manera tranquila y no apresurada (para análisis del ciclo doméstico de los nahuas, véanse Taggart, 1972: 134 y ss., 1975b: 78 y ss.; Arizpe Schlosser, 1972: 42-44, 1973: 155-180; Dehouve, 1974: 56-57; y Chamoux 1981b: 103-107; para una descripción del ciclo vital en una comunidad nahua al norte y cerca de Amatlán, véase Williams García, 1957; para estudios detallados del parentesco y la estructura familiar nahua, véanse Nutini, 1968; Arizpe Schlosser, 1973; Taggart, 1975a, 1975b; Dehouve, 1978; y Chamoux, 1981b: 68-147).

Puntos de tensión en los sistemas de parentesco de los nahuas

Después de este breve bosquejo de la organización del parentesco y de los ciclos doméstico y vital de los nahuas, ahora proporciono algunos ejemplos de cómo el sistema ha sido deformado por factores que se derivan de la apremiante situación económica y política de los indios en México. El factor que resalta es el efecto de la escasez de tierras sobre las relaciones de parentesco esenciales. Además, presento algunos ejemplos de cómo estas problemáticas relaciones de parentesco están representadas en las creencias religiosas y en los mitos de los nahuas.

Como ya vimos, Amatlán está rodeado de otros ejidos o de ranchos ganaderos de propiedad privada y hay poca oportunidad para que la comunidad expanda su base territorial. También vimos que en los últimos 45 años el incremento en la población propició tres divisiones en la comunidad y que, como en muchas comunidades indias en México, los problemas de escasez de tierras dominan la política de la comunidad y las relaciones sociales. No es exageración expresar que los campesinos consideran que la tierra es su activo más valioso y fuente de toda seguridad económica y de todo bienestar.

También vimos que, debido principalmente a la escasez de tierras y pese a un sistema bilateral de descendencia, los nahuas practican una primogenitura *de facto* donde el mayor de los hijos varones hereda la tierra. A las hijas se les impide por completo heredar algún terreno, salvo en el raro caso en que la interesada carezca de hermanos varones. Desde la perspectiva de los campesinos hay pocas opciones en el asunto porque la posesión de las tierras consiste en unidades tan pequeñas que no conviene subdividirlas. La gente me explicó que son los hombres y los muchachos varones quienes deben recibir las tierras para mantener a sus familias cuando se casan y que a su vez las mujeres reciben acceso a las tierras al contraer matrimonio. Dicen que, por lo tanto, sería un disparate dividir la propiedad de la familia tanto entre los hermanos varones como entre las hermanas.

El efecto de este sistema de heredar las propiedades es que las hermanas quedan desheredadas y los hermanos varones menores se quedan sin nada de tierra o, en el mejor de los casos, con una cantidad insuficiente. Los varones menores necesitan buscar milpas para cultivar, igual que sus hermanas necesitan buscar esposos con tierra. No es sorprendente que esta situación pueda conducir a que los hermanos varones y las hermanas se guarden rencor y que haya especial animosidad contra el mayor de los varones. Ésta es precisamente la situación que presencié en Amatlán. Pese a estos antagonismos, los hermanos varones suelen hacer todo esfuerzo necesario para permanecer juntos, y los hermanos varones mayores (y sus padres) trabajan duro para lograr que los menores y las hermanas consigan acceso a las tierras ejidales (véase Taggart, 1972:146).

De acuerdo con la información analizada, es evidente que la gente que más sufre bajo este sistema son las hijas de la familia. Necesitan conseguir varones que tengan acceso a las tierras, pero cuentan con relativamente pocos candidatos que sean hermanos varones mayores. Para una mujer, casarse con un hermano menor puede significar esperar muchos años en la pobreza hasta que su esposo pueda adquirir tierra o abandonar la comunidad para acompañar a su esposo en su búsqueda de tierras. Peor aún, lo más probable es que tenga que instalarse con los padres de su esposo por un tiempo y, como he sugerido, en el ámbito de los nahuas las relaciones entre las suegras y las nueras pueden ser hostiles.

Ya casada, una mujer no puede regresar a su casa y contar con que la mantengan. Aun cuando muera el esposo de una hermana, los hermanos varones guardan con recelo su propio acceso a las tierras y esperan que su hermana regrese con la familia de su difunto esposo. Una viuda sin hijos tiene poca probabilidad de heredar la tierra de su esposo, la cual suele ser redistribuida entre los hermanos varones de su fallecido cónyuge. Sólo si la viuda ha dado a luz a hijos, varones en particular, puede exponer un argumento realista para hacerse guardiana del terreno hasta que los hijos de su esposo cumplan la edad apta para heredarlo.

A las mujeres desposeídas o a las mujeres que se casan con hombres sin tierras les queda poca opción, aparte de irse de la comunidad. Sin embargo, al fin y al cabo, la mayoría de las mujeres se salen con la suya. Las mujeres sobreviven a los hombres en un importante número de casos y las viudas con hijos a menudo se hacen guardianas de las propiedades. Una viuda distribuye el terreno entre sus hijos varones, pero en algunos casos efectivamente logra mantener el control hasta su propia muerte. Los hombres no olvidan las implicaciones de esta perspectiva y se quejan de que no pueden confiar en que sus esposas cumplan sus mandatos cuando ellos mueran. Aun en un sistema de primogenitura *de facto,* como el de los nahuas, es posible que el mayor de los hermanos varones no consiga pleno control sobre su herencia hasta que pasen unos años después de la muerte de su padre.

Esta crónica escasez de tierras y la manera en que éstas se heredan causan determinados puntos de conflicto potencial en el sistema de relaciones entre parientes en el ámbito de los nahuas. Veamos cuatro de éstos. Primero, existe la posibilidad de que un hombre y sus parientes consideren a una mujer como un peligro para la integridad de su familia. Ella se instala en la casa de los padres de su marido y con el nacimiento de un hijo establece derechos dentro del patrimonio de la familia. Si su esposo muere, ella tiene derecho a reclamar los terrenos de la familia. Si su esposo alcanza una duración de vida normal, también es probable que ella consiga el control del terreno y haga con él lo que quiera. Además de las presiones y tensiones normales de la vida matrimonial, la cuestión de las tierras puede socavar los lazos matrimoniales.

Un segundo punto conflictivo es producto del sistema de primogenitura. Los hermanos varones mayores quedan distanciados de sus hermanos menores y sus hermanas debido a que reciben la parte principal del patrimonio. El resentimiento hacia los hermanos varones mayores en ocasiones salta a la vista. Yo documenté enemistades entre varones primogénitos y hermanos varones menores y, en el caso descrito en el capítulo 1, el cual estremeció a la comunidad, fue un hermano menor quien fue acusado de asesinar a su hermano mayor por una disputa de tierras (véase, también, Taggart, 1975a, para una análisis de la rivalidad entre hermanos nahuas).

Una tercer área de dificultad en las relaciones entre parientes nahuas producida por la escasez de tierras es el dilema de las hermanas desposeídas. Dentro de un sistema bilateral, es posible que una hermana trate de reclamar su derecho al terreno en caso de que se termine su matrimonio. Esto es una amenaza para los hermanos varones menores, quienes al fin pretenden adquirir los derechos al terreno. En todo caso, cuando las hermanas se casan, trasladan sus residencias y sus lealtades a sus esposos. Con el nacimiento de los hijos, los reclamos de una mujer a las tierras de su esposo se fortalecen, pero a la vez se debilitan los lazos con los hermanos de él.

Finalmente, un punto de conflicto radica en las tensas relaciones que pueden existir entre una viuda y las familias de sus hijos varones. Por lo general, la edad merece respeto entre los nahuas, pero pueden formarse antagonismos entre una madre viuda y sus hijos varones. Es común que los hijos estén ansiosos de que ella reparta el patrimonio. Pero quizá ella quiera mantener el control directo sobre el terreno por el mayor tiempo posible para mantener unida a la familia y para guardar su posición central en la misma. Ya se examinaron las tensiones entre las suegras y las nueras. Incluso los nietos están conscientes de que no recibirán nada directamente de la abuela, y ellos pueden ser usados como peones de ajedrez en la lucha entre sus padres y la abuela por el control del patrimonio.

En su mayoría, estas áreas de tensión son eclipsadas y se mantienen bajo control por el sentido general de solidaridad en la familia extensa. Las contradicciones en las relaciones de parentesco, producidas por la falta de acceso a las tierras, en gran parte permanecen ocultas y las familias colaboran para superar la adversidad. En particular, yo he remarcado que los grupos de hermanos varones se esfuerzan para cooperar y presentar un frente unido. No obstante, he documentado numerosos casos donde las relaciones se desbaratan a la altura de uno o más de estos cuatro puntos y las luchas y hostilidades salen a la luz.

Un punto donde se revelan las contradicciones entre los parientes se encuentra en las creencias en torno a los seres sobrenaturales y en los mitos y cuentos que se narran entre los campesinos. He aquí cuatro breves ejemplos que sirven para ilustrar las cuatro áreas de tensión descritas arriba.

El primer ejemplo se encuentra en un mito acerca de *apanchanej,* el espíritu femenino de las aguas. En el cuento, un hombre sale a pescar todos los días y de regreso trae la pesca para que su esposa la cocine. Sin que él lo sepa, en cada ocasión la esposa le da parte del pescado cocido a otro hombre y esto enoja mucho a *apanchanej*. Ella se queja de que el pescador está lastimando o matando a algunos de sus hijos, los peces, y de que la esposa del pescador a su vez está regalando la pesca. El espíritu del agua envía a otro de sus hijos, el caimán, que primero le cuenta al pescador lo que está haciendo su esposa y luego se lo come. El pescador corta el hombro del caimán como puerta de salida y se escapa. Durante el escape, al hombre le cae en el cuerpo sangre del caimán. Él llega a su casa y la piel empieza a picarle a consecuencia de las manchas de sangre. La irritación se hace desesperante y, buscando alivio, se lanza al fuego de la cocina y muere.

He aquí una esposa que en forma ilegítima enajena la propiedad de su esposo, de manera que pone en peligro las relaciones entre él y el espíritu de las aguas, lo cual al final conduce a la destrucción del marido. La esposa es retratada como alguien con sus propios intereses y que, de manera no importa cuán inocente, subvierte el duro trabajo de su esposo y le frustra sus mejores intenciones. Ella también lo sobrevive. En síntesis, este cuento del espíritu de las aguas expresa la subyacente tensión entre un hombre y su esposa, un mensaje que sería reconocido por la mayoría de los nahuas que lo escuchara.

El segundo ejemplo involucra al desapegado hermano mayor. Para ilustrar esta área de tensión en el sistema de parentesco relataré una creencia entre los campesinos, que oí repetir docenas de veces tanto a legos como a chamanes. El diablo, conocido como *tlacatecolotl* (término náhuatl para "hombre búho"), es considerado el hermano mayor de *toteotsij* (náhuatl para "Dios", "el Sol" o "Jesús"), de modo que las fuerzas de las tinieblas tienen la ventaja en el mundo y la gran batalla entre Dios y el diablo se explica en esta creencia como una lucha entre los hermanos varones mayores y los menores. Esta bien difundida creencia también resuena entre los campesinos que se enfrentan ante la competencia de la vida real con sus hermanos mayores por las tierras y los medios del sustento.

El tercer ejemplo considera las tensas relaciones con la hermana desapegada. Los nahuas cuentan un mito acerca del espíritu del fuego, *xihuantsij,* el cual revela la posición de la hermana entre los hermanos varones. Sin saberlo, una mujer estaba casada con *xihuantsij*, "Juan Flojo" en español. A Juan le gustaba pasar todo el día sentado junto al fogón, aprovechando el calor, mientras que sus cuñados salían a limpiar el bosque y preparar sus milpas. El grupo de hermanos se quejó con la hermana por la inactividad del esposo, pero ella defendió a Juan Flojo. A la larga, Juan se enojó y arremetió contra los hermanos de su esposa. Proclamó que haría más trabajo en un día que lo que todos ellos juntos podrían hacer en un mes y que luego se iría de la comunidad. Orinó en forma de una cruz, le prendió un cerillo y quemó una gran sección de la selva para su milpa.

Él se llevó consigo el fuego, de modo que los hermanos ya no podían preparar sus milpas. Antes de marcharse, Juan Flojo le dijo a su esposa que preparara la masa de maíz para la comida de manera usual. Cuando ella le preguntó cómo esperaba que calentara el comal sin fuego, él contestó que ella debía cocinar las tortillas bajo su axila. Mientras tanto, los hermanos de ella estaban desganados por falta de alimentación. Le preguntaron a su hermana por qué lucía tan bien alimentada mientras que ellos se morían de hambre. Ella explicó que su esposo se había encargado de ella antes de irse y que ellos tenían la culpa de que Juan Flojo hubiera desaparecido. Al fin ella los convenció para que hicieran una ofrenda a su esposo y lo trataran con respeto, y así el fuego le fue devuelto a la comunidad.

En este mito vemos a una hermana que optó por una de las partes cuando sus hermanos acusaron a su esposo de flojera. Ella defendió a Juan Flojo en contra de sus propios hermanos y a cambio su esposo se hizo cargo de ella. Al buscar sus propios intereses, los hermanos enajenaron a su hermana. A la larga, habiéndolos obligado a respetar a su esposo, ella pudo resolver los antagonismos que ellos causaron. La escena presentada por este mito es la de una hermana atrapada entre los intereses de su esposo y los de sus hermanos. Tan marginal posición para las mujeres es demasiado real en la vida campesina, y desafortunadamente no se resuelve con facilidad.

El ejemplo final se refiere a la abuela desapegada de la familia. Los nahuas cuentan un mito importante acerca del espíritu del maíz, llamado *chicomexochitl* ("7-flor" en náhuatl), quien a veces se representa como un niño pequeño de pelo rubio. Un día, mientras la abuela de *chicomexochitl* cuidaba al niño, ella decide matarlo. Primero, intenta ahogarlo, pero milagrosamente él reaparece. Luego, lo mata y lo entierra en la milpa. De nuevo él reaparece. El mito se vuelve bastante complicado, pero la secuencia de homicidio y reaparición se repite varias veces. El mito recrea el ciclo de siembra y cosecha en la agresión entre la abuela y el nieto. De nuevo, el mito tiene significado para los oyentes nahuas, quienes han experimentado o por lo menos pueden comprender el potencial de hostilidad entre abuelos y nietos.

Cada uno de estos puntos de conflicto en las relaciones de parentesco nahua puede vincularse directamente con la escasez de tierra que enfrentan los indios en el sur de la Huasteca y fundamentalmente con la posición de las comunidades indias en México. La escasez de tierras impone distorsiones en la pauta de obligaciones y expectativas que constituyen las relaciones nahuas de parentesco. Hay que entender el parentesco nahua como producto de la historia, pero hay que dar igual importancia al analizarlo en relación con las fuerzas nacionales y regionales que a diario influyen hasta en las más íntimas relaciones de las familias indígenas. El hecho de que las relaciones de parentesco funcionen tan afablemente y que la familia extensa mantenga un alto grado de solidaridad ante la adversidad puede explicarse en parte por la válvula de seguridad que suministran éstos y otros mitos. Al escuchar mitos cuyas tramas se basan en las problemáticas relaciones de parentesco, la gente quizá puede aclarar y exteriorizar sus a veces ambiguos sentimientos para con sus parientes (véase Taggart, 1977, para un análisis de las narraciones nahuas relacionadas con las desviaciones en las relaciones familiares).

En el improbable caso de que hubiera disponibilidad de abundantes terrenos cultivables, yo diría que cada uno de los hermanos varones menores recibiría suficientes milpas, las hermanas tendrían buena probabilidad de casarse con hombres con suficientes tierras y muchas de estas áreas de potenciales tensiones en la familia nahua quedarían reducidas o eliminadas.

Parentesco ritual

El *compadrazgo* como costumbre para establecer lazos de parentesco ritual con las demás personas está muy difundido por toda América Latina. Es, en especial, importante entre los indios de Mesoamérica. En Amatlán el sistema del compadrazgo no está bien desarrollado si se comparara con otras comunidades en México; sin embargo, es un importante factor en la organización social de la comunidad. Lo que quiero subrayar aquí es la manera en que éste funciona como sistema en Amatlán. Al principio quedé perplejo ante la existencia de un sistema de parentesco ficticio que funciona en paralelo a un sistema de parentesco bilateral que relaciona al individuo con gran número de personas, tanto del lado materno como del paterno de la familia. ¿Por qué tener parentesco ficticio cuando el sistema real es tan completamente inclusivo? Mientras investigaba este problema, incluso se me pedía constantemente establecer relaciones de parentesco ritual con muchas personas. Al final llegué a ser *comparej* (palabra náhuatl derivada de *compadre* del español) de muchos adultos y *teotaj* (náhuatl para "padrino") de docenas de niños y niñas. Muchas veces pregunté a las personas acerca del compadrazgo y respondían que los parientes rituales ayudan cuando uno lo necesita: están allí para brindar apoyo económico y un sentido de seguridad social para la familia. Cuando les señalaba que los hermanos varones y demás parientes ofrecían lo mismo, las personas respondían que muchas veces no había suficientes parientes consanguíneos viviendo cerca.

De modo que para los campesinos el parentesco ritual extiende el sistema de parentesco real para incluir a personas con quienes bajo circunstancias normales no se puede contar en tiempos de necesidad. Este razonamiento, proporcionado por los mismos campesinos, revela una característica interesante de su sistema de familia extensa. La cooperación mutua entre parientes se limita a los hermanos varones, a ambos padres y a los hijos. Cualquier persona con parentesco más distante necesita un motivo adicional para animarse a actuar. Así que entre los nahuas el núcleo de parientes con quienes se puede contar para ayuda mutua es de verdad bastante reducido. Por supuesto, la ventaja de una red tan restringida consiste en que es correspondientemente reducido el número de personas que cuentan con la lealtad o cooperación de cierta persona en particular. El sistema de parentesco ritual permite a las personas elegir "parientes" con quienes desean cooperar. Hay otra ventaja del parentesco ritual que a veces se pasa por alto. Las relaciones de parentesco ritual pueden permanecer inactivas por largos periodos de tiempo. En cualquier momento dado cada persona en Amatlán puede reclamar literalmente docenas de vínculos de parentesco ritual. Pero es posible que sólo unos pocos de estos estén realmente activos y se presten para la ayuda mutua. Es muy probable que la flexibilidad de este sistema de parentesco sea una de sus mayores ventajas sobre el parentesco real.

El papel más importante del parentesco ritual que pueden desempeñar un hombre y su esposa es que les pidan ser padrinos del hijo o la hija de otra pareja. Los campesinos siempre conceptualizan el compadrazgo como un lazo ritual entre una pareja adulta y un niño. La pareja compra ropa y juguetes para el niño o la niña y por lo general se encargan de su bienestar. Si algo les llega a pasar a los padres, los padrinos se ven obligados a recibir al niño o a la niña como a uno de los suyos. Claro está, sin embargo, que el vínculo clave en el sistema está forjado por los cuatro adultos que toman parte. En esencia, padrinos pasan a ser los compadres de los padres del niño o la niña. Los adultos entre sí se llaman *comparej* o *comarej* (a veces *compalej* y *comalej*), derivados de *compadre* y *comadre* del español (la figura 4.1 incluye una lista de los demás términos utilizados por los participantes en el rito del compadrazgo). En esta importante relación, tanto el niño o la niña, así como sus padres, muestran respeto a los padrinos.

La manera en que se llevan a cabo este tipo de relaciones en Amatlán es que en ocasiones especiales —o asociadas con rituales— una persona le pregunta a otra si está dispuesta a hacerse pariente ritual. Tales peticiones vienen de parte de quienes ya son amigos y con quienes en previas ocasiones se ha participado en el mutuo obsequio de pequeños regalos y en la ayuda mutua, normalmente en relación con la construcción de casas o con el trabajo en las milpas. En las relaciones de parentesco ritual existe un grado de jerarquía que se expresa en manifestaciones de respeto. La persona que pide entrar en la relación necesita mostrar cortesía y deferencia hacia la persona o la pareja con quien desea establecer la relación. Esta relación de respeto continúa siempre que el vínculo ritual se mantenga activo. Debido a que el parentesco ritual se realiza dentro del marco de alguna importante ocasión comunal o personal, mientras más significativa sea la ocasión, más fuerte será el vínculo ritual, de modo que cada persona calcula el potencial rendimiento que ha de recibir de cada pariente ritual y sopesa la solidez del vínculo mediante la cuidadosa selección de la ocasión propicia para crear el vínculo. Es posible que cualquier ritual pueda servir como oportunidad para establecer vínculos de parentesco ritual. El tiempo posterior a la ofrenda mayor durante el ritual del solsticio de invierno *(tlacatelilis)* es una ocasión muy socorrida.

Los vínculos de parentesco ficticio por lo general se establecen durante una corta limpieza ritual celebrada por el chamán de la comunidad. Después de que el chamán canta y dedica una pequeña ofrenda, los nuevos compadres y comadres se dan la mano y se tratan entre sí según sus nombres rituales. Es evidente que el vínculo de parentesco ritual se comienza a deteriorar cuando las personas reinician el trato entre sí según sus nombres de pila en lugar de usar los términos rituales. Por lo visto, la mayoría de los lazos rituales caen poco a poco en tal negligencia. Para mantener la relación se requiere de mucho esfuerzo, no sólo en cuanto a utilizar la terminología formal, sino también para mantener el flujo de pequeños regalos y favores. La prueba mayor del buen estado de los lazos imaginarios de parentesco ocurre durante el periodo posterior a una ocasión ritual llamada *xantoloj*, la cual está relacionada con las celebraciones del Día de Muertos. Durante este tiempo los parientes rituales se ven obligados a llevar regalos de comida —sobre todo manjares como tamales rellenos de carne— a las casas de los parientes rituales. No participar en el intercambio es señal definitiva de que la relación se encuentra moribunda.

Es difícil especificar con precisión lo que implican las obligaciones del parentesco imaginario para los participantes. Los parientes rituales se comprometen a apoyarse entre sí, pero es claro que sus obligaciones no alcanzan el apoyo mutuo que muestran los hermanos varones. Durante el juicio por homicidio relatado en el primer capítulo, el hecho individual que escandalizó a la gente casi tanto como el acto de homicidio en sí consistió en que la víctima y el autor del crimen eran compadres. Cabe recordar que Lorenzo pensaba que nadie podría sospechar de él debido a su vínculo de parentesco ritual con el hombre fallecido. Un vínculo individual de parentesco ritual puede variar en el peso que conlleva, según la situación y las personas involucradas, pero los múltiples vínculos de este tipo, para los miembros de la familia de un individuo o entre un grupo de familias emparentadas entre sí, son mucho más importantes y constituyen obligaciones que son difíciles de evadir. Romper los lazos de parentesco ritual implicaría que la persona no tiene integridad y que nadie puede confiar en ella. Yo fui testigo de cómo funciona esto cuando Raúl me llamó a un lado una noche para que habláramos en privado.

Raúl y yo apenas nos llevábamos bien. Él era una persona con quien era difícil hablar y tenía unos modales bruscos que a veces parecían groseros y dominantes. Al estar apenas embriagado se volvía algo agresivo y aunque yo nunca había tenido ningún enfrentamiento con él, tengo que admitir que me hacía sentir miedo. Lo curioso de Raúl era que, aunque él y yo por lo visto nunca íbamos a establecer ningún vínculo de amistad, todos sus hermanos me daban la bienvenida.

De hecho, yo ya era pariente ritual de muchos de los hombres y las mujeres de su familia extensa y de varios de sus amigos. Él me llamó una noche a las 3:00 a.m. después de haber concluido el ritual de cuatro días del solsticio de invierno. Salimos y cuando yo lo acompañaba silenciosamente por entre el frío y negro bosque, de repente se detuvo en el sendero. Yo no estaba seguro de cómo interpretar lo que pasaba, pero de hecho empecé a preocuparme. Él volvió la mirada, acercó su rostro cerca del mío y con una voz respetuosa y casi inaudible me pidió que fuera su compadre. Reí para mis adentros por mi miedo anterior y con alivio consentí a su petición. Parece que él lo tenía planeado porque su esposa y sus hijos ya estaban listos en la capilla cuando entramos. El chamán efectuó la breve limpieza, nosotros volvimos la mirada y nos dirigimos el uno al otro dándonos el trato según nuestros nuevos nombres rituales, y él y su esposa me invitaron a comer con ellos el día siguiente.

Luego Raúl se volvió muy amistoso y servicial conmigo. Un poco después fue que me di cuenta de que, al yo tener compadres entre su familia y sus amigos, me habría sido casi imposible rechazar su petición. Esto funciona también de otras maneras. Por ejemplo, si Raúl o uno de sus hermanos varones quisiera pedirme dinero prestado yo tendría que pensarlo bien antes de negárselo. Una presión sutil se forma entre más grande es el número de vínculos que uno tiene con un grupo definido o con una facción dentro de la comunidad. Negar la petición de un compadre significa poner en peligro varias otras relaciones. Sin embargo, el sistema funciona en ambas direcciones y el compadre necesita tener cuidado de no presentar exigencias desproporcionadas por temor a que pudiera amenazar a los demás miembros de la red. Todo esto muestra una de las mayores funciones del sistema de parentesco ritual: si se aprovecha con prudencia, puede vincular a las familias en poderosas coaliciones que a la vez pueden influenciar o hasta controlar las decisiones políticas de la comunidad. Los individuos necesitan evaluar la situación política de la comunidad antes de presentar o aceptar peticiones para entrar en relaciones de parentesco imaginario. Esto es especialmente cierto debido a la índole jerárquica de los lazos del compadrazgo.

Otras dos funciones del compadrazgo son importantes en Amatlán. Con frecuencia se utiliza el sistema para hacer que los hombres se reúnan en grupos de trabajo relativamente estables que suelen rodear a un núcleo de entre dos y cuatro hermanos varones. El parentesco ritual añade otra razón por la cual los hombres entran en acuerdos de intercambio laboral que constituyen una parte esencial de la agricultura de barbecho y quema: la existencia de un grupo de hombres con quienes un solo agricultor puede contar las veces que se haga necesario proporciona un importante sentido de seguridad. Los hombres que construyen sus casas dentro del conjunto de sus amigos casi siempre están vinculados con ellos mediante el parentesco ritual. La segunda función característica del compadrazgo consiste en que éste se emplea para unir a los miembros de la comunidad con forasteros. Estos pueden ser indios de otras comunidades, incluyendo a los que no son nahuas o a mestizos de ranchos o pueblos vecinos. Los vínculos que establecen los campesinos con los indios de las comunidades vecinas abren horizontes sociales que de lo contrario serían difíciles de penetrar. Tales relaciones ofrecen un pretexto para conocer a personas, una razón para estar en una comunidad extraña, una fuente potencial para conseguir parejas para el matrimonio y muchas otras ventajas. De igual manera, los vínculos con los mestizos locales pueden otorgar muchos beneficios, el no menos importante de los cuales es suministrar una probable fuente de ingresos mediante el empleo asalariado durante las malas épocas. A su vez, a un ranchero le gusta tener compadres indios porque puede contar con ellos para que suministren mano de obra las veces que la necesite. Con frecuencia es el indio el que inicia tal relación y esto coloca al ranchero en una posición superior. Por esta razón el parentesco ritual de ranchero-indio muchas veces asume la característica de patrón-cliente (véanse Nutini y Bell, 1980, y Nutini, 1984, para un relato exhaustivo del parentesco ritual en el estado de Tlaxcala).

Política, parentesco y la cuestión agraria

Dentro de un ámbito comunal los asuntos políticos pueden ser extremadamente complejos. Una de las pocas pautas claras en la política de Amatlán es la de que la mayoría de los conflictos se desarrolla en torno a estrategias para obtener más tierras. Estas luchas están relacionadas con el sistema de parentesco de dos maneras. En primer lugar, el intento de adquirir tierras adicionales tiene el propósito de mantener intacta a la familia extensa. En segundo lugar, la acción política de la comunidad toma lugar entre facciones que se forman, en gran medida conforme a las líneas de parentesco.

Las personas que se muestran más activas al presionar por más tierras para establecer nuevas milpas son los llamados *vecinos*, o sea, los campesinos que no son miembros *certificados* del ejido y que por lo tanto no tienen su plena dotación de tierra. Estos vecinos son los que más ganan mediante la acción política radical y la mayoría de ellos son jóvenes y enérgicos. A medida que sus números se incrementan, ellos se reúnen bajo dirigentes locales que prometen ayuda. Algunos trabajan mediante vías oficiales y contratan a abogados para presentar sus casos ante la comisión agraria. Sin embargo, éste es un proceso formal de largo plazo con muchas demoras que muchas veces conduce a las personas a creer que están siendo estafadas. Dicho proceso peticionario es financiado por los pagos que cada unidad doméstica le hace a dirigentes formales e informales. El comisariado es el funcionario encargado de dirigirse directamente a las autoridades en busca de más tierras, pero se da por entendido que esta persona es un campesino *certificado* ya con derechos a tierras y casi siempre miembro de una facción un poco más conservadora y partidaria de actuar según procedimientos legales. A medida que se intensifica el desagrado, otros líderes de la comunidad surgen y prometen tomar acción directa, cuya forma más común es la invasión de tierras.

Yo hablé con muchos campesinos acerca de este proceso y me dijeron que después de varios años de dar dinero para financiar las peticiones la mayoría de los campesinos presume que ya pagaron por el derecho a ocupar las porciones ociosas de los ranchos ganaderos vecinos. Comienzan por limpiar y sembrar una área para averiguar cuál será la respuesta del rico ganadero. Si la reacción no alcanza a ser hostil, durante el segundo año es posible que varias familias lleguen a construir casas en las tierras expropiadas. Antes de cumplirse el tercer año ya se reubicaron suficientes personas como para crear una nueva comunidad. Ésta es la secuencia de sucesos que condujo a la creación de las dos más recientes comunidades hijas de Amatlán. Pocos meses después de una violenta reacción inicial por parte del dueño del rancho ganadero, la gente regresó y de nuevo sembró los cultivos. Estos dramas ocurrieron hace varios años y hasta el momento no ha habido represalia alguna por parte del terrateniente o sus representantes contratados. Ninguna de las dos comunidades ha logrado ser reconocida como ejido, pero debido a que han ocupado el área por tanto tiempo las personas cuentan con que por lo menos los dejen en paz.

También sucede que estallen enfrentamientos entre las comunidades. En 1977 las autoridades de Amatlán presentaron una petición formal ante las autoridades agrarias para que se añadieran dos hectáreas adicionales a la dotación de cada unidad doméstica. Siguiendo la estrategia tradicional, al no recibir respuesta alguna a esta petición, un grupo de unas 20 familias simplemente abrió milpas en las tierras de un rancho ganadero vecino y comenzó a sembrar. Surgieron problemas, esta vez no con el dueño del rancho sino con la gente de una de las comunidades hijas de Amatlán. Estallaron las hostilidades entre las comunidades, resultando en la muerte de un hombre. Esto fue lo que condujo al arresto y casi asesinato de Aurelio, el cual se relató en el capítulo 2.

Esta comunidad hija también estaba en proceso de expansión, para acomodar a una creciente población, más que todo resultado de familias individuales que se reubicaban desde otras partes de la región. Los habitantes que previamente habían sido de Amatlán daban la bienvenida a estos recién llegados porque pensaban que mientras más personas ocuparan cierta área menos probable sería que el asentamiento entero se viera obligado a salir. Por desgracia, esta comunidad no tenía espacio para expandirse salvo en dirección hacia Amatlán. El que dos comunidades se expandieran en forma ilegal hacia un mismo terreno representaba una fórmula para el desastre. Tres hermanos, uno de los cuales era comisariado durante esa época, condujeron a otras familias de Amatlán a que hicieran valer su propio control sobre las tierras. Apostaron guardias en las milpas y patrullaron el área con machetes desenfundados. Debido a que la comunidad cismática era notablemente más pequeña que Amatlán, sus miembros se vieron obligados a ceder. En 1986, cuando estaba por salir de la comunidad, el asunto al parecer se había resuelto en favor de Amatlán. La gente de la comunidad hija había sido rechazada y el comisariado de Amatlán de nuevo había solicitado en la forma debida que se anexaran a la comunidad las tierras adicionales. No se había recibido respuesta alguna del gobierno, pero al pasar de cada año los campesinos se sentían cada vez más seguros de recibir un fallo positivo.

Como se puede observar, hasta en una comunidad pequeña nadie lucha solo. Es posible que algunos individuos mueran o sean encarcelados, pero el proceso político de la comunidad tiene que ver con la formación de facciones, y éstas se forman en torno a familias, que casi siempre son conjuntos de hermanos varones. De vez en cuando la política divide a los hermanos, pero es raro. Lo más común es que las batallas que los hermanos enfrentan sean para poder permanecer juntos. El alcance de la familia extensa nahua es algo limitado, de modo que se cuenta con los lazos de parentesco ritual para vincular a miembros adicionales con cada facción. En suma, lo que caracteriza la política de Amatlán son la formación, la disolución y el reajuste de las facciones de la comunidad, forjados por los grupos familiares ante las cuestiones de la adquisición de tierras.

Cuando hablé con los nahuas sobre estos problemas, ellos me dijeron que han trabajado duro por la tierra y el maíz, el cual es su metáfora para el alimento. Han pagado con sangre y con luchas interminables. Pero al carecer de autoridad política central no han podido actuar de manera concertada para garantizar sus derechos. El enemigo es aquel que ocupe tierras necesarias, sea indio o mestizo. Los nahuas con frecuencia comentan sobre sus vecinos ricos, los rancheros ganaderos, de quienes critican la gran cantidad de tierras que controlan. No obstante, muchas veces muestran igual negatividad para con las vecinas comunidades indias y la potencial amenaza que representan. Los campesinos tienen un claro concepto de lo que es ser indio en un mundo mestizo, pero no identifican al enemigo exclusivamente como mestizo. Los campesinos han forjado demasiados vínculos con este grupo, mediante el parentesco ritual, la dependencia económica, los muchos parientes que viven en las ciudades y los pueblos y mediante las esperanzas de hallar un lugar para sus hijos e hijas menores dentro de la sociedad mestiza. Los nahuas de Amatlán se encuentran en un tremendo aprieto: para conservar su identidad como indios necesitan mantener seguro su acceso al mundo mestizo. Organizarse como indios amenazaría ese acceso y socavaría su propia identidad cultural.

El breve esbozo de la organización social nahua presentado en este capítulo sirve para resaltar la posición independiente que ocupan los indios en México. El Consejo de Ancianos de Amatlán, aunque todavía importante en la toma de decisiones en la comunidad, ha sido suplantado por los cargos ejidales ordenados por los legisladores del mundo urbano. Sin embargo, ambas estructuras políticas formales parecen ser casi periféricas a la formación de facciones y la lucha por la tierra, la cual es el verdadero asunto de la actividad política de la comunidad. Hemos visto la manera en que el sistema de parentesco de los nahuas ha sido deformado por el estatus subordinado de comunidades tales como Amatlán en relación con las fuerzas políticas y económicas tanto regionales como nacionales. Aunque la organización del parentesco y familia de los nahuas haya pasado la prueba ante severas tensiones, la pauta de obligaciones y expectativas que guía las interacciones entre los parientes se ha distorsionado internamente. Estas distorsiones penetran toda la organización social de los nahuas y se pueden observar no sólo en el ciclo doméstico, el cual impone tensiones en los nuevos matrimonios, sino también en la fisión (división) de comunidades, la cual amenaza con deshacer a la familia nahua. Como hemos visto, las mujeres nahuas pagan un alto precio gracias a estas presiones. Son ellas —las hermanas, las esposas y las madres— quienes tienen que depender de los miembros masculinos de la familia, de los esposos y de los parientes políticos para sobrevivir y, aun más, las lealtades conflictivas y la competencia por las tierras las marginan del apoyo que necesitan. Para hacer más clara la dinámica de vida en Amatlán, ahora pasaremos a examinar los factores económicos, tanto locales como regionales, que más influyen en los campesinos, quienes luchan por beneficiarse a sí mismos y a sus familias mediante un sistema que parece actuar en su contra.

1. Casas de una familia patrilineal extensa agrupadas cerca de la orilla de un claro del bosque (foto: cortesía de Paul Jean Provost).

2. Una casa nahua típica en el pueblo de Amatlán.

3. Niñas posando junto a la escuela.

4. Niños nahuas frente a la escuela en espera del comienzo de clases.

5. Una mujer nahua, con su hija, trabaja en un bordado dentro de su hogar.

6. Una mujer de Amatlán posa para la fotografía y luce su blusa recién bordada.

7. Hombres de Amatlán descansan frente al palacio municipal de Ixhuatlán de Madero, en un día de mercado.

8. Hombres cultivando una parcela con bastón plantador. Nótese la ausencia del vestido blanco tradicional de los indios en esta fotografía tomada en 1986.

9. Una mujer de Amatlán fabrica una gran vasija de arcilla para el nixtamal.

10. Sentado delante del altar de su casa, un chamán corta figuras de papel para preparar un ritual de curación.

11. Una mujer chamán nahua interpreta el despliegue de los granos de maíz durante un ritual de adivinación. Nótense los cristales, las monedas y otros objetos colocados en orden sobre la tela bordada.

12. Un chamán canta ante una ofrenda ritual a *tlaltetata* ("nuestro padre tierra" en náhuatl). El espíritu de la tierra es representado por un pequeño agujero en el suelo donde el chamán vierte comida y bebida al final de su canto.

13. Una mujer chamán nahua adivina por medio de un cristal.

14. Uno de los altares típicos montados por cada familia en Amatlán para celebrar *xantoloj* ("Fiesta de Todos Santos"). Las velas encendidas indican que los espíritus de la muerte están consumiendo la comida que se puso en el altar. Nótense el arco cubierto de frutas y flores, y los dorados pétalos de *cempoasuchitl* ("20-flor", "flor de muerto") en el suelo, formando el *xochiojtli* ("sendero de flores") que siguen los espíritus de los muertos para encontrar su camino al altar.

15. Los *mecos* circulan alrededor de la comida puesta en bancos antes de ponerse en cuclillas para comer. Este procedimiento asegura que los espíritus potencialmente peligrosos del inframundo, representados por los *mecos,* no regresen al pueblo.

16. Un hombre de Amatlán se arrodilla y reza ante un altar en la cima del cerro sagrado. El altar está construido en el punto donde el sol de la mañana toca primero el suelo del pueblo. Nótense las decoraciones deterioradas por la intemperie y las figuras de papel.

17. Algunos de los danzantes actúan durante el *tlacatelilis*, ritual del solsticio de invierno dedicado a *tonantsij*.

18. Altar nocturno para *tonantsij* durante la celebración del *tlacatelilis*, cuando su imagen se lleva para bendecir cada casa del pueblo. El chamán que presidía el ritual dijo que las dos estatuas, que flanquean la caja azul que contiene a *tonantsij*, representan el espíritu del trabajo y su mujer. Obsérvese el chamán apenas visible en el primer plano, cantando ante el altar.

19. Vista de cerca de un altar dedicado a los espíritus del maíz, *chicomexochitl* ("7-flor") y *macuili xochitl* ("5-flor"). Sobre éste se encuentran visibles las imágenes de papel de 5-flor, que llevan puestos vestidos de tela.

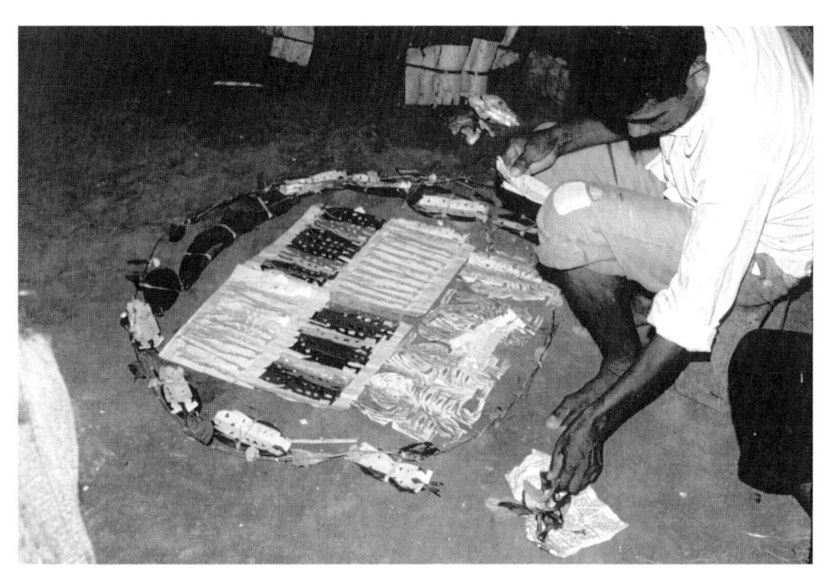

20. Un chamán ordena las imágenes de papel de los espíritus del viento y las hierbas sagradas, en preparación de un ritual curativo.

21. Al preparar un arreglo de imágenes de papel y ofrendas, el chamán enciende cigarrillos que luego colocará en la boca de los espíritus malévolos del inframundo. Nótense las pequeñas figuras de papel dobladas con los nombres escritos en ellas, que el chamán ha puesto encima de las imágenes ennegrecidas. Los pequeños cortes representan los espíritus de los vecinos chismosos, cuya conducta ha provocado la enfermedad del cliente del chamán. Al doblar las manos de las figuras sobre sus bocas, el chamán puede impedir que sigan diciendo cosas malas.

22. El chamán del pueblo limpia a su paciente con hojas nuevas de la palma sagrada, para librar su cuerpo de los espíritus del viento.

23. Pamela y Michael ayudan a preparar adornos para ofrendar al espíritu del maíz.

24. El autor ayuda a un chamán a completar una ofrenda al espíritu de la tierra. Después de colocar las velas de cera de abeja, extenderán comida y bebida sobre los adornos de palma verde que están debajo de la pequeña mesa del altar.

25. Un adorno llamado *eloconetl* ("niño de elote") representa el espíritu del maíz 7-flor. Está hecho de tres mazorcas de maíz atadas juntas. El chamán dijo al autor que una mazorca es la columna vertebral del espíritu y las otras dos son su cara. Después de adornarlo más, el envoltorio será colocado en el altar para recibir las ofrendas. Luego del ritual, la familia le quitará el pañuelo y conservará el adorno de maíz en el altar de su casa.

Capítulo 5
Actividades económicas y productivas de la unidad familiar en Amatlán

Una vez presentado el trasfondo descriptivo en los primeros cuatro capítulos, ahora haré un resumen de las principales características de la economía de Amatlán. Como ya se mencionó, cada una de las formulaciones teóricas presentadas en el capítulo 1 sugiere que la vida comunitaria está organizada en torno a principios económicos que se distinguen de aquellos que rigen dentro del sector capitalista de la economía nacional. Las teorías a veces contienen caracterizaciones tácitas sobre las economías comunitarias, como si estuvieran basadas en principios de reciprocidad y cooperación, y en el imperativo de continuar con la tradición más que en decisiones estratégicas dirigidas a obtener ganancias. Aun Friedlander y Bartra, quienes sostienen que la cultura india ha sido prácticamente destruida, basan sus conclusiones en la afirmación de que los indios han sido incorporados al sistema capitalista y que, por lo tanto, han perdido sus identidades culturales y económicas distintivas. En este estudio no me es posible resolver añejas polémicas dentro de la antropología sobre la verdadera naturaleza de las economías no capitalistas. Sin embargo, los resultados de mis investigaciones en Amatlán no respaldan la opinión de que los nahuas siguen preceptos culturales de manera inconsciente y sin tomar las decisiones estratégicas que caracterizan la supuesta manera en que las personas se desempeñan dentro de un sistema capitalista. Por el contrario, mis resultados más bien sugieren que los nahuas, dentro de su propio contexto sociocultural, destinan sus escasos recursos hacia fines alternos, de acuerdo con principios racionales. Además, hallé que donde la economía comunitaria se articula con el sector capitalista nacional, los campesinos se muestran bastante explícitos en su planificación estratégica racional (para un informe sobre hallazgos similares entre los indios de Guatemala, véase Tax, 1972 [1953]).

Cuando los habitantes de Amatlán charlan entre sí, los temas que les interesan incluyen la política local y los chismes, pero, ante todo, les gusta conversar sobre la agricultura, la inflación y las mejores maneras de vencer al sistema. Las noticias corren rápido en cuanto a oportunidades para el trabajo temporal en los ranchos ganaderos vecinos, y a los hombres les encantan las interminables conversaciones que evalúan las cosechas o que recuerdan los ejemplos de estratagemas mediante las cuales otros indios se han hecho "ricos". Muchas personas llegaron incluso a pedir mi consejo acerca de cómo podrían aumentar su producción o sobre cuál sería la mejor época para vender sus excedentes. Pronto descubrieron que mi pericia les era inútil en estas áreas, pero me di cuenta de que si estas personas de veras estuvieran apegadas a las rígidas normas culturales, entonces no evaluarían las estrategias económicas hasta tal extremo. Mi intención no es insinuar que el comportamiento economizador y la visión del mundo de los indios sean idénticos a los de los rancheros capitalistas o los intermediarios mestizos. Los factores sociales y culturales hacen que cada grupo sea distinto. Además, los indios casi siempre se encuentran en el peldaño inferior de la pirámide económica y este hecho de seguro afecta sus opciones estratégicas. Debido a que los indios ocupan su propio mundo socioeconómico y por ende tienen un estilo diferente para maximizar sus opciones, los analistas de Occidente han tendido a malinterpretar sus actividades. El éxito competitivo de las empresas japonesas en el mundo debería servir como advertencia de que el modelo euroamericano, tal como se sigue en el México urbano capitalista, no es la única manera de hacer negocios.

En Amatlán hombres y mujeres trabajan para beneficio de los miembros de sus propias unidades familiares. En la mayoría de los casos, la unidad doméstica está formada por una familia nuclear. Aun en las unidades domésticas de familia extensa patrilineal, donde el hombre coopera con sus hermanos varones y ambos padres, y donde comparte un presupuesto en común, éste trabaja para establecer su propia unidad familiar independiente. Después de mudarse a su propia casa, continúa cooperando con sus hermanos en el duro trabajo de barbechar, quemar, sembrar y escardar las milpas, pero mantiene un presupuesto aparte del de los demás miembros de la familia extensa. Además, los derechos agrarios se asignan y administran según las cabezas de las unidades familiares individuales y no conforme a las familias extensas. Cooperar y compartir desde luego son aspectos importantes para la vida en Amatlán, pero no son las únicas bases de la economía nahua o de las actividades productivas. De hecho, puede haber una feroz y disruptiva competencia entre los individuos y las familias. Las unidades básicas de producción y consumo están en el estrato de la unidad doméstica. Si aclaráramos cómo funciona el sistema económico nahua, tanto internamente como en relación con las fuerzas regionales y nacionales, primero tendríamos que determinar cómo se organizan las unidades familiares para producir y consumir los bienes.

Con el fin de entender cómo funcionaban las unidades domésticas en Amatlán, durante 1972 y 1973 recabé información acerca de las fluctuaciones semanales en los precios de los dos cultivos de mayor importancia: el maíz y el frijol. Anoté las fechas en que cada campesino sembraba su milpa y el rendimiento que lograba, tanto para el maíz como para el frijol. Esta tarea requirió de mucho esfuerzo ya que los rendimientos varían de acuerdo con el número de años consecutivos durante los cuales una milpa ha sido cultivada desde el último periodo de barbecho. Comparé estas cifras con los rendimientos de cosechas reportados por el gobierno para la región sur de la Huasteca y encontré que mis números estaban en los mismos rangos. Mientras tanto, preguntaba detalladamente a cada jefe de unidad familiar acerca de las cantidades de maíz y frijol que se requerían para mantener a las personas y los animales de la unidad. Me sorprendí al enterarme de que en la mayoría de los casos los animales consumen tanto del preciado maíz como las personas. Finalmente, luego de consultar a muchas cabezas de unidad doméstica pude determinar cuánto dinero en efectivo necesita una familia para cubrir los gastos anuales. Estas cifras, combinadas con las observaciones realizadas acerca del número de días que el jefe de unidad familiar dedicaba al trabajo asalariado, me permitieron determinar el promedio del presupuesto de una unidad doméstica de Amatlán.

La unidad familiar y el consumo

Con base en datos recopilados en 1972 y 1973, las 110 unidades familiares de Amatlán pueden dividirse en tres amplios grados de riqueza. En el extremo más bajo de la escala se encuentran los llamados *vecinos,* que integran las unidades domésticas encabezadas por individuos que no tienen derechos de propiedad en el ejido y que se ven obligados a ganarse la vida a duras penas con dos hectáreas y media o menos. Cuarenta y nueve (alrededor de 44.5%) unidades domésticas de Amatlán son *vecinos*. La mayoría comparte terrenos con el padre o el hermano varón mayor, lo cual constituye un acuerdo temporal en el que los miembros de la familia extensa comparten en la pobreza mientras esperan a que haya más tierras disponibles. Las cabezas de unidades familiares dentro de esta categoría necesitan dedicar más tiempo al trabajo asalariado en el mundo mestizo para mantener a sus familias.

El segundo grado de riqueza, representado por 48 unidades domésticas (43.6%), está compuesto por la mayoría de los grupos residenciales con derechos ejidales y que, por lo tanto, cultivan cinco hectáreas (una década después esta cantidad se incrementaría a siete hectáreas). Tres unidades familiares que pertenecen a este grupo podrían colocarse en la categoría más baja de prosperidad; dos se han empobrecido por alcoholismo y la tercera se encuentra discapacitada porque el jefe de la unidad doméstica padece deficiencia mental. He ubicado a estas unidades domésticas en el grado medio debido a que, pese a su actual pobreza, cuentan con los recursos para recuperar su prosperidad. Por ejemplo, ya cuando nos íbamos de la comunidad, en 1986, el mayor de los hijos varones del hombre con discapacidad mental comenzó a hacerse cargo de los asuntos domésticos y parecía que la familia pronto estaría mejor. En el más alto extremo de esta escala se encuentran las 13 unidades familiares que tienen ganado (11.8% de las unidades domésticas). Estos son los miembros más ricos de la comunidad, la mayoría de los cuales ha logrado conseguir acceso a tierras extra (véase más abajo).

Romualdo Hernández informa que los campesinos nahuas dividen a sus prójimos entre *tlen ijcotsa istocaj* (náhuatl para "los que no tienen nada"), *tlen achi tlapijpiyaj* ("los que hacen arreglos para vivir", literalmente "los que esperan o cuentan con un poquito por aquí y por allá") y *tlen tlatojmihuianij* ("los ricos") (1982: 24-25). Esta división de las unidades familiares cuadra bastante bien con mis hallazgos en Amatlán. Sin embargo, no hay que ser muy rígidos al interpretar estas distinciones. Al igual que muchos agricultores norteamericanos que se dedican a trabajos permanentes o temporales, todas las unidades familiares de la comunidad, independientemente de su riqueza, necesitan completar sus ingresos haciendo que uno o más de los miembros varones trabajen en el mundo mestizo por algún tiempo cada año.

En 1986, con menos habitantes en la comunidad y acceso a más tierras, sentí curiosidad por saber si habían cambiado las proporciones de las unidades domésticas que ocupaban los diferentes grados de riqueza. No es sorprendente que, tomando en cuenta la dificultad de acumular suficientes recursos, las mismas 13 unidades domésticas seguían siendo dueñas exclusivas de ganado en la comunidad (ahora con 16% del total de unidades domésticas). El porcentaje de unidades familiares de los llamados *vecinos* se había reducido a la mitad, a 25% del total, reflejando una emigración y la formación de comunidades hijas. El número de unidades en el estrato medio permaneció en 48, o un poco más de 59% de la menos poblada comunidad de 1986. En suma, el número de unidades familiares que ocupaba los dos grados más altos de riqueza permaneció igual a través de los años, mientras que fluctuó de manera significativa el número de unidades domésticas de los *vecinos*. Debo añadir que estos estratos de riqueza en la comunidad no representan diferencias internas de clase. Las unidades domésticas capaces de poseer ganado pueden lograrlo básicamente porque tienen la buena suerte de tener acceso a un suministro de agua o tienen la suficiente iniciativa como para adquirir tierras adicionales y adecuadas. Las unidades familiares dueñas de ganado no se distinguen de los demás campesinos por su vestuario, educación, patrones de consumo, residencia o acceso a recursos económicos, políticos o sociales. Tienen más riqueza (acumulada en el ganado) y tienen ciertos intereses en común con otros dueños de ganado, como impedir que los animales destruyan las milpas de los demás campesinos; sin embargo, no parecen constituir un estrato socioeconómico distinto en la comunidad.

Los patrones de consumo en Amatlán difieren considerablemente tanto de los de las poblaciones y ciudades de los mestizos como de los que se manifiestan en muchas naciones desarrolladas. En la comunidad, las unidades familiares muestran un nivel homogéneo de consumo, independientemente de su riqueza. Las casas son similares en cuanto a tamaño y calidad y, como se describe en el capítulo 3, el mobiliario doméstico es, en esencia, idéntico tanto para los llamados *vecinos* como para las familias dueñas de ganado. Tales patrones de consumo uniformes han sido observados por otros antropólogos que trabajan entre los nahuas (Chamoux, 1981b:255 y ss.). De hecho existen verdaderas diferencias de riqueza entre las unidades familiares, pero los nahuas difieren de los mestizos en el sentido de que estas diferencias económicas tienden menos a manifestarse en la selección de bienes. Este hecho me permite generalizar sobre los patrones de consumo en Amatlán sin tener que dividir a la comunidad según los grados de riqueza, y afirmar que esta tradición de consumo homogéneo es lo que les brinda a los campesinos una ventaja distinta sobre los mestizos en sus esfuerzos para el aumento de la producción y la riqueza.

Cada hombre hace inversiones iniciales en productos duraderos que son esenciales para el próspero funcionamiento de la unidad doméstica. El mayor gasto individual para establecerse es la construcción de la casa en sí. Como hemos mencionado, este empeño puede durar algunas semanas y requiere de la labor de varios hombres. En general, se les paga a los participantes por su labor, aun si los trabajadores son hermanos o compadres del constructor. Esta práctica de pagar a los parientes por su trabajo suele ser poco común y por eso les pregunté a varias personas acerca de ello. Se me informó que la construcción de una casa es un suceso relativamente extraordinario en la vida de un hombre y que por esta razón no se utiliza la ayuda recíproca, la forma preferida de recompensa. Tendrían que pasar muchos años antes de que el ayudante necesitara la asistencia del hombre a quien le hubiese prestado su mano de obra. Aquí está implícita la idea de que la mano de obra se ofrece sólo a cambio de tareas equivalentes, de modo que un hombre que ayuda a construir la casa de alguien no puede esperar a que esa persona le recompense al realizar para él algún trabajo, como por ejemplo, en la milpa. La tasa salarial para el trabajo jornalero vigente en la comunidad, para 1973, era de 0.80 dólares, una comida al mediodía y un poco de aguardiente al final de la jornada. (Nota: en el texto los precios se expresan según su equivalente en dólares estadounidenses de 1972-1973).

La segunda inversión más grande de una unidad familiar nahua es la compra del juego de metate y mano para moler el maíz. Estos se compran en el mercado por cerca de 5.60 dólares y se dice que duran toda la vida. Igual que para las casas, sin embargo, hay que remplazarlos de vez en cuando debido a roturas y desgaste.

Todos los demás artículos duraderos de la casa, con la posible excepción de los artículos de barro, son de importancia secundaria. Algunos campesinos han llegado a contar con ciertos objetos como cubetas y azadones de metal, alambre para cercar las milpas, y varios otros artículos de manufactura industrial. No obstante, muchas unidades domésticas no tienen ninguno de estos productos industriales y repetidas veces los campesinos me dijeron que aunque con estos artículos se puede ahorrar trabajo, ya que pueden ser superiores desde un punto de vista tecnológico, no resultan ser esenciales.

Una vez establecida la unidad familiar hay una serie de gastos continuos que satisfacer. Una unidad doméstica media (si nos basamos en el promedio de 5.3 habitantes por unidad en 1972) consume un promedio de dos a seis *cuartillos* de frijol al mes. Un cuartillo equivale a cinco litros y pesa cuatro kilogramos, o sea 8.8 libras. De modo que el consumo mensual de frijol es de entre ocho y 24 kilogramos por unidad doméstica. Se necesita destinar suficiente espacio en la milpa familiar para satisfacer este requisito, además de proporcionar un excedente si la familia piensa vender frijol en el mercado. Más importante aún es el consumo diario de maíz. Los miembros de una unidad familiar media requieren aproximadamente de 95 kilos de maíz cada mes (una importante cantidad de 18 kilos por persona al mes). Añadido a esto, los animales de cada unidad doméstica consumen casi 100 kilos de maíz durante el mismo periodo. En suma, se necesitan casi 200 kilos de maíz para cubrir la demanda mensual de cada unidad doméstica. Al año (si se incluyen las donaciones de maíz para los rituales, el intercambio de alimentos con los parientes rituales y demás gastos), el consumo alcanza más o menos 2 400 kilogramos de maíz. Esta cifra no incluye las semillas que se necesitan para la siembra, las cuales han sido guardadas tras la cosecha anterior o, con más frecuencia, compradas en su totalidad o parcialmente en el mercado. (En un reciente artículo, Stuart [1990] recomienda colocar el consumo máximo per cápita de maíz en las unidades familiares de Mesoamérica en alrededor de 450 gramos, basándose en estadísticas nutricionales [p. 138]. La cifra que yo registré para Amatlán es notoriamente mayor: se encuentra a un nivel de 578 gramos diarios por persona. Parte de la discrepancia se debe a que yo incluí pérdidas durante almacenamiento y usos no nutricionales del maíz en la cifra para el consumo per cápita. En todo caso, la diferencia entre ambas cifras no socava mi argumento, y éste es que las unidades domésticas de Amatlán requieren de una cantidad considerable de maíz cada año.)

Aunque el maíz y el frijol son los alimentos más importantes en Amatlán, otros productos vegetales y animales también desempeñan un papel relevante en los patrones de consumo. Ya he mencionado el cultivo de legumbres y verduras. Éstas se cultivan y se cosechan en pequeñas cantidades para el uso individual de la familia, muy parecido a lo que se acostumbra hacer en el fondo de los jardines en los Estados Unidos. Una vez tomada la decisión de cultivar cierta cantidad de alguna legumbre, verdura o un condimento en particular, casi no hay manera de variar el rendimiento de las cosechas de manera significativa como para satisfacer las eventualidades. La recolección y la pesca, por otro lado, sí ofrecen cierto grado de flexibilidad en los patrones de consumo. De hecho, el único costo que ocasionan estas dos actividades es el tiempo que se ocupa en ellas o, tal vez, en el caso de la pesca, en la preparación de los instrumentos necesarios.

La unidad familiar también necesita adquirir una serie de artículos semiduraderos que bien pueden ser producidos en el ámbito local o importados mediante el sistema mercantil, provenientes del sector industrial de la economía nacional. Los artículos producidos en la localidad incluyen objetos de barro, velas de cera de abejas, redes y nasas de pescar, canastas, jícaras o contenedores y utensilios hechos de guaje, y demás artículos de primera necesidad. Es posible que cada unidad doméstica tenga la capacidad de producir la mayoría de estos artículos, pero ninguna los produce todos. Los objetos de manufactura industrial incluyen, por ejemplo, telas, hilos y agujas, machetes, sombreros tejidos de paja, petates de palma para dormir, linternas y baterías eléctricas. Cada uno de estos artículos de consumo tiene una vida útil limitada y por lo general hay que remplazarlos con cierta regularidad. Con pocas excepciones, aquellos artículos semiduraderos que no sean producidos en la unidad doméstica son comprados con dinero en efectivo.

También hay varios gastos adicionales en la manutención de una unidad doméstica. Se exige que cada adulto "coopere" en el funcionamiento de la escuela pagando ciertos gravámenes obligatorios, cobrados a intervalos irregulares durante el año. Esto es además de su trabajo en la llamada *faena* (véase el capítulo 4) y le cuesta a la familia entre 4 y 8 dólares al año. A veces también es necesario mandar un representante (por lo general el maestro escolar) a la capital del estado por asuntos ejidales; éste y otros gastos, tales como el impuesto llamado *pago predial por fincas rústicas,* tienen que pagarlos los campesinos.

Siempre y cuando sea posible, los gastos de la comunidad se pagan con las ganancias de la milpa comunal trabajada por medio de la *faena*. Sin embargo, los gastos son siempre mayores que los ingresos y la diferencia la tienen que cubrir quienes encabezan las unidades domésticas. Además, la mayoría de los llamados *vecinos* paga cada año cierto dinero para cubrir los honorarios de los abogados y los gastos de los representantes locales, en sus esfuerzos para adquirir más tierras. Si alguien no cumpliera con el pago de las cuotas correspondientes a cualquiera de estos gravámenes, salvo el último, le resultaría en el ostracismo y en la verdadera posibilidad de ser entregado a las autoridades en Ixhuatlán. Allí, los ofensores se enfrentan a una posible sentencia carcelaria o a un periodo de labor forzada en algún proyecto del municipio. Cada unidad familiar también necesita programar un presupuesto para los gastos recreativos y para la compra de artículos personales, como juguetes para los niños, regalos para compadres o ahijados, cuotas para los bailes comunitarios, aguardiente, refrescos, dulces, artículos de lujo como radios portátiles, baterías eléctricas, peines, perfume, joyas, cintas para el cabello, estampitas de santos, fotografías personales y muchos otros. Si se encuentra dispuesto, es posible que un hombre elija patrocinar un ritual comunitario, lo que le costará entre 4 y 5 dólares, según la importancia de la ocasión.

En fin, hay muchas eventualidades con las cuales se puede enfrentar cualquier unidad doméstica a lo largo del año. Éstas por lo general implican desembolsos de dinero y hay que mantener cierta solvencia para cubrirlas. Probablemente las más comunes de éstas son los costos relacionados con el tratamiento de las enfermedades. Los nahuas explican que la mayoría de las enfermedades son por causas religiosas, las cuales se examinarán en el capítulo siguiente, y primero buscan conseguir las curas mediante la ayuda de los chamanes de la localidad. Los rituales curativos difieren en cuanto a tamaño y el costo puede llegar a ser considerable (en general, entre 2 y 12 dólares). Si el chamán falla al efectuar una cura y el achaque persiste, es posible que como último recurso los pacientes viajen a Ixhuatlán o a Colatlán para visitar a un médico con formación occidental. El costo de la medicina occidental es mucho mayor que las curaciones locales y muchas veces está fuera del alcance económico de la unidad doméstica promedio.

Después de detallar todos los gastos con que se enfrenta una unidad familiar en un año, consulté a varios jefes de unidad doméstica y les pedí que calcularan cuánto dinero se requiere para mantener a sus familias. Debido a múltiples factores, ellos llegaron a diferentes cifras. Con excepción de algunos artículos esenciales, como el machete, una unidad doméstica probablemente podría sobrevivir casi sin ninguna dependencia de bienes comprados, de modo que los campesinos fueron capaces de calcular que prácticamente se necesita poca cantidad de dinero en efectivo. Sin embargo, para mantener el consumo previamente relatado, queda claro que la unidad familiar necesita participar en mayor grado en la economía monetaria. Existe una clara base funcional en la cual la unidad doméstica necesita mantenerse si ha de satisfacer los requerimientos de desembolsos monetarios necesarios para lograr el estándar de vida visible por toda la comunidad. Basándose en los costos analizados para mantener en función una unidad doméstica, incluyendo las "cooperaciones", los impuestos, las compras corrientes de bienes, las eventualidades médicas y otras contingencias, yo calculo que se necesita una cantidad en dinero en efectivo que está entre 160 y 240 dólares cada año.

Estrategias y restricciones en la producción

Para proveer a sus familias de alimentos, demás mercancías y dinero, los jefes de unidad doméstica necesitan seleccionar entre un número de opciones productivas a su alcance. Todas las unidades familiares se mantienen mediante una combinación de agricultura, cría de animales y trabajo asalariado temporal. El abanico de estas actividades productivas varía de una unidad doméstica a la otra, según las opciones elegidas por cada familia.

Amatlán se encuentra en una área donde es factible realizar dos cosechas al año. La siembra en la época de lluvias requiere de menos tiempo para el crecimiento, es más fiable y produce más que la siembra de la época de sequía. Entre cada dos y cuatro años la milpa necesita descansar y requiere ser puesta en barbecho durante casi el doble de los años en que fue cultivada. Después del primer año de cultivo, el rendimiento de una parcela promedio de terreno disminuye en forma considerable por la gran lixiviación de los elementos nutritivos de la tierra, debida a las lluvias, al crecimiento de las hierbas y a que la calidad de la tierra es pobre desde un principio. De modo que aunque cada miembro certificado del ejido tiene acceso a cinco hectáreas de terreno, no todo está disponible para ser sembrado a la vez. Siempre se encuentra en barbecho una porción significativa, y de las milpas que han sido sembradas en dicho año es probable que sólo una se encuentre en tierras plenamente descansadas tras el respectivo periodo de barbecho.

Cuadro 5.1. Rendimientos del maíz en kilogramos por hectárea (bajo condiciones desde moderadas hasta óptimas)

	Primer año	*Segundo año*	*Tercer año*
xopajmili (época de lluvias)	1 350-1 650	1 100-1 300	900-1 100
tonamili (época de sequía)	800-1 000	500-700	—

Para que un campesino en particular incremente su riqueza tiene que aumentar su rendimiento en productos agrícolas. Los empleos de medio tiempo y las ocupaciones secundarias nunca podrían sustituir a la producción agrícola, debido a que los salarios en la región son en extremo bajos. Según los campesinos a quienes entrevisté, la productividad en las cosechas se puede incrementar de tres maneras básicas. Primero, un hombre puede poner más cuidado en cada una de sus milpas. La escarda cuidadosa, la eliminación de las plagas y el cuidado individual de cada planta pueden aumentar los rendimientos aunque solamente dentro de límites restringidos. Pero en un punto dado la inversión excede las ganancias esperadas y los rendimientos. Segundo, los campesinos pueden obtener dos cosechas de sus milpas al año. Aunque el rendimiento de la época de sequía está muy por debajo del de la época de lluvias, sembrar una milpa dos veces cada año puede añadir sustancialmente los niveles de producción anual. Esta estrategia es particularmente efectiva en situaciones donde existen escasez de tierra y prácticamente todos los hombres de Amatlán la aplican en una ocasión u otra. Un inconveniente del doble cultivo es que causa un rápido deterioro en la calidad y productividad del suelo. El cuadro 5.1 presenta los rendimientos promedio del maíz en kilogramos por hectárea en la comunidad durante tres años de cultivo de la misma milpa. Estas cifras provienen de mis observaciones y reflejan los rangos de rendimiento que esperan los campesinos. Muestran que la producción en la época de sequía es bastante menor que la que se consigue en la época de lluvias (compárense con cifras similares publicadas por Sanders, 1952-53: 62). Los campesinos afirmaron en repetidas ocasiones que sólo durante la época de lluvias pueden cosechar un excedente significativo como para vender en el mercado.

El tercer método para aumentar la producción es ampliar el área bajo cultivo. Esta simple estrategia es la mejor manera para aumentar la producción a largo plazo. La primera estrategia —cuidar más las cosechas— siempre ayuda a aumentar la eficiencia del terreno pero no puede incrementar el rendimiento de manera significativa. Aunque el doble cultivo como estrategia incrementa el rendimiento a corto plazo, sus beneficios se reducen debido al acelerado agotamiento del suelo. Dos factores hacen difícil aumentar el tamaño y el número de milpas bajo cultivo. El primero, que ya se explicó con amplitud, es que hay muy poca tierra disponible. El ejido tiene pocas esperanzas de expandirse sin atreverse a una peligrosa invasión de tierras.

Unos cuantos campesinos han podido aumentar el terreno que controlan dentro de la comunidad por medios que no suelen estar dispuestos a comentar. Un ejemplo incluye a un viudo que se casó con una viuda terrateniente y como resultado efectivamente duplicó su base de tierras. Algunos hombres y jóvenes varones han establecido acuerdos con viudas o herederas para cultivar sus tierras a cambio de un porcentaje de la cosecha. Abundan rumores acerca de hombres que han comprado de manera extraoficial los derechos a las tierras que pertenecen a otra persona. Aunque la ley prohíbe el traspaso de propiedad ejidal de esta manera, es prácticamente imposible impedir compraventas informales o presentar pruebas de que la tierra ha sido vendida. Otros jefes de unidad doméstica responden a la crisis agraria mediante acuerdos provisionales con los rancheros ganaderos, quienes permiten a indios individuales limpiar y sembrar tierras no desarrolladas con tal de que les devuelvan las parcelas en uno o dos años. Este sistema ofrece a los campesinos tierra adicional para el cultivo y abre áreas no aprovechables anteriormente para que los rancheros puedan incrementar sus potreros. En este tipo de arreglo no entra en juego ningún dinero, pero la oportunidad para expandir la base de tierras de esta manera está limitada.

El segundo factor que hace difícil incrementar la producción agrícola socava toda la estrategia para adquirir más tierras. Ningún campesino tiene dinero suficiente como para pagar mano de obra con regularidad, de modo que todos dependen de un sistema de intercambio de trabajo llamado *matlanilistli* en náhuatl y *mano vuelta* en español. En este sistema un hombre intercambia la mano de obra en términos de uno a uno con sus hermanos, compadres y vecinos. El problema es que existe un límite bastante estricto sobre la cantidad de mano de obra que este sistema pone a disposición. Si un hombre organiza a 10 hombres para que trabajen en su milpa durante sólo tres días, él en cambio necesita dedicar 30 jornadas en las milpas de ellos. Los campesinos reconocen que el área de terreno que se puede cultivar usando la *mano vuelta* no pasa de unas pocas hectáreas. Cualquier hombre que consigue acceso a más que esto necesita ponerse a pensar en métodos alternos para hacer que la tierra adicional sea productiva.

Tres factores relacionados limitan a los agricultores nahuas en sus esfuerzos para aumentar su grado de riqueza. Primero, aun si los problemas agrarios y de mano de obra fuesen superados y una cabeza de unidad doméstica pudiera producir una gran cosecha de maíz o frijol, no habría prácticamente manera de almacenar el excedente. Los campesinos por lo general almacenan las cosechas dentro de sus casas después de la recolecta, aunque algunas familias construyen cobertizos o trojes para el almacenamiento. La humedad del clima tropical destruye cierta parte del producto almacenado. Un problema más serio son los omnipresentes animales destructores, que se alimentan de maíz y frijol a pesar de los mejores esfuerzos para proteger lo almacenado. Estas plagas incluyen gorgojos, cucarachas, ratones de campo y ratas. Bajo las condiciones presentes en Amatlán, existe una pérdida continua para cualquier producto que se guarde en reserva. A este problema se suma el que tanto el maíz como el frijol pronto disminuyen su potencial para germinar bajo condiciones de almacenamiento prolongado.

Las pérdidas atribuibles al almacenamiento de las cosechas están relacionadas con un segundo factor que limita aún más a los campesinos. Amatlán se encuentra a muchos kilómetros del pueblo más cercano con mercado y los campesinos no tienen los medios para transportar grandes cargamentos de cosechas. Unas cuantas unidades familiares tienen bestias de carga para el transporte, pero la mayoría de los hombres se ven obligados a llevar sus productos en la espalda. Esto lo hacen usando un cesto que llaman chiquihuite (*chiquihuitl* en náhuatl), que se usa suspendido por una banda que ajustan por encima de la frente. Este antiguo sistema para la carga es muy eficiente, porque transfiere el peso hacia abajo, a lo largo de la espalda hasta las piernas, y el hombre puede caminar con postura casi erecta. He visto a hombres llevar cargamentos pesados por largas distancias sin descansar usando cestos de carga de esta manera; sin embargo, este método restringe en forma severa la cantidad de productos que pueden llevar hasta el mercado.

Una tercera restricción mayor para las estrategias productivas de los nahuas es el hecho de que a los indios básicamente se les ha negado el acceso a las instituciones financieras mexicanas que suministran importantes servicios a los agricultores no indios. Por ejemplo, los bancos podrían prestarles dinero y proporcionarles un lugar para guardar sus ahorros, y de hecho existen instituciones federales destinadas para ayudar a los ejidos de esta manera. Pero los bancos están poco interesados en campesinos que operan en una escala tan reducida y que viven en lugares tan remotos. Por lo general, las instituciones bancarias prefieren negociar con el propio ejido y prestar, por ejemplo, dinero para la compra de maquinarias de propiedad comunitaria, o financiar proyectos comunitarios. Sin embargo, los campesinos controlan la tierra individualmente y se miran a sí mismos como agricultores independientes; no miran el ejido como un esfuerzo comunal, de modo que pocas veces se agrupan para planificar proyectos comunales o tratar de conseguir dinero prestado. Además, los campesinos sienten antipatía por negociar con los bancos y el sentimiento parece ser mutuo. Los indios resaltan su vestimenta, sus hábitos motores y su manera de hablar, y éstas son características que los mestizos menosprecian. La mayoría de los campesinos carece de las habilidades necesarias en lectura y aritmética para manejar una cuenta bancaria de manera efectiva y temen, posiblemente por experiencias previas, que el banco les vaya a robar su dinero o sus cosechas (véase Reyes Martínez, 1982: 103-4, 195-196, para un análisis de la opinión nahua sobre los bancos). De este modo, los campesinos se dedican a la agricultura, lo cual es siempre un empeño arriesgado, sin ningún apoyo de las instituciones financieras del México urbano. En comparación, la mayoría de los agricultores angloamericanos pronto fracasarían sin el respaldo financiero de entidades federales y estatales, y sin los pagos y subsidios que de hecho reciben, y que forman parte de la realidad de la agricultura moderna.

En suma, los habitantes de Amatlán, al igual que las personas en todo el mundo, se encuentran sujetos a factores que restringen sus esfuerzos para incrementar la producción y maximizar su grado de riqueza. Ellos son pequeños cultivadores no por costumbre o tradición, sino porque lidian con dificultades para incrementar el tamaño de su producción. Se enfrentan con una escasez de tierras que se hace cada vez más crítica a medida que crece la población. Cuentan con una tecnología que hace que su cultivo de la tierra dependa mucho de la mano de obra. El intercambio de mano de obra, que es necesario debido al bajo nivel general de la productividad y por la escasez de dinero en la comunidad, tiene límites intrínsecos porque el tiempo y la energía de cada individuo están limitados. Incluso si fuera posible incrementar la producción, el problema de cómo transportar el producto excedente al mercado se haría desde luego crítico. El aumento en la producción claramente exacerba los problemas de almacenamiento, los cuales son difíciles de resolver debido a la carencia de servicios bancarios y de cooperativas agrícolas. Si bien es posible superar estas dificultades, es raro que los campesinos lo logren. Como hemos mencionado, de las 110 unidades familiares en Amatlán, sólo 13 han logrado el nivel más alto de producción, el cual les posibilita mantener pequeños hatos de ganado vacuno.

Paradojas de la producción

Como una forma de entender la toma de decisiones económicas en Amatlán, me centraré en las tres paradojas de las actividades productivas de los nahuas. Primera, los nahuas cultivan el maíz a costa de otros cultivos que parecieran ser más rentables. El frijol consigue precios mucho más altos en el mercado y es posible sembrar tres veces más plantas de frijol que de maíz en un mismo terreno. Entonces, ¿por qué será que los campesinos insisten en sembrar maíz? La segunda paradoja consiste en que los campesinos, como individuos, siembran sus terrenos en diversas ocasiones durante toda la época de cultivo. Unos siembran temprano mientras que otros esperan hasta el último momento posible. En vista de que el cambio de estaciones es tan marcado, ¿por qué será que los campesinos no logran sembrar de acuerdo con una programación fija? La tercera paradoja tiene que ver con la cría de animales. Cualquier campesino reconoce que los puercos y el ganado vacuno representan un costo tremendo, no sólo por el precio de la compra original sino también por su mantenimiento. Los animales requieren vacunas, baños garrapaticidas y espacios para potreros que de otra manera podrían utilizarse para el cultivo. Los puercos son una carga en particular debido a que viven del maíz y, por lo mismo, compiten directamente con las personas en cuanto a su alimentación. Los nahuas casi nunca comen carne y, por lo tanto, su inversión en animales parece ir en contra de sus intereses económicos. ¿Por qué será que los campesinos crían animales domésticos?

Estas paradojas parecen afirmar la opinión de que los indios siguen las tradiciones para sus actividades productivas aun cuando éstas vayan en contra de su bienestar económico. Cultivan maíz, por ejemplo, porque es tradicional, aun cuando pareciera que otros cultivos les redituarían más dinero. Siembran en diversas ocasiones, tal vez como respuesta a vacilantes motivaciones individuales, aunque los cultivos que se siembran en estricta conjunción con la entrada de la época de lluvias tienden a producir mayores rendimientos. Por último, invierten en animales que no sólo no contribuyen a la dieta, sino que claramente representan una fuga de recursos limitados, además de ser una molestia. Los maestros de escuela de la localidad y los funcionarios de gobierno en Ixhuatlán con quienes hablé atribuyen gran parte de la pobreza material de los indios a éstas y otras prácticas de producción en apariencia irracionales. El maestro de la escuela de Amatlán intentó durante años que los campesinos sembraran más terrenos con frijol para así aprovechar los precios más altos que se pagaban por este producto en los mercados de la región. Ellos se negaron a aceptar este consejo, diciendo que el maíz nunca les había fallado en darles sustento. La actitud que se revela en esta respuesta, combinada con el lugar central que ocupa el maíz en los mitos y creencias religiosas de los indios, han llevado a algunos expertos en desarrollo, igual que a antropólogos, a concluir que los indios cultivan el maíz, en esencia, por razones místicas. Algunos van más allá y sostienen que creencias fundamentalmente irracionales, como las que imperan en torno al maíz, impiden el desarrollo económico de los indios en México.

En apariencia, los críticos del maíz parecen tener la razón. Si los campesinos pretenden mejorar su economía, resulta en verdad paradójico que cultiven maíz en lugar de frijol. Aunque el maíz constituye la parte más importante de la dieta, es también, en la práctica, el único cultivo que se produce para ser vendido como excedente en el mercado. Los indios no calculan el área del terreno mediante las medidas de superficie (práctica impuesta por los reglamentos gubernamentales y que se emplea sólo en situaciones formales), sino que más bien utilizan el método que tiene más sentido para ellos, el cual es medir cuántos cuartillos (una caja de cinco litros) de maíz pueden sembrarse en una parcela dada. Por lo general, se necesitan alrededor de cuatro cuartillos de maíz para sembrar la superficie de una hectárea. Debido a que la planta del frijol ocupa menos espacio, se pueden sembrar más de 12 cuartillos de semilla de frijol en una parcela de una hectárea. De modo que el cultivo de frijol pareciera tener un uso más eficiente de la milpa. Además, los precios que se pagan por el frijol son uniformemente más altos que los que se pagan por el maíz. En 1972-1973 los precios fluctuaban entre 0.16 y 0.56 dólares por cuartillo de maíz y entre 0.40 y 1.20 dólares por cuartillo de frijol.

Desde el punto de vista del campesino como individuo, sin embargo, el cultivo de frijol conlleva una mayor inversión inicial, implica más riesgos y requiere mejores instalaciones para el almacenamiento que el maíz (véase Reyes Martínez, 1982: 74, 77). Un problema con el cultivo de frijol es que la planta es menos productiva que la del maíz. Para una milpa, en su primer año de cultivo, un kilogramo de semilla de maíz rinde más o menos 107 kilogramos de producto, mientras que un kilogramo de semilla de frijol rinde sólo 25 kilogramos al momento de la cosecha. Las cifras de productividad que se registran en otras regiones son superiores a las de Amatlán; pero la proporción entre el rendimiento del frijol y el del maíz es semejante (compárense las cifras de Tax [1972 (1953): 52], para una región más fértil en Guatemala, y las de Chamoux 1981b: 165-166, para la Sierra Norte de Puebla). Entonces, aunque es posible sembrar tres veces la cantidad de frijol que de maíz en una unidad de terreno dada, el maíz sigue produciendo más. Un segundo problema es que el frijol es más difícil de almacenar que el maíz en las condiciones tropicales de la región. El frijol se desvaina en plena milpa, usando un ingenioso instrumento hecho de varas amarradas en conjunto que sirven de criba para separar el frijol de la vaina. Ya desvainado, el frijol se lleva hasta la casa en sacos de tela. En ese estado ya no hay manera eficaz de protegerlo contra los insectos, los ratones y las condiciones húmedas, de modo que se deteriora pronto. El maíz también es difícil de almacenar; sin embargo, es mucho menos frágil que el frijol. Lo guardan con todo y *totomoxtle* (la hoja que cubre la mazorca) hasta que esté listo para ser consumido o vendido en el mercado. El *totomoxtle* protege la mazorca hasta cierto punto y permite su almacenamiento por más tiempo. Sin embargo, el factor más importante que hace que el cultivo del maíz sea mejor estratégicamente es el volátil ciclo del precio del frijol.

La figura 5.1 presenta gráficas de precios que sirven para ayudar a entender por qué el maíz es fundamental para las actividades productivas de los nahuas. La primera muestra las variaciones en el precio del maíz para la región desde julio de 1972 hasta junio de 1973. Esta gráfica muestra que los precios subieron mucho durante dicho periodo de dos años. Los precios en 1973 representan un incremento promedio de alrededor del doble por encima de los precios de 1971. Éste puede atribuirse a la inflación y a la reducida oferta que resultó de la escasa cosecha de la temporada de cultivo de 1972-1973. La tasa de inflación fue mucho mayor para los artículos de manufactura industrial durante el mismo periodo, lo cual sustenta las opiniones de Stavenhagen y Warman de que la inflación diferencial sirve para transferir la riqueza del sector campesino al sector industrial de la economía (véase el capítulo 1). Los datos sobre precios para el periodo también muestran que la relación de los precios mes con mes es semejante en el transcurso de los años.

Durante mi regreso a Amatlán en 1985-1986 tuve curiosidad de saber lo que había pasado con los precios que se pagaban por los cultivos cosechados en la comunidad. En marzo de 1986 el maíz se vendía en unos 0.60 dólares, lo que representa un aumento de 0.20 dólares desde el mismo mes en 1973. Este incremento es significativo, pero mucho menos que el alza registrada entre 1971 y 1973. Estas cifras muestran que el aumento previo de los precios se debía más a una escasez de cosechas para la oferta y no a una tendencia de largo plazo en el incremento de los precios. Hallé que el ciclo mensual de los precios que existía en 1972-1973 continuó aproximadamente en las mismas proporciones que en 1985-1986. El incremento de 0.20 dólares en el precio que se pagaba para el maíz entre 1973 y 1986, sin embargo, corre en paralelo con aumentos aún mayores en los precios de los artículos de manufactura industrial durante el mismo periodo. En 1973 un machete de acero costaba 1.10 dólares, pero para 1983 el precio ya había subido hasta cerca de 3.20 dólares, de modo que mientras los precios del maíz subieron 50%, el costo de un machete casi se triplicó durante el mismo periodo. Para 1986 los efectos del colapso de la economía mexicana se dejaban sentir en todo el país. La tasa de inflación era muy alta y la situación económica, inestable. Había que ajustar los precios en las tiendas y los mercados cada pocos días para asimilar la rápida devaluación del peso. Desafortunadamente, las inestables condiciones económicas de 1985-1986 hacen infructuosa cualquier comparación sistemática con los datos sobre precios que tengo para el periodo más estable de 1972-1973. No obstante, podemos concluir con seguridad que las más recientes condiciones económicas y los precios para los productos agrícolas son incluso menos favorables que en el pasado para los habitantes de Amatlán.

Los precios de 1972-1973 reflejan en forma clara los procesos de compraventa que ocurren en diferentes épocas en la región durante el año. Hay un incremento

Figura 5.1. Gráficas del precio del maíz y del frijol

Gráfica de la fluctuación en el precio del maíz, en dólares, por cuartillo (en 1972, comparado con 1971 y con 1973)

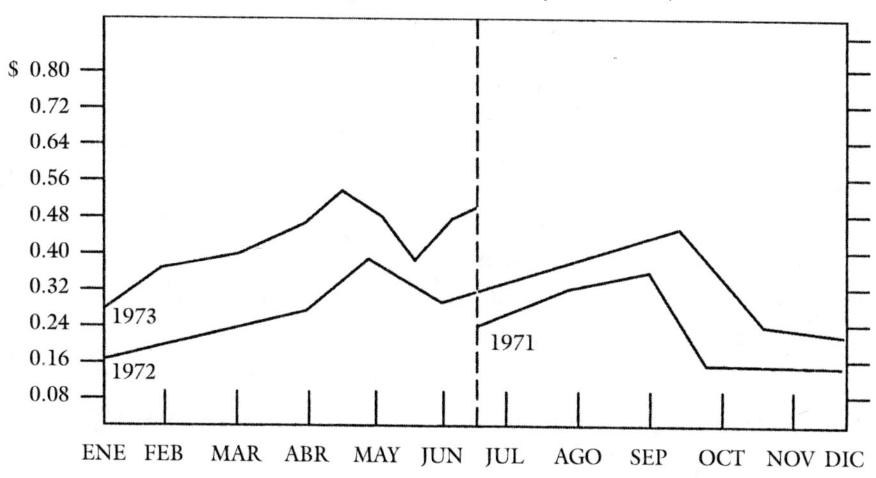

Gráfica de la fluctuación en el precio del frijol, en dólares, por cuartillo (entre 1972 y 1973)

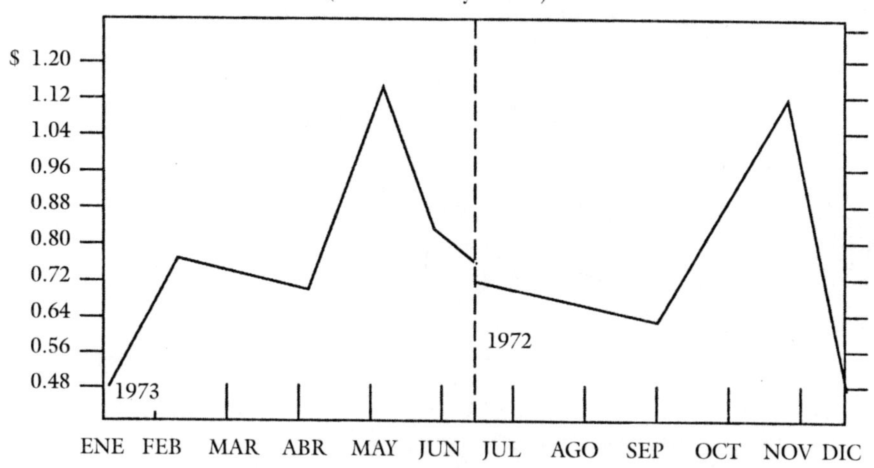

en el precio del cuartillo de maíz durante enero, febrero y la primera parte de marzo, cuando disminuye la oferta proveniente de la cosecha. Ocurre una rápida subida de los precios desde mediados de marzo hasta mediados de abril, como resultado de los incrementos en la demanda, a medida que los indios de la región abastecen de nuevo sus menguantes reservas de alimentos y compran semillas para la siembra de la época de lluvias. Desde mediados de abril hasta mediados de junio el precio del maíz disminuye, a medida en que llega al mercado parte de la cosecha de la época de sequía, llamada *tonalmil,* lo cual contribuye a aumentar la oferta. Hay un estable aumento en los precios desde junio hasta septiembre, a medida en que las reservas provenientes de la época de sequía disminuyen, seguido por una espectacular caída de los precios en septiembre. Este último descenso es resultado de que el mercado está inundado de maíz después de la cosecha de la época de lluvias.

La gráfica para el frijol presenta un panorama diferente. Los precios están bajos en enero y por lo general suben hasta febrero. Durante los meses de febrero y marzo hay un pequeño descenso, seguido por un incremento abrupto en el precio del cuartillo de frijol. En mayo hay un brusco decremento seguido por un segundo decremento leve desde junio hasta principios de septiembre. Desde mediados de septiembre hay otro abrupto incremento en los precios, seguido por un mes de rápido descenso. La época para el cultivo de frijol en Amatlán es de septiembre a diciembre. Podemos suponer, desde luego, que el último pico en la gráfica está causado por el aumento en la demanda a medida que la gente compra nuevas semillas, seguido por una baja en la demanda y el aumento de la oferta a medida que los cultivos se cosechan. El primer pico es más difícil de explicar, puesto que ni en Amatlán ni en las comunidades circundantes se cultiva mucho frijol durante la época de sequía. No obstante, los precios de mercado reflejan la naturaleza estacional de la producción agrícola en toda la región. El primer pico, por lo tanto, más probablemente es a causa de la siembra de frijol durante la época de sequía, o *tonalmil,* en otra parte de la región a la cual pertenece Amatlán.

Las pequeñas bajadas antes de los picos son un tanto enigmáticas. En esos momentos las reservas para la oferta de hecho disminuyen por todo el sur de la Huasteca y aun así los precios bajan. Una posible explicación es que los especuladores profesionales influyen en los precios al traer reservas de frijol desde otras regiones de México para aprovechar los precios mayores que se pagan en el norte de Veracruz. De modo que las reservas para la oferta se incrementan a un ritmo superior que la demanda. Una explicación más probable es que la demanda de frijol disminuye a un ritmo más rápido que la oferta. Los indios raras veces compran frijol para su propio consumo porque cuentan con sus propias cosechas para sustentarse. Si se les acaban las reservas de frijol, el precio les impide comprar más. El lugar más importante que ocupa el maíz en la dieta, además del mayor volumen de producción y su bajo precio, hacen que las compras adicionales sean tanto necesarias como factibles si las reservas empiezan a escasear. Entonces, una mayor demanda básicamente mantiene el precio del maíz en aumento todo el año, mientras que la importancia secundaria del frijol contribuye a que su ciclo de precios sea más extremoso.

El análisis de las gráficas de los precios revela que los periodos cruciales para los campesinos son las épocas de siembra y de cosecha. Inmediatamente después de la siembra los precios del maíz y del frijol alcanzan su máximo, debido al aumento en la demanda de los granos para semilla. Durante la cosecha los precios alcanzan su límite más bajo, debido al aumento de la oferta. El precio pico del maíz es de 0.56 dólares el cuartillo, y como se necesitan cuatro cuartillos de semilla para sembrar una hectárea, el agricultor paga un máximo de 2.24 dólares por cada hectárea que siembra. Se necesitan 12 cuartillos de frijol para sembrar una sola hectárea y el precio de venta alcanza los 1.20 dólares por cuartillo, de modo que una sola hectárea sembrada de frijol puede costar 14.40 dólares sólo por la semilla. Por lo tanto, la inversión que se requiere para el frijol es significativamente superior a la del maíz, y esto es de suma importancia en una situación donde se cuenta con muy poco dinero en efectivo.

A la hora de la cosecha, los precios por cuartillo caen a 0.16 dólares para el maíz y 0.40 dólares para el frijol. Debido a que los campesinos no pueden almacenar ninguna cantidad de frijol cosechado por más de unas semanas, terminan vendiendo su cosecha al nivel de los 0.40 dólares. Los individuos escalonan la siembra de pequeñas cantidades de frijol y retienen parte de la cosecha principal para mantener las provisiones de la unidad doméstica por todo el año. No obstante, pese a estas estrategias, la mayoría de las familias prescinden del frijol durante varios meses cada año. En cambio, el maíz se guarda como reserva hasta que el precio llega a 0.28 dólares. En ese momento los campesinos de toda la región empiezan a vender su cosecha. Cada hombre necesita encontrar un término medio entre la espera para que llegue un precio más alto y el correr el riesgo de mayores pérdidas por deterioro en almacenamiento. El cuadro 5.2 compara la producción y rentabilidad entre una hectárea de maíz y otra de frijol durante el primer año de cultivo en una milpa.

Cuadro 5.2. Comparación de la rentabilidad del maíz con la del frijol durante el primer año de cultivo de una milpa

Maíz	*Frijol*
a. 1 kg de semilla rinde 107 kg	a. 1 kg de semilla rinde 25 kg
b. 1 cuartillo pesa 3.5 kg	b. 1 cuartillo pesa 4 kg
c. 1 cuartillo rinde 375 kg	c. 1 cuartillo rinde 100 kg
d. 4 cuartillos entran en 1 ha	d. 12 cuartillos entran en 1 ha
e. 1 ha produce 1500 kg	e. 1 ha produce 1200 kg
f. Vendido a 0.08 dólares el 1 kg	f. Vendido a 0.10 dólares el kg
g. Ingresos brutos 120 dólares/ha	g. Ingresos brutos 120 dólares/ha

Las cifras en el cuadro 5.2, que son cálculos promedio redondeados al número más próximo, demuestran que pese a la mayor densidad de la siembra y los mejores precios del frijol, tanto el maíz como el frijol tienen casi el mismo valor comercial por hectárea. Sin embargo, la siembra de frijol requiere de una inversión inicial mayor a la del maíz, y además el frijol es más vulnerable a la sequía. El cultivo de maíz, con su mayor probabilidad de llegar a la madurez, conlleva menor riesgo, lo que hace que éste sea por lo general el cultivo de mayor valor para los campesinos de la región.

Para el observador externo, la dependencia de los indios del cultivo del maíz parece reflejar un atavismo apegado a las tradicionales pautas de conducta. El maíz, con más bajo valor comercial, se cultiva hasta tal grado que sus precios se mantienen bajos y que puede incluso provocar escasez de otros alimentos básicos, como el frijol. Sin embargo, desde la perspectiva de los campesinos las actividades productivas funcionan bajo una gama de limitaciones que hacen que, entre todos, el maíz sea, económicamente, el cultivo más rentable. En el caso de Amatlán, donde la base de terreno per cápita está disminuyendo debido al incremento de población y donde existen serios impedimentos para el aumento en la producción, es racional que los campesinos prefieran sembrar maíz por sobre otros cultivos. Éste tiene más probabilidad de proporcionar alimentación adecuada a la unidad doméstica y un excedente para vender en los mercados. Esto reafirma las observaciones de Warman (véase el capítulo 1) que indican que a medida que se incrementan las presiones económicas, la respuesta de los campesinos es sembrar más maíz. Cuando los pequeños agricultores cuentan con una abundancia de tierras cultivables o tienen acceso a otros recursos, se sienten más dispuestos a hacer experimentos con los cultivos o a asumir otros riesgos. En resumen, el maíz es el cultivo "racional" para Amatlán, desde una perspectiva estrictamente materialista e independientemente de los valores culturales que se le atribuyen. Gran parte de la naturaleza aparentemente conservadora de la sociedad nahua se debe no a algún tradicionalismo innato, sino más bien a la falta de recursos adecuados con los cuales se incrementaría la producción de otros cultivos.

Esto nos lleva a la segunda paradoja: ¿por qué los campesinos varían sus fechas para sembrar? Una respuesta se ubica en el comportamiento de los campesinos ante ciertas características del mercado del maíz, que se revelan al examinar la gráfica de precios. El ciclo de precios es relativamente constante año con año y los habitantes de las rancherías lo vigilan con sumo cuidado cada semana. Como conocen el tiempo aproximado para todos los cultivos, los campesinos calculan las probabilidades de lograr su cosecha antes o después de las bajas del precio en el mercado. Siembran más temprano o más tarde para que el cultivo esté listo para su cosecha mientras los precios todavía estén altos. La fecha del inicio de la época de lluvias no se puede pronosticar de manera precisa, pero por lo general se puede hacer un cálculo aproximado. Si se siembran las semillas demasiado pronto no llegan a germinar, pero si se siembran muy tarde puede que se pudran en el suelo. Al emplear esta estrategia los campesinos corren el riesgo de disminuir, o peor aún, de perder sus cosechas. Aunque la variedad de maíz resistente que cultivan les ayuda a compensar el riesgo que conlleva esto, la mayoría de la gente varía la fecha de la siembra sólo para una porción de su cultivo. Las ventajas de cosechar temprano son grandes. Por ejemplo, si un campesino pudiera cosechar el maíz sembrado en la época de lluvias tan sólo unas pocas semanas antes, podría casi duplicar su valor comercial. Al cosechar tarde también se podrían lograr ganancias sustanciales, pero menos espectaculares.

Como ya mencioné, los precios del frijol, durante todo el año, reaccionan de manera repentina a las fuerzas de la oferta y la demanda. Por otro lado, los precios del maíz muestra una transición menos brusca, reflejando cambios más paulatinos en la oferta y la demanda. Esta diferencia se debe sólo en parte a la mayor producción de maíz (en general). La ausencia de fluctuaciones extremas en los precios es consecuencia en gran medida de que los agricultores individuales en toda la región varían las fechas de sus siembras y cosechas para influir o aprovechar los precios del mercado. Si bien los niveles de la oferta básicamente reflejan las temporadas de cultivo, éstos están distribuidos a lo largo de un lapso mayor, de manera que dan, en la gráfica de los precios del maíz, una apariencia más homogénea. La estrategia de variar los calendarios de siembra no puede ser aplicada a la producción de frijol porque, a pesar de tener mayores fluctuaciones de precios, éste requiere una temporada de cultivo bastante corta.

Como es de esperar, no todos practican en el mismo grado esta estrategia específica. Según mis observaciones, entre los campesinos con mayores recursos hay más tendencia a asumir los riesgos implicados en la variación de las fechas de siembra que entre los más pobres. Sin embargo, a lo que me refiero aquí es a que este tipo de estrategias, donde se calculan los riesgos y los beneficios y donde las personas modifican sus acciones para aprovechar las condiciones del mercado, no son las que se esperan donde la producción es sólo una cuestión de tradición y la economía es un sencillo instrumento para abastecer a la sociedad sin muchas opciones o tomas de decisiones.

En una obra reciente, Sheldon Annis presenta un análisis de la agricultura milpera en una comunidad maya-cakchiquel en Guatemala. Él concluye que existe una "lógica milpera" que emplean los indios, la cual es distinta de la lógica mercantil de la producción capitalista en cuanto a productos básicos. De acuerdo con Annis, la milpa "optimiza" el insumo del trabajo familiar para producir gran variedad de cultivos en pequeñas cantidades, utilizados en principio para la subsistencia. La lógica milpera protege en contra de la escasez de alimentos; sin embargo, al hacerlo impide la acumulación de capital y, en consecuencia, al final, propicia la pobreza. Aunque él descubrió que los cakchiquel en general "son hábiles y muy activos para aprovechar hasta la última oportunidad" (1987: 31), incluso aquellas familias que provienen de la agricultura milpera, concluye que la producción en la milpa es "contradictoria con el hacer negocio" (1987: 37). En contraste, la producción de productos básicos destinados para el mercado "maximiza" el rendimiento para el lucro. Annis ve la milpa como la encarnación de la tecnología india que yace en el corazón de la ideología e identidad indias (1987: 37). En fin, Annis confirma la distinción que se hace entre la producción racional destinada hacia el mercado y la tradicional producción precapitalista, lo cual ya comenté en el trabajo de los teóricos que se analizan en el capítulo 1.

Hallé que en Amatlán, la gente se dedica a la producción milpera tanto para abastecer a sus familias como para crear un excedente para vender en el mercado. No encontré razón alguna para distinguir entre la lógica milpera y cualquier otra estrategia de planificación empleada por las familias. Los campesinos no ven distinción cualitativa entre la lógica milpera y la lógica que se emplea en criar ganado, tener una cantina o producir y vender piloncillo. Como hemos visto, las decisiones que los individuos toman respecto a la selección de cultivos y la fecha de la siembra las toman teniendo en mente los factores del mercado. Lo mismo es verdad para la cría de animales, que se verá a continuación. Annis se adelanta en decir que las generalizadas conversiones al protestantismo entre los indios de Guatemala son en gran parte un reflejo de las fuerzas antimilperas que anuncian la derrota de la identidad india y el triunfo de la economía de mercado sobre las tradiciones indias. Sin embargo, este nexo entre la milpa y el protestantismo no está corroborado por la información proveniente de Amatlán. Como veremos en el capítulo 7, el protestantismo también ha penetrado en Amatlán. Yo también encuentro que el protestantismo representa una alternativa ante la tradicional identidad india. Sin embargo, los conversos siguen dependiendo de la agricultura milpera y la conversión no representa en ningún sentido una penetración reciente en la región por parte de las fuerzas del mercado o de la lógica del mercado.

Bien se puede sospechar que la importancia del maíz en la creencia religiosa y los mitos de los nahua infunde un valor cultural en su cosecha, que resta valor a las consideraciones económicas estrictamente materiales. Es verdad que el maíz desempeña un importante papel en la creencia religiosa nahua y que los campesinos ven al maíz como un aspecto crucial de su identidad. Lo usan como metáfora para distinguirse de los que no son indios, como en la frase que da título a este libro: "el maíz es nuestra sangre". El maíz es el mayor componente de su dieta y ellos consideran el cultivo del maíz en la milpa la actividad india por excelencia. Sin embargo, los campesinos están más que dispuestos a comprar maíz para sus necesidades o a cultivarlo en pequeñas cantidades para su propio uso y comprar más si lo requieren. Cuando entrevisté a los campesinos en cuanto a cuáles cultivos comerciales les gustaría sembrar si todas las restricciones fuesen removidas, ninguno mencionó el maíz (véase el capítulo 7). En fin, el maíz forma parte importante de la vida nahua y tanto la planta como el grano son sagrados dentro de su concepción del universo, pero yo no encontré apego afectivo al cultivo del maíz al grado de que los campesinos lo sembrarían como su principal cultivo a pesar de las consecuencias económicas.

La cría de animales de granja en Amatlán es la tercera paradoja que parece sostener el punto de vista de que los campesinos no calculan de manera racional los costos y beneficios de sus actividades productivas. La mayoría de las unidades domésticas crían cerdos, a pesar del alto costo para comprarlos y mantenerlos. Aunque se les permite deambular libremente de modo que puedan encontrar algo de alimento en el bosque, a los cerdos hay que alimentarlos bien para que crezcan. Por consiguiente, se les da cierta porción del mismo abastecimiento de maíz que alimenta a los miembros de la unidad familiar y genera ingresos monetarios en el mercado. Una unidad doméstica común tiene uno o dos animales adultos junto con varias crías y éstos consumen cantidades significativas de maíz. A pesar de los gastos que todo esto implica, los nahuas casi nunca se comen un puerco propio. De vez en cuando los matan como parte de la práctica de un ritual, como el Día de Muertos, pero por lo general el puerco desempeña un papel insignificante en la dieta de los campesinos. Los cerdos presentan una potencial desventaja adicional por ser sumamente destructivos para los cultivos en caso de que entrasen en una milpa. Los campesinos se ven obligados a construir y mantener cuidadosamente cercas alrededor de sus milpas y vigilar sus almacenamientos contra cualquier invasión.

Otros animales de importancia para las estrategias productivas de la comunidad son las gallinas, los guajolotes y el ganado vacuno. Crían a las gallinas y los guajolotes más que todo por sus huevos y comen la carne de estos sólo en raras ocasiones. Se les permite andar sueltos, pero hay que darles maíz cada día para mantenerlos sanos y para que no se vayan. A veces los pollitos recién salidos del cascarón son llevados al mercado para ser vendidos. Los venden por unos pocos centavos y el comprador los cría hasta que son adultos. En raras ocasiones los campesinos venden en el mercado un ave ya grande. Sin embargo, la mayoría de las veces estos animales forman parte de un sistema de compraventa a pequeña escala que funciona de manera continua dentro de la comunidad. Una razón fundamental para comprar gallinas y guajolotes es usarlos como animales de sacrificio en los rituales. Casi siempre los participantes del ritual se comen las aves después de la ofrenda. En todo caso, los campesinos no ven la cría de gallinas y guajolotes como un medio efectivo de ganar mucho dinero. Aparte del valor generalmente bajo de las aves adultas, hay una constante disminución en su número debido a los depredadores, como coyotes, gatos monteses y serpientes venenosas.

La cría de ganado vacuno es la actividad productiva de la élite en Amatlán. El ganado requiere el suministro de agua segura, grandes cantidades de terreno para potreros durante la época de lluvias y terreno adicional para cultivar forraje para sustentarlo durante la época de sequía. Aunque al ganado nunca se le da maíz como alimento, los potreros que se necesitan para mantenerlo podrían emplearse de modo alterno para sembrar cultivos. Algunos campesinos pagan para que su ganado paste en terrenos privados de algún rancho ganadero, pero el costo es prohibitivo salvo para unos pocos. Al ganado vacuno nunca lo matan por su carne y los nahuas no aprovechan de ninguna manera los productos lácteos. Cuando les pregunté acerca de este último aspecto, los campesinos me dijeron que no les gustaban la leche o el queso y que ellos nunca consumirían esos productos. Puede que esta aversión se deba sencillamente a una preferencia cultural, bastante parecida a la aversión a comer insectos de la mayoría de los angloamericanos. Es probable que los nahuas también compartan con diferentes grupos la incapacidad de digerir la lactosa cuando son adultos. Muchos adultos de diferentes partes del mundo muestran bajos niveles de lactasa, la enzima que posibilita que la lactosa se desdoble en productos que el organismo puede asimilar. No tengo evidencia alguna de que éste sea el caso en Amatlán, pero unos pocos campesinos me dijeron que la leche los enfermaba, un indicio de intolerancia a la lactosa. Los miembros de un equipo médico del gobierno me informaron que los productos lácteos en las áreas remotas, elaborados con leche no pasteurizada, muchas veces contienen el bacilo que causa la tuberculosis. Esta puede ser otra razón para explicar por qué los nahuas evitan esta fuente de alimentos.

El ganado no lo utilizan como bestias de trabajo, ni tampoco se emplea su estiércol de manera sistemática. En efecto, la cría de ganado es una actividad productiva aparte, sostenida por la agricultura. Debido a que de hecho quita recursos a la agricultura, y si bien no es un medio efectivo para producir riqueza adicional, la cría de ganado es una estrategia productiva que parece contradecir el comportamiento económico racional. El ganado raras veces es comprado y vendido, aunque se puede ganar cierto dinero mediante la venta de las crías que resultan del crecimiento natural de los rebaños.

Les pregunté a los campesinos por qué dedican recursos a la cría de animales en vista de que son raras las veces en que los venden o los aprovechan como fuente de carne. Parecían estar desconcertados por la pregunta y la mayoría dieron respuestas como: "¿qué otra cosa nos queda hacer?". La razón por la cual se crían gallinas y guajolotes parece ser clara. Los huevos de estas aves son para comer y su carne es para los rituales y ocasiones no rituales, y ellas son compradas y vendidas con facilidad, a pesar de que producen poca ganancia. No obstante, los cerdos y el ganado vacuno parecen ser malas inversiones y yo me preguntaba si, al criarlos, los campesinos no estarían simplemente imitando a sus vecinos, los agricultores mestizos. Entonces, un día, al estar yo sentado con un amigo después de la cena en su casa, fumándonos los puros que yo había traído de regalo, noté una interacción que me dio una idea repentina sobre el problema de las estrategias nahuas para la producción. Mi anfitrión, Herminio, y su esposa siempre fueron muy amables conmigo, desde los primeros días de mi estadía en el campo. Los conocía a los dos bastante bien y entre sí hablaban abiertamente en mi presencia. Ita, la esposa de Herminio, le comentó que los gorgojos se habían metido en el maíz que estaba amontonado contra la parte interior de la pared de la casa. De hecho, yo podía oír una especie de ruido sordo como si estuvieran rumiando, que venía desde aquel lado de la casa, y Herminio me dijo que eso era el sonido de multitudes de insectos comiéndose el maíz. Mientras discutíamos el problema, Herminio le comentó de manera natural a su esposa que iba a comprar un cochinito en el mercado dentro de dos días. De repente me di cuenta de que la paradoja de la cría de animales en Amatlán puede resolverse en gran parte si miramos a los animales no como un medio para producir la riqueza, sino más como una manera de almacenarla.

Al estudiar a los indios otomíes del Valle del Mezquital, Kaja Finkler usa la frase "cuentas bancarias ambulantes" para describir el papel de los animales de la comunidad donde vivía (1969: 55). Uno de sus informantes declaró: "los animales son como tener dinero en el banco. Si yo me quedara con el dinero lo gastaría, mientras que si tengo animales tengo dinero pero no lo gasto". Ella dice que sus informantes le manifestaron que ellos mantienen los animales para cuando no haya nada de comer (1969: 60; véase, también, Tax, 1972 [1953]: 118-119). Yo sostengo que el papel que desempeña la cría de animales en Amatlán es muy similar. Uno de los mayores problemas que enfrentan los campesinos es que la producción agrícola es por temporadas y no hay manera efectiva de almacenar las cosechas o ahorrar el dinero. Lo que quisieran hacer los campesinos sería vender las cosechas y adquirir más tierra con el dinero. Sin embargo, no hay acceso a más tierras, de modo que los campesinos logran incrementar su productividad a medida que comienzan a buscar un medio para almacenar su riqueza. La estrategia común, según lo revelado por Herminio, es comprar cochinitos y criarlos hasta que sean adultos. Aunque los cerdos consumen grandes cantidades de maíz, en la opinión de los campesinos no representan una pérdida de riqueza, sino más bien una manera de ahorrar por lo menos parte del valor de la cosecha de maíz que de otra manera se perdería. Los cerdos pueden ser vendidos cuando surge una necesidad. Los cochinitos los compran por más o menos dos dólares y un adulto se vende entre 0.32 dólares y 0.48 dólares el kilogramo. De modo que un cerdo adulto de 100 kilos vale como 40 dólares, una suma sustancial en Amatlán.

Las gallinas y los guajolotes también pueden suministrar un medio para almacenar la riqueza hasta que se necesite. Aunque producen mucho menos carne que los cerdos, tienen la ventaja de consumir menos maíz. Cuando se anticipa una escasez de maíz —y los cambios en los patrones climatológicos muchas veces sirven como advertencia de este desastre potencial— las unidades familiares aumentan sus animales al resguardar las guajolotas o gallinas cluecas bajo un canasto dentro de la casa, para que comiencen a anidar. Si no cuentan con aves adultas para la cría, o si falta tiempo, los campesinos compran pollitos o pavitos a un costo de entre 0.08 y 0.16 dólares cada uno. Durante estas épocas de escasez, puede que haya hasta 20 gallinas y siete u ocho guajolotes en cada unidad doméstica. A medida que surge la necesidad, las aves adicionales son vendidas en el mercado. Hay tal cantidad total de ventas de pollos y guajolotes en todo el año que el precio no varía mucho. Un gallo adulto se vende entre 2 y 2.40 dólares (aunque se estima que la carne es dura), y una gallina adulta entre 1.44 y 1.60 dólares. El guajolote macho adulto puede que alcance los 4.80 dólares, mientras que la hembra adulta se vende entre 4 y 4.40 dólares.

Si los miembros de una unidad familiar siguen incrementando la producción y, sobre todo, si logran conseguir control de suficiente terreno, su estrategia para acumular la riqueza cambia. Como ya se ha mencionado, existe un límite en la cantidad de terreno que un individuo puede tener bajo cultivo debido al sistema de intercambio de mano de obra o *mano vuelta*. Una vez que un individuo logra adquirir acceso a terrenos que no puede cultivar es buena estrategia talar los árboles, crear un potrero y comprar un becerro para criarlo. El ganado no consume maíz, de modo que no son de valor para almacenar la riqueza proveniente de la cosecha, pero son un excelente medio para producir riqueza proveniente de la tierra que no puede ponerse bajo cultivo. Un animal adulto vale entre 240 y 400 dólares en el sur de la Huasteca y puede venderse en cualquier momento durante todo el año. En Amatlán el dueño de ganado tiene como promedio 5.3 cabezas que, fácilmente, valdrían 1 500 dólares, una suma sustancial en el México rural. Una de las unidades domésticas tiene 16 cabezas de ganado, un hato cuyo valor representa más de 4 000 dólares. Una vez que el ganado empieza a reproducirse, representa una fuente adicional de ingresos, pequeña, pero potencialmente estable. Los becerros se sacan del rebaño y se venden en el mercado cuando todavía están bastante jóvenes, debido a que el tamaño del hato está estrictamente limitado por los recursos de terreno y agua. El ganado netamente adulto es retenido debido a su capacidad reproductora y porque en un rebaño adulto se puede almacenar más riqueza. No obstante, la razón fundamental de mantener un hato de ganado no son los ingresos que genera la venta de becerros. Más bien, el ganado es un medio de utilizar las tierras no productivas y, como tal, representa el más alto nivel de inversiones accesibles a los campesinos que cuentan con cierto éxito económico.

La unidad familiar y la producción

Para determinar cuánto maíz produce cada unidad familiar, utilicé varias medidas. Calculé el peso del maíz amontonado en cada casa después de la cosecha, calculé el tamaño de las milpas usando un podómetro y les pregunté a los individuos cuántos cuartillos habían sembrado. Finalmente, consulté a algunos hombres de la comunidad y les pedí que calcularan las cifras para la cosecha de varias milpas. Me sorprendió la conicidencia entre los diversos cálculos que anoté. Los campesinos señalan que una unidad doméstica pobre, refiriéndose a un llamado *vecino* sin tierra, siembra como cuatro cuartillos de maíz en la época de lluvias. Una unidad familiar de nivel medio, o sea un ejidatario con derechos agrarios pero sin ganado, siembra como ocho cuartillos; y es posible que la unidad doméstica con ganado siembre el doble de esa cantidad. La mayoría de los hombres concuerda en que 15 o 16 cuartillos es el máximo que podría sembrarse sin tener que pagar peones. Por supuesto, es difícil determinar la productividad basándose en estas cifras, ya que la cosecha de una milpa dada varía de acuerdo con la etapa en que se encuentra dentro del ciclo de cultivo y barbecho. Otra complicación más es la siembra en la época de sequía, la cual, aunque no tan productiva, también contribuye al abastecimiento alimentario de la unidad doméstica. Como promedio, durante la época de sequía cada unidad familiar siembra unos dos cuartillos destinados a la cosecha de maíz, básicamente para el consumo doméstico.

Según los campesinos, la productividad depende de cuatro factores: la precipitación, la calidad en general de la tierra, la cantidad de tiempo de barbecho antes de la siembra y el cuidado que se les da a las plantas mientras crecen. Un campesino necesita tener cuidado en organizar su calendario de siembras para obtener el máximo aprovechamiento de sus milpas y a la vez en planificar el uso de las milpas varios años hacia el futuro. Una secuencia común seguida por los campesinos es sembrar cerca de la mitad del cultivo de la época de lluvias en una milpa recién desmontada y la otra mitad en una milpa cultivada durante un segundo o tercer año. La siembra de *tonalmil,* o sea, la de la época de sequía, muchas veces se lleva a cabo en un terreno en su segundo año de utilidad. Seguir estos procedimientos y prestar cuidado adecuado a las plantas que están creciendo hacen que cada unidad doméstica produzca entre 3 000 y 3 500 kilogramos de maíz al año. Debido a que la unidad doméstica utiliza en promedio alrededor de 2 400 kilogramos para alimentar a sus miembros y a los animales, quedan entre 600 y 1100 kilogramos de excedente, que tal vez se vendan en el mercado.

Los campesinos me dijeron que cuando el maíz alcanza un precio de aproximadamente 0.08 dólares por kilogramo (como 0.28 dólares por cuartillo), la gente comienza a pensar en venderlo. A ese precio, la unidad familiar puede contar con ganar entre 48 y 88 dólares provenientes de su cosecha. Esto no significa que ellos se deshagan del excedente de una sola vez, sino que la frecuencia de las ventas se incrementa cuando el precio llega al mínimo de 0.08 dólares por kilogramo. Según mis observaciones, el maíz se vende más para satisfacer algunas necesidades específicas que para generar grandes cantidades de dinero en efectivo de una sola vez. En apariencia, la estrategia general es abstenerse de comprar algún artículo deseado hasta que el precio de venta del maíz sea óptimo, en vez de acumular dinero en anticipación de futuras necesidades. Desde el punto de vista de los campesinos es preferible acumular la riqueza en forma de maíz o animales que en forma de dinero. Debido a que los precios básicamente están al alza después de estar en su mínimo en diciembre y debido a que los campesinos se demoran en vender su excedente durante el mayor tiempo posible, yo sospecho que las ganancias que se registran están por debajo de lo probable.

Suponiendo que una unidad familiar ganara un promedio de 80 dólares provenientes de la cosecha del maíz, esto la dejaría con un déficit de entre 80 y 160 dólares para satisfacer los gastos anuales regulares. Para conseguir este dinero adicional, los miembros de la unidad doméstica siembran cultivos secundarios para venderlos, ofrecen los animales en el mercado o se dedican al trabajo asalariado o a ocupaciones secundarias. Una actividad que los campesinos consideran ideal para suplementar los ingresos de la unidad doméstica, sobre todo cuando hay acceso a tierras adicionales, es la producción de piloncillo derivado de la caña de azúcar que se cultiva en la milpa. La evidencia proveniente de los campesinos indica que la producción de piloncillo fue más importante en el pasado que ahora. Los campesinos informan que a mediados de los años sesenta se desplomó el precio que se pagaba por el piloncillo, y esto, junto con la escasez de tierras y bestias de tracción, explica el desplazamiento de la producción. La caña de azúcar requiere más de un año para madurar antes de que se pueda cosechar de manera rentable. Por lo tanto, mantiene acaparadas las escasas tierras durante varias siembras consecutivas en las épocas de lluvia y de sequía y, es más, los campesinos dicen que agota el suelo más que el maíz o el frijol. Sin embargo, aun si hubieran contado con tierras, a fines de los sesenta una epidemia de encefalitis equina redujo la población de caballos y mulas de manera tan severa que se hizo difícil pedir prestado o comprar animales para tracción en todo el sur de la Huasteca. Sin contar con un caballo o mula es imposible hacer girar el trapiche y procesar la caña destinada a los mercados. Un lento y a la vez continuo incremento en los precios del azúcar durante los últimos años ha conducido a una docena de familias de la comunidad a reanudar la producción de piloncillo para complementar sus ingresos. Tal vez en parte debido a que menos personas lo han estado produciendo, el precio de una *mancuerna* (término que se refiere a un par de piloncillos atados juntos y que pesan alrededor de un kilo) se ha duplicado, al pasar de 0.12 hasta 0.24 dólares.

En el momento de plena producción se pueden producir tres *pailas* en un lapso de 24 horas. De una *paila* se derivan 56 *pilones* del producto final y se atan juntos dos pilones para formar una mancuerna. Por lo tanto, un día de trabajo rinde como 84 mancuernas. Después de una semana de trabajo continuo se producen sólo 18 pailas, debido a que es necesario cortar más leña y la gente necesita descansar. Así que después de una semana de arduo trabajo, lo cual es el tiempo promedio que una unidad familiar dedica a la producción de piloncillo, ésta puede rendir 500 mancuernas. Por todo el sur de la Huasteca se produce el piloncillo a fines del invierno o temprano en la primavera, lo cual causa una baja en los precios, al verse inundado el mercado con el producto. Ya para fines de marzo de 1973, el precio bajó hasta llegar a 0.16 dólares por mancuerna, que sigue siendo alto al compararse con los precios previos a la epidemia, de entre 0.07 y 0.08 dólares por mancuerna en la misma época del año. Entonces era posible que cada una de la media docena de unidades domésticas de Amatlán recaudara en bruto más de 80 dólares durante la semana.

Todos los demás cultivos dan cuenta de una parte mucho menos importante de la actividad productiva. Por ejemplo, una familia por lo general cultiva café, plátanos o chile, para así aprovechar el terreno que quedaría ocioso. El café se siembra en pequeñas parcelas aisladas, cubiertas por grandes árboles tropicales de madera dura. El esfuerzo que se requiere para talar los árboles con machete y hacer una milpa es de tal magnitud que la mayoría de los campesinos busca maneras alternas para aprovechar tales terrenos. En este ámbito la producción de café a pequeña escala es ideal debido a que la planta del café requiere sombra y rinde bien en esta región; y el café en grano consigue buen precio en el mercado (aproximadamente 0.72 dólares por cuartillo). A menudo se siembran plantas de plátano junto a la caña de azúcar para así obtener cierta ganancia del terreno que se encuentra dedicado al cultivo de la caña, la cual demora mucho antes de su cosecha. Los plátanos maduran en diferentes épocas del año y las frutas pueden venderse como a 0.01 dólares cada una. Finalmente, el chile se siembra muchas veces en las márgenes de las milpas o en otras áreas no adecuadas para el cultivo del maíz. El *chiltepín* verde (un chile pequeñito, muy picante) se vende por unos 0.40 dólares por litro, mientras que los chiles rojos o verdes más grandes llevan un precio de 0.12 dólares por litro.

El resto de los ingresos de la familia se derivan de la venta de animales. Al año se recuperan unos 40 dólares del maíz invertido en los puercos, además de cualquier carne que la familia consuma. Es probable que todos los demás animales juntos rindan menos de 12 dólares en ingresos. La venta de los excedentes de frijol rinde entre 12 y 16 dólares como máximo.

Los salarios que gana un jornalero contratado en uno de los ranchos ganaderos cercanos suplen la diferencia que queda entre el ingreso y los gastos. Durante el mes de marzo los rancheros contratan a cientos de trabajadores agrícolas por dos o tres semanas. Aparte de este breve periodo de empleo continuo, la mayoría de los hombres trabaja por sólo uno o dos días seguidos y después sólo cuando surge una necesidad específica, tal como la compra de una medicina o un nuevo machete. En todo caso, es posible que los campesinos trabajen unos 30 días cada año de esta manera, ganando un dólar por día. Anualmente esto aporta entre 28 y 32 dólares adicionales a la unidad doméstica. Los hombres se quejan con amargura de los bajos salarios pagados por los rancheros ricos para realizar el pesado trabajo de limpiar a mano la vegetación tropical. El trabajo por este salario apenas mantiene solvente a la unidad doméstica india y no les ofrece a los campesinos alguna opción para la agricultura milpera. De nuevo se revelan las contradicciones y paradojas del estatus de los indios. Los campesinos requieren trabajo asalariado para sostener su manera de vivir y, a la vez, ciertos aspectos de su vida se hacen obligatorios por la falta de acceso a un empleo con salarios decentes.

Hemos visto que el sector mestizo de la economía mexicana carece de incentivos para invertir en la modernización de las prácticas agrícolas de las comunidades remotas como Amatlán. Aunque las actividades productivas de los campesinos han proporcionado el capital para el desarrollo económico mexicano, con frecuencia se les considera un impedimento para el desarrollo nacional. Los propios campesinos se encuentran atrapados por las contradicciones que acompañan su estatus como indios. Para conservar su identidad necesitan mantener su autonomía y hacer todo lo posible para liberarse del dominio directo de los mestizos. Para permanecer independientes necesitan seguir contando con una tecnología basada en los recursos y conocimientos locales. Los nahuas son muy partidarios de aceptar cambios que ellos consideran benéficos para sí, pero por lo general no están dispuestos a adoptarlos a costa de su independencia. Como veremos en el capítulo 7, los campesinos disfrutan de muchos beneficios concretos al mantener su identidad como indios y luchan duro para no perder sus tradiciones y para evitar ser incorporados, en los niveles más bajos de la economía nacional, como mestizos anónimos.

Los campesinos con mayores recursos económicos podrían destinar fondos para el mejoramiento tecnológico y así evitar el problema de tener que atraer capital mestizo. Sin embargo, es poco probable que lo hagan. Como hemos visto, la mayor parte de la tecnología, tal como las maquinarias, los fertilizantes o las semillas híbridas, resulta ser una pérdida de autonomía para la comunidad. Tener una fuente de recursos para las inversiones no elimina este problema. Es más, los campesinos más prósperos tienen éxito hasta cierto grado dentro del sistema tal como es y por lo tanto tienen poca motivación para cambiarlo. Por esta razón, los campesinos menos prósperos o las unidades domésticas más pobres son quienes tienen mayor potencial para el cambio. En 1985, cuando regresé a Amatlán después de una larga ausencia, descubrí que, de hecho, algunas de las unidades domésticas más pobres habían impulsado una reforma. La reforma que promovieron, sin embargo, era totalmente inesperada. En vez de transformar la economía, más bien alteraron la base de su identidad étnica. Se analizará este sorprendente giro en el capítulo final.

La toma de decisiones en Amatlán

Lo que he intentado presentar en este capítulo han sido las cuatro características principales de la vida económica de Amatlán. Lo primero es que los campesinos tienen que tener la habilidad de generar suficientes ingresos monetarios para satisfacer las necesidades de la unidad familiar. Esto significa que necesitan sembrar cultivos comerciales y depender del sector de la economía nacional controlado por los mestizos para complementar sus ingresos. La segunda característica es que hasta los habitantes de comunidades como Amatlán dependen en gran parte de las fuerzas económicas y políticas provenientes de los centros nacionales del poder. Los indios se esfuerzan para evitar la dominación directa por parte de las élites mestizas, pero a fin de cuentas no logran liberarse por completo de estar atrapados en los peldaños más bajos de la jerarquía socioeconómica del país. En todos los casos los no indios son quienes ejercen el poder, de modo que su situación difiere de la de la mayoría de los mexicanos pobres sólo en que la brecha de poder es exacerbada por la brecha cultural. Tercero, he tratado de mostrar que la comunidad no funciona de manera colectiva, pese a algunas apariencias que apuntan a lo contrario. La unidad doméstica es el núcleo de la actividad consumidora y productiva en Amatlán. Finalmente, igual que las personas de todas partes del mundo, los habitantes de Amatlán se ven obligados a economizar. Los campesinos necesitan tomar decisiones acerca de cómo repartir sus escasos recursos para satisfacer diversos objetivos. En todo momento tienen que tomar decisiones estratégicas y son plenamente conscientes de que lo están haciendo.

Existen tres características en la cultura de los nahuas que dan a su participación en actividades de producción y consumo un estilo que se distingue del de la mayor parte de los mestizos. La primera es que los patrones de consumo son similares entre las unidades domésticas, independientemente de los grados desiguales de riqueza entre ellas. Para los nahuas el beneficio de la riqueza está en tener un sentido de seguridad, o tal vez simplemente un grado de estabilidad en un mundo cambiante. No la usan para manifestar la autoestima ni la ostentan para impresionar a los vecinos, sino todo lo contrario. Los campesinos piensan que la ostentación de la riqueza es causa de envidia y que los sentimientos de envidia pueden provocar la propagación de enfermedades por toda la comunidad (véase el capítulo 6). De hecho, a la gente le gusta vestirse bien y lucir joyas o adornos y, muy raras veces, restauraciones dentales en oro; sin embargo, siempre se visten de acuerdo con una moda de límites bastante restringidos. Valoran la ropa que sea nueva y limpia, pero piensan que cualquier cosa llamativa o costosa provocaría envidia. Lo mismo se aplica para las casas y posesiones. La imagen de una pobreza digna es la imagen ideal para una persona en Amatlán.

De hecho, en algunos casos, mientras más rico es el campesino más probable es su tendencia a procurar lucir pobre. Tomás solía visitarme con frecuencia durante mis investigaciones antropológicas en 1972-1973; sin embargo, fue en 1983 que llegué a conocerlo bien. Él es bastante agradable, pero siempre es la persona con la vestimenta más andrajosa de toda la comunidad. Por mucho tiempo yo atribuía su manera de vestir al hecho de que tomaba en exceso, pero más tarde supe que era dueño de media docena de cabezas de ganado. Otro amigo, Juan, viste ropa nueva de corte euroamericano, lleva puesto un anillo de plata y toca la guitarra durante los rituales. Es uno de los llamados *vecinos* y figura entre los habitantes más pobres de la comunidad. En éste y muchos otros casos, la calidad de la ropa en realidad está en correlación inversa con el grado de riqueza. La ostentación de la prosperidad puede no sólo provocar peligrosos sentimientos de envidia, sino también hacer que los demás se sientan justificados en pedir dinero prestado al individuo.

Ranulfo egresó de un programa para la formación de maestros y ahora enseña a los niños de una escuela primaria en un municipio cercano. Me dijo una vez que él detesta visitar Amatlán ya que todos piensan que es rico y siempre le piden dinero prestado. Esperan que la gente rica pague más por cosas tales como las "cooperaciones" comunitarias y que sea muy generosa con todos los visitantes.

La riqueza atrae problemas, de modo que a los más prósperos les conviene ocultar su posición superior. Esta característica cultural ha llevado a algunos estudiosos a proponer que los indios de México tienen una fuerte actitud de "pobreza compartida" (por ejemplo, Wolf, 1957: 2, 5) o que se guían por la imagen del "bien limitado" (Foster, 1967: 122 y ss.). Wolf señala que: "En Mesoamérica la ostentación de la riqueza es vista con hostilidad directa" (1957: 5). Él indica que la riqueza excedente queda redistribuida dentro de la comunidad y que se alaba la resignación a la pobreza. Esta actitud de pobreza compartida exprime la riqueza excedente e impide la compra de nuevos bienes. George Foster mantiene que los campesinos de México ven en el mundo una cantidad fija de bienes y que el éxito de una persona es visto por los demás como causante de la reducción de sus propias posibilidades para obtener beneficios para sí; por lo tanto, los campesinos muestran sentimientos hostiles para con las personas ricas y asumen que los más prósperos habrán conseguido este éxito mediante la deshonestidad. Esta imagen del bien limitado, según Foster, obstaculiza la acumulación de riqueza y, al fin y al cabo, el desarrollo económico.

Estos puntos de vista describen solamente en parte la situación de Amatlán. A pesar de que todos los campesinos se autoidentificaban como pobres, y de hecho descubrí ciertos casos de envidia entre los individuos, no hallé alguna evidencia de que estas actitudes contribuyeran a la pobreza de la comunidad. Al parecer, los sentimientos de envidia o pobreza compartida no impiden que la gente busque entrar en el estrato de las familias más ricas de la comunidad, que crían ganado, ni que otros, como Julio, descrito en el capítulo 2, abran una tienda miscelánea y se hagan comerciantes en el mercado. La generosidad se valora y se cuenta con que los ricos paguen más, pero los mecanismos para la redistribución interna de la riqueza excedente no destruyen las diferencias entre las familias de la comunidad en cuanto a prosperidad. Pese al hecho de que todos saben con precisión quién es rico y quién no lo es, el objetivo parece ser evitar cualquier comportamiento que coloque a una persona por encima de otra. Un valor al que se apegan los nahuas es el sentido de igualdad y comunidad y, según ellos, estos rasgos quedarían destruidos por la expresión de arrogancia y jerarquía que resultaría si los ricos hicieran alarde de su riqueza. En resumen, los campesinos procuran lograr el éxito económico, pero se cuidan de no ostentarlo.

No quisiera exagerar este valor igualitario ni su efecto en el comportamiento de la gente. De hecho, hay individuos que poseen artículos que los apartan de los demás. Unos cuantos han comprado cartón corrugado impregnado de brea para el techado de sus casas. Otros tienen bestias de trabajo para hacer girar el trapiche o para transportar sus cosechas al mercado. Algunas unidades familiares tienen radios de transistores y noté, en 1986, que algunas personas habían comprado molinos de mano para moler el nixtamal, o sea, la primera y más difícil etapa en la preparación de la masa de maíz. Existen pequeñas diferencias entre las familias con respecto a la cantidad y calidad de sus bienes, pero lo importante es que éstas no son de la misma magnitud que las verdaderas diferencias de riqueza dentro de la comunidad.

La segunda característica cultural de los nahuas se relaciona con la primera. Cuando los campesinos hablan acerca de los mestizos, la característica que más desprecian es lo agresivos y jerárquicos que son. De hecho, muchos mestizos miran a los indios en forma despectiva y no parecen ser conscientes de lo mucho que los indios se ofenden por ello. En las ocasiones en que los campesinos se van para trabajar por un tiempo en un rancho local o en un pueblo más distante, con frecuencia regresan con historias de cómo tuvieron que renunciar por lo malo que era el patrón. Los campesinos por lo general son buenos empleados, dispuestos a trabajar muy duro a cambio de lo que parece ser una compensación mínima. Aun así, he hablado con muchos rancheros mestizos locales que me dijeron que los indios son flojos y que no hay que confiar en ellos. Parte de la causa de este problema de percepción es la diferente actitud de los campesinos ante el trabajo (se analiza a continuación) y el hecho de que los campesinos se ofenden por la manera en que los mestizos organizan la situación laboral. A pesar de que existen muchas razones por las que los indios abandonan sus trabajos, la que mencionan con más frecuencia es que detestan tener que trabajar para un jefe. Tener que trabajar para los mestizos es una contradicción de los valores democráticos e igualitarios de la vida comunitaria. De igual importancia es que los campesinos acumulan resentimiento al tener que depender de gente foránea para su sustento.

La tercera característica de la cultura nahua que afecta sus actividades de producción y consumo es más difícil de determinar. Se manifiesta en una aproximación al trabajo y una actitud hacia el tiempo que de cierta manera difieren de las del México mestizo (véase Chamoux, 1986). Los campesinos de Amatlán se concentran en una tarea, de modo que trabajan de manera diligente para cumplir la tarea inmediata. Ponen manos a la obra para cumplir tareas que a un extraño parecieran requerir de resistencia casi sobrehumana. El limpiar el denso monte tropical en la humedad y el calor abrasador, o llevar cargamentos de leña o maíz a grandes distancias por veredas escarpadas y accidentadas, son dos ejemplos menores del duro trabajo que llevan a cabo sin quejarse. Pero para ellos el motivo del trabajo es cumplir con la tarea y el trabajo en sí carece de valor particular. Aunque los campesinos se enorgullecen del trabajo que hacen, no sienten extravío o preocupación si después de haber cumplido una tarea no aparece otro trabajo. Esta actitud frente al trabajo funciona bien si el individuo es contratado por un ranchero regional de manera temporal para cumplir con una tarea específica. Sin embargo, no conduce al éxito en el caso de los puestos de trabajo más permanentes, donde se requiere dedicación al trabajo a largo plazo.

Los diferentes conceptos del tiempo constituyen otro elemento de incompatibilidad entre los empresarios mestizos y los campesinos. La tendencia de los campesinos es mirar las cosas a más largo plazo, en comparación con los euroamericanos. Igual que para las temporadas de cultivo, las cosas se desarrollan de manera mesurada y los habitantes de Amatlán muestran gran paciencia durante los periodos de espera. Para ellos la paciencia no es virtud sino más bien una forma de vida. Las ocasiones en que he vuelto a la comunidad para hacer más investigaciones siempre requiero varios días para reducir mi ritmo, de modo que sea compatible con el de ellos. Una de las grandes consternaciones al regresar a los Estados Unidos después de una prolongada estadía en la comunidad es ver la velocidad con la que todos parecen hablar y moverse. Las personas en las calles urbanas parecen casi como si fueran de comedia, como figuras gesticulando en una película pasada en cámara rápida. La mayoría de los turistas angloamericanos comenta sobre el lento ritmo de la vida en las ciudades mexicanas, pero hasta las ciudades tienen un ritmo acelerado comparado con el de las comunidades campesinas. Esta diferente percepción del tiempo en ocasiones les causa problemas a los indios en sus lugares de trabajo para los mestizos.

Es posible que algunos individuos se vayan a la ciudad o a los ranchos cercanos para hacer trabajo contratado durante varios meses. Desde el punto de vista del empleador, el empleado ha recibido un puesto permanente y tiene la responsabilidad de seguir trabajando. El campesino, por otro lado, tiene un plan de largo plazo para regresar a la comunidad y seguir como agricultor. Cuando es tiempo de marcharse, el campesino, quien viene pensando que el trabajo es temporal, simplemente renuncia. El empleador se siente reafirmado en su opinión de que no hay que confiar en los indios y de que son muy flojos o carecen de motivación para el trabajo. Desde el punto de vista de un campesino, tres o cuatro meses son más que suficientes para dedicarse a una tarea y la expectativa por parte del empleador de que sea más prolongada no es razonable. Surgen problemas adicionales sobre cualquier tipo de fecha tope, la imposición de horarios de trabajo acordes con el reloj o hasta con los días de la semana, las horas para comenzar y terminar el trabajo, o cualquier requerimiento donde la coordinación temporal tenga prioridad por encima del trabajo en sí. Desde la perspectiva de los campesinos, los empleadores simplemente están tratando de imponer su voluntad sobre los trabajadores y suelen estar alegres de irse cuando llega el momento.

Por supuesto, algunos campesinos se van de Amatlán para siempre y se adaptan bastante bien a las condiciones ajenas del mundo laboral. Para ellos, trabajar en la ciudad ya no es una estrategia para complementar los ingresos derivados de la agricultura, sino una meta en sí. Los cambios que requiere este tipo de trabajo significan adoptar rasgos mestizos y abandonar la cultura tradicional. Esto lo saben los campesinos y gran número de ellos están dispuestos a realizar los cambios en aras de las mayores oportunidades que se presentan en la ciudad. Muchos de los que se van lo hacen porque se les ha negado acceso a las tierras y no tienen oportunidad de una vida normal en la comunidad. Unos pocos regresan de la ciudad quejándose de la contaminación del aire, del tránsito y de las características desagradables de la vida urbana. Algunos de los que regresan pasan a ser de los que llaman *vecinos* y comienzan la larga espera por la oportunidad de conseguir tierras. No obstante, la mayoría de los que deciden irse nunca regresan. Tanto los indios como los mestizos necesitan planificar, economizar y trabajar para mantener su vida. Al mismo tiempo, cada cual ocupa un mundo diferente y, como veremos en el siguiente capítulo, esto es más evidente en el ámbito de la religión.

Capítulo 6
La religión y el universo nahuas

XOCHIKOSKATL

Nijkuikatia nititlachixtokej,
nikinkuikatia noikniuaj iuan
tlaltipaktli,
tonana tlaltipaktli;
pampa tlachialistli keuak xochitl
uan keuak kuikatl: xochitl uan kuikatl.

Nochi santipanoj,
nochi titlakajteuasej;
yeka moneki matitlatlepanitakaj,
yeka moneki matitekitikaj;
yeka moneki matijtlalanakaj,
matijmaluikaj uan matikajokuikaj
tlen ika titlachixtokej:
xochitl uan kuikatl.

COLLAR DE FLORES

Canto a la vida, al hombre
y a la naturaleza, a la madre
tierra;
porque la vida es flor y es canto,
es en fin: flor y canto.

Todos somos fugaces,
todos nos iremos;
por eso debemos respetarnos,
por eso debemos trabajar;
por eso debemos recoger,
respetar y conservar
las cosas de la vida:
la flor y el canto.

José Antonio Xokoyotsij, seudónimo de Natalio Hernández Hernández, nahua nativo del municipio de Ixhuatlán de Madero (1986: 45, 97).

La religión nahua crea un universo que difiere de manera tan fundamental del de los mestizos que forma una comunidad apartada de la cultura nacional. Entender este universo resulta ser en extremo difícil. Los mitos y rituales de los nahuas están arraigados con firmeza en el pasado prehispánico, y he hallado que son bastante complejos y están densamente encubiertos bajo varios niveles de significados. Como mencioné en el capítulo 1, para mi proyecto inicial de campo en Amatlán investigué las implicaciones de las creencias religiosas y el ciclo ritual para las rutinas anuales de la siembra, la cosecha y la recolección. Descubrí que era mucho más fácil obtener información sobre cómo encajaba la comunidad en el sistema ecológico de la región que conseguir datos sobre la religión de su gente. Tuve que regresar varias veces a Amatlán, siempre con nuevas preguntas, antes de que comenzara a comprender cómo los nahuas miran el mundo y la forma tan radicalmente diferente que tiene su perspectiva al compararse con la de los mestizos y la de mi propia cosmovisión angloamericana (véase Mönnich, 1976, para un análisis de las prácticas prehispánicas en la religión de los nahuas de la Huasteca; véase, también, Martínez, 1960).

Tal vez haya sido Frederick Starr (1901, 1978 [1908]) el primer antropólogo en llegar al sur de la Huasteca y a la vecina Sierra Norte de Puebla. En 1900, al encabezar una expedición, descubrió que los otomíes de la comunidad de San Pablito, en el estado de Puebla, continuaban con la práctica prehispánica de hacer papel a mano a partir de la corteza interna de varias especies de higueras. También descubrió que, igual que en tiempos prehispánicos, el papel era un elemento importante en los rituales religiosos. Starr publicó sus hallazgos e impulsó a otros investigadores a entrar en la región en busca de la confección de papel y los rituales religiosos relacionados con ello. Después de la Primera Guerra Mundial, Nicolás León, profesor del Museo Nacional de Arqueología, Historia y Etnografía en México, descubrió que los indios nahuas de lo que hoy es Ixhuatlán de Madero también fabricaban papel y lo utilizaban en rituales (1924: 103). Durante la Segunda Guerra Mundial, un investigador independiente, llamado Hans Lenz, entró a caballo en la región y buscó comunidades donde sobreviviera la confección de papel. Varios años después escribió que "es peligroso penetrar la sierra de Ixhuatlán más allá de un cierto punto. En particular, esto es verdad si el objetivo del viaje es recabar información acerca de las costumbres pagano cristianas de los indios que viven ahí o recolectar muestras del papel que cortan para sus ofrendas y brujerías" (1973 [1948]: 139).

Entonces, desde un principio tenemos indicios de que hay una religión misteriosa que ha sobrevivido en los remotos confines del sur de la Huasteca y de la Sierra Norte de Puebla. En los años treinta el etnógrafo francés Robert Gessain y su esposa intentaron saber más sobre los rituales relacionados con el papel entre los cercanos indios tepehuas. Unas cuantas semanas después de su llegada al parecer los indios casi los envenenaron y se vieron obligados a abandonar el campo que investigaban. No obstante, lograron recolectar una pequeña muestra de imágenes sagradas de papel utilizadas en los rituales y publicaron fotografías de éstas junto con una lista de los rituales de los tepehuas (1938, 1952-1953). Un reconocimiento antropológico realizado en 1955 por Alfonso Medellín Zenil nos provee de algunos atisbos llamativos de la cultura tradicional, incluso de rituales religiosos en la vecindad de Amatlán (1979, 1982). Ningún extranjero pudo averiguar mucho acerca del culto religioso en torno al papel antes que el antropólogo mexicano Roberto Williams García, quien pasara varias semanas en Ichcacuatitla, una comunidad nahua situada a menos de 30 kilómetros de Amatlán. Desde mediados de los años cincuenta hasta mediados de los sesenta escribió varios artículos sobre la religión de Ichcacuatitla, pero más allá de mencionar imágenes de papel cortadas por los chamanes, extrañamente guardó silencio sobre cómo estos nahuas utilizaban el papel (1955, 1957, 1966a). Es evidente que durante el corto tiempo en que estuvo allí los indios no le mostraron las características primordiales de los rituales tradicionales celosamente custodiados. Mientras tanto, otros investigadores venían logrando avances en el conocimiento de las prácticas religiosas entre los grupos de indios vecinos que confeccionaban papel, precisamente los otomíes (Christensen, 1942, 1952-1953; Christensen y Martí, 1971; Lenz, 1973 [1948], 1984; Dow, 1974, 1975, 1982, 1984, 1986a, 1986b; Galinier, 1976a, 1976b, 1979a, 1979b), los totonacos (Ichon, 1969) y los tepehuas (Williams García, 1963, 1966b, 1967, 1972). Mi entusiasmo ante los cortes de papel sagrado que me mostró Reveriano durante una noche fría de diciembre de 1972 es comprensible, dada la dificultad que los investigadores han tenido en obtener información acerca de la religión del culto del papel.

Ya he mencionado que los indios evitan revelar a extraños cualquier cosa acerca de su religión y esto lo hacen a la manera típicamente nahua, conscientemente. Si por casualidad un maestro de escuela llegase a descubrir un ritual en plena celebración, nadie intentaría ocultar el hecho o expulsar al visitante inoportuno. Las personas suelen ocultar las actividades rituales en forma pasiva, con tan sólo nunca revelar dónde o cuándo un ritual está por celebrarse. El denso bosque y el disperso patrón de asentamiento de la comunidad facilitan ocultar los rituales ceremoniales de cualquier magnitud. Un maestro a quien conocí y que por lo general simpatizaba con los indios y había trabajado en las comunidades por casi 30 años nunca había presenciado un corte de papel sagrado ni tampoco algún ritual. El método de ocultamiento es tan efectivo que yo llevaba cinco meses en Amatlán antes de darme cuenta de que existiera cualquier actividad ritual en la comunidad. Empecé a decirme que tal vez yo habría descubierto el primer grupo de humanos sin rituales ni religión.

Hay otras dos razones principales por las cuales los nahuas ocultan su actividad religiosa. Una es histórica y se deriva de la agresiva persecución contra las religiones nativas americanas por parte de los cristianos europeos. El catolicismo español del siglo XVI era en especial intolerante con los demás sistemas de creencias y la Iglesia estableció la Inquisición para asegurar conformidad con su doctrina. Muchos practicantes de la religión tradicional fueron muertos por los españoles. Es interesante que poco después de la Conquista los españoles promulgaran un decreto que especificaba encarcelamiento, azotes y corte del cabello ante el público para aquellos indios bautizados que fueran descubiertos ofrendando papel durante sacrificios religiosos; tal era la importancia de este objeto para la práctica de la religión nativa (Lenz, 1984: 359). Con este grado de persecución y dado el hecho de que los misioneros entraran en el sur de la Huasteca durante la década de 1520, no es de extrañarse que se siga practicando con discreción la religión del culto del papel. Ya ha cesado la supresión activa, pero de vez en cuando algún sacerdote itinerante vocifera contra los aldeanos por seguir con lo que él considera creencias paganas.

Una segunda y más inmediata razón por la cual se ocultan es que la participación en los rituales religiosos es uno de los medios más importantes con que cuentan las personas para afirmar su lealtad al mundo indio. Es posible que ciertos mestizos hablen una lengua indígena, pero nunca participan de manera activa en los rituales tradicionales que dan definición a la visión del mundo de los indios. Estos rituales ofrecen un medio mediante el cual las personas demuestran su compromiso con lo que es indio y, por lo tanto, se celebran fuera de la mirada reprobatoria de los mestizos.

El deseo por parte de los aldeanos de guardar en secreto sus rituales y creencias religiosas me puso, como antropólogo, en un aprieto ético. Mi responsabilidad científica era documentar esta fascinante religión, y aun así sentía que mi obligación primordial era para con las personas de Amatlán. Pude cambiar el tema de mi investigación, pero decidí seguir preguntando acerca de la religión hasta que las personas me indicaron que mis preguntas estaban fuera de lugar. Al principio algunos individuos, y en particular los chamanes, querían saber por qué me interesaban tanto los rituales. Unos cuantos me preguntaron si yo quería conseguir dinero a su costa. Les aseguré que lo que me motivaba era un interés sincero y que si lo que buscaba era dinero, sobraban otras maneras más fáciles para conseguirlo. El vínculo de confianza y buena fe tendría que pasar por un largo y difícil proceso, pero yo estaba dispuesto a invertir mi tiempo y energía para intentarlo. Las preguntas que yo les planteaba eran esquivadas con delicadeza mediante una evasión clásica de los nahuas: "Ve y pregúntale al chamán". Los chamanes o estaban demasiado ocupados para responder o declaraban su ignorancia al respecto. Las barreras no comenzaron a ceder sino después de muchos meses en que pasé prácticamente centenares de horas primero observando rituales y luego, poco a poco, participando en ellos. La gente llegó a saber que en el peor de los casos yo no sería más que un observador neutral y que era básicamente inofensivo. Me hice amigo de muchas personas que asumieron la responsabilidad de ayudarme a entender las profundidades de su religión. A medida en que aprendía más, me impresionaban cada vez más la belleza y sofisticación del pensamiento de los nahuas.

En 1975 envíe una copia de mi tesis doctoral al maestro de la escuela de Amatlán, sabiendo que él se la enseñaría a los aldeanos. Aparte de estar escrita en inglés, contenía muchos diagramas y dibujos, y estaba llena de palabras nahuas. Ese mismo año regresé a la comunidad con una ligera aprensión con respecto a cuál sería mi recepción después de todo esto. Para mí fue un placer cuando los aldeanos respondieron de manera muy positiva. Me dijeron que estaban muy felices de tener un "libro" escrito sobre su comunidad. Dijeron que ahora se daban cuenta de lo que yo estaba haciendo y que querían ayudarme más en el proyecto. En 1985 los miembros del Consejo de ancianos facilitaron entrevistas con los chamanes y el agente municipal organizó una reunión con las personas de edad avanzada para discutir la historia de la comunidad. Me dieron carta abierta para recolectar cortes de papel sagrado y llevarlos a los Estados Unidos, para que los estadounidenses vieran cómo se ven. Aun más importante, los ancianos asumieron la responsabilidad de informarme acerca de cada uno de los rituales celebrados, tanto en Amatlán como en el área circundante. Prácticamente pasé a ser parte de los enseres de los rituales, hasta el grado en que la gente me iba a buscar las veces que no cumplía con mi presencia.

Los especialistas en rituales

Los especialistas en rituales nahuas son hombres y mujeres que dedican sus energías para ejercer su maestría en las enseñanzas religiosas esotéricas y los complicados procedimientos rituales. A estos especialistas los llamaré "chamanes", término que utilizan con frecuencia los antropólogos para referirse a los especialistas mágico-religiosos que dedican parte de su tiempo a adivinar el futuro, curar a los enfermos e interceder ante los espíritus para beneficio de sus clientes. En náhuatl el chamán se llama *tlamátiquetl*, lo cual significa "persona sabia". La actividad principal del chamán es llevar a cabo los rituales curativos, de modo que también se les denomina *pajchijquetl* o *tepajtijquetl* en náhuatl, o *curandero* en español. Las técnicas del chamán incluyen adivinar la causa de las enfermedades o predecir los eventos venideros, de modo que a veces se les conoce por los términos *tlachixquetl* en náhuatl (literalmente "el que espera, ve o aguarda algo"), o *adivino* en español. El papel de chamán es accesible para todos, aunque son muy pocos los que completan el aprendizaje y aún menos los que atraen y tienen una clientela por haber establecido una trayectoria de curaciones exitosas. Durante los años que pasé en Amatlán, el número de chamanes activos en un momento dado era de entre cuatro y seis.

He hablado extensamente con algunos chamanes nahuas y todos cuentan una historia parecida acerca de cómo llegaron a su profesión (véase Reyes Antonio, 1982: 146-151, para una descripción de cómo algunas personas llegaron a ser chamanes en otra comunidad nahua de la misma región). Una señal de que el "destino" (*tonali*, en náhuatl) que a uno le toca es el de curar radica en haber tenido la experiencia de curarse milagrosamente de una enfermedad crónica. Otra señal es un sueño recurrente relacionado con temas rituales, encuentros con espíritus o experiencias curativas (véase Hernández Cuellar, 1982: 41 y ss., para señales adicionales sobre el don de curar entre comunidades nahuas aledañas). Estos sueños deben ser interpretados por un chamán establecido, quien después de un ritual de adivinación tal vez recomiende que la persona reciba instrucción. Si la persona tiene de verdad poderes curativos y elige no pasar por el aprendizaje, es posible que esto le ocasione alguna enfermedad y hasta la muerte, de modo que, según cuentan los chamanes, no quedan muchas opciones en el asunto. Algunas personas muestran pocas aptitudes para llegar a ser chamán, mientras que otras evitan cuidadosamente la posibilidad. Los chamanes se ven obligados a hacerse cargo de espíritus peligrosos y a organizar importantes rituales, de modo que se requiere de una personalidad dominante. Un problema más inmediato es que a los chamanes a veces se les acusa de estar practicando hechicería. Durante mi primera visita a Amatlán dos hombres curanderos fueron hallados asesinados poco tiempo después de tales acusaciones. Los asesinatos ocurrieron lejos de la comunidad y se sospecha que personas de comunidades aledañas tuvieron algo que ver con ambos hechos.

Desde el momento en que una persona decide hacerse chamán comienza el aprendizaje con un maestro del arte ya establecido. Por lo general, los aprendices inician su capacitación presentando una ofrenda al posible mentor y siguen ofreciendo pequeñas ofrendas de comida durante todo el periodo de formación. El chamán maestro celebra un ritual en la cima de un cerro sagrado donde el acólito es sometido a una limpia e iniciado como asistente. El estudiante acompaña al chamán a los rituales y presta su ayuda, primero con los pequeños detalles y después haciéndose cargo de secciones completas del ritual. El maestro imparte su conocimiento en pasos mesurados y durante el transcurso de muchos años el asistente adquiere los conocimientos y las técnicas necesarios para establecer una práctica independiente. Los asistentes tienen que aprender a construir elaborados altares, cortar docenas o hasta centenares de imágenes sagradas de papel, de varios espíritus, presentar las ofrendas correctas a los espíritus, aprender de memoria extensos cantos y llegar a dominar varias técnicas para la adivinación. El proceso de formación es riguroso y requiere de tremendo esfuerzo y motivación por parte del estudiante. Los chamanes están de acuerdo en que el periodo de capacitación requiere de entre seis y siete años. Cuando el chamán percibe que el estudiante tiene conocimientos suficientes como para continuar su trabajo de manera independiente, celebra un ritual que dura toda la noche para informarles a los espíritus de los antepasados acerca del nuevo profesional (véase Hernández Cuéllar, 1982: 48 y ss., para una descripción de este ritual entre comunidades nahuas cercanas). Durante el periodo de formación, los estudiantes tienen oportunidades de comprobar su efectividad como curanderos y adivinadores, y comienzan a atraer a su clientela. A los chamanes les pagan por sus servicios y los más exitosos entre ellos logran ganar lo suficiente como para comprar ganado vacuno.

Debido a que los chamanes figuran entre los más importantes especialistas en rituales nahuas (un grupo que incluye a parteras, hueseros y rezanderos), cabe mencionar algo acerca de su personalidad y su lugar en la comunidad. Los chamanes, tanto varones como mujeres, tienen imponentes personalidades que suelen ser muy distintas a las de los demás habitantes de la comunidad. Los chamanes son personas carismáticas rodeadas de cierto aire de peligro. Uno se niega a tomar aguardiente, a pesar de ser casi un requisito el que los chamanes se embriaguen durante los rituales. Otro se sienta solo en un rincón durante las reuniones, soltando risitas entre dientes y hablando consigo mismo. Dos chamanes que llegué a conocer tenían fama de haber asesinado a otros hombres, acusaciones que probablemente no eran ciertas, pero ninguno de los dos se molestó en negarlo. Hay quienes piensan que una de las curanderas que practica en Amatlán realiza actos de brujería a cambio de dinero. Aunque no los eluden precisamente, pocos campesinos hacen algún esfuerzo especial para asociarse con ellos. Los campesinos demuestran cierta antipatía hacia los chamanes, pero también los estiman como valiosos miembros de la comunidad, cuyo conocimiento esotérico en cierto sentido representa la esencia de lo que es ser nahua. Los chamanes son quienes conocen los mitos y rituales y, por lo general, se les respeta cual guerreros en la lucha entre la vida y la muerte, contra las enfermedades y el caos (véase Dow, 1986a, para una relación detallada del trabajo de un chamán otomí en la vecina Sierra Norte de Puebla).

Adivinación

Es de esperarse que los chamanes tengan el don de mirar al futuro y diagnosticar las causas ocultas de los problemas o achaques de sus clientes. Se han presentado informes sobre varios métodos de adivinación para el sur de la Huasteca, como mirar a través de cristales, echar granos de maíz y leer luego el patrón resultante, interpretar la manera en que los granos de maíz flotan en el agua e interpretar las volutas de humo del incienso. Personalmente yo sólo presencié los dos primeros métodos. Cada chamán tiene uno o más cristales de cuarzo natural, muy apreciados, los cuales forman un componente esencial de su parafernalia ritual. Los llaman espejos (singular, *tescatl* en náhuatl) y los chamanes pueden adivinar mediante la interpretación de sutiles figuras dentro del propio cristal. El chamán suele entrevistar al cliente y luego fijar la mirada en el cristal, a la vez que sostiene una vela encendida detrás de éste.

Para la adivinación echando granos de maíz, el chamán extiende un paño blanco bordado sobre una caja volcada de un cuartillo para medir maíz. Este procedimiento suele realizarse en el piso de la casa ante el altar del chamán. Luego de alisar el paño, el adivinador coloca pilas de monedas, cristales y otros objetos pequeños que, según se cree, tienen asociaciones sagradas. Una de las chamanas utiliza dos pequeñas "hachas" de cobre, tal vez de origen prehispánico, las cuales, según dice ella, las dejaron caer los sagrados enanos de la lluvia. Otro de los chamanes utiliza un pequeño rostro prehispánico tallado en piedra verde. Después de colocar estos objetos a lo largo de la orilla del paño, el chamán recoge catorce granos de maíz y los expone al humo del incienso. Entonces canta, pidiendo a los espíritus de los cerros sagrados que lo guíen. Después echa los granos sobre el paño e interpreta el lugar en el que caen. Véase la figura 6.1, para una representación del esquema preliminar de los objetos de adivinación y algunos ejemplos de cómo se interpretan los granos.

Mediante la adivinación los chamanes pueden especificar cuál espíritu está causándole problemas a un cliente. A menudo es un espíritu normalmente benéfico, que se siente desatendido u ofendido, así sea en forma involuntaria. A veces el alma de algún pariente muerto requiere de atención ritual. Tal vez el chamán identifique a vecinos envidiosos, a algún duende enojado o a algún hechicero (persona que utiliza el conocimiento esotérico ritual para dañar a los demás) como causante del problema. Ya identificada la causa, el chamán puede indicar el tipo de ritual que se requiere para satisfacer al espíritu ofendido o para contrarrestar las malas intenciones de los demás. Muchas veces la adivinación revela específicamente el cerro sagrado donde se ha de colocar la ofrenda. Los clientes también les piden a los chamanes pronosticar el resultado de ciertos acontecimientos o predecir, por ejemplo, si algún pariente ausente por largo tiempo regresará a casa para un próximo ritual de toda la comunidad. La habilidad de adivinar con precisión representa la esencia de la lucha

Figura 6.1
Adivinación por medio de los granos de maíz

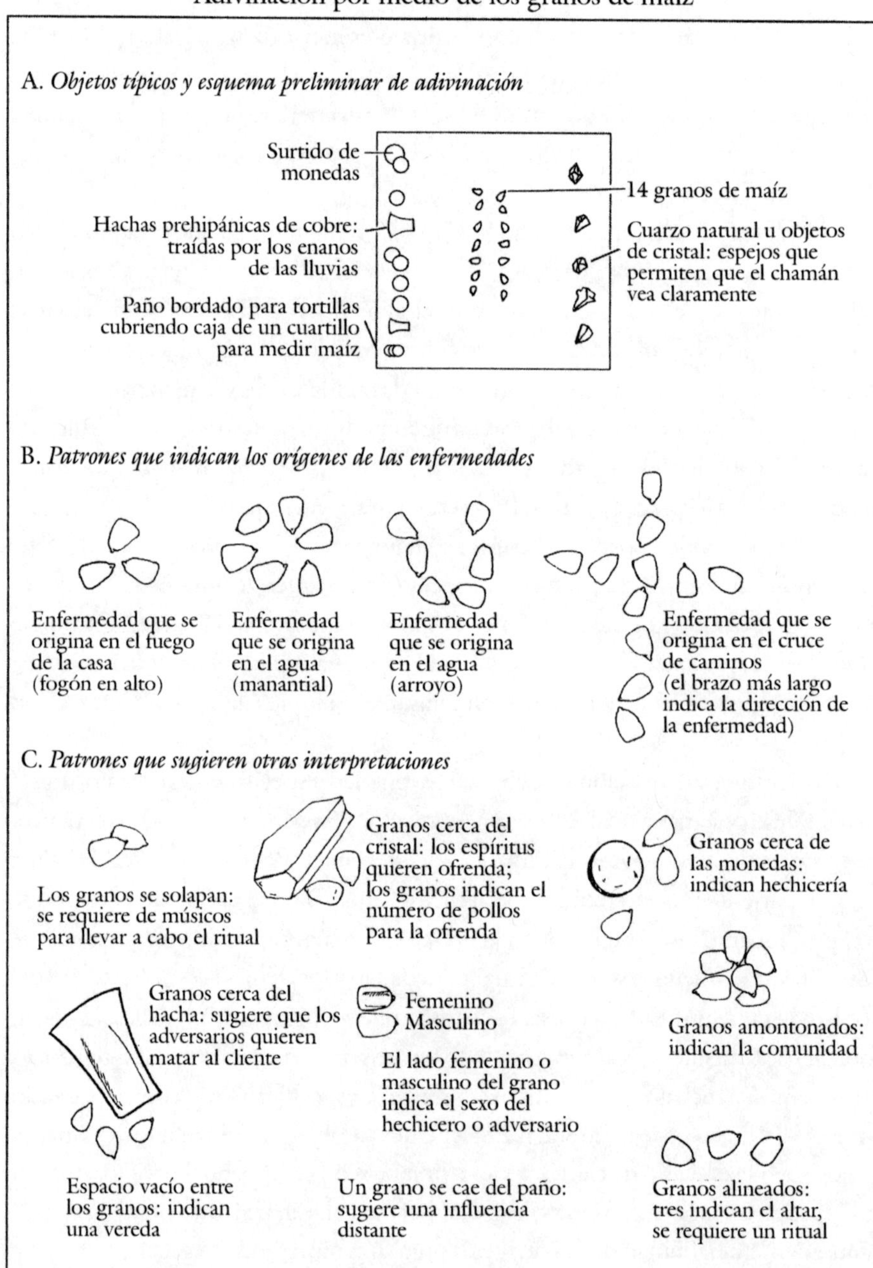

del chamán contra la discordia y el sufrimiento. La adivinación ofrece información clave que permite la restauración de la armonía dentro del ámbito humano.

Aspectos de la cosmogonía nahua

Por lo general los nahuas —y los chamanes en particular— no expresan con claridad las bases filosóficas de su religión. Se comunican entre sí mediante mitos y rituales, a través de ejemplos concretos donde se elaboran repetidas veces los principios básicos y se expresan mediante el desempeño religioso. Los nahuas consideran toscas las preguntas directas en todos los contextos y sumamente inapropiadas las que estén relacionadas con la religión. Esto significa que como forastero yo me vi obligado a basar mis conclusiones en inferencias que obtuve de los mitos, de las observaciones de los rituales y de las pocas interpretaciones que logré obtener de los chamanes y de los legos. A menudo, la reacción ante mis preguntas era de incredulidad y los nahuas nunca parecían apreciar lo profunda que era mi ignorancia sobre su mundo cuando inicié mis investigaciones. Para los nahuas es evidente que la lluvia proviene de las cuevas, que los seres humanos tienen dos almas, una de las cuales se subdivide en siete segmentos, y que Jesucristo es una manifestación del sol (véanse Sandstrom, 1975, 1978, 1982, 1983, 1985, 1986, 1989; Provost y Sandstrom, 1977; Sandstrom y Provost, 1979; y Sandstrom y Sandstrom, 1986).

En un trabajo previo, Pamela Effrein Sandstrom y yo concluimos que la religión nahua tiene cierta característica panteísta (Sandstrom y Sandstrom, 1986). Después de más investigaciones y otro año de trabajo de campo, estoy más convencido que nunca de que tenemos razón. En los sistemas de pensamiento panteísta el universo íntegro y todos sus elementos forman parte de una deidad. Las plantas, los animales y los objetos tienen una especie de espíritu o alma que tal vez pueda afectar el destino de los seres humanos. No obstante, el panteísmo no es simplemente un animismo donde cada ser u objeto posee un espíritu aparte del de los demás seres y objetos. Para los nahuas, y probablemente para muchos otros grupos de indios americanos, cada persona y cada cosa son uno de los aspectos de una gran unidad singular primordial. No existen seres y objetos por separado y de por sí —lo cual es una ilusión peculiar de los seres humanos—. En la vida cotidiana dividimos nuestro medio ambiente en unidades diferenciadas para poder hablar sobre éste y poder manipularlo para beneficio nuestro. Pero es un error suponer que la diversidad que creamos en nuestra vida sea la manera en que la realidad de veras esté estructurada. Para los nahuas todo está interconectado a un nivel más profundo, parte del mismo sustrato básico de la existencia.

En el pensamiento nahua el universo es una totalidad deificada continua y sin interrupciones, pero para comprender mejor su naturaleza lo dividen en cuatro aspectos o ámbitos interrelacionados. El primer ámbito es el de la tierra en todas sus manifestaciones. En general a la tierra se le llama *tlali* en náhuatl y los aldeanos la conciben literalmente como un ser vivo. La gente dice que el suelo es la carne de la tierra, las piedras sus huesos y el agua su sangre. Curvado sobre la tierra está el ámbito de los cielos llamado *ilhuicactli* en náhuatl. Los aldeanos conciben el cielo como un gigantesco espejo viviente, o *tescatl* en náhuatl, lleno del brillo y destellos del sol y las estrellas. Al este se encuentran los pies del espejo y al oeste su cabeza. Dentro de la tierra se encuentra el tercer ámbito, *mictlan,* que significa "lugar de los muertos" en náhuatl. Oscuro y tenebroso, contiene las ánimas de las personas que tuvieron una muerte normal y sin problemas. El cuarto ámbito es el agua, el tejido conectivo del universo vivo. Esta región se llama *apan* en náhuatl, lo cual significa "ámbito del agua" (literalmente "en la superficie del agua"). La gente habla del ámbito del agua como una especie de paraíso agradable y burbujeante, abundante en peces y oscilantes hierbas iluminadas por el sol.

Los cuatro ámbitos principales del universo nahua —la tierra, el cielo, el inframundo y el agua— son más que sólo lugares donde residen seres humanos y diferentes espíritus. También son aspectos de un universo deificado y en ese sentido estos lugares son entidades espirituales propiamente dichas. Para los nahuas cualquier cosa o lugar tiene un significado en el sentido en que se caracteriza por el sagrado orden natural del universo. Por ejemplo, consideran como sagrados los cerros y las montañas del paisaje nahua. Éstos son más que residencias para los espíritus; en sí son los propios espíritus vivos. Un ejemplo más: en los capítulos 2 y 3 mencioné que los campesinos eligen varios lugares de su medio ambiente y les ponen nombres basados en alguna característica natural. Estos lugares pueden convertirse efectivamente en entes espirituales en el panteón nahua, expresiones locales de la deidad universal. Así, en cierto sentido el universo nahua contiene una multitud de espíritus sin contar. De hecho, como veremos a continuación, los chamanes reconocidos pueden crear nuevos espíritus para sus rituales. Dada mi confusión acerca de tal proliferación, una vez le pregunté a un chamán por qué había tantos espíritus. Él respondió: "¿Tantos espíritus? Todos son lo mismo". Aquella corta respuesta contenía una gran riqueza de sabiduría. Todos los numerosos espíritus son sencillamente aspectos de una gran unidad, la cual trasciende toda la diversidad aparente. El mundo nahua está compuesto del Espíritu, cuyos múltiples aspectos saturan su panteón.

El panteón espiritual

Con estas reflexiones sobre el panteísmo como trasfondo, empezaré esta sección detallando los espíritus nahuas con una afirmación que grabé, pronunciada por el chamán Aurelio. Él buscaba explicarme algo sobre la naturaleza sagrada de la tierra:

> [...] La tierra está viva. La tierra toda la vida la estamos ensuciando, la estamos meando y por eso ella se fastidia. Por eso nos quiere abandonar. Algunos de veras no saben lo que hacen. [Los seres humanos] no sabemos por dónde vamos, si caminamos derecho o no caminamos derecho, pero ahí vamos caminando.
>
> Los rituales consiguen sólo lo que la devoción consigue. Decir las cosas muchas veces no las hace ciertas. Comemos esa devoción como maíz, la comemos como tortillas. ¿De dónde viene el maíz? ¿De dónde sale? Sale de la tierra. Todas las cosas valiosas vienen de la tierra, hasta el dinero. Y otra vez aquí estamos molestando a la tierra, la estamos ocupando, la estamos sembrando toda la vida. ¡Bueno! También se enoja la tierra porque aquí la estamos molestando. Sembramos frijol, sembramos maíz, sembramos caña, plátano, sembramos camotes, sembramos lo que sea, lo sembramos en la tierra. Vamos y regresamos del mercado sobre la tierra, nos emborrachamos, pero a la tierra no le damos ni una cerveza, no le damos caña, no le damos pan, no le damos café, no le damos alegría.
>
> No le damos lo que quiere y ésa es la razón por la que nos abandona y no quiere producir [para nosotros]. Y la gente dice entonces: "Vamos a llamar al padre" [una deidad masculina remota no identificada]. Pero no se puede hablar con el padre. El dios antiguo [la deidad creadora] la hizo aquí y el padre por allá. Entonces dijo la tierra: "¿Cuándo me van a recordar para que me prendan una cera [vela]? Porque soy yo quien les da de

comer. Si están grandes y están sanos es porque yo les doy la fuerza, les doy la sangre". Vivimos aquí y nacimos aquí [en la tierra]. Retoñamos como el maicito. Cuando él nace y se da, nosotros somos igualmente así... Tú ya comiste, estás lleno toda la vida y estás borracho. ¡Bueno! La tierra igualmente también quiere su ofrenda. El maíz es muy delicado. El maíz es nuestra sangre. ¿Cómo podemos agarrar [nuestro sustento] de la tierra cuando es nuestra propia sangre la que comemos?

Con base en en la afirmación de Aurelio podemos entender que la tierra es un concepto importante en el pensamiento nahua y que los seres humanos tienen una relación compleja con ella (véase, también, Romualdo Hernández, 1982: 148-149 para una cita de un hombre nahua acerca de la naturaleza sagrada de la tierra). De los cuatro ámbitos que constituyen el universo, la tierra es, con toda claridad, el más crucial para estas personas que se dedican a la agricultura. La tierra existe en múltiples aspectos o álter ego, cada uno de los cuales desempeña un importante papel en la religión nahua. Los aspectos masculinos y femeninos de la tierra se llaman *tlaltetata* ("padre tierra") y *tlaltenana* ("madre tierra") respectivamente; el borde de la tierra se llama *semanahuac tlaltentle* y la superficie se llama *tlaltepactli* (todos los nombres en náhuatl). Es interesante que una personificación de la tierra se llame *montesoma*, nombre sin duda tomado de *Motecuhzoma* (Moctezuma) *Xocoyotzin,* el emperador de los aztecas en la época de la Conquista española. Los aldeanos conciben a esta entidad espiritual como si fuera un mago que construyera iglesias en poblados y ruinas prehispánicas, en comunidades como Amatlán. *Montesoma* es una figura temible que se come los cadáveres después de haber sido enterrados y que se asocia con los horrendos espíritus del inframundo. Pregunté acerca de este espíritu repetidas veces, pero nadie llegó a relacionarlo con la persona histórica. Es posible ampliar la lista de las manifestaciones de la tierra casi indefinidamente. Otros investigadores han registrado muchos ejemplos adicionales en otras comunidades de la región (Reyes García, 1960: 35; 1976: 127 y ss.).

Los habitantes de Amatlán tienen una intimidad con la tierra que es difícil de entender para los foráneos. Para los nahuas la tierra es mucho más que una entidad que posibilita el crecimiento de los cultivos y provee una base para la vida. Además, es una poderosa presencia espiritual con la cual los aldeanos mantienen un contacto personal a diario. La milpa es una parcela de terreno que cuenta con una calidad sagrada y los hombres y jóvenes varones definen su posición dentro de la comunidad de acuerdo con el grado de cuidado que dedican a sus milpas; por ende, demuestran su respeto por la tierra. Antes de la siembra y después de la cosecha se presentan ofrendas a la tierra, cuidadosamente; ésta se ofende al ser molestada. Durante los rituales curativos la gente lleva un pequeño paquete con tierra que han excavado junto a las cuatro esquinas de sus casas para que el *tlaltepcatli* ("superficie de la tierra") también se beneficie con la limpia. Cuando los hombres se encuentran sentados juntos bebiendo, después de la jornada laboral, cada uno presta cuidado en dejar caer a la tierra una gota antes de tomar bebida alguna. Se considera que las personas brotan de la tierra de la misma manera que el maíz y que son devueltas a la tierra cuando mueren. La tierra es cuna y tumba, proveedora de alimentos y de toda prosperidad, el hogar de los antepasados y la fuente del sustento diario de la vida humana.

El paisaje alrededor de la comunidad está vivo y prácticamente lleno de aspectos del espíritu. Cada cerro, valle, manantial, laguna, arroyo, tramo del río, peñón, llanura, arboleda, cañón y cueva tiene su propio nombre y su espíritu relacionado. El medio ambiente físico ha sido organizado por los nahuas en un sistema coherente y significativo, "un medio ambiente diferenciado cognitivamente", según la terminología sugerida por Rappaport (1979: 5). Las características que figuran de manera más prominente en la religión nahua son los cerros y las montañas, que abundan en la región. Llamados *santo tepemej,* una frase del náhuatl hispanizado que significa "cerros sagrados", éstos son entes vivientes que sirven de hogar para los espíritus de las semillas y de la lluvia, relacionados con el crecimiento de los cultivos, y para los poderosos espíritus que protegen a los seres humanes. Uno de los chamanes me dijo que los cerros son la cabeza y el rostro de la tierra, el suelo su cuerpo y el inframundo sus pies. Los chamanes hacen peregrinaciones a las cimas de los cerros y las montañas para colocar ofrendas especiales. Los cerros están ordenados según su tamaño e importancia, y cada uno guarda un lugar especial en la mitología de los aldeanos.

Según los chamanes, la montaña más importante de México es el *Popocatépetl* (o "montaña humeante" en náhuatl), un pico volcánico cubierto de nieve situado cerca de la ciudad de México. Pese a que ninguno de los chamanes de la comunidad ha visitado el Popocatépetl, éste sin embargo desempeña un importante papel en sus mitos. Cuentan la historia de que cuando *Montesoma* cargaba con el Popocatépetl hacia el Valle de México, por razones que varían de acuerdo con la versión que se cuenta de la historia, dejó caer pedazos del volcán que luego se convirtieron en los demás cerros y montañas. La cima más importante en los alrededores de Amatlán es el cerro *Postectitla* ("cerro quebrado", literalmente "lugar junto a la base de algo que se partió a lo largo", en náhuatl), un enorme núcleo de basalto volcánico que sobresale más de 600 metros de manera vertical por encima del terreno circundante. El núcleo rocoso pareciera haberse quebrado por arriba y este rasgo ha hecho surgir un mito explicatorio. Algunos chamanes me dijeron que el dios (*toteotsij* en náhuatl, véase abajo una descripción) estaba en su milpa un día cuando la montaña todavía estaba íntegra. Él se dio cuenta de que las hormigas y los demás insectos estaban trepando desde la tierra hasta el cielo y ordenó partir la montaña y así cortar la conexión entre la tierra y el cielo. Desde entonces los seres humanos han estado intentando restablecer aquel vínculo mediante sus rituales. Uno de los chamanes me explicó que el Postectitla es el gobernador de los cerros circundantes, una montaña de la región llamada San Jerónimo es el secretario, y otra montaña llamada La Laguna, con un lago en su cima, es el tesorero. De este modo los indios utilizan la metáfora de los puestos políticos municipales como una manera de ordenar la jerarquía de las montañas sagradas más importantes. El mapa 6.1 muestra los cerros y las montañas importantes en relación con Amatlán (nótese que algunos pueblos o asentamientos de la región reciben su nombre de acuerdo con las características geográficas sagradas cerca de las cuales están localizados).

En el ámbito terrenal, el espíritu más importante aparte de la propia tierra es *tonantsij* ("nuestra honorada madre" en náhuatl). Tonantsij es una deidad prehispánica de la fertilidad, que ha llegado a identificarse con la virgen de Guadalupe en el México moderno (véase Wolf, 1958). Para los indios ella representa una imagen materna y un vínculo entre la cristiandad y las antiguas tradiciones prehispánicas. Es una figura importante tanto para los indios como para los mestizos y no es exageración alguna decir que se ha convertido en la patrona de México. La mayoría de los mestizos consideran la veneración de *tonantsij* por parte de los indios como una versión infantil casera de su propia veneración de la virgen de Guadalupe, a quien ellos a su vez conceptualizan como una manifestación de la virgen María. De hecho, en lugares como Amatlán, el culto de *tonantsij* puede remontarse hasta las sofisticadas y complejas religiones de la era prehispánica. Aunque la capilla de *tonantsij* en Amatlán tiene techo de zacate y es rústica, las ideas que ésta representa y su papel en la religión nahua no son para nada simplistas.

La gente concuerda en que al principio *tonantsij* vino del cielo, pero ahora vive en una o más cuevas situadas en las cimas de las montañas sagradas. Ella vigila la comunidad y asegura la fertilidad tanto de las siembras como de los seres humanos. Mantienen una estatua de la virgen de Guadalupe en la capilla (*teopaj,* en náhuatl) de la comunidad dedicada a ella y las personas le colocan ofrendas periódicamente para que no las abandone. Un breve mito contado por varios individuos establece su importancia para el mundo. Un aldeano me dijo que *tonantsij* dio a luz a cuatro hijos. El primero fue *tlahuelilo,* el temible personaje relacionado con el inframundo. El segundo fue *sa hua,* espíritu del agua que vive en el mar y envía la lluvia. El tercero fue *montesoma,* el mago del ámbito de la tierra que construye iglesias y ruinas prehispánicas milagrosamente. El último hijo fue el sol, *toteotsij,* que en su aspecto cristiano es Jesucristo. De modo que *tonantsij,* la madre de la fertilidad, dio a luz a cuatro hijos, cada uno de los cuales se relaciona con uno de los cuatro reinos. *Tlahuelilo* viene del inframundo, *montesoma* es un espíritu de la tierra, *sa hua* es el señor de todas las aguas y *toteotsij* gobierna desde el cielo. Lo interesante es que el sol fue el último en nacer y, por lo tanto, según varios campesinos, tiene menos poder que sus hermanos mayores. El mito resume de manera nítida la secuencia de las cuatro épocas pasadas, cuando el universo fue regido por el inframundo, el agua, la tierra y el cielo, respectivamente. También recuenta la llegada del cristianismo en el momento en que *tonantsij* dio a luz al Cristo-sol, que rige durante nuestra época. *Tonantsij* es venerada durante una ceremonia llamada *tlacatelilis* ("nacimiento" en náhuatl), un ritual de fertilidad celebrado durante el solsticio de invierno.

Desde su cueva en la cima de la montaña, *tonantsij* rige sobre los espíritus de las semillas que son sus hijos, según creen los campesinos. Éstos se llaman *xinaxtli* o *xinachtli* en náhuatl, lo cual significa "semilla", y existe un espíritu para cada uno de los diferentes cultivos de la milpa. Representan la fuerza vital o la fertilidad potencial de cada cultivo, de tal manera que se encuentran al frente de los pensamientos de los campesinos nahuas. Me enteré de ellos por primera vez mientras cruzaba el espacio de un amigo, camino a un ritual curativo que pensaba presenciar. Miré hacia arriba y en la cuerda para tender ropa colocada entre dos casas vi alrededor de 75 pequeños vestidos para niñas y pantalones y camisas para

Mapa 6.1. Los principales cerros sagrados en la religión nahua de Amatlán

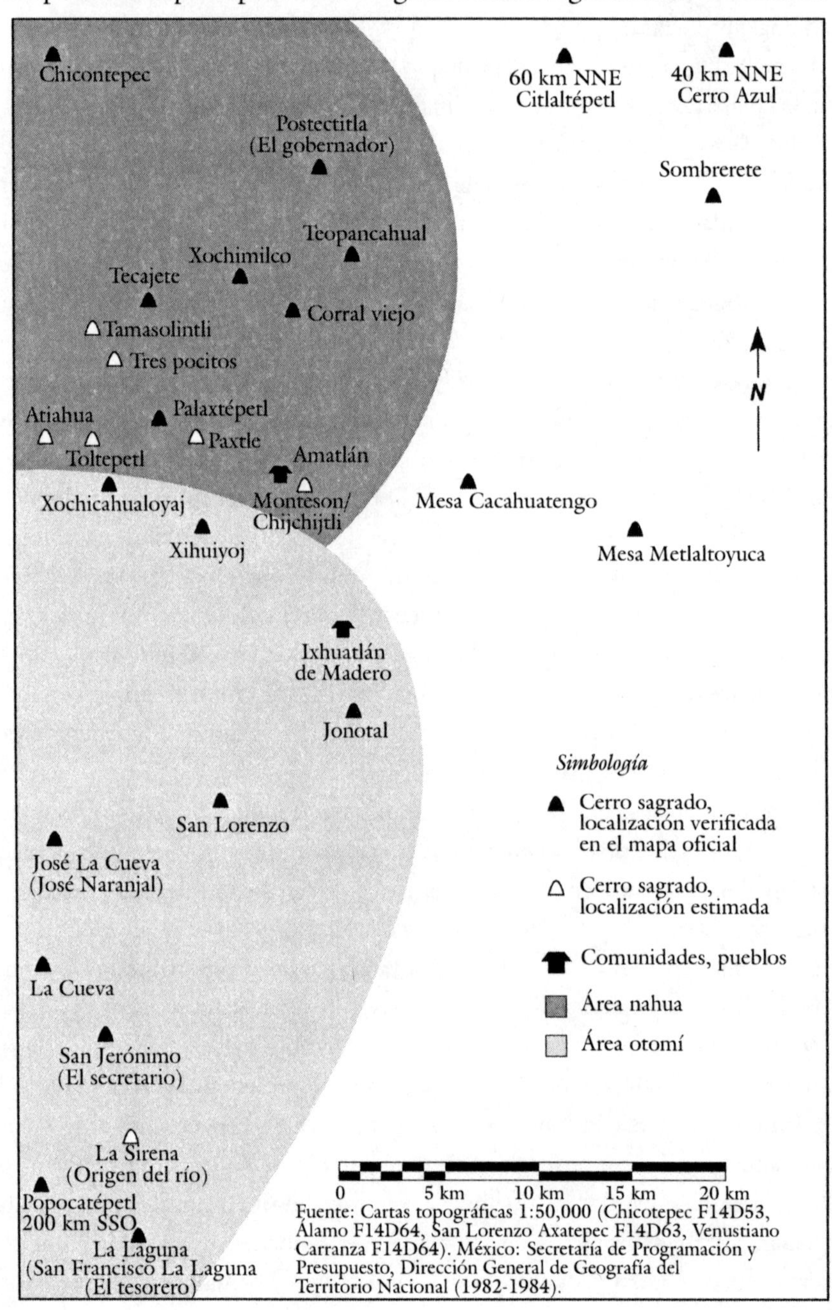

niños, cada pieza de alrededor de 30 centímetros de largo. Al entrar en la casa de mi amigo para preguntar, pude ver que empezaba un ritual. La gente me saludó como si me estuvieran esperando, porque resulta que hacía poco acababan de mandar a un muchacho para que me llamara y suponían que yo llegué porque estaba respondiendo a la invitación. Este ritual se llama *xochitlalia* ("tierra de flores", literalmente "poner flores en la tierra" en náhuatl) y su elemento central es una ofrenda para los espíritus de las semillas. Yo estaba ansioso de saber lo de la ropa en miniatura colgada de la cuerda, pero me vi obligado a tener paciencia, puesto que el ritual siguió por 12 días y noches sin interrupción.

Los chamanes representan a los espíritus de las semillas mediante el corte de imágenes de papel. Éstas las conservan cuidadosamente durante el año en un cofre especial hecho de cedro. Los aldeanos colocan el cofre sobre un altar decorado con detalle y lo abren sólo para este ritual anual. Visten a las imágenes de papel guardadas dentro del cofre con las pequeñas ropas que yo había visto secándose en el tendedero fuera de la casa. Además de las ropas, adornan las imágenes con sombreros, collares diminutos, aretes y peinetas. Junto con las figuras vestidas dentro del cofre, los chamanes y sus ayudantes colocan muebles en miniatura, parecidos a los que se encuentran en las casas de los pobladores. Como parte del ritual, el chamán abre el cofre y saca las imágenes de papel y los muebles. Los ayudantes lavan y secan la ropa, y restriegan el interior del cofre antes de vestir a los espíritus de las semillas y guardarlos de nuevo para el otro año. Los aldeanos me dijeron que las semillas tienen cierto deseo de regresar a sus hogares en las cuevas y que el bello cofre con sus detalladas ofrendas está diseñado para hacer que quieran quedarse en la comunidad. Si las semillas decidieran irse, los cultivos fallarían y la gente se moriría de hambre. Durante el año los aldeanos colocan ofrendas periódicamente ante el cofre que contiene los espíritus de las semillas y en frente de la estatua de *tonantsij* dentro de su capilla para asegurar cosechas abundantes.

Los aldeanos ordenan de manera jerárquica a los espíritus de las semillas, de acuerdo con su importancia. Sin sorpresa alguna, el maíz es el supremo. Cuando se me permitió examinar las imágenes de las semillas en el cofre de cedro encontré que la abrumadora mayoría eran representaciones de las variedades de maíz. El espíritu del maíz existe en su aspecto tanto masculino como femenino. El aspecto masculino se llama *chicomexochitl* ("7-flor") y el femenino *macuili xochitl* ("5-flor," ambos términos del náhuatl). Pregunté por qué el espíritu del maíz tiene esos nombres y la gente me respondió que no sabía el origen de 5-flor, pero que el nombre de 7-flor se basaba en una milagrosa planta de maíz que fue descubierta hace muchos años mientras crecía y que tenía siete mazorcas. No obstante, creo que esta explicación es una racionalización secundaria. Tanto 5-flor como 7-flor eran nombres de deidades aztecas. Siete-flor protegía a las costureras y a los pintores y se relacionaba con *pilzintecutli*, el señor del maíz tierno. Había también un día azteca llamado 7-flor, simbolizado por una mazorca de maíz (Berdan, 1982: 135; Mönnich, 1976: 143). Cinco-flor era el patrón de las danzas, los juegos y el amor, y era hermano de *centeotl*, "dios del maíz" (Caso, 1958: 46-47; Soustelle, 1961 [1955]: 104). En resumen, parece probable que los nombres de los espíritus del maíz tengan un origen prehispánico (véase, también, Nicholson, 1971: 416-421, cuadro 3).

Cuando insistí con los aldeanos por más detalles sobre el espíritu del maíz me respondieron que 7-flor y 5-flor son niños gemelos divinos con pelo rubio, del color de los cabellos del maíz. De hecho, cuando llegamos al campo en 1985 con nuestro hijo rubio de tres años muchas personas comentaron que se parecía a *pilsintsij* (el espíritu "maicito", en náhuatl), un álter ego de 7-flor. *Chicomexóchitl* es el tema y héroe de muchos mitos, algunos de los cuales pude registrar durante 1985 y 1986. En una de las historias unos mestizos dejaron que el maíz cayera al suelo y no se molestaron en recogerlo. Los granos, bajo la apariencia de *chicomexóchitl*, empezaron a llorar al verse tan maltratados. Un indio que pasaba por ahí recogió el maíz con cuidado y desde entonces *chicomexóchitl* ha apoyado a los indios. Noté con interés cómo los aldeanos siempre se aseguran de recoger con cuidado todo grano de maíz que haya caído al suelo por casualidad.

En un importante mito acerca del espíritu del maíz, del que existen múltiples variantes, la abuela de *chicomexóchitl* lo mata e intenta esconder el cadáver (véase el capítulo 4). No importa lo que ella haga; él reaparece para encararla por su crimen. El mito parece describir el asesinato simbólico del maíz en el momento de la cosecha y su resurrección al brotar en vida después de la siembra de primavera. Un tema interesante que se manifiesta en estos mitos es que el espíritu del venado (llamado sencillamente *masatl* en náhuatl o "venado") siempre desempeña el papel de padre de *chicomexóchitl*. Aunque los aldeanos no pudieron explicarme por qué esto debe ser así, es posible que el tema haga recordar la transición entre la forma de vida de los cazadores, simbolizada por el venado, y la agricultura como medio de producción, representada por el maíz (véase Myerhoff, 1974: 200-201, para un ejemplo sobre este tema entre los huicholes).

En un episodio, *chicomexóchitl* se retiró a las entrañas de la montaña sagrada *Postectitla* y durante su ausencia los aldeanos padecieron hambre. Un día la gente vio hormigas rojas que salían de una cueva de la montaña cargando granos de maíz. En este momento el espíritu del agua, *sa hua,* golpeó la montaña haciendo que la cima se desprendiera, dejando salir el fuego desde las entrañas de la tierra. Los espíritus de los truenos y relámpagos (*pilhuehuentsitsij* en náhuatl, literalmente "venerables ancianitos") rociaron agua sobre el fuego para evitar que el maíz se quemara, pero su éxito fue sólo parcial. Hasta ese momento todo el maíz había sido de color blanco. El maíz blanco que se cultiva hoy día en la comunidad desciende de los granos que se salvaron por completo del fuego. El maíz amarillo actual desciende de los granos que apenas se tostaron y el maíz rojo proviene de los granos que fueron expuestos por completo a las llamas. El maíz negro desciende de los granos que casi fueron destruidos por el fuego. Este episodio mítico no sólo explica el origen de las variedades de maíz, sino que también revela la base por la cual se ordenan, desde el blanco, la variedad menos quemada y más deseada, hasta el negro, la variedad más afectada por el fuego y, por lo tanto, la menos deseable. Es más, un tema subyacente del mito es que las veces en que el espíritu del maíz se encuentra ausente o inatento, el hambre invade a la comunidad.

Sin embargo, *chicomexóchitl* es más que un héroe cultural mítico que simboliza la importancia central del maíz en la vida nahua. Protagoniza un papel metafísico más profundo en la visión nahua del universo y del lugar de los seres humanos en el orden natural. Esto no es algo que los aldeanos puedan articular con claridad y sin ambigüedades, sino más bien una interpretación mía, basada en haber escuchado mitos, observado incontables rituales, y aislado patrones subyacentes en los que me han dicho tanto los chamanes como los legos.

En el pensamiento nahua los seres humanos forman parte del universo sagrado y cada uno de nosotros guarda dentro del cuerpo una chispa de energía divina que da vida al mundo. A fin de cuentas, esta energía se deriva del sol, *toteotsij*. Gran parte de la energía solar nos llega en forma de calor que los nahuas llaman *tona* o *tonatl* y nosotros lo percibimos como calor corporal. De hecho, una de las almas que tiene cada ser humano se llama *tonali* en náhuatl, un término que se deriva de la palabra para este calor divino (véase más abajo, para una explicación más completa de las almas). Ya cuando se encuentra en el cuerpo, este calor se transforma en *chicahualistli*, nombre náhuatl para un tipo de energía o fuerza que da vigor a los humanos y la potencia para actuar. Esta energía es portada en la sangre (*estli* en náhuatl) y es renovada cuando nos alimentamos, en particular con el maíz. Sin tener maíz, el *tonali*, o alma-calor, pierde energía, se debilita (o sea, se enfría) y, finalmente, se muere la persona. El maíz es, desde luego, el vínculo físico y espiritual entre los seres humanos y el sol; es la sustancia vivificante que une a las personas con el universo sagrado. Este sistema de creencias añade aun otro grado más de sentido al dicho nahua: *El maíz es nuestra sangre*.

Tonantsij y sus hijos-semilla constituyen uno de los conjuntos de espíritus más importantes del panteón nahua, y dos rituales principales se centran en estas figuras. Pero es difícil aislar a grupos de espíritus para su análisis, debido a la manera en que los nahuas ven la relación de los espíritus entre sí. La cueva en que viven *tonantsij* y sus hijos-semilla también la ocupan el trueno (*tlatomoni* en náhuatl) y el relámpago (*tlapetlani* en náhuatl), espíritus que están relacionados con los enanos de la lluvia. De modo que algunos aldeanos afirman que *tonantsij*, tal vez en su manifestación como espíritu del agua, es quien de verdad envía la lluvia. La vivienda terrenal de *tonantsij* también la coloca en estrecha relación con los espíritus de los antepasados; llamados *tecutli* en náhuatl, viven dentro de los cerros sagrados y vigilan y por lo general cuidan Amatlán. Estos antepasados a su vez están relacionados con las esculturas prehispánicas (por lo general pequeñas figuritas o rostros de cerámica) que de vez en cuando son desenterradas; los aldeanos las respetan como objetos poderosos. Llamados *teteomej* en náhuatl ("dioses o espíritus de piedra") o *antihuatl* (término del náhuatl hispanizado que significa "la antigua"), estas divinidades parecen distinguirse de los espíritus de los *tecutli* o, tal vez, representen algún aspecto de ellos. Cualquier línea de cuestionamiento acerca de los espíritus termina rápidamente en un complicado enredo de asociaciones que hace borrosos cualesquier límite cuando se intenta crear un mapa del panteón de los espíritus.

Los chamanes describen el ámbito de los cielos, *ilhuicactli,* como un lugar resplandeciente y brillante, iluminado por la pura luz del sol y las estrellas; el sol que rige sobre todo el universo y arroja su vivificante luz sobre la tierra. Conocido como *toteotsij* en náhuatl, "nuestro venerado dios", el sol creó el universo que ahora habitamos y preside sobre su creación con indiferencia benigna. El sol anima al universo con su calor y luz, pero se abstiene de intervenir directamente en los acontecimientos humanos. En ello reside una paradoja del pensamiento nahua; la gente está de acuerdo en que el sol es el más poderoso de todos los espíritus y hasta lo llaman *tata sol,* lo que significa "padre sol" en náhuatl hispanizado, pero presentan pocas ofrendas al sol y raras veces dirigen sus oraciones hacia él. Los aldeanos mantienen un altar permanente en la cima de un cerro cercano, llamado *monteson* (palabra del náhuatl hispanizado que significa "son o canto de *montesoma*"). Este sitio es significativo porque es el lugar de Amatlán donde el sol alumbra la tierra primero en la mañana. No obstante, el altar está dedicado al cerro y a la tierra, los cuales se hacen sagrados por la acción de los primeros rayos del sol. En el pensamiento nahua, el sol es Jesucristo, un ser espiritual que repele las fuerzas de las tinieblas durante el día; pero cuando la gente desea hacerle peticiones se necesitan intermediarios para acercarse a él. Los chamanes me contaron acerca de un ritual celebrado en escasas ocasiones, en el que se preparan cortes de papel especiales y se dedica una ofrenda directamente al sol. Sin embargo, este ritual se celebra en secreto y en él participan solamente los chamanes más poderosos.

El sol provee de energía al universo animado y también vigila a las personas durante el día. Durante la noche pasa por debajo de la tierra y se encuentra fuera del campo de visión. En su lugar salen las estrellas (*sitlalij,* singular en náhuatl) quienes se encargan del desempeño del sol como guardián. Durante la noche las piedras pueden convertirse en animales carnívoros salvajes y las estrellas interceden para proteger a los seres humanos: lanzan flechazos en forma de aerolitos para matar a las fieras carnívoras y salvar a los seres humanos de un horrible destino. Algunos aldeanos me dijeron que ciertas piedritas tienen agujeros porque las estrellas guardianas las han matado y que los chamanes las aprecian como objetos poderosos. Comparada con el sol, la luna (*metstli* en náhuatl) es vista como una fuerza inconstante y poco fiable (para un análisis de las creencias nahuas sobre los efectos del ciclo lunar en muchos tipos de plantas, véase Reyes Antonio, 1982: 48-50). Su luz es pálida y fría, y su imagen pasa de creciente a menguante durante el ciclo lunar. De hecho, para el pensamiento nahua, la luna es una entidad espiritual ambivalente, vinculada con la fertilidad y con *tonantsij,* pero también con un espíritu espantoso del inframundo llamado *tlahuelilo* (término náhuatl que significa "iracundo"). A menudo los espíritus horrendos que provocan enfermedades son representados en imágenes de papel con protuberancias parecidas a cuernos, con la intención de representar la luna creciente.

La constelación más importante son las Pléyades, conocidas en náhuatl por los términos *miaquetl* (literalmente "muchos") o *chicome sitlalij,* que significa "7-estrellas". Las Pléyades han llegado a representar el cielo nocturno en general, al cual los nahuas llaman *chicome ilhuicactli* o "7-cielo". La Vía Láctea la llaman *sitlalcueitl* (término náhuatl que significa "falda de estrellas") o *Santiago ojtli* (lo cual significa "camino de Santiago" en el náhuatl hispanizado). Los campesinos consideran la Vía Láctea como la residencia de los santos del catolicismo. Además, reconocen el planeta Venus, al cual llaman *tonquetl* en náhuatl. Otra manifestación celeste de importancia es el arcoíris, llamado *acosejmalotl* en náhuatl. Los campesinos consideran que los arcoíris son peligrosos y que ponen en riesgo a las personas que los ven. Los nahuas conceptualizan el cielo como un arco o una bóveda desde donde se suspenden sobre la tierra los diferentes cuerpos celestes. Por lo general, los espíritus del panteón celeste son menos importantes que los que se relacionan con la tierra. El cielo y sus divinos habitantes desempeñan un papel importante en los rituales, pero tienen poco impacto en la vida diaria. Hasta *tonantsij,* entre los personajes sagrados más importantes en Amatlán, que está relacionada con la luna, ha sido trasladada y, según la creencia de los aldeanos, tiene su hogar terrestre en las cuevas de las montañas sagradas.

Un espíritu de especial importancia, que se origina en el cielo junto con el sol, la luna, las estrellas y los santos del catolicismo, es el fuego. En el capítulo 4 presenté un resumen del mito en que Juan Flojo (también conocido como Juan Ceniza), una manifestación terrestre de *tlixihuantsij,* el espíritu del fuego, se va de Amatlán porque sus cuñados lo critican por ser flojo. Como se puede recordar, a fin de cuentas, las jovencitas pudieron ir a las montañas, presentarle ofrendas a Juan, y convencerlo con halagos de que les devolviera el fuego a los humanos. Los campesinos creen que el espíritu del fuego permanece en la comunidad y que ahora vive dentro de las tres piedras que rodean el fogón principal de cada hogar. Los chamanes arrojan comida y bebida al fuego del hogar durante todos los rituales, como ofrenda a *tlixihuantsij* para que nunca vuelva a abandonar a los seres humanos.

El agua es un elemento fundamental en la visión nahua del mundo y desempeña un papel crucial en la creencia religiosa y los rituales. Brota desde el suelo, cae del cielo y se estanca en charcas sobre la superficie de la tierra. Algunos aldeanos me contaron que el agua mantiene unido al mundo en el sentido de que conecta los ámbitos del cielo, la tierra y el inframundo. Es frecuente que los chamanes mantengan en sus altares domésticos una exposición permanente de imágenes de papel que representan el espíritu del agua. El espíritu del agua existe en muchos aspectos, los cuales figuran de manera importante en los mitos de la comunidad. Por el este se encuentra el mar (precisamente el Golfo de México), que es la fuente de todas las aguas y la residencia de *sa hua,* nombre derivado del nombre de san Juan Bautista en español. *Sa hua* reparte las aguas y controla a los animales de las profundidades. La lluvia la traen del mar los doce *pilhuehuentsitsij*, "honorables ancianitos", a veces llamados también *antihuatl*, "el anciano", en forma singular en náhuatl hispanizado. Estos espíritus que parecieran ser enanos se presentan como viejitos vestidos con fina ropa negra y mangas de hule, que llevan bastones, espadas o cadenas en sus manos. Viajan en las nubes que vienen desde el golfo durante la época de lluvias, y a medida en que prosiguen hacia el interior tamborilean sus utensilios, creando dramáticas manifestaciones de truenos y relámpagos. Ellos llevan las aguas a sus viviendas en las cuevas de las cimas de los cerros sagrados, desde donde luego son repartidas por *apanchanej* (nombre náhuatl del espíritu de las aguas o "habitante del agua"). Los enanos de la lluvia parecen ser metáforas para las nubes negras que el viento trae desde el golfo a principios de la temporada de lluvias. A medida en que las nubes se elevan para pasar por encima de la sierra se enfrían y van descargando su valiosa humedad. Varias personas me han dicho que los *pilhuehuentsitsij* son negros "como las nubes".

Muchas creencias nahuas se basan en minuciosas observaciones del funcionamiento de la naturaleza. Una vez, mientras yo caminaba lejos de Amatlán con unos amigos, doblamos en la curva de un elevado sendero y salió a la vista de manera impactante la aguda cima del *Postectitla* ("cerro quebrado"). Unas nubes que el viento traía tierra adentro desde el golfo se habían "agarrado" del serrado pico de esta notable formación rocosa, y esta situación causó que mis compañeros afirmaran que era una señal segura de que después llovería hacia la medianoche. Tal como predijeron, ya para las 10 de la noche cayó un aguacero que duró hasta el amanecer. Las nubes que venían del golfo parecían desprenderse de la montaña y aparentemente su presencia en torno a la cima es un seguro presagio de lluvia.

Manantiales, lagunas, arroyos y ríos también son importantes manifestaciones del espíritu del agua. *Apanchanej* vive en estas localidades, en forma de una dama de cabello largo y con una cola de pez, tal cual la de una sirena. Al hablar en español los aldeanos la llaman *la sirena*. Ella rige sobre los animales acuáticos de agua dulce y sobre las almas de personas que mueren de cierta manera. La muerte por ahogamiento o por un rayo desvía el alma de manera abrupta fuera de su ruta normal hacia el inframundo y le asegura un lugar en el ámbito paradisiaco del agua. Una fascinante manifestación de *apanchanej* es *santa rosa,* en el sentido de "rosa sagrada", o, más probablemente, el nombre se deriva de santa Rosa de Lima, la primera en ser canonizada entre los santos del Nuevo Mundo, famosa por sus visiones. Es más, *santa rosa* es el término que los aldeanos utilizan para la mariguana, y en algunas ocasiones los chamanes y sus asistentes selectos ingieren sus hojas molidas mezcladas con aguardiente. Un ayudante sobrio vigila, para que nadie salga lastimado. Los participantes del ritual utilizan la *santa rosa* para comunicarse en directo con el ámbito de las aguas, a fin de pedir que les llegue la bendición en forma de lluvia. Los nahuas consideran que la mariguana es un alucinógeno poderoso con fuertes conexiones religiosas y sólo la usan bajo la supervisión de los chamanes.

El último ámbito es el *mictlan* (que se concibe como el "inframundo" o "lugar de las almas de los muertos"). Este ámbito es parte de la tierra, pero los aldeanos hablan de él como si fuera una región separada. Lo describen como un lugar lúgubre, sin la luz del sol, donde no prosperan las siembras que realizan los habitantes. Las almas que no van al ámbito de las aguas, *apan,* todas van a *mictlan* donde se casan de nuevo, viven en comunidades como Amatlán y cultivan la tierra para vivir igual que en esta vida. Sin embargo, la muerte causa una transformación física y los habitantes pierden sus cuerpos. Los aldeanos me dijeron que los habitantes del *mictlan* son como el aire, como soplos de viento. No obstante, los aldeanos no están de acuerdo acerca del destino final de estas almas. Algunos sostienen que renacen en forma de animales, mientras que otros afirman que a medida en que el cuerpo físico regresa a la tierra de la cual nació, el alma se desvanece poco a poco y desaparece para siempre. Con respecto a las almas en el ámbito de las aguas, la mayoría de la gente no tiene mucho que decir, salvo que hasta ese paraíso no es siempre un lugar feliz. Las ánimas de los muertos se sustentan a través de las ofrendas de comida colocadas por los parientes durante los rituales del Día de Muertos y como parte de los complejos rituales funerarios presentados a continuación.

Las amenazas para los habitantes de Amatlán no se limitan a las fuerzas mundanas de la policía, el ejército, los pistoleros contratados, los funcionarios corruptos del gobierno y las comunidades vecinas. Desde *mictlan, tlacatecolotl* ("hombre tecolote" [búho] en náhuatl), junto con sus tecolotes mensajeros, guía a los seres del inframundo y merodea por las veredas en busca de nuevas víctimas. Este ser suele aparecer en la tierra en forma de tecolote y por esta razón se considera que los tecolotes son presagio de la muerte. Su colega, o tal vez su álter ego, es *tlahuelilo* ("el iracundo" en náhuatl), conocido también como *hueitlacatl*, lo cual significa "hombre grande" en náhuatl y *señor de la noche* en español. A este espíritu malévolo lo identifican con el diablo de los cristianos y de noche permanece escondido cerca de los cementerios y las ruinas prehispánicas. Cuando los chamanes cortan imágenes de papel representando a *tlahuelilo* y a su esposa, ennegrecen las figuras con carbón de leña tomado del fogón, como señal de las fuerzas de las tinieblas que ellos representan. Otro habitante del inframundo es *miquilistli* (término náhuatl que significa "muerte"), a quien la gente concibe como un esqueleto viviente. Cuando los chamanes temen que un paciente se está muriendo cortan en papel blanco la imagen de un esqueleto representando a este ser e intentan desviarlo mediante el ritual. En el inframundo, a *tlacatecolotl* también lo atiende un grupo de espantosos seres enmascarados y pintados que se llaman *mecos,* palabra de origen dudoso (véase el capítulo 2). Estos espíritus de los muertos quedan sueltos en la tierra por un periodo de ocho días, que coincide con una cremonia ritual relacionada con el carnaval, que en náhuatl se llama *nanahuatili*. Hombres jóvenes imitan a los *mecos,* quienes lucen disfraces y máscaras, y visitan cada vivienda para bailar y portarse con tanto alboroto como les es posible. No hay modo de persuadirlos de que se vayan hasta que la cabeza de familia dé un pequeño donativo monetario al jefe de los *mecos*.

Los espíritus más peligrosos, que amenazan la vida y causan una diaria preocupación a la gente de Amatlán, son los *ejecamej* (singular *ejecatl,* en náhuatl), lo cual significa "ráfagas de vientos". En español los llaman *malos aires, malos vientos, diablos* o *judíos*. (Los nahuas, junto con otros grupos indígenas de México, utilizan el término *judío* para referirse a un sinnúmero de espíritus malévolos, y no tienen la menor idea de que se refiere al miembro de un grupo religioso contemporáneo y étnico. Por esta razón, en la edición original del presente libro, en inglés, me abstuve de escribir la correspondiente palabra *jew* ["judío"] en mayúsculas, para no sugerir alusiones a este grupo étnico o religioso contemporáneo. El uso de la palabra *judío* en este sentido por parte de los indios es obviamente un legado del pasado proveniente de los misioneros cristianos, que representaban a los judíos de la historia como quienes mataron a Cristo.) Los espíritus de *ejecatl* son traídos por las ráfagas de viento y propagan enfermedades, infortunios y muerte. Los aldeanos atribuyen casi todos los acontecimientos o las circunstancias negativas a la obra de los espíritus *ejecatl,* incluso las sequías, las patologías en los cultivos y las crías, los trastornos mentales, las enfermedades, la mala suerte y la infertilidad. La abrumadora mayoría de las actividades profesionales del chamán están dedicadas a controlar a los espíritus de *ejecatl*, normalmente mediante rituales de limpia (véanse Adams y Rubel, 1967: 338-340, para un análisis general de las creencias en cuanto a los vientos que provocan enfermedades en Mesoamérica; también Montoya Briones, 1981, y Reyes Antonio, 1982: 107, para ejemplos de los espíritus de *ejecatl* en comunidades nahuas cercanas).

La idea de que los malos aires provocan enfermedades fue común en toda la América Latina prehispánica y en Europa. Sin embargo, los nahuas son excepcionales en cuanto al grado en que han elaborado este tema. No sólo les dan nombre a los diferentes espíritus de los vientos y los relacionan con colores que indican su lugar de origen, sino que también, en el transcurso de los rituales curativos, los chamanes cortan imágenes de papel para representarlos. Las imágenes son sometidas a procedimientos rituales ideados para expulsar al correspondiente espíritu de *ejecatl* fuera del entorno o del cuerpo del paciente. Los espíritus *ejecatl* son insidiosos e intentan atacar a los recién nacidos o a los ancianos, es decir, a personas cuya *chicahualistli* ("fortaleza" o "fuerza") se encuentra disminuida. Infestan todo el universo pero también son atraídos a la comunidad cuando las personas pierden los estribos, chismean, se enfurecen, difaman, reniegan, hurtan, estafan, mienten o de alguna manera violan otras normas sociales. Tardé largos meses de investigación antes de llegar a entender lo que son los espíritus *ejecatl.* Me vino la idea al analizar sus imágenes de papel picado, muchas de las cuales se parecen a esqueletos, con hendiduras para representar las costillas. Los espíritus *ejecatl* son las ánimas errantes de personas que sufrieron una mala muerte o a quienes sus parientes han olvidado.

Los seres humanos se convierten en espíritus *ejecatl* cuando mueren en forma violenta o si sus parientes los descuidan durante los rituales funerarios o en las ceremonias del Día de Muertos. Por lo tanto, lo más horroroso de estos espíritus malévolos es que anteriormente habían sido miembros de la comunidad y ahora han regresado a atacar a sus parientes vivos. Llevar una vida ejemplar, evitando las actividades que pueden atraer a los espíritus *ejecatl,* ayuda a proteger a la comunidad, pero sólo el poder y las técnicas del chamán pueden derrotarlos. No es sorprendente que un punto de origen común para estos espíritus peligrosos sea *mictlan,* el inframundo. El problema fundamental es que, siendo ánimas de muertos, no se les puede obligar a que permanezcan en el lugar que les corresponde. Vagan por todo el universo y algunos de estos espíritus han infestado los demás ámbitos en forma permanente. De manera que entre los centenares de espíritus *ejecatl* encontramos nombres en náhuatl como *mictlan tlasoli ejecatl* ("viento de basura del lugar de los muertos"), *tlali ejecatl* ("viento de la tierra"), *tonal ejecatl* ("viento del sol" o "viento del alma-calor") y *apantlasoli ejecatl* ("viento de basura del ámbito de las aguas"). Por razones que desconozco, los chamanes muchas veces describen a estos espíritus peligrosos como seres que caminan de puntillas o que tienen los pies muy torcidos y caminan como los loros. Aparentemente estos espíritus saben volar bien, pero son muy torpes al caminar.

Los chamanes estaban de acuerdo en que el cementerio y las ruinas prehispánicas son los lugares más comunes para encontrarse con los espíritus *ejecatl,* ya que estos lugares funcionan como puertas que conectan la superficie de la tierra con el inframundo. Los nahuas piensan que los camposantos en particular son lugares peligrosos, habitados por espíritus errantes que se han escapado de *mictlan*. Por esta razón, en las comunidades nahuas los cementerios siempre se encuentran lejos de las principales concentraciones de viviendas. Las ruinas prehispánicas (llamadas *cubes* en español del dialecto local) abundan en el sur de la Huasteca. Aunque los campesinos afirman que estos son pasajes entre *mictlan* y la superficie de la tierra, no piensan que estas antiguas estructuras presenten ningún peligro inmediato y la gente no se siente incómoda en construir sus casas cerca de ellas. Sin embargo, los aldeanos tienen cuidado de no molestar las antiguas piedras, por temor de liberar por descuido una horda de espíritus peligrosos. Los chamanes realizan una limpia en las ruinas, como un paso durante la mayoría de los rituales curativos, para expulsar a los espíritus provocadores de enfermedades que pudiesen haber surgido del inframundo.

La hechicería es otra importante amenaza para los habitantes de Amatlán. Un hechicero es un *tlamatiquetl* o "persona sabia" que se ha desviado de su camino y que ahora trabaja para *tlahuelilo*. Los nahuas usan el término *tetlachihuijquetl* para distinguir entre un hechicero y un chamán que trabaja para beneficio de la humanidad. A veces es una mujer de mayor edad a quien los campesinos llaman *tsitsimitl* en náhuatl. Los aldeanos afirman saber poco acerca de la hechicería, pero reconocen que hay hechiceros que trabajan en Amatlán y en las comunidades vecinas. Para ser reconocidos por los demás hechiceros, los principiantes supuestamente son sometidos a una ceremonia de iniciación en lo más profundo del bosque a medianoche. Durante el ritual el maestro utiliza un enorme camote con forma irregular y hace que los iniciados juren lealtad a *tlahuelilo*. Los hechiceros son capaces de utilizar cortes de papel para atraer a los espíritus de *ejecatl* a la comunidad y dirigirlos contra víctimas específicas. La figura que más comúnmente se utiliza es la de *miquilistli,* el esqueleto de la muerte. Los hechiceros realizan este servicio a cambio de dinero a instancias de personas que buscan vengarse. Ciertos hechiceros tienen la habilidad de convertirse por su propia voluntad en animales (muchas veces en aves) para realizar su mal. Los aldeanos llaman a tan peligrosa manifestación *tlacueptli* en náhuatl. También tienen el poder de transformarse en un ser parecido a un pájaro, que en náhuatl se llama *nahuali* o *tlacuapali,* el cual da vueltas, volando toda la noche en busca de víctimas. El *nahuali* chupa la sangre de las personas mientras duermen y, en particular, le gusta la sangre dulce joven de los bebés. Como ya hemos mencionado, todos los chamanes corren el riesgo de ser acusados de hechicería y tengo registrados dos casos donde sendos chamanes de Amatlán fueron asesinados después de ser acusados de haber utilizado su poder para causar daño.

El grado de inseguridad en la vida nahua se refleja en el número de espíritus cuyo papel es vigilar la comunidad y proteger del daño a los individuos. Ya he mencionado los espíritus de los antepasados, el sol y las estrellas en este contexto. Un manto adicional de protección consiste en un complejo conjunto de espíritus llamados *tlamocuitlahuijquetl, totepixcahuaj,* u *onipixtoc aqui quiixtoc,* nombres nahuas que se refieren al "guardián" o "protector". Estos guardianes de la comunidad desempeñan dos capacidades. La primera es alertar a la gente o a los otros espíritus protectores sobre algún desastre inminente y la segunda es servir de testigos que actúan como intermediarios entre los chamanes y los espíritus más poderosos, como los antepasados. Es frecuente que la gente cuelgue imágenes de papel de estos espíritus por encima de sus altares caseros para que cuiden a la familia. Junto con los espíritus guardianes los aldeanos también exhiben imágenes grabadas de santos católicos que compran en el mercado a bajo precio. Estos grabados representan a varios santos y figuras sagradas, en modalidades que parecen ser ajenas para los nahuas y muchas veces incomprensibles. Estos santos lucen vestimenta medieval o del Renacimiento, algunos tienen barba o son calvos, y muchos cuentan con resplandececientes aureolas suspendidas sobre su cabeza. Los aldeanos me informaron que estos son retratos de *mu axcatl* (singular en náhuatl), una clase de espíritus que protege a los miembros y las pertenencias de la unidad familiar. En pocas palabras, los aldeanos han reinterpretado las imágenes para que éstas cuadren con su propia visión del mundo.

El cuadro 6.1 presenta una lista de los principales espíritus nahuas junto con los ámbitos de donde provienen. La lista no está completa ni tampoco puede serlo (véase Knab, 1979, para un análisis de espíritus entre los nahuas de la cercana Sierra Norte de Puebla). De manera continua los chamanes crean nuevos espíritus o reavivan a los que no han aparecido en los rituales desde hace muchos años. Se sienten autorizados para cortar imágenes de papel de la fuerza vital o esencia espiritual de casi cualquier cosa, incluso de objetos tales como casas, instrumentos musicales y velas. Durante la fiesta del Año Nuevo, celebrada la noche del 31 de diciembre, los chamanes realizan una limpia de nacimiento para un espíritu que en náhuatl se llama *yancuic xihuitl* ("año nuevo") y un oficio funeral para *huehuexihuitl* ("año viejo" en náhuatl). De modo que el lapso de un año representa una especie de presencia espiritual a quien hay que rendirle las correctas ofrendas rituales para su nacimiento y muerte. Los chamanes también tienen la habilidad de cortar imágenes de papel del alma de una persona y, a través de medios rituales, manipularla de acuerdo con su voluntad. La aplicación más común de esta técnica es la magia amorosa, donde una persona le paga al chamán para hacer que alguien se enamore locamente de él o de ella. Esta técnica también es utilizada para que un esposo o una esposa que estén descarriados vuelvan a amar a sus respectivos cónyuges. En síntesis, la naturaleza panteísta de la religión nahua implica que la imaginación creativa del chamán y la inclinación de los campesinos a aceptar la innovación sean lo único que limita el número de espíritus en el panteón.

No hay que olvidar que para los nahuas todos estos espíritus se remontan a una deidad creadora: el sol, cuya presencia visible en el cielo confirma la unidad del universo. El sol no sólo provee a nuestros cuerpos de calor, sino que también es el animador del universo. Los seres humanos son insignificantes en comparación con el sol y deben tomar su lugar junto con todos los demás seres creados por éste. Por esta razón el atributo humano de más importancia para los nahuas es el *respeto* (*tlatlepanitalistli* en náhuatl) y la única crítica que los campesinos dirigen de manera consistente a los mestizos es que no cumplen en mostrar respeto. Para los aldeanos el respeto significa un sentido de decoro o un reconocimiento del lugar que los humanos ocupan en relación con el resto del mundo. Se expresa mediante la presentación de ofrendas a las aguas, a la tierra, a los cerros y a los cultivos. Un chamán me dijo que el terremoto devastador que azotó a la ciudad de México en septiembre de 1985 ocurrió porque los habitantes de las ciudades no respetan a la tierra. Para los aldeanos, la falta de respeto que implica el que uno no asuma su lugar correcto dentro de la gran creación del sol conlleva consecuencias negativas muy reales y claras (véase el poema que aparece al principio de este capítulo).

Aunque el sol es el creador y sustento del universo, los nahuas muchas veces utilizan el cuerpo humano como metáfora para representar ese principio animador en sí. Como ya hemos visto, visualizan el ámbito del cielo como un espejo en forma humana y piensan en la tierra como un gigantesco cuerpo humano con los pies en el inframundo y la cabeza en las montañas. Esta asociación del cuerpo humano con varios aspectos del universo es muy común en el pensamiento nahua. Por ejemplo, ellos conceptualizan la planta del maíz como un cuerpo humano, siendo las raíces los pies y la flor del ápice de la planta el cabello. Los chamanes describen la punta de sus cristales adivinatorios como la cabeza, el filón como el cuerpo y la parte tosca inferior como los pies. Cuando los chamanes recortan imágenes de papel de los espíritus, suelen representarlos en forma de una figura antropomórfica. Esta figura humana es el alma-corazón del espíritu, lo cual hace que sea una entidad viviente. El cuerpo humano también fue una metáfora importante muy elaborada en el pensamiento prehispánico (Hunt, 1977: 112 y ss; López Austin, 1988).

Cuadro 6.1. Principales espíritus nahuas, ámbitos del universo y espíritus relacionados

ilhuicactli (cielo)
toteotsij (nuestra venerable deidad, Jesús hijo)
metstli (luna, relacionada también con *tlahuelilo*)
sitlalmej (estrellas)
santos católicos
tlixihuantsij (fuego)
ejecatl (viento, muchas manifestaciones diferentes)

(continúa)

Cuadro 6.1. *(continuación)*

Tlali (tierra)
- *tlaltepactli* (superficie de la tierra)
  - *axcatlaltipactli* (pertenencias de la tierra)
  - *tlaltetata* (padre tierra)
  - *tlaltenana* (madre tierra)
  - *montesoma* (tierra devoradora) más muchos otros aspectos adicionales de la tierra
- *tonantsij* (nuestra madre sagrada, virgen de Guadalupe, relacionada con la luna)
- *xinaxtli* (semilla)
  - *chicomexóchitl* (7-flor, aspecto masculino del maíz)
  - *macuili xochitl* (5-flor, aspecto femenino del maíz)
  - *piltsintsij* (niño maíz, maíz tierno)
  - además muchos otros espíritus adicionales del maíz
- *santo tepemej* (cerros sagrados)
- *tecutli* (antepasado)
- *pilhuehuentsitsij* (espíritus de los truenos y relámpagos, enanos de la lluvia)
  - *tlatomoni* (trueno, aspecto de los enanos de la lluvia)
  - *tlapetlani* (relámpago, aspecto de los enanos de la lluvia)
- *tlamocuitlahuijquetl* (vigilante o testigo)
  - *totepixcahuaj* (guardián o protector)
  - *onipixtoc aqui quiixtoc* (guardián o protector)
  - *mu axcatl* (guardián de la casa)
- *nahuali* (hechicero transformado en pájaro)
  - *tlacuapali* (hechicero transformado en pájaro)
  - *tlacueptli* (hechicero transformado en animal)
- *teteomej* (significado desconocido, artefactos sagrados prehispánicos)
- *ejecatl* (viento, muchas otras manifestaciones diferentes)

mictlan (inframundo)
- *tlacatecolotl* (hombre tecolote [búho])
- *tlahuelilo* (el iracundo, diablo, demonio); también *señor de la noche*
- *miquilistli* (muerte)
- *mecos* (sirvientes de tlacatecolotl)
- *yolojmej* (corazones, ánimas-corazón, espíritus de los muertos)
- *ejecatl* (viento, muchas otras diferentes manifestaciones)

apan (agua)
- *apanchanej* (habitante del agua); también *sa hua* o *San Juan* (san Juan Bautista), también *santa rosa* (o mariguana)
- *yolojmej* (corazones, ánimas-corazón, espíritus de los muertos)
- *ejecatl* (viento, muchas otras manifestaciones diferentes)

Por último, una característica importante de los espíritus y las almas nahuas es que muchas veces son neutrales con respecto a los seres humanos. La mayoría de los espíritus, como aspectos de un universo panteísta, no son conceptualizados como buenos o malos y yo he evitado usar estos calificativos para describirlos. Son algo así como nuestra propia conceptualización de la naturaleza: una maravilla, pero básicamente indiferente al bienestar humano. Algunos espíritus son peligrosos, tales como aquellos relacionados con el inframundo, pero los aldeanos no los ven como malvados. Son equivalentes a un virus mortal que no puede ser conceptualizado como algo moralmente corrupto, sino que hay que pensar en ellos como un fenómeno natural que puede ser perjudicial para las personas. Los espíritus benéficos, como san Juan, el sol y las semillas, también tienen sus lados negativos que los convierten en imprevisibles con respecto al bienestar humano. Muchos cuentos y mitos nahuas relatan incidentes donde un espíritu normalmente benéfico amenaza a la población humana. Por ejemplo, *sa hua* constantemente amenaza con inundar el mundo y ahogar a todos, y es sólo la intercesión de *tonantsij* lo que le impide hacerlo. El sol amenaza con quemar la tierra con su calor y las semillas siempre están al borde de abandonar a la comunidad, dejando que ésta se muera de hambre. Sólo el ciclo casi constante de ofrendas rituales presentadas por la gente evita estas catástrofes. El universo nahua es un lugar incierto donde la existencia humana pende del capricho de espíritus indiferentes que requieren de continua atención ritual.

Conceptos del alma humana

Cuando los nahuas se encuentran, uno de los saludos que usan es: *"¿Tlen quiijtoa moyoloj?"* (en náhuatl "¿Qué dice tu corazón?"). En náhuatl se acostumbra responder *"Cuali"* ("Bueno"). En este intercambio se oculta una visión compleja del alma humana y su relación con el mundo espiritual. Los nahuas dicen que los seres humanos tenemos dos almas básicas, una de las cuales se subdivide. La primera, que se llama *yolotl* en náhuatl, se puede traducir en forma literal como "corazón" pero es más cercana a la idea de "fuerza vital". Los aldeanos dicen que este alma-corazón es responsable de que podamos saborear u oler las cosas, y que encontremos placenteras ciertas comidas, bebidas o actividades. El *yolotl* es el corazón o la esencia de un objeto, ser o espíritu, y todos los elementos del universo lo poseen. Los objetos físicos, estén vivos o no, tienen un *yolotl* en virtud de formar parte del universo panteísta. El *yolotl* forma parte de la deidad universal que es inherente a cada cosa existente, de modo que hasta los objetos participan en un universo animado y, en este sentido, se puede decir que están vivos. También están vivos en el sentido de que afectan a pensamientos y acciones de los humanos y, por lo tanto, tienen una especie de dinámica o fuerza vital interna. Al preguntar: "¿Qué dice tu corazón?" una persona está indagando sobre el estado en que se encuentra la otra persona y también sobre su "chispa divina".

La segunda alma se llama *tonali* en náhuatl, término que se basa en la raíz de la palabra para calor. Esta alma es algo como la conciencia o personalidad de una persona o, como me dijo alguien: "Es como tu trabajo en la vida". Está impulsada por el vigor o la energía interna del individuo *(chicahualistli)*. Los aldeanos me contaron que el *tonali* vaga por todas partes cuando la gente duerme y que experimentamos estos recorridos como sueños. Durante la muerte el cuerpo va enfriándose a medida en que el *chicahualistli* disminuye y el *tonali* se disipa y desaparece. Sólo los seres humanos y los animales poseen un *tonali* además de su *yolotl*. Como mencionamos arriba, este alma-calor es un regalo especial del sol que nos llega a través de ese otro regalo especial: el maíz. Lo que los nahuas parecen estar diciendo metafóricamente es que nuestros cuerpos se sustentan de la energía del sol, almacenada en la comida que consumimos.

Mientras que el *yolotl* tiene un tipo de calidad eterna e impersonal, en vista de que lo poseen todos los objetos del universo, el *tonali* a su vez ubica a los seres humanos (y a los animales) dentro del tiempo y el flujo de acontecimientos y sensaciones que nosotros experimentamos como nuestras vidas. Para los aldeanos, el concepto de *tonali* tiene una clara relación con el sol, la duración del día, el transcurso de las semanas y los meses y, por extensión, con la fatalidad, el destino y la fortuna. Si un hombre o una mujer sufren una tragedia o alguno de ellos muere joven, aun después de haber tomado las correctas precauciones rituales, la gente dice que el sufrir ya estaba en el *tonali* de esa persona. Cuando yo le preguntaba a la gente si aspiraban a ser chamanes o músicos, la mayoría contestaba que tendrían que esperar para ver si eso estaba en su *tonali*. A pesar de las implicaciones que tiene el que la vida de cada cual esté predeterminada en cierto sentido, no considero fatalistas a los nahuas. El *tonali* parece ser más cercano a nuestro concepto de lo que es el talento, la habilidad o hasta la suerte. En muchas comunidades indias de México existe la creencia de que cada persona tiene un animal compañero que se llama *tonal* o *tonali* (Adams y Rubel, 1967: 341). Ésta es otra expresión más del concepto del *tonali,* aunque yo no hallé que esta creencia estuviera muy difundida en Amatlán (véase Reyes Antonio, 1982: 158, para una discusión adicional del *tonali* en el pensamiento nahua).

En los seres humanos el *tonali* consiste en siete segmentos o componentes que se encuentran dispersos de manera semejante por todo el cuerpo. Éstos actúan en concierto y no parecen tener funciones por separado. Debido a la naturaleza compuesta de esta alma muchos nahuas la llaman *chicome tonali*, lo cual significa "7-tonali" en español. Es probable que el carácter segmentado del *tonali* explique ciertas prácticas rituales que uno puede encontrar entre los nahuas. Por ejemplo, los rituales curativos muchas veces incluyen una secuencia donde se hace que los pacientes pasen siete veces por un aro de bejuco y de doradas flores de *cempoasuchitl* para limpiarse de los espíritus que provocan las enfermedades (véase más abajo). Parece ser posible que los siete pasos por el aro sean para librar de las enfermedades a los siete segmentos del *tonali*. Sin embargo, no he podido confirmar esto. Curiosamente, los nahuas creen que los animales tienen un *tonali* dividido en catorce segmentos. Cuando yo indagué acerca de esto la gente me dijo que por lo general los animales son más fuertes que los humanos. Dieron ejemplos de alacranes y culebras que pueden matar con su veneno. El número de segmentos del *tonali* desde luego tiene una relación directa con el poder del organismo. Esta creencia refleja la visión de los nahuas de que los seres humanos, aunque sean parte del universo, no son la especie dominante, ni fueron puestos aquí para ejercer su dominio sobre éste.

Cuando la gente muere su *tonali* desaparece, pero el *yolotl*, o alma-corazón, permanece en el cuerpo físico. La muerte hace que el alma-corazón se confunda y salga del cuerpo por cortos periodos de tiempo, tratando de reunirse de nuevo con sus parientes vivos. Esto puede ser muy peligroso porque el alma-corazón desconoce su propia fuerza y puede ser que mate sin querer a algunos de sus parientes vivos. De especial peligro son las almas-corazón de jóvenes que están enojados al haber perdido sus cuerpos prematuramente. El propósito del ritual funerario y las subsiguientes ofrendas para los espíritus de los muertos es asegurar que el alma-corazón se satisfaga y que se quede en el inframundo junto con las almas-corazón de los demás que hayan muerto antes. La familia sigue invirtiendo mucho en ofrendas de comida para los difuntos por un periodo de cuatro años después del fallecimiento. Les pregunté a las personas por qué hacían esto por tan largo tiempo, esperando que me dijeran que el cuatro es un número sagrado o que trae suerte. Más bien me dijeron que después de este tiempo el cuerpo vuelve a ser polvo y la tierra reabsorbe al alma-corazón a medida que el cuerpo se desintegra. En otras palabras, el alma-corazón se reincorpora al generalizado panteón de la tierra (véase Provost, 1981, para un estudio de los conceptos del alma entre los nahuas de la Huasteca).

Espíritus de papel

La naturaleza abstracta de la religión nahua se lleva a un nivel más comprensible a través de la celebración de rituales y mediante el arte chamánico de representar a espíritus específicos en las figuras de papel picado. Por medio de los registros que dejaron los cronistas del siglo XVI, sabemos que el papel y los cortes de papel formaban una parte importante de las celebraciones rituales entre las civilizaciones de Mesoamérica, tanto en las tierras altas como en las bajas. En aquel entonces, hacían el papel principalmente de la corteza interna de varias especies de higuera, y también de hojas de maguey y otras fuentes de fibra (véanse Lenz, 1973 [1948], 1984; y Sandstrom y Sandstrom, 1986). Hoy día los chamanes nahuas de Amatlán prefieren el papel industrial de fabricación que se vende a bajos precios en los mercados regionales. Ellos cortan el papel con tijeras, como parte de las preparaciones antes de la celebración de algún ritual. Utilizan algunos de los cortes como adornos para el altar o como salvamanteles que llaman *tlaxcali yoyomitl* (singular en náhuatl para "servilletas para tortillas") o *tlapechtli* (singular en náhuatl para "cama"), diseñados para guardar las imágenes de los espíritus. Aunque ciertas figuras son bastante complicadas, los chamanes tardan sólo unos cuantos segundos en completar cada una. Amontonan y doblan el papel antes de picarlo para producir imágenes múltiples. Es posible que un ritual de mediana magnitud requiera de unas 50 imágenes; sin embargo, yo estuve presente en una importante ceremonia de las lluvias para la cual los chamanes recortaron más de 25 000 imágenes.

Los espíritus muestran una notable semejanza en la manera en que son representados. En la mayoría de los casos a los espíritus los cortan como pequeñas figuras humanas, de frente, con las manos hacia arriba, junto a los lados de la cabeza. A algunos espíritus relacionados con la tierra los recortan con las manos hacia abajo. Las imágenes de papel varían en tamaño entre los 5 y 30 centímetros, y el chamán selecciona papel de diferentes texturas y colores de acuerdo con lo que es apropiado para el espíritu que se representa. Estas imágenes se llaman *tlatectli* (singular en náhuatl), lo cual significa "elemento picado", y en español los llaman *muñecos*. Éstos son recortados sólo por aquellos chamanes que han pasado años practicando este arte antes de ser reconocidos como profesionales. Cada chamán desarrolla un estilo distinto de recortar y puede ser que con el tiempo llegue a crear nuevos espíritus y nuevas imágenes de papel para sus rituales. Las imágenes de papel representan al alma-corazón o al *yolotl* del espíritu y no al espíritu en sí. Al presentar ofrendas al alma-corazón del espíritu, los chamanes pueden controlar al espíritu para beneficio de sus clientes.

Las imágenes de papel son obras maestras que representan en forma concreta algunas ideas muy abstractas y sofisticadas. La figura humana, la cual representa al principio animador o al alma-corazón, se encuentra en el centro de todas las imágenes. El chamán añade a este núcleo varios marcadores para distinguir a un espíritu en particular de los demás. Estos marcadores incluyen penachos (tocados), vestimenta, calzado, varios diseños que le cortan en el cuerpo y elementos que adjuntan a los costados y las piernas de la imagen. Los chamanes siempre tienen cuidado cuando cortan los rasgos faciales, los dedos de las manos y de los pies según sea lo adecuado, algunas veces los genitales, y un corte central en forma de "V" que representa el corazón del espíritu. Este sistema de representaciones es una expresión económica de la naturaleza panteísta de la religión nahua. La forma humana, estrechamente relacionada con el principio de la animación, es el elemento nuclear que tienen virtualmente en común casi todas las imágenes picadas. Es una representación física de la unidad que yace bajo la diversidad aparente del mundo de los espíritus. La variedad de espíritus se puede distinguir mediante los marcadores, pero la figura nuclear da la impresión al espectador de lo que me dijo un chamán, es decir que "todos son lo mismo". Véanse las 35 figuras rituales de papel de los nahuas en las páginas a continuación, como una muestra de las imágenes de papel, no publicadas previamente, cortadas por los chamanes de Amatlán. Asimismo, véase nuestro relato más amplio sobre las imágenes de papel, para un análisis más completo de su significado e importancia (Sandstrom y Sandstrom, 1986).

Imágenes rituales de papel de los nahuas

Las figuras de culto de papel aquí presentadas fueron recolectadas en 1985-1986 y representan la obra de tres chamanes. Para identificar a los chamanes he utilizado letras, para proteger su anonimato. Las figuras de papel sagradas casi siempre se cortan para usarlas en grupos o conjuntos. De estos conjuntos he seleccionado algunas figuras individuales, para dar una idea de la gama de cortes rituales que producen los chamanes. Entonces, muchas de las imágenes presentadas a continuación tienen figuras compañeras que no aparecen reproducidas aquí. A veces los chamanes se muestran poco dispuestos a brindar (o no pueden) ciertos detalles acerca de las imágenes que cortan o sobre los espíritus que desean representar. Aquí presento tanta información sobre cada figura de papel como me fue posible obtener por parte del chamán que la cortó. Los nombres están en náhuatl, a menos que se indique lo contrario.

1. *tlaltepactli* (espíritu de la tierra,
   literalmente "superficie de la tierra")
   Papel de china blanco
   24.5 × 13.5 cm
   Cortado por chamán A, mujer

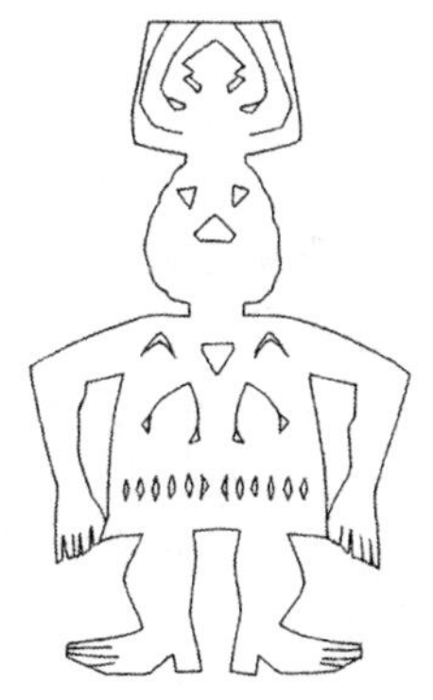

Esta imagen es un aspecto femenino del espíritu de la superficie de la tierra. Su tocado representa el follaje y el corte triangular bajo el cuello es el corazón. Flanqueando al corazón se encuentran cortes que representan los hombros, y bajo estos están dos cortes que simbolizan el maíz. La fila con cortes en forma de romboides es un cinturón. La chamana me informó que en caso de que uno se encuentre con un anciano barbudo por la noche, lo más probable es que sea el aspecto masculino de este espíritu, que anda paseándose. Esta imagen la cortan para recibir ofrendas durante los principales rituales curativos. Sólo a ciertos espíritus relacionados con la tierra se les corta con las manos apuntando hacia abajo.

2. *tepetl* (espíritu de cerro,
literalmente "cerro")
Papel de china blanco
18 × 9 cm
Cortado por chamán A, mujer

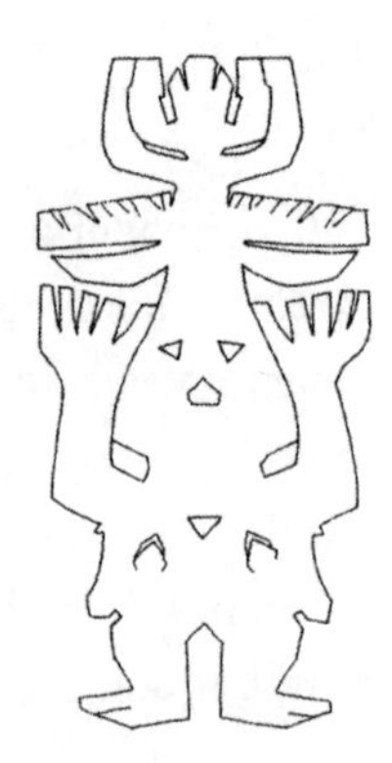

Esta representación de un espíritu de un cerro es cortada con un sombrero que lleva encima una vegetación exuberante. Los cortes que flanquean al corazón, de forma triangular, son bolsillos o tal vez representaciones del maíz. Los chamanes cortan esta imagen para los rituales curativos o para proteger a un paciente de las enfermedades.

3. *tepetl* (espíritu de cerro,
literalmente "cerro")
Papel de china blanco
25 × 11 cm
Cortado por chamán A, mujer

Ésta es la imagen de un espíritu de un cerro masculino que luce el *jorongo*, como un poncho, que visten los hombres y niños nahuas. La ausencia de un triángulo-corazón es quizás una omisión inadvertida por parte de la chamana. El par de cortes en el cuerpo son bolsillos. La chamana dijo que cuando se dejan ofrendas en las cimas de los cerros, espíritus como éste las consumen. Esta imagen la cortan para los rituales curativos y para proteger al paciente contra los ataques de los espíritus.

4. *tepeseñor* (combinación del náhuatl
con el español que significa "señor del cerro")
Papel de manila
24 × 8.5 cm
Cortado por chamán B, mujer

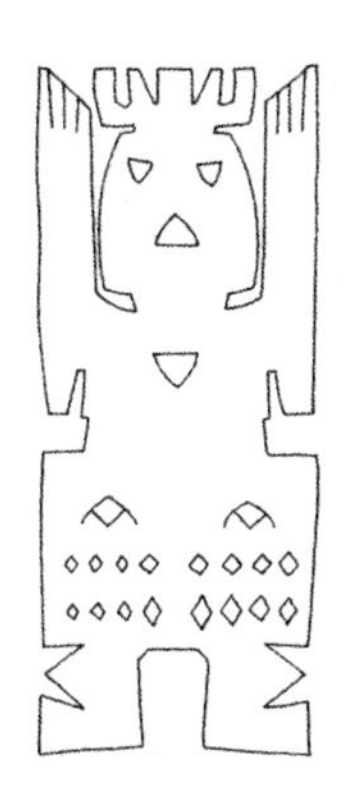

La chamana me explicó que esta figura es la imagen (*ixcopintli,* en náhuatl) del alma- corazón *(yolotl)* de un espíritu del cerro masculino. Ya sacralizada, la imagen atrae al espíritu del cerro que acude para recibir sus ofrendas. Ella dijo que los espíritus del cerro también pueden actuar como espíritus testigos o guardianes. Cuando le pedí que me explicara las diferencias entre estos tipos de espíritus, afirmó que de cualquier manera todos ellos son en realidad aspectos del sol *(toteotsij)*. Además, me explicó que sólo ciertos cerros cuentan con un espíritu residente y que muchas veces los rayos de las tormentas descargan contra esos cerros en particular. El conjunto de cortes que se encuentra bajo el triángulo-corazón son adornos de la vestimenta y la imagen tiene un tocado sencillo, parecido a una corona. Suelen cortar esta figura como parte de un ritual curativo o para proteger al paciente contra los ataques de los espíritus.

5. *chicomexochitl* (espíritu del maíz,
literalmente "7-flor")
Papel de manila
21 × 9 cm
Cortado por chamán B, mujer

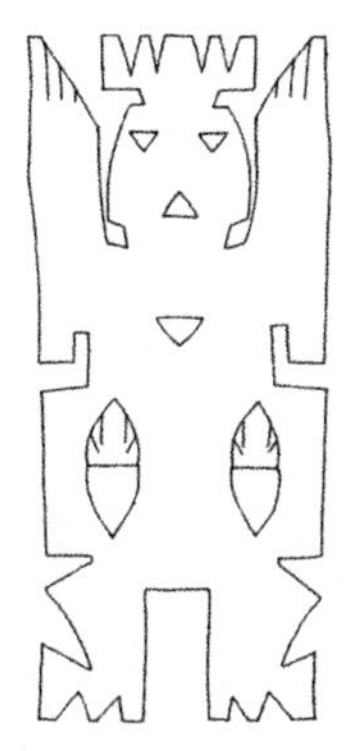

Esta imagen del aspecto masculino del espíritu del maíz, y fuente de la energía humana, es representada como una figura sin muchas elaboraciones, con un tocado por encima, triángulo-corazón, cortes en el cuerpo que representan mazorcas de maíz, pantalones con rodillas puntiagudas y raíces que salen de las plantas de los pies. Esta figura la cortan principalmente para los rituales de la fertilidad de los cultivos.

6. *sitlalij* ("estrella")
   Papel de manila
   17.5 × 5.5 cm
   Cortado por chamán C, hombre

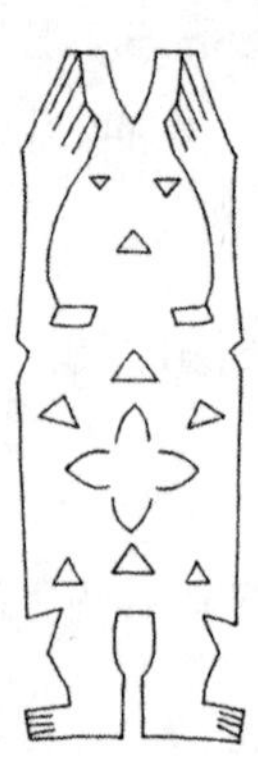

El tocado bifurcado de esta imagen de un guardián-estrella bien pudiera ser el arco usado por el espíritu para lanzar flechazos encendidos contra los monstruos de piedra que de noche amenazan a los humanos. El rosetón debajo del triángulo-corazón representa una estrella y los demás cortes son adornos en la vestimenta. Esta imagen la recortan para proteger al cliente contra ataques por parte de los espíritus y otros tipos de peligros.

7. *tlixihuantsij* (espíritu del fuego, literalmente "venerable Juan fuego", del mito que se refiere a Juan Ceniza o Juan Flojo)
   Papel de manila
   17.5 × 6.5 cm
   Cortado por chamán C, hombre

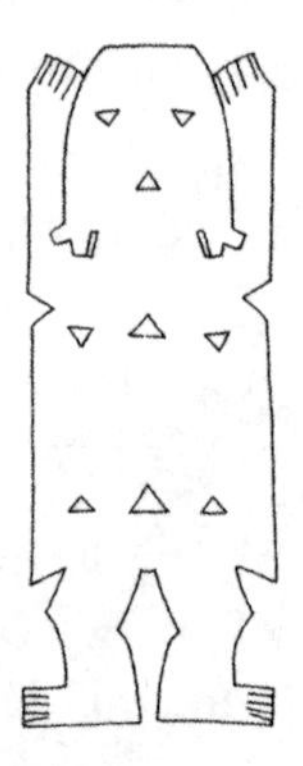

El chamán indicó que éste es un aspecto femenino del espíritu del fuego, que vive en las tres piedras que rodean el fogón principal de cada casa. También vive en enormes montañas y es el más antiguo de los espíritus. El chamán señaló que la imagen de papel es sólo una "seña" del espíritu en sí (dijo *seña* en español).

La figura está cortada con aretes, un triángulo-corazón y otros adornos triangulares de vestimenta. Los chamanes cortan esta imagen cuando están realizando rituales para honrar a los "antiguos", los espíritus enanos de la lluvia vinculados con los truenos y relámpagos. El espíritu del fuego también actúa como guardián de la casa y los chamanes lo invocan para proteger a los miembros de la familia.

8. *apanchanej* (espíritu femenino del agua, literalmente "habitante del agua")
Papel de manila
23.5 × 5 cm
Cortado por chamán B, mujer

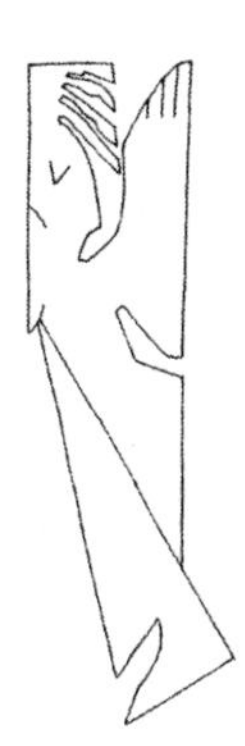

Este aspecto femenino del espíritu del agua se origina en el mar pero reside en los manantiales, arroyos, ríos y lagunas del sur de la Huasteca. Esta rara representación del espíritu del agua está cortada con una cola de pez y con cabello largo capaz de atrapar y ahogar a personas descuidadas. La chamana señaló que *apanchanej* es básicamente buena, pero que ataca a los humanos si no cumplen con presentarle una ofrenda correcta. Las almas de las personas muertas por los rayos acompañan a este espíritu en su residencia acuática. Los chamanes suelen cortar esta imagen como parte de los rituales curativos o para prevenir ataques por parte de los espíritus.

9. *tlacatecolotl* ("hombre búho/tecolote")
Papel de manila ennegrecido con carbón vegetal
23.5 × 17.5 cm
Cortado por chamán C, hombre

A veces lleva el nombre de *tlahuelilo* ("el iracundo"). Esta figura ennegrecida rige sobre los espíritus que habitan el *mictlan,* el "lugar de los muertos". A veces los nahuas equiparan a este espíritu con el diablo de los cristianos, aunque comparte pocas características con su contraparte europea. El chamán señaló que a este espíritu se le responsabiliza de liberar a los vientos-espíritu provocadores de enfermedades entre los seres humanos y que los *mecos* que bailan durante el *nanahuatili* (carnaval) son sus sirvientes. Aquí está representado en su aspecto masculino y el chamán lo ha ennegrecido con carbón vegetal tomado del fogón para indicar su peligrosa naturaleza. La figura está estrechamente relacionada con la muerte y por lo tanto el chamán hace dos cortes de cada lado que representan las costillas y omite el triángulo-corazón. Tiene una corona sencilla y ropas voluminosas que parecieran ser alas. La imagen es cortada durante los rituales curativos para sacar a los espíritus del viento fuera del cuerpo del paciente y del medio ambiente.

10. *tlacatecolotl sihuatl*
(esposa de *tlacatecolotl*, literalmente
"mujer del hombre búho/tecolote")
Papel de manila ennegrecido
con carbón vegetal
20.5 × 15 cm
Cortado por chamán C, hombre

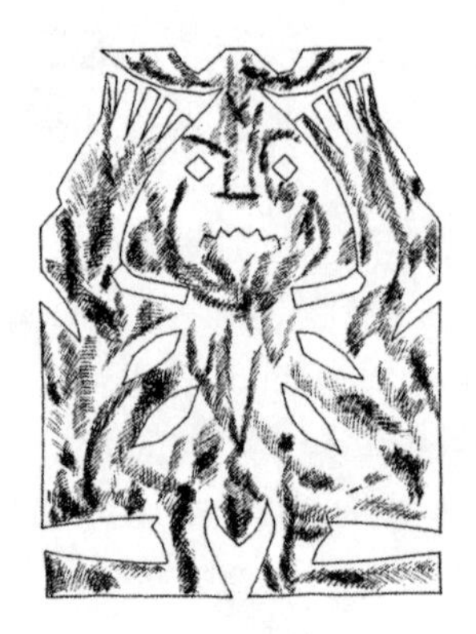

Existen muchos espíritus nahuas en aspectos masculinos y femeninos, y muchas, veces la gente habla de ellos como si fueran un matrimonio. Aquí está la esposa de la figura anterior y que, a pesar de parecerse a su esposo, difiere en algunos detalles. Su corona es un poco más sencilla, su ropa es cuadrada y las marcas de carbón vegetal siguen un patrón diferente. También cortan esta figura durante los rituales curativos y la colocan junto a la imagen de su esposo dentro del conjunto de imágenes de papel y elementos sagrados.

11. *tlahuelilo* ("el iracundo")
Papel de manila
22.5 × 9.5 cm
Cortado por chamán B, mujer

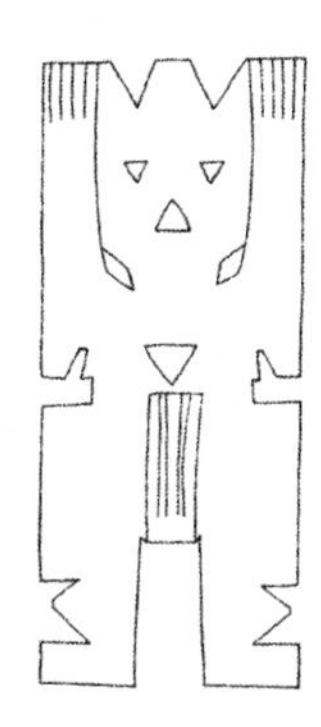

Tlahuelilo es una manifestación o álter ego de *tlacatecolotl,* representado aquí como una figura sin muchas elaboraciones con corona tripartita, triángulo-corazón, rodillas puntiagudas, que representan pantalones y un rabo entre las piernas. Esta imagen es cortada durante aquellos rituales curativos donde el chamán intenta controlar a los espíritus de los vientos, que provocan enfermedades.

12. *diablo* ("diablo", palabra tomada del español)
Papel de china negro
24 × 12.5 cm
Cortado por chamán A, mujer

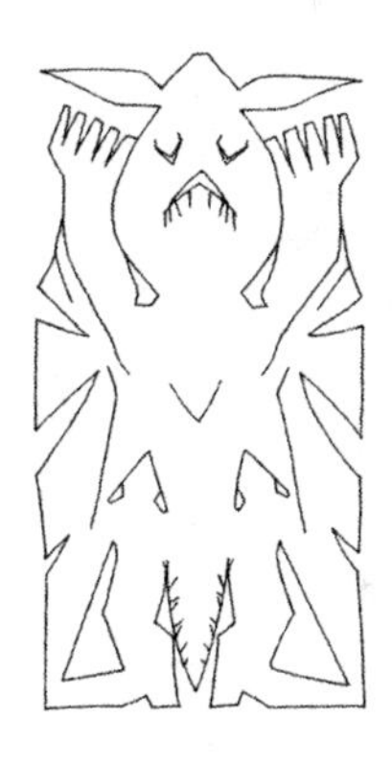

La chamana utilizó una palabra tomada directamente del español para identificar a esta figura, la cual, según ella remarcó, no representa al mismo espíritu que *tlacatecolotl* o *tlahuelilo*. Señaló que esta figura es el hermano del espíritu, *miquilistli* o "muerte", el cual se presenta a continuación, añadiendo que de noche suelen viajar juntos por doquier. Esta figura la cortan con una corona de cuerno de animal, dientes, alas y un corte en forma de "V" para el corazón, bolsillos y un rabo peludo. La chamana dijo que el papel negro significa la noche y el oscuro inframundo. Cortan la imagen para rituales curativos y para prevenir ataques por parte de los espíritus.

13. *miquilistli* ("muerte")
Papel de china blanco
23 × 11 cm
Cortado por chamán A, mujer

Cortan el espíritu de la muerte ante el temor de que el paciente se esté muriendo o, según algunos colaboradores, para su uso durante rituales de hechicería. Usan el papel blanco para representar el color de los huesos. La línea ondulada que describe la cabeza representa arrugas, lo cual indica que este espíritu es anciano. Los brazos y las piernas irregulares representan huesos, y cada pie está cortado con tres dedos. Un corte central en forma de "V" representa el corazón y los cortes adicionales son bolsillos y un cinturón. La prenda, parecida a un par de chaparreras, es más bien una falda hecha de huesos humanos. La chamana señaló que este espíritu es muy peligroso y que vive dentro de un peñón sólido o en la selva. Dijo que se desplaza volando como una mariposa o caminando de puntillas, tal como está representado aquí.

14. *miquilistli* ("muerte")
Papel de china blanco
25 × 11 cm
Cortado por chamán A, mujer

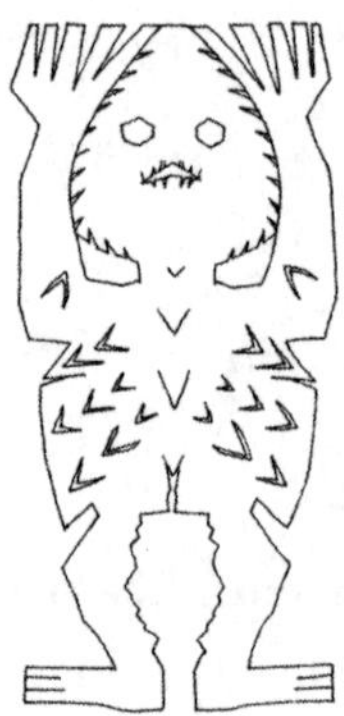

Como otra versión de la muerte, cortada por la misma chamana, esta figura también está hecha de papel blanco, el color de los huesos. La representan con arrugas, que indican su edad avanzada, y con dientes que sugieren la agresividad.

La chamana dijo que el segundo de los cortes verticales en forma de "V" es el corazón, y que los demás, por encima y debajo de éste, son la columna vertebral. Los cortes en los codos son huesos y los cortes en forma de "V" configurados como radios, son las costillas del espíritu. Las piernas están cortadas con líneas onduladas que guardan semejanza con los huesos. La chamana dijo que el espíritu suele viajar de noche por doquier y que ataca y mata a quien se encuentre.

15. *ejecatl* (espíritu que causa enfermedades, literalmente "viento")
Hojas de papel de china sobrepuestas de arriba abajo: rojas, verdes, amarillas y negras
18 × 6.5 cm
Cortado por chamán C, hombre

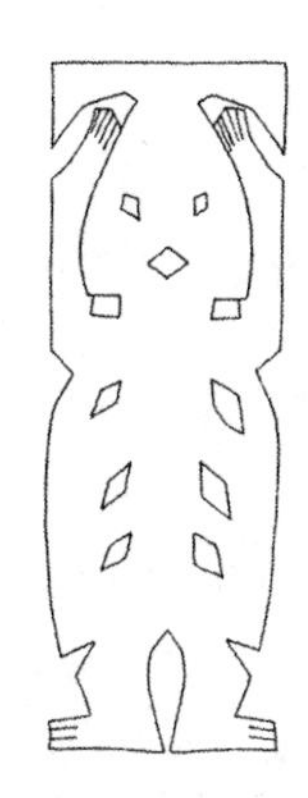

Éste es un espíritu-viento que cortan para los rituales curativos. El tocado pareciera ser cuernos de animales y los cortes en el cuerpo representan costillas, las cuales relacionan a esta figura con los espíritus de los muertos. Al sobreponer las hojas de papel, el chamán logra cortar varias figuras a la vez. Muchas veces los colores indican el origen del espíritu de viento en particular. Las figuras rojas o amarillas se originan en el cielo, las negras en el inframundo, las verdes o azules en el agua y las de color violeta u otros colores oscuros vienen de la tierra.

16. *ejecatl* (espíritu que causa enfermedades, literalmente "viento")
Hojas de papel de china sobrepuestas; de arriba abajo: rojas, negras, verdes y amarillas
18 × 6.5 cm
Cortado por chamán C, hombre

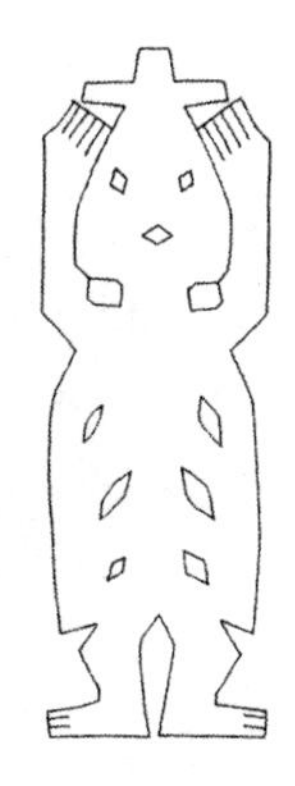

Éste es otro ejemplo de un espíritu del viento recortado por el mismo chamán. El tocado es un sombrero y los cortes en el cuerpo representan costillas.

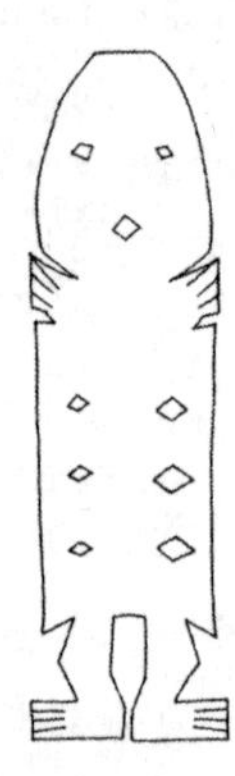

17. *ejecatl* (espíritu que causa enfermedades, literalmente "viento")
Papel de manila
17.5 × 6 cm
Cortado por chamán C, hombre

Este espíritu-viento, con poca elaboración y sin corona, tiene manitas que parecieran ser alas y la configuración típica de cortes para representar las costillas. El chamán señaló que a este espíritu le gusta atacar a las personas cuando andan por el camino. Al sobreponer las hojas de papel, el chamán corta ocho de estas figuras a la vez.

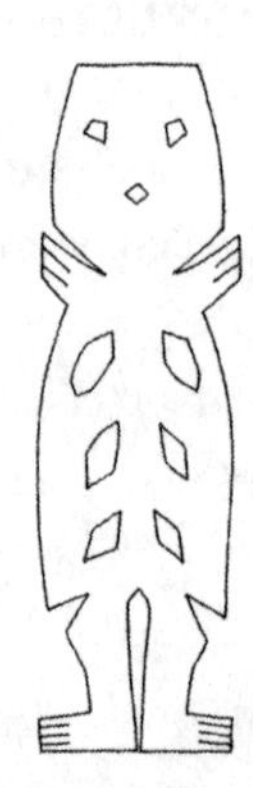

18. *ejecatl* ("viento", espíritu que causa enfermedades)
Hojas de papel de china sobrepuestas de arriba abajo, rojas, amarillas, negras y verdes
17.5 × 6 cm
Cortado por chamán C, hombre

Esta imagen es similar a la número 17, salvo que es cortada en cuatro diferentes colores de papel. Las manos parecidas a alas hacen a los participantes de los rituales acordarse de que estos espíritus vuelan con el viento.

19. *ejecatl* ("viento", espíritu
que causa enfermedades)
Papel de manila
15.5 × 9 cm
Cortado por chamán C, hombre

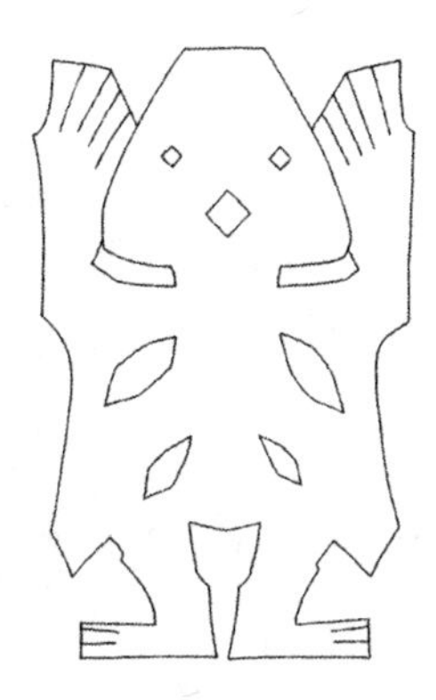

El aspecto esquelético de esta figura lo conecta con los espíritus de los muertos, espíritus que provocan enfermedades. El chamán corta esta imagen para rituales curativos, para librar al paciente de la influencia maligna del espíritu. En rituales que yo he presenciado, muchas veces el chamán ata ejemplares de esta figura de papel a fajos de hojas de *amate* (uno de entre varios árboles de la especie *Ficus*) y después los coloca en un arco alrededor del conjunto curativo. El chamán que cortó esta figura dijo que el espíritu viaja por doquier por medio de las hojas que van cayendo de los árboles.

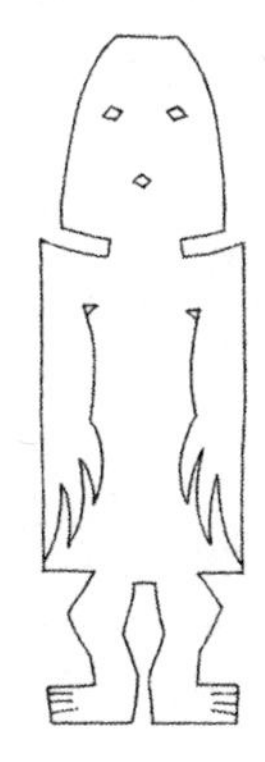

20. *mijcatsitsij ejecatl* ("viento de los muertos")
Papel de manila
17.5 × 5.5 cm
Cortado por chamán C, hombre

Esta es una representación del espíritu de un difunto que viaja por doquier, por medio del viento, propagando enfermedades e infortunios. El empuje de los brazos hacia abajo vincula al espíritu con la tierra y las manos parecidas a alas lo vinculan con el viento. El chamán dijo que el espíritu viene de los huesos humanos enterrados en la tierra. Cortan esta figura para usarla en rituales curativos.

21. *tlasoli ejecatl* ("viento de la inmundicia", literalmente "viento de la basura")
Hojas de papel de china verdes y violáceas, alternadas entre sí
16.5 × 6.5 cm
Cortado por chamán B, mujer

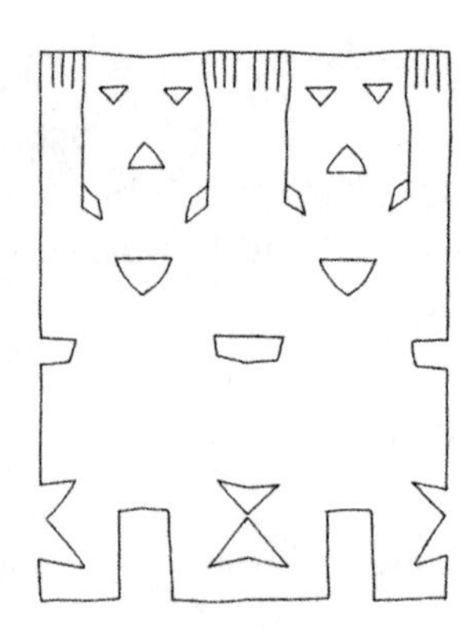

Este espíritu del viento de doble imagen viene del inframundo a través de las ruinas prehispánicas de Amatlán. Una vez que llega a la superficie de la tierra se esconde en la selva esperando para atacar a aquellos humanos que se encuentran debilitados de alguna manera. El color violáceo vincula al espíritu con la tierra y el color verde indica que este espíritu es capaz de atacar a personas que se bañan o se encuentren cerca del agua. La figura tiene grandes triángulo-corazones y pantalones con rodillas puntiagudas. Los chamanes nahuas suelen cortar estas figuras en múltiplos de dos, cuatro u ocho. Es una convención que indica un poder extraordinario y el peligro del espíritu que representa. Esta figura se usa para los rituales curativos.

22. *xochiejecatl* ("viento florido")
Hojas de papel de china amarillas y rojas alternadas entre sí
18 × 9.5 cm
Cortado por chamán B, mujer

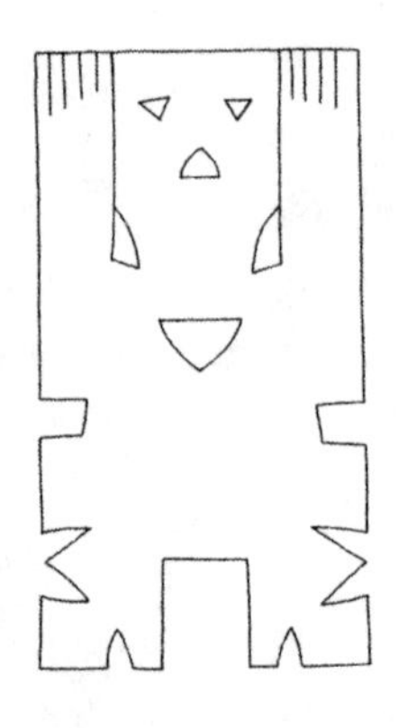

La curandera recorta esta figura como parte de una ofrenda para proteger al recién nacido en el momento en que se entierra el cordón umbilical en el subsuelo de la casa. La ofrenda distrae al espíritu del viento y lo saca fuera del ámbito. La chamana corta un prominente triángulo-corazón, pantalones puntiagudos y botas pesadas. El espíritu viene del ámbito del cielo y, por lo tanto, sus colores son amarillo y rojo.

23. *xochiejecatl* ("viento florido")
Hojas de papel de china amarillas y verdes, alternadas entre sí
16.5 × 11.5 cm
Cortado por chamán B, mujer

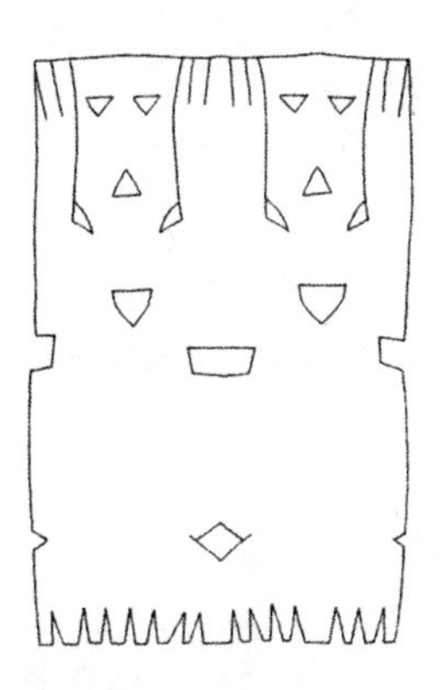

Según la chamana que cortó la figura, los flecos en la parte inferior de esta doble imagen del espíritu del viento representan las flores. El espíritu viene de una montaña que se llama Coatitlán y puede vivir en piedras sólidas. Presenta un peligro para quienes se encuentran en el agua o cerca de ella durante el día y por eso la chamana lo representa usando papeles verdes y amarillos. En algunos casos el color del papel que usan los chamanes indica el lugar donde se hace más probable que el espíritu ataque a sus víctimas y no tanto el ámbito de donde proviene. Se corta la figura como parte de los rituales curativos.

24. *tlasoli ejecatl* ("viento de la inmundicia", literalmente "viento de basura")
Papel de china amarillo
14 × 7.5 cm
Cortado por chamán A, mujer

Este espíritu viene del ámbito del cielo pero ataca a las personas desde su guarida en la selva. Uno de los chamanes sugirió que el tocado parecido a un peine que aparece en muchas de las figuras de papel representa las mandíbulas abiertas de la tierra. En una de sus manifestaciones la tierra es un monstruo que consume los cuerpos humanos una vez que quedan sepultados. Los nahuas relacionan los espíritus del viento con la tierra y, sobre todo, con este feroz aspecto de su naturaleza. El triángulo-corazón central va acompañado por sendos bolsillos de cada lado. La palabra *inmundicia* en el nombre relaciona al espíritu con las ideas de los nahuas sobre la contaminación espiritual que puede ser causada por pensamientos, emociones o comportamientos perturbadores.

25. *apanxinolaj sihuatl* (combinación del náhuatl con el español, que significa "señora de las aguas", literalmente "la señora del agua")
Papel de china amarillo
12.5 × 6 cm
Cortado por chamán A, mujer

A la luz del día, este espíritu ataca y hace que la gente se caiga y se lastime en las piedras del arroyo. Los chamanes cortan esta figura como parte de los rituales curativos para proteger a sus pacientes contra las caídas. Lo representan con un tocado detallado y dos bolsillos.

26. *tlamocuitlahuijquetl* ("guardián" o "testigo")
Papel de manila
24 × 8.5 cm
Cortado por chamán C, hombre

Los chamanes recortan esta figura para que el espíritu que representa vigile al paciente y lo proteja contra ataques por parte de otros espíritus. El chamán coloca la figura de pie, la sostienen por la ranura del extremo superior, de una vara que va clavada en la tierra, y coloca una ofrenda ante la figura. En 1986 vi a este chamán realizar una limpia ritual del manantial donde un vecino abrevaba a sus animales y luego colocó varias de estas figuras para que vigilaran después de que nosotros partiéramos. Él dijo que este espíritu es un "testigo de la tierra", que cuida las cosas de la tierra. Esto tal vez pueda explicar la forma de su tocado, parecido a un peine (véase la figura número 24). El triángulo-corazón va acompañado por sendos bolsillos de cada lado.

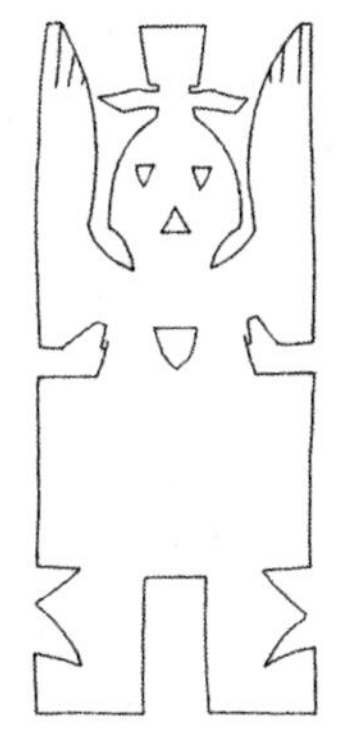

27. *tlamocuitlahuijquetl* ("guardián" o "testigo")
Papel de manila
20.5 × 8 cm
Cortado por chamán B, mujer

Esta imagen de un espíritu guardián tiene una corona parecida a un sombrero, un triángulo-corazón y pantalones con rodillas puntiagudas. La chamana dijo que esta figura se coloca junto con una imagen del espíritu del paciente *(tonali)* para prevenir enfermedades.

28. *tlamocuitlahuijquetl* ("guardián" o "testigo")
Papel de manila
20 × 9 cm
Cortado por chamán B, mujer

La chamana dijo que esta imagen es un testigo de la tierra que vigila a los pacientes. Especificó que este espíritu cuida las cosas de la tierra y tal vez esto explique la forma de su tocado parecido a un peine (véase la figura número 24). Bajo el triángulo-corazón se encuentran adornos que la chamana identificó como flores. La figura también tiene pantalones con rodillas puntiagudas y botas pesadas. La colocan sobre una *tlaxcali yoyomitl* (servilleta para tortillas), una hoja de papel decorada con cortes simétricos y la dejan junto con ofrendas en el altar de la casa del paciente.

29. *tonali* ("espíritu de la persona",
"alma calor", "sino" o "destino")
Papel de manila
20 × 8 cm
Cortado por chamán B, mujer

Esta figura representa una de las dos almas principales (o espíritus) de una persona y los chamanes la recortan para usarla en los rituales curativos. La palabra *tonali* del náhuatl también significa "sino" o "destino", y a esta figura le hacen ofrendas para mejorar la suerte del paciente. Cautelosamente, la chamana me dijo que utilizaba esta imagen sólo para ayudar a las personas. Tal vez se sentiría motivada a decirlo de esa manera porque la figura también puede ser cortada como parte de los rituales de hechicería. La figura tiene una corona sencilla, un triángulo-corazón, una fila de romboides como adorno de vestimenta y pantalones con rodillas puntiagudas.

30. *tonali* ("espíritu de la persona",
"alma calor", "sino" o "destino")
Papel de manila
21 × 18.5 cm
Cortado por chamán B, mujer

Esta imagen doble representa los espíritus *tonali* de una mujer y un hombre. La mujer se encuentra del lado izquierdo, con dos filas de cortes en forma de romboides, que representan los adornos de su vestimenta. El varón está vestido de manera más sencilla y cuenta con sólo dos bolsillos para su decorado. Mediante la celebración de un pequeño ritual y la presentación de ofrendas a estos espíritus, los chamanes pueden hacer que las personas se enamoren. El ritual para el amor suele ser utilizado cuando un hombre o una mujer sospechan que su cónyuge está teniendo un amorío o que está perdiendo interés en el matrimonio. En algunos casos los chamanes enseñan a los clientes a esconder la imagen debajo del petate de sus cónyuges, para incrementar la efectividad del ritual. La magia amorosa indica cuánto poder se cree que tienen los chamanes nahuas para influir en el comportamiento y los sentimientos de otras personas. Este poder tiene la posibilidad de hacerse peligroso y conozco casos donde chamanes han sido asesinados por personas que creían haber sido víctimas de sus rituales.

31. *tlaxcali yoyomitl* ("servilleta para tortillas")
Papel de manila
60 × 36 cm
Cortado por chamán B, mujer

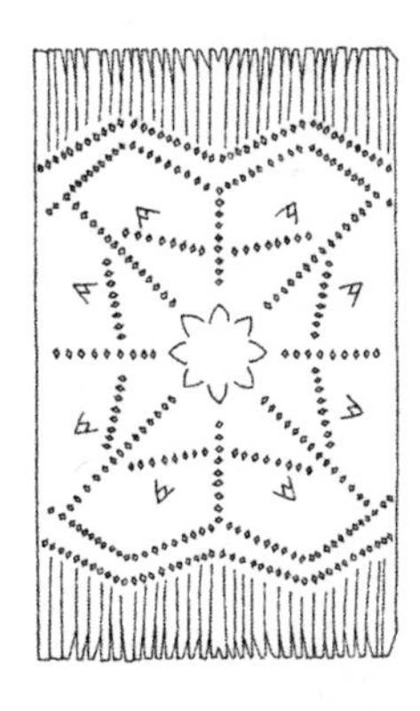

Este pliego de papel decorativo se usa para contener las imágenes de los espíritus testigos y guardianes que se dejan en las cimas de los cerros sagrados para que vigilen a los pacientes del poblado que se encuentra más abajo de la cima. La chamana corta el pliego de manera que sea un hermoso lecho en el cual se crea un conjunto de figuras de papel. El rosetón central es una estrella guardiana y los demás cortes, según los describe la chamana, son decoraciones. El nombre de esta clase de corte de papel se deriva de las elaboradas servilletas bordadas que se utilizan para mantener calientes las tortillas durante la comida.

32. *tlaxcali yoyomitl* ("servilleta para tortillas")
Papel de manila
41 × 17 cm
Cortado por chamán B, mujer

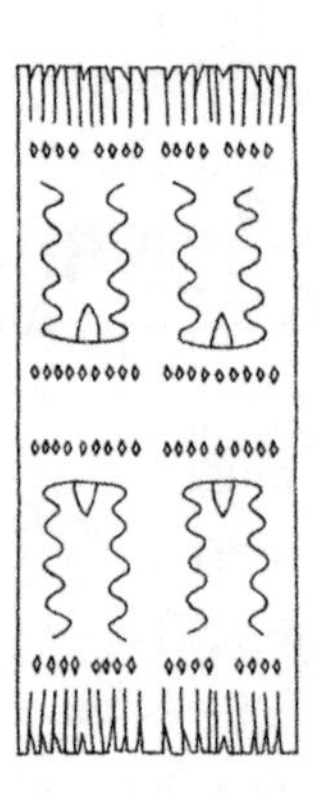

Un espíritu guardián especial sube al sol volando en este pliego decorado, llevando consigo flores y hermosas oraciones. La chamana corta estas imágenes para las curaciones y en ciertas ocasiones como parte de los rituales de limpia relacionados con el nacimiento. Las flores y las oraciones son regalos para el sol para que cuide a quienes se encuentran abajo. Los cuatro cortes ondulados representan la puerta por la cual pueden pasar los espíritus benéficos o por la cual las ofrendas son recibidas por el sol.

33. *tonatij* ("sol")
Papel de china blanco
23 × 22.5 cm
Cortado por chamán A, mujer

Este pliego se corta para representar el poder del sol y se usa para curaciones especialmente difíciles. Durante el ritual curativo se pone el recorte cerca del incensario o cerca del fogón de la casa. La chamana me dijo que sabe recortar cualquier imagen antropomórfica del espíritu del sol pero que lo hace sólo en raras ocasiones, después de mucha preparación ritual. La imagen antropomórfica del espíritu del sol es abrumadoramente poderosa y debe cortarse sólo cuando los campesinos se enfrentan con una emergencia muy grave, como una sequía severa o una epidemia. Este pliego es una imagen del sol algo menos poderosa, que se emplea para beneficiar a pacientes individuales.

34. *metstli* ("luna")
Papel de china blanco
25.5 × 22.5 cm
Cortado por chamán A, mujer

Aunque los nahuas ven la imagen de un "conejo en la luna", y no la del rostro del "hombre de la luna" de acuerdo con ciertas tradiciones eurocéntricas, este pliego representa el espíritu de la luna mediante el corte de dos caras sonrientes. La luna es un espíritu ambivalente en el pensamiento nahua y está vinculado a la benévola *tonantsij,* pero también está relacionada con el inframundo. Los chamanes cortan esta imagen para los rituales curativos.

35. *sitlalij* ("estrella")
Papel de china blanco
50 × 44 cm
Cortado por chamán A, mujer

Esta elaborada "servilleta para tortillas" se recorta para los rituales curativos principales. En el centro se encuentra el sol, que protege a todos los seres humanos de la tierra. Las pequeñas figuras que rodean al sol se llaman *angelitos* en español y son los espíritus de los niños inocentes fallecidos; cada uno cortado con una pequeña corona y un triángulo-corazón. En los cuatro ángulos internos de la servilleta se encuentran las imágenes de las estrellas guardianas. Durante el ritual curativo la chamana sostiene este corte por encima de la cabeza del paciente mientras canta a los espíritus. La chamana después sube a pie hasta la cima de un cerro sagrado y cuelga la imagen bajo un arco que se ha construido allí. Antes de abandonar el lugar coloca una ofrenda debajo del arco. El objetivo de este procedimiento es invitar a los espíritus benéficos como el sol, las estrellas y los angelitos para que cuiden del paciente. Incluso en el caso de una figura tan complicada como ésta, la chamana necesita sólo uno o dos minutos para recortarla.

Los rituales nahuas

En su variante del náhuatl, los aldeanos llaman los rituales *xochitlalia* (singular, "tierra flor", literalmente "poner las flores") o *el costumbre* cuando hablan en español. Asistir a un ritual en Amatlán es una experiencia inolvidable. Desde el exterior, los sucesos religiosos parecen tan desorganizados como las reuniones comunitarias, pero, igual que en éstas, existe una estructura oculta en los rituales mediante la cual se logran muchas cosas. Los rituales en sí son pintorescos y llenos de acción. Con frecuencia se realizan de manera continua durante varios días, lo que produce en los participantes un estado parecido al sueño o a un estado de trance. La mayoría de la gente consume grandes cantidades de aguardiente, lo que intensifica la calidad sobrenatural de estos acontecimientos. Los rituales van acompañados de música de guitarra y violín, cadenciosa y repetitiva, que en el náhuatl hispanizado llaman *xochisones,* lo cual significa "sones de flores" (para ejemplos grabados en Amatlán, véase Provost y Sandstrom, 1977). En las ceremonias de mayor magnitud hay filas de participantes que bailan luciendo tocados ornados y mientras agitan sus maracas hechas de guaje, los chamanes y sus ayudantes construyen elaborados altares decorados con plantas y flores y los colman de ofrendas e hileras de velas encendidas de cera de abeja. Hay por lo menos un incensario que despide volutas del resinoso y aromático humo del copal, mientras que el chamán sacrifica gallinas o guajolotes y baila desenfrenadamente con fajos de cortes de figuras de papel en la mano. Los rituales son sucesos emocionantes, pero su mayor significado está en lo que revelan acerca de la cultura nahua. Los rituales pueden expresar valores raras veces pronunciados de cómo un grupo de gente se ve a sí mismo en relación con el universo. Consisten en acciones convencionales que tienen significado sólo en un mundo creado y habitado por los participantes.

En la época prehispánica los rituales del calendario muchas veces estaban sincronizados con el cambio de las estaciones del año, los movimientos cíclicos de los cuerpos celestes o el crecimiento, muerte y renacimiento de la vegetación. Hoy día los nahuas han coordinado muchos de sus actos rituales con el calendario litúrgico de la Iglesia católica. De hecho, el calendario oficial de la Iglesia está basado en parte en los cambios de las estaciones. La época ritual de los nahuas empieza con la muerte de la tierra, al acercase el tiempo de sequía, cuando muchas plantas caducifolias pierden su follaje. El 18 de octubre los miembros de las unidades familiares queman copal y encienden velas de cera en sus altares, para celebrar el día de san Lucas. Después de este día, las almas-corazón *(yolotl)* de los muertos vagan por la tierra en busca de sus parientes. Estas almas también se llaman *micatsitsij*, que en náhuatl significa "cadáveres" o "muertos venerados". Durante esta ceremonia los aldeanos muestran el mayor respeto a las almas de sus parientes. No obstante, es un tiempo de potenciales peligros, puesto que hasta las almas de parientes pueden, sin intención alguna, traer daños a los miembros vivos de sus familias. Los chamanes se negaban a cortarme imágenes de papel entre el día de san Lucas y la ofrenda culminante del 2 de noviembre, por temor de que podrían atraer enfermedades a la comunidad.

El 30 de octubre, 12 días después del día de san Lucas, los miembros de cada unidad familiar instalan un altar especial para recibir a las almas de sus antepasados fallecidos. Como preparación, la familia muchas veces mata un cerdo para tener carne para los tamales, comida que se prepara especialmente para esta ocasión. Las mujeres también hacen panes en forma de hombres y mujeres, animales y pequeñas canastas, que cuelgan bajo un arco de bambú sobre la mesa del altar junto con plátanos, naranjas, flores de *cempoasuchitl* y hojas de higuera verdes. A veces los miembros de la unidad familiar acoplan al arco adornos parecidos a rehiletes que tejen de las hojas de la palma *coylij* y flores de *cempoasuchitl*. Estos adornos se llaman *sitlalmej* ("estrellas" en náhuatl) y representan a las estrellas guardianas que protegen a la comunidad por la noche.

Esta ocasión es un tiempo de gran entusiasmo en Amatlán, cuando las mujeres preparan los manjares y la familia se dedica a matar el cerdo y a construir el altar de la casa. El 30 de octubre el altar está completo y los miembros de la unidad familiar riegan un sendero con pétalos de *cempoasuchitl* que va desde la mesa del altar hasta afuera de la casa a través de la puerta principal. El *xochiojtli* o "sendero de flores" es para que el *yolotl* o alma-corazón lo siga mientras busca a sus parientes vivos. Tres veces al día, hasta el primero de noviembre, la familia pone comida caliente en la mesa del altar, con cuidado y reverencia, y enciende algunas velas de cera alrededor del escenario, para que el espíritu pueda ver y disfrutar de la comida. Después de unos pocos minutos, cuando el espíritu ya ha finalizado el consumo de la esencia de la comida, se les permite a los miembros de la familia comer lo que quedó. El 2 de noviembre, llamado *Día de Muertos,* la familia coloca la comida en canastos y se traslada al camposanto. Limpian las malas hierbas de las tumbas de sus parientes y atan flores de frescas *cempoasuchitl* en las lápidas de los sepulcros. La flor de *cempoasuchitl* (en náhuatl "20-flor") o *flor de los muertos,* de origen mesoamericano desde la época prehispánica, está relacionada con la tierra, la muerte y el inframundo.

Después de limpiar el sitio de la tumba y adornar la lápida sepulcral, la familia sirve un rico banquete sobre manteles bordados en vivos colores. Se encienden las velas de cera a medida en que los espíritus consumen la ofrenda de comida. Resulta una ocasión muy pintoresca, al convergir en el pequeño camposanto centenares de aldeanos vestidos en su ropa más elegante, convirtiendo todo en un festival con flores, brillantes velas y comida deliciosa. Muchas veces la comunidad contrata colectivamente a músicos para que toquen las melodías sagradas de violín y guitarra que acompañan todas las ocasiones rituales. Varias personas me dijeron que cuatro días en la tierra son equivalentes a un año en el *mictlan* y, por lo tanto, esta observancia sirve para alimentar a las almas de los muertos durante todo el año. No cumplir con la presentación de una ofrenda en este momento hace que las almas normalmente benignas de los parientes se conviertan en espíritus *ejecatl,* que provocan enfermedades, como ya hemos comentado. De hecho, para estar seguros de que ningún alma ha sido olvidada, más o menos una semana después del Día de Muertos, las personas instalan un gran altar especial, lleno de ofrendas de comida, apenas en las afueras del poblado, en la vereda principal. Este altar se dedica a las almas de aquellos desafortunados que tal vez hayan sufrido negligencia por parte de sus parientes insensatos.

Los aldeanos llaman a los cuatro días finales de esta celebración, que comienza el 30 de octubre, *xantoloj* o *xantojtitlaj,* palabras que significan "Todos Santos". Los términos se derivan del español *Todos Santos,* el día feriado tradicional del cristianismo que se celebra el primero de noviembre. Los campesinos han adaptado el nombre del español para el día de Todos Santos y expandido su significado para incluir además otros tres días de celebración. El día final de su observancia más extendida es el Día de los Difuntos, celebrado el 2 de noviembre por los católicos tradicionales. En México, el Día de los Difuntos se llama *Día de Muertos,* que es el mismo término que usan los aldeanos cuando hablan español. Sin embargo, cuando hablan en náhuatl, utilizan los términos *xantoloj* o *xantojtitlaj* para referirse a la celebración completa de cuatro días.

Como en todas las ocasiones rituales de los nahuas, el *xantoloj* tiene sus complejidades internas que añaden una riqueza a la secuencia de sucesos mayores. Los participantes dedican la ofrenda final en el camposanto a las almas de los difuntos adultos. Las ofrendas colocadas el día anterior son dedicadas a los *angelitos,* las almas de los niños que murieron antes de aprender a hablar. El habla, la cual está relacionada con el alma-corazón *tonali* ya completamente desarrollada, permite que los seres humanos mientan, chismeen y cometan malas acciones que pueden atraer a los malévolos espíritus del viento. Los nahuas creen que los bebés que mueren no presentan ningún peligro para los vivos y frecuentemente los entierran en el solar de la casa. Algunas personas creen que los bebés renacen en la forma de otros niños y que no pasan tiempo alguno en *mictlan*. El *xantoloj* es también el tiempo cuando muchos compadres renuevan sus lazos de compadrazgo. Durante los últimos días de la observancia se puede ver a personas y a veces a familias enteras llevando platos de comida a las casas de sus compadres. La comida favorita para la ofrenda consiste en tamales rellenos con la deliciosa carne de cerdo. Si no se da el intercambio de comida en este momento, ello indica que el lazo de parentesco ritual está moribundo. Es también el tiempo en que las mujeres fabrican o compran ollas de barro nuevas para sus cocinas. Las señoras mayores que fabrican ollas para vender se encuentran ocupadas durante semanas enteras antes del *xantoloj* para recibir y cumplir con los pedidos. Las personas que pueden costearlo también compran ropa nueva durante este tiempo. En fin, durante los cuatro días de ofrenda, la gente barre con cuidado las veredas y alrededor de sus casas para limpiarlas de todas las basuras provenientes del bosque. Durante horas, el poblado se llena de humo cuando la gente quema los montones de ramas y las hojas secas (Romualdo Hernández, 1982: 149-152, describe el *xantoloj* en una comunidad nahua del vecino estado de Hidalgo).

La siguiente celebración ritual de mayor importancia en el calendario tiene lugar durante el solsticio de invierno, del 21 al 24 de diciembre. Este ritual se llama *tlacatelilis* ("nacimiento" en náhuatl) y es la celebración de *tonantsij,* mencionada al principio del capítulo 1. Después del solsticio del invierno, el sol comienza su migración hacia el norte y los días aumentan su duración. El aumento de la duración del día significa que la promesa de la primavera será cumplida y que la vegetación volverá a vivir en la medida en que termine la época de sequía. Muchas culturas del hemisferio norte, incluso las euroamericanas, celebran este momento con rituales que simbolizan el nacimiento. Los nahuas empiezan las preparaciones para esta celebración con varias semanas de antelación. Cada noche los hombres se reúnen en la capilla de *tonantsij* para ensayar sus danzas. Forman dos líneas frente a la entrada y practican los difíciles pasos que imitan, entre otras cosas, la siembra, la escarda y la cosecha. Un día antes de abrirse la capilla, preparan coronas hechas de bambú doblado, decoradas con espejos, cintas de color y pequeños abanicos de papel doblado.

Dos chamanes abren la capilla y ordenan a sus ayudantes barrer el interior y limpiar las dos mesas del altar que se encuentran arrimadas contra las paredes del fondo. Sacan la estatua de yeso de *tonantsij* (en su apariencia de la virgen de Guadalupe) del lugar bajo el arco sobre el altar y se la entregan a una joven que la espera con los brazos abiertos. Ella coloca la estatua en una caja de madera azul, la cual se pone en la espalda y carga con la ayuda de un *mecapal*. Los chamanes forman una procesión y ambos la encabezan. Después siguen un guitarrista y un violinista, quienes tocan sones sagrados mientras caminan. Varias parejas de músicos se turnan de tal manera que la música puede durar los cuatro días y las cuatro noches de manera continua. Detrás de los músicos, en la procesión, va una señora mayor cargando un incensario con copal que despide humo. Ella se llama la *copalmijtotijquetl* ("danzante del copal" en náhuatl) y encabeza a un grupo de unas doce niñas pequeñas que la siguen en la procesión portando velas de cera encendidas. Luego van dos o tres señores con sacos de tela para recibir las ofrendas de cada unidad doméstica. Los últimos en la procesión son los habitantes de la comunidad, incluso muchos niños, que se integran durante toda o parte de la peregrinación.

Los miembros de cada unidad familiar de la comunidad preparan un pequeño altar con un arco cubierto de hojas en anticipación a la visita de la procesión. A medida en que va llegando la procesión los chamanes colocan la estatua de *tonantsij* en el altar de la casa junto con otras dos estatuas de yeso de menor importancia. Las otras pequeñas estatuas son la del Sagrado Corazón de Jesús y la de la virgen María, llamados por los nahuas *tequitl* y *tequitl isihuaj* ("trabajo" y "esposa del trabajo"). Los nahuas creen que el espíritu del trabajo y su esposa son necesarios si la milpa ha de producir (véase Sandstrom, 1982). Los ayudantes toman las velas que traen las niñas y las ponen en el altar y en el suelo bajo éste. Los miembros de la familia presentan un cuartillo de maíz, un litro de frijol y unas pocas monedas como ofrenda. Cada uno de los chamanes se agacha ante el pequeño altar y salmodia mientras la señora mayor ejecuta una danza bamboleante y da vueltas con el humeante incensario. El canto ritual, llamado *tlanojnotscayotl,* es un componente importante en todos los rituales dirigidos por los chamanes. En sus cantos, los chamanes nombran las ofrendas y suplican a *tonantsij* que otorgue su bendición de fertilidad a la familia. Los músicos cambian las melodías y el ritmo en cada parte del ritual, lo que facilita que la gente aglomerada fuera de la casa sepa con precisión lo que está pasando. Al final, los ayudantes desmontan el altar y devuelven las velas y estatuas a los miembros de la procesión. Vierten las ofrendas en los sacos y todos proceden a la casa siguiente. Es difícil describir el entusiasmo y la expectativa que sienten los miembros de la familia mientras esperan la llegada de la procesión. Entre los niños en especial, la emoción casi se sale fuera de control cuando oyen la música que se acerca desde la distancia a través del bosque.

En la última casa a ser visitada antes del anochecer los participantes dejan el altar intacto y los hombres llegan preparados para ejecutar sus danzas hasta el amanecer. Se visten con ropa blanca nueva y aparte de sus coronas coloridas, cada uno lleva una maraca hecha de guaje (*ayacachtli* en náhuatl) y una flor tallada en madera (*maxochitl*, literalmente "flor de mano"). Forman dos hileras para la primera danza y los músicos, que hasta este momento tocaban melodías sagradas, ahora cambian a sones para la danza. Los danzantes llamados *ayacachmijtotijquetl* ("danzantes con maracas" en náhuatl), ejecutan pasos rápidos y enérgicos bajo la dirección de un director que baila entre las dos filas. Muchas danzas tienen nombres exóticos en náhuatl, tales como *coatl* "culebra", *nopali* "nopal", *etocanij* ("cultivador de frijol") y *xochipitsahuac* ("flor esbelta"), quizá la más famosa de todas. El propósito de la danza es entretener a *tonantsij* mientras ella reposa después de sus trabajos diarios. El espectáculo sigue hasta el amanecer, cuando los participantes forman una nueva procesión y la peregrinación se reanuda. Por la mañana del cuarto día, el 24 de diciembre, los danzantes siguen con su representación hasta el mediodía. Para entonces ya se han visitado todas las casas y los aldeanos se preparan para un banquete final en honor de *tonantsij*.

Luego de salmodiar e incensar el altar con humo de copal, los chamanes ordenan que la procesión se forme de nuevo y que regrese a la capilla desde donde comenzaron la fiesta tres días antes. Frente a la capilla los ayudantes construyen dos arcos cubiertos de hojas y flores. Otros se encuentran reunidos en grupos para elaborar varios adornos de hojas de palma y flores. Las casas circundantes muestran el trajín que proviene del ruido de la cocina donde las mujeres y las jóvenes preparan el gran festín. La procesión llega y pasa por los arcos mientras los chamanes vierten pétalos de *cempoasuchitl* sobre los peregrinos. Los ayudantes preparan una mesa afuera donde colocan las estatuas, las velas y los adornos mientras sigue la preparación. Ya avanzada la noche, Reveriano, el chamán principal de Amatlán, sacrifica pollos y saca su fajo de papel tal como se describe en el capítulo 1. Él corta imágenes de docenas de espíritus de *ejecatl* y realiza una limpia ritual de la capilla con técnicas que se explicarán luego con más detalle. A medianoche, decenas de personas se aglomeran en la capilla mientras que en el altar queda puesto un suntuoso banquete. Ambos chamanes, agotados por los días de insomnio, gritan instrucciones por encima de la música y el ruido y ordenan a todos a reunirse afuera.

Allí, encabezados por los chamanes, los músicos, los portadores de los incensarios y las jóvenes cargando las estatuas y las velas, casi todas las personas de la comunidad giran en torno a la capilla, hasta completar cuatro vueltas. Luego entran en la capilla y los chamanes devuelven las estatuas a sus lugares y las niñas se alinean con cuidado alrededor del altar con las velas encendidas. El altar tiene cerca de tres metros de largo y lo cubre un arco de hojas verdes, flores de *cempoasuchitl* y ocho rehiletes como adornos que representan a las estrellas guardianas. La mesa del altar en sí se encuentra decorada con hojas y flores de *cempoasuchitl* para complementar la comida y las velas. Bajo el altar, en el piso de tierra, los ayudantes han colocado adornos, un incensario con copal humeante, varias velas encendidas y tazas y platos de comida. En un manantial cercano los chamanes han reunido con cuidado otra ofrenda similar. Al comenzar a salmodiar el chamán, la música de repente cambia a un ritmo impetuoso. El chamán agarra un incensario humeante y realiza una corta y desenfrenada danza con grandes pasos ante el altar, como una ofrenda para *tonantsij*. Después de media hora, las mujeres traen más platillos y todos los espectadores disfrutan de una de las mejores comidas del año. Hacia la madrugada del 25 de diciembre sólo una vela encendida bajo el altar mayor es testigo del color y del espectáculo ocurrido pocas horas antes. El ritual anual para *tonantsij* ha terminado; hombres y mujeres regresan a su trabajo y de nuevo se puede oír a los niños jugando en el bosque y en las orillas del arroyo.

Aunque este ritual comparte algunas características con la celebración de la Navidad entre los mestizos, en Amatlán la ocasión tiene poco que ver con Jesucristo en sí (salvo tal vez en su reconocimiento indirecto del Cristo-sol); y la fecha del 25 de diciembre, el día de la Navidad, no tiene significado ritual. El énfasis se centra más bien en el propio nacimiento, o, en un sentido más amplio, en la fertilidad. Las mujeres y los niños desempeñan importantes papeles y las niñas pequeñas, en representación de la fertilidad potencial, son las figuras clave. Los campesinos me indicaron que *tonantsij* también controla la fertilidad de las milpas y que entonces la celebración se realiza tanto para las semillas como para la lluvia. Éste es el mayor ritual comunitario y uno de los más costosos. *Tonantsij* parece encarnar las principales preocupaciones de la gente y, a pesar de ser un importante ente espiritual, sigue siendo accesible para los aldeanos.

Los nahuas veneran a la madre, ya que la fertilidad es la vida para los cultivadores, y *tonantsij,* que proviene del pasado prehispánico, es sensible a las necesidades humanas. Ella representa aspectos tanto de la tierra como del sol y del agua, porque éstos se unen en una armonía fructífera en la milpa, como también en la matriz. Las ofrendas se dedican a los espíritus del cielo, la tierra, el agua y el inframundo, como se simbolizan, respectivamente, en la mesa del altar pleno de comida, el arco de flores, el arreglo floral en el piso, el altar construido en el manantial y la ofrenda inicial para los espíritus de los muertos. También conecta el pasado indio y el presente mestizo cristiano y, por lo tanto, no se necesita esconder su culto. Cuando apareció como la virgen de Guadalupe en 1531, *tonantsij* tenía pelo negro, piel morena y hablaba náhuatl. En todo México, los indios se enorgullecen de ella y ven en ella un símbolo de su identidad étnica y nacional (véase Sandstrom, 1982, para una descripción detallada y análisis del ritual de *tlacatelilis*).

La fiesta de Año Nuevo, celebrada el 31 de diciembre, es una ceremonia con temas duales. Por una parte, el rito marca la muerte de *huehuexihuitl* ("año viejo" en náhuatl) y, por otra parte, es un rito de limpia y bienvenida para *yancuic xihuitl,* o el "año nuevo" venidero. La ofrenda ritual se celebra en la capilla de *tonantsij,* comienza tarde por la noche y dura hasta el amanecer. El día de año nuevo no se reconoce como una ocasión especial y la gente sigue atendiendo sus asuntos como de costumbre. Los campesinos me dijeron que a medida en que empieza a morir el año viejo, el año nuevo entra en existencia mediante un proceso similar al nacimiento humano. Sin embargo, no pude obtener otros detalles acerca de este fascinante concepto. Tanto para la celebración del año nuevo como para la de *tonantsij,* el lapso después del banquete principal, desde cerca de la medianoche hasta el amanecer, es un tiempo especial. Las personas que quieren establecer lazos de compadrazgo llegan a un acuerdo con el chamán para que sacralice su relación a través de una breve ceremonia de limpia. Cuando la mayoría de la gente ya ha regresado a su casa, los candidatos que quieren forjar nuevos lazos de compadrazgo forman una línea frente al altar, que a veces se extiende hasta fuera de la puerta de la capilla. El ritual en sí no es más que una breve limpia donde el chamán salmodia, roza a los candidatos con adornos de palma y les pide que se den la mano y que se traten entre sí usando los nuevos términos del parentesco ritual de compadres.

Después de la fiesta del Año Nuevo, el sur de la Huasteca entra en la parte más severa de la época de sequía. A veces pasan dos meses sin una gota de lluvia y muchas hojas del bosque pierden su verdor y caen. A fines de febrero o a principios de marzo los campesinos celebran un ritual extenso y elaborado, dedicado a los espíritus de las semillas y de la lluvia. Se llama *tlamanilistli* ("ofrenda", literalmente "difundir algo"), o *xochitlalia* ("tierra de flores", literalmente "poner flores", palabra general para designar un ritual) o con el nombre más específico de *chicomexochitl* ("7-flor"), nombre para el espíritu del maíz. Esta ofrenda ritual se organiza en espera de la siembra de primavera y sirve para invocar la lluvia para los cultivos de la época de sequía. Muchas veces el ritual puede durar 12 días y contiene muchas secuencias rituales complicadas. Comienza con una limpia, para la cual el chamán principal recorta muchísimas imágenes de papel de los espíritus *ejecatl* y las coloca en un arreglo elaborado. De manera ritual el chamán destierra a estos peligrosos espíritus, para mantenerlos alejados de las ofrendas dedicadas a los espíritus de la lluvia y las semillas. Como parte de los preparativos, el chamán también recorta centenas de imágenes de papel adicionales para usarlas en varios altares. Mientras tanto, algunos voluntarios elaboran muchos adornos especiales de palma y *cempoasuchitl* para estos altares, sentados en pequeños grupos, charlando.

El altar principal se encuentra adentro en una casa particular y en su centro está la caja cerrada que contiene las imágenes de las semillas. Los ayudantes limpian este altar y el chamán coloca ahí, con cuidado, gran número de imágenes de papel de los espíritus de las semillas y de los relacionados con el agua. El chamán ordena a sus ayudantes abrir la caja con las semillas y sacar y lavar la ropa de las imágenes. Mientras la ropa se seca en el tendedero, los asistentes colocan de pie a las hijas-semillas desnudas, apoyándolas contra varias partes de la mesa del altar y sobre el piso de tierra bajo ésta. Después de la limpia que se realiza afuera, en la que expulsa a los peligrosos espíritus de *ejecatl* o de viento, el chamán entra en la casa acompañado de sus ayudantes, que llevan guajolotes y gallinas vivos. El chamán agarra un ave grande, le corta el pescuezo con tijeras y, con cuidado, rocía su sangre sobre un amplio arreglo de imágenes de papel colocadas en el altar. Repite esto con otras aves expiatorias más, asegurándose de que la sangre caiga en las imágenes de papel y en los adornos que se encuentran en el piso, que sirven para formar un arreglo dedicado a la tierra. Luego llena de sangre un plato plano y, usando una pluma de guajolote como brocha, pinta cada imagen de papel con sangre. Cuando le pregunté qué hacía, me respondió: "Ésta es su comida".

Durante los siguientes 11 días, el chamán y varios ayudantes construyen y decoran altares más pequeños. Los más importantes son dedicados al espíritu del fuego, al espíritu del agua y al sol (simbolizado por una cruz). Cada altar consiste en imágenes de papel, adornos de hojas, flores de *cempoasuchitl* y abundantes ofrendas de comida y bebida. Durante algunos periodos que duran varias horas no ocurre mucho y algunas personas regresan a sus casas para dormir o ponerse al día en sus labores. Luego, tal como si recibieran una orden, la acción se reanuda y empieza una nueva ronda de cantos, danzas ante el altar o dedicación de ofrendas. Mientras tanto los músicos tocan sones melódicos lentos, que acompañan las ocasiones rituales importantes. Durante los momentos de actividad la música transmite un sentido de urgencia y decenas de personas llegan cargando ofrendas adicionales de comida o, tal vez, más flores y palmas. Numerosos braseros despiden humo de copal, las personas se acercan a los altares y hacen la doble reverencia que se acostumbra en ocasiones rituales; los chamanes salmodian y domina un ambiente lleno de ánimo. Después de una o dos horas la acción decae tan rápida y misteriosamente como cuando comenzó.

En el duodécimo día la gente se siente agotada pero optimista, pues se prepara para la ofrenda final. Los ayudantes recogen los adornos viejos y los remplazan con unos nuevos. Las mujeres preparan más comida y los músicos parecen haberse reanimado. Con mucho cuidado, los hombres llenan la caja de semillas con imágenes de papel, ya vestidas con ropa limpia, muchas luciendo nuevos collares y aretes. Mientras las mujeres traen la ofrenda de comida y la ponen frente a cada altar, el chamán salmodia de manera intensa. En su canto enumera las ofrendas y suplica a *tonantsij* y a sus hijas-semillas para que sustenten a la comunidad durante el año venidero. Canturrea ante cada altar para implorar al sol, al agua y a la tierra que sean bondadosos con las personas, aunque éstas a menudo ofenden a los espíritus mediante sus actividades y de vez en cuando mediante malas intenciones. Al final los chamanes mandan a que todos se arrodillen ante el altar principal para mostrar su máximo respeto al sagrado universo que les ha dado la vida y los medios para su existencia. El altar adornado se deja intacto y la caja de semillas permanece cerrada durante todo el año. Los demás altares son desmontados a los pocos días. Al secarse los adornos que rodean la caja de semillas los ayudantes los remplazan periódicamente. De vez en cuando alguien pone un recipiente de agua fresca ante la caja, para que las semillas se sientan cómodas. Los chamanes me repitieron que es imprescindible que la comunidad se mantenga como un lugar agradable, para que las semillas estén felices y permanezcan ahí para ayudar a la gente. Sin el poder reproductor de los cultivos, personificado por las semillas, la existencia humana se extinguiría. Para una relación más detallada de este ritual, véase Sandstrom y Sandstrom (1986: 35 y ss.), y para una descripción de *chicomexochitl* y rituales similares en comunidades nahuas de la misma región, véanse Williams García (1966a) e Ixmatlahua Montalvo *et al.* (1982: 89-92).

El último ritual importante del calendario ocurre durante el carnaval de la celebración cristiana, los días desenfrenados antes de la austeridad de la Cuaresma. Las fechas varían de acuerdo con el calendario cristiano, pero suelen caer entre mediados de febrero y fines de marzo. Aunque la gente de Amatlán no observa la Cuaresma, adoptó de buen agrado su propia versión del Carnaval en su ciclo ritual. El etnomusicólogo Charles Boilés (1971) demostró las raíces prehispánicas del Carnaval entre los otomíes vecinos y estoy seguro de que sus descubrimientos se aplican también para Amatlán. Los nahuas llaman a esta celebración *nanahuatili* en náhuatl, que es el nombre de una danza que se realiza durante esta fiesta. La ocasión entera es planificada y financiada por un grupo de voluntarios, llamados *capitanes* en español. La celebración dura alrededor de una semana (aunque puede variar un poco, de acuerdo con la motivación de los danzantes) y la caracterizan los sones del huapango, una forma de danza rítmica, vibrante y melódica, con la cual se reconoce a la Huasteca. El guitarrista y el violinista se desplazan de casa en casa, acompañados por escandalosos danzantes enmascarados. Son los *mecos* antes mencionados. Al entrar los músicos y danzantes en un solar, sus habitantes se reúnen alrededor del espectáculo. Después de varias danzas, el jefe de la unidad familiar le ofrece algo de dinero al *meco* principal, para tratar de obligar a la banda perturbadora a que salga en busca de nuevas víctimas.

Todos los danzantes son varones, aunque la mitad están vestidos de mujeres y de niñas. Todos se cubren la cara con una máscara o un pañuelo y hablan con voz de falsete. Para disfrazarse mejor, los participantes se visten con ropa que piden prestada a otra persona. Las máscaras de papel maché las compran en el mercado y representan a mestizos con caras color de rosa y, en 1973, en mi honor, a una rubia angloamericana. Durante sus actuaciones, los *mecos* patean a los perros, se suben en los árboles, se mofan de las personas, hacen bromas y ademanes obscenos y desempeñan el papel de bromistas. Provocan muchas risas y burlas, en especial por parte de las multitudes de niños que los siguen durante todo su recorrido. Solamente jóvenes varones de entre los 16 y 23 años, o cerca de la edad para casarse, se disfrazan como *mecos* y se considera que todo el acontecimiento es una ocasión para que ellos se diviertan.

Esta celebración se relaciona con las prácticas religiosas de los nahuas, ya que se considera que los *mecos* son los sirvientes de *tlacatecolotl,* el espíritu maestro del inframundo. Durante alrededor de una semana vagan a su antojo por la comunidad, en lo que significa una desorganización severa del trabajo cotidiano. El significado ritual de los *mecos* se revela de manera clara al examinar cómo se les sirve la comida por la noche. Los miembros de la unidad familiar colocan la comida para los participantes en una larga banca, mientras ellos tocan y bailan en el último solar que piensan visitar ese día. Los anfitriones ponen además cuatro porciones de comida en una pequeña mesa que se encuentra cerca, junto con una vela de cera encendida, un incensario humeante, una botella de aguardiente, varios refrescos embotellados y una vela de sebo que representa el inframundo. Después de la última danza, algunos *mecos* recogen la ofrenda de comida de la mesa, mientras que otros se llevan la vela y el incensario. Al cambiar los músicos el estilo de música de danza al de música sagrada, estos *mecos* encabezan a los demás para formar un círculo alrededor de las bancas en que se encuentra la cena. El grupo en turno da la vuelta en torno a las bancas, cuatro veces en una dirección y luego otras cuatro en dirección contraria. El ambiente ya ha cambiado de uno de ligereza y bromas a uno de plena seriedad. Luego el *meco* principal vierte el aguardiente y los refrescos, formando un círculo que rodea por completo el área donde se come. Después de una corta reanudación de la danza, los actores se quitan las máscaras, se reúnen alrededor de la banca y comienzan a comer. Cuando ya han terminado, uno de los *mecos* vierte la comida de un plato, un poco de aguardiente y una botella de refresco en la tierra cerca de la mesa pequeña.

Esta elaborada secuencia de acciones realizadas antes de permitir que los *mecos* coman demuestra su poder ritual. El procedimiento está ideado para proteger a la unidad familiar contra futuras visitas de los espíritus del inframundo, quienes podrían pensar de manera equivocada que la ofrenda se hizo en su nombre. Antes de que se les permita comer a los *mecos,* ellos ya han vuelto a ser hombres comunes y corrientes, y el área ya está protegida por los círculos de aguardiente y refrescos. Además, ellos ofrendan comida a la tierra al final de la comida, para apaciguar a los espíritus ofendidos del inframundo. También he visto a *mecos* hacer breves limpias a los niños enfermos que viven en los solares que visitan. Por lo general le pasan hojas por encima al niño mientras salmodian una súplica para que se vaya el ofensivo espíritu proveniente del inframundo. Los aldeanos no consideran malos a los *mecos,* de manera alguna, pese a que son sirvientes de una temida figura del inframundo. Más bien se les describe como impredecibles, irrespetuosos y graciosos. Paul Jean Provost llevó a cabo una profunda investigación del *nanahuatili* en una comunidad nahua de la Huasteca y concluyó que la celebración es un rito de inversión, un periodo donde se suspenden o invierten las reglas culturales tradicionales, algo semejante al Halloween o Día de Brujas angloamericano. Él subraya que los disfrazados rompen las normas sociales, al burlarse de la gente directamente en su cara, mientras hacen ademanes sexuales evidentes, visten ropa de mujer, se burlan de los mestizos poderosos y porfían con las familias para que les den dinero. Provost interpreta este comportamiento como un rito de negación de las normas sociales, que funciona como una válvula de escape para la cultura nahua (1975: 187 y ss.).

Existe un aspecto secular en esta celebración ritual. En noches alternas durante la semana los capitanes del *nanahuatili* organizan bailes donde participan todos los habitantes de la comunidad. La primera parte de la noche se dedica a las danzas de los *mecos;* sin embargo, alrededor de las nueve de la noche pueden bailar las parejas solteras. Es la única ocasión en que presencié que la gente bailaba al estilo de salón de baile euroamericano. Sólo los adolescentes y adultos jóvenes participan en el baile, mientras que los demás se sientan a observar y a circular. La música la toca una banda itinerante regional o sale de un radio de transistores. Cerca de la media noche o a la una de la madrugada, de repente cesa la música y todos regresan a casa, con la expectativa de otro día de caos y desorden.

El último día de *nanahuatili,* la gente hace una mezcla de cenizas con agua y pinta cruces blancas en las paredes de sus casas y en los artículos domésticos, tales como el metate y la mano del metate. Los participantes trazan círculos blancos de ceniza alrededor de los troncos de los árboles frutales del solar. En ese momento los *mecos* han desaparecido por completo y quienes poco antes los representaban, se destacan pintando casas y árboles frutales, ahora en ropa normal. De esta manera, el *nanahuatili* termina con el retorno del orden, simbolizado por las cruces blancas que este día aparecen en toda la comunidad.

Con la desaparición de los *mecos* el reino simbólico del inframundo se extingue hasta el año siguiente. El ámbito de las almas de los muertos recupera su significado sólo después del día feriado de san Lucas, ocho meses adelante. En este momento regresan las lluvias, la vegetación despierta y la siembra de primavera es inminente. Tanto las celebraciones que se relacionan con *tonantsij* en diciembre, como las dedicadas a las semillas de fines de invierno, durante *xochitlalia,* representan la promesa de la primavera. La salida de los últimos representantes del inframundo, después del *nanahuatili* garantiza que el rejuvenecimiento de la tierra no tardará en llegar. Una de las fiestas más importantes del calendario cristiano, la Semana Santa, no se celebra en Amatlán. A lo más, unas pocas mujeres y niñas asisten a una misa especial que se celebra en la iglesia del lejano Ixhuatlán. El Domingo de Resurrección esta pequeña cabecera municipal se ve invadida por indios y mestizos de muchos pueblos a varios kilómetros de distancia y adquiere un ambiente festivo. Los aldeanos a quienes consulté no parecen darle mucha importancia a la Semana Santa, y la mayoría de las personas la considera un asunto de la Iglesia, de poco significado para ellos. Con la clausura del *nanahuatili,* la última observancia mayor del calendario ritual llega a su fin (véase, también, Williams García, 1960).

Hay muchos otros pequeños rituales del calendario, relacionados con los días feriados de la Iglesia católica, que se reconocen en diferentes grados entre las unidades familiares de la comunidad. Una fiesta importante es la de la Santa Cruz, que se celebra el 3 de mayo. En este día los miembros de las unidades familiares ponen un plato con comida, una taza de café o chocolate con pan y velas de cera encendidas en algún lugar a cierta distancia de sus casas. A veces, la gente construye una cruz cubierta de unas flores amarillas llamadas *santa cruz* o un arco cubierto de hojas y flores, por encima de la comida. La ofrenda está dedicada a las almas errantes que murieron en forma violenta. Estas almas son peligrosas para los vivos, de modo que se les ofrenda comida lejos de la residencia familiar. Otra ocasión en la cual la unidad familiar tal vez encienda una vela en el altar de la casa es el 12 de diciembre, día de la virgen de Guadalupe. En el cuadro 6.2 se enumeran otros días de santos y demás fiestas que los aldeanos podrían celebrar. La mayoría de la gente tiende a ignorar estos días oficiales; pero, de vez en cuando, alguna persona acaso encenderá una vela o, tal vez, colmará un incensario con carbón encendido y copal como señal de respeto. A los ojos de los aldeanos, muchos santos tienen su equivalente entre los espíritus nahuas tradicionales y varias personas me dijeron que no veían motivo alguno para dedicarles días especiales, ya que todos los espíritus importantes reciben sus ofrendas pertinentes durante el ciclo ritual regular. La identificación de los espíritus nahuas con los santos católicos se analiza a continuación. Además, hay varias fiestas nacionales relacionadas con la escuela, que aparecen en el cuadro 6.2. Éstas las observan los niños que asisten a la escuela, pero no las unidades familiares.

La rica vida religiosa de los nahuas se refleja en su máximo grado en las prácticas privadas que no están relacionadas con el calendario y que, además, están mucho menos influidas por las formas externas del catolicismo español. Por ejemplo, yo presencié tres rituales que ocurren en diferentes momentos del ciclo de desarrollo del maíz. Hay un ritual llamado *quitlacualtij xinaxtli pilsintsij* (término náhuatl que significa "él da de comer a la semillita de maíz"), que se celebra justo antes de la siembra. Después del ritual de limpia, el chamán construye un altar en el que coloca una elaborada ofrenda de comida para las semillas del maíz. El ritual culmina con la bendición del chamán sobre una gran canasta llena de semillas de maíz, justo antes de que sus ayudantes la transporten a la milpa. Después, el jefe de la unidad familiar construye un pequeño altar y pone una ofrenda para la tierra en el centro de la milpa, justo antes de empezar la siembra. Esta práctica se realiza por la mañana y va acompañada de un banquete preparado por las mujeres de la casa. Cuando los hombres regresan de la siembra se les sirve otra comida, que consiste en un atole agrio especial de maíz, llamado *axocotl,* seguido de mole de guajolote. La comida debe ser lo suficientemente abundante como para que varios de los que trabajaron puedan llevar a casa porciones de carne envueltas en tortillas para sus familias (para descripciones de prácticas similares en comunidades nahuas de la región, véanse Reyes Martínez, 1982: 49-52, e Ixmatlahua Montalvo *et al.,* 1982: 93-95).

Cuando el maíz está a punto de elotes, los nahuas celebran un segundo ritual, llamado *elotlamanilistli* ("ofrenda de los elotes") en náhuatl o, más simple, *tlamanilistli* ("ofrenda"). Este dulce maíz tierno tiene mucho valor para los aldeanos como fuente de comida y esta celebración ritual puede ser bastante elaborada y costosa. Se matan guajolotes, pollos y puercos, y la cabeza de la unidad familiar reúne gran variedad de ofrendas. Miembros de la familia y amigos preparan adornos y comida, mientras jóvenes de ambos géneros bailan ante un altar especial. Los ayudantes cargan canastas llenas de elotes desde las milpas y las colocan ante el altar. Se preparan tamales especiales de maíz tierno, llamados *xamitl* en náhuatl, que se sirven con mole y otros platillos preferidos. Durante la segunda noche de esta celebración los jóvenes danzantes representan un acto en el que expulsan a los mapaches de las milpas de manera simbólica. Los mapaches figuran entre los animales más nocivos para la milpa. Yo no presencié este ritual, pero los campesinos señalan que ciertos individuos desempeñan los papeles del cazador, los perros de caza y el mapache, al que, después de matarlo, lo despellejan en forma simbólica con una caña de maíz (para descripciones de este ritual en comunidades nahuas vecinas, véanse Hernández Cuellar, 1982: 72-80; De la Cruz 1982: 85-86; Reyes Martínez, 1982: 63-69; e Ixmatlahua Montalvo *et al.,* 1982: 95-101). El tercer ritual se llama *sintlacualistli* (en náhuatl "dar de comer al maíz") y se celebra pocos días después de la cosecha de éste. Los adornos florales, las ofrendas de comida, la música y la fiesta se llevan a cabo para asegurar la futura cosecha y para prevenir la partida de *chicomexochitl* ("7-flor", el espíritu del maíz) de la comunidad. Los jóvenes participantes bailan con las mazorcas de maíz para que *chicomexochitl* se sienta bienvenido en la unidad familiar.

No existen normas rígidas para estos rituales, sino que cada chamán o chamana los cambia de acuerdo a su juicio. Sin embargo, todos comparten ciertos elementos. Cada ritual comienza con una limpia, para deshacerse de los peligrosos espíritus del inframundo. Todos requieren de la construcción de un arco o altar y la presentación de ofrendas para el espíritu del maíz. Es más, cada ritual emplea ciertos adornos especiales que representan al maíz. Los gemelos sagrados, 7-flor y 5-flor, están representados por dos o a veces cuatro mazorcas de maíz, con su *totomoxtle* intacto, que se atan juntas y se envuelven en un pañuelo rojo nuevo. Estos adornos se llaman *eloconemej* (término náhuatl que significa "niños elote"). También puede que el chamán recorte imágenes de papel de éstos y otros espíritus. Dos juegos de adornos florales que se parecen a las mazorcas de maíz representan a estos mismos espíritus sagrados. El primero consiste en siete hileras de flores y el otro, más pequeño, en cinco filas. Los participantes los colocan en el altar o, en el caso del ritual de siembra, en la canasta para cargar las semillas de maíz. No todas las unidades familiares se toman la molestia de patrocinar estas ofrendas cada año y algunas pueden dejar pasar años antes de celebrar estos rituales agrícolas privados. El costo de los rituales varía entre 4 y 20 dólares, cifra que depende de lo elaborado que sean, y muchas personas se quejan de que no los pueden costear. Varios aldeanos me dijeron que sólo contribuyen al ritual comunitario principal de las semillas descrito arriba, y que piensan que esto es suficiente para agradarlas.

Los ritos de paso —rituales que marcan la transición desde un estatus social a otro— son poco elaborados entre los nahuas, excepto el de los entierros. Al nacer la criatura, la partera (*tetejquetl* en náhuatl) lleva a cabo una breve limpia ritual para proteger al recién nacido, en la que se ofrendan a la tierra velas de cera, adornos de palma de coyol, incienso de copal y comida (véase Reyes Antonio, 1982: 49-50, para una descripción de las creencias nahuas acerca de los peligros que causan los eclipses solares y lunares a los niños y a las embarazadas, y las precauciones que toman las parteras para proteger a sus clientes contra esos peligros). El cordón umbilical se corta con una navaja afilada hecha de carrizo y tanto la placenta como el cordón umbilical se entierran bajo el piso de la casa. Al cuarto día después del nacimiento, la partera o una madrina especial llamada *axochiteonaj* ("madrina de agua-flor") en náhuatl baña al bebé en agua donde se han remojado varias hierbas. La mujer presenta una pequeña ofrenda llamada *nacaspitsalistli* ("soplo de oreja") durante la cual los parientes susurran consejos en la oreja del bebé, con la esperanza

Cuadro 6.2. Rituales, ceremonias sagradas y fiestas seculares en Amatlán

A. Fiestas de la Iglesia reconocidas por los aldeanos, que requieren poca o ninguna actividad ritual local.

Fecha	*Observancia*	*Motivo*
25 de noviembre	Santa Catarina	Fiesta patronal
30 de noviembre	San Andrés	Fiesta patronal
6 de enero	Día de Reyes	Fiesta patronal
19 de marzo	San José	Fiesta patronal
15 de mayo	San Isidro	Fiesta patronal
13 de junio	San Antonio	Fiesta patronal
24 de junio	San Juan	Fiesta patronal
29 de junio	San Pedro y San Pablo	Fiesta patronal
25 de julio	Santiago	Fiesta patronal
15 de agosto	La Asunción	Fiesta patronal
24 de agosto	San Bartolo	Fiesta patronal
28 de agosto	San Agustín	Fiesta patronal
30 de agosto	Santa Rosa	Fiesta patronal
10 de septiembre	San Nicolás	Fiesta patronal
21 de septiembre	San Mateo	Fiesta patronal
29 de septiembre	San Miguel	Fiesta patronal
4 de octubre	San Francisco	Fiesta patronal
Fiesta movible	Semana Santa	Mujeres y niñas tal vez irán a misa

B. Días feriados de la Iglesia, que se observan en la comunidad.

Fecha	*Observancia*	*Motivo*
8 de octubre	San Lucas	Fiesta patronal, comienza el año ritual
1º de noviembre	*xantoloj* (Todos los Santos)	Hacer ofrendas para las almas de los niños difuntos
2 de noviembre	*xantoloj* (Día de Muertos)	Hacer ofrendas para las almas de los parientes adultos
12 de diciembre	*tonantsij* (Virgen de Guadalupe)	Fiesta de la virgen de Guadalupe, comienza *tlacatelilis*
21-24 de diciembre	*tlacatelilis* (Navidad)	Fertilidad humana y de los cultivos
31 de diciembre	*yancuic xihuitl* (Año Nuevo)	Ofrendas para el año viejo y el nuevo
3 de mayo	*xantojcoros* (Santa Cruz)	Hacer ofrendas para los que murieron de manera violenta
Fiesta movible, febrero-marzo	*nanahuatili* (Carnaval)	Recibir a los espíritus del inframundo

(contnúa)

Cuadro 6.2. *(contiuación)*

C. Celebraciones rituales no relacionadas con la Iglesia católica.

Fecha	*Observancia*	*Motivo*
Primavera temprana	*Xochitlalia* (tierra de flores), *chicomexochitl* (7-flor)	Asegurar la fertilidad de los cultivos

D. Rituales privados o familiares no relacionados con el calendario.

Celebración	*Propósito*
quitlacualtij xinaxtli pilsintsij (dar de comer a las semillitas de maíz)	Ritual de la siembra para aumentar la fertilidad
elotlamanilistli (ofrenda de los elotes)	Ritual para incrementar la cosecha
sintlacualistli (dar de comer al maíz)	
nacaspitsalistli (soplo a la oreja)	Ofrenda de la cosecha
maltisejcone (el niño se bañará)	Ritual de nacimiento para hacer obediente al niño
titeixpiyaj (vigilia)	Limpia del recién nacido
quichicuahuitile mijcatsij (velatorio)	Entierro
tliquixtis (significado desconocido)	Ofrenda celebrada una semana después de la muerte
	Ofrenda celebrada después de la muerte para apaciguar a los espíritus
se xihuitlaya (cabo de año)	Ofrenda celebrada un año después del fallecimiento
tlamanilistli (ofrenda)	Peregrinación cíclica para suplicar por la lluvia; también, ritual de los chamanes para venerar al sol
momapacalistli (lavamanos)	Ritual para reafirmar los lazos rituales de parentesco
caltlacualtilistli (dar de comer a la casa)	Ofrenda para el espíritu de una casa nueva
ochpantli (barrida o limpia)	Ritual de curación y limpia

E. Fiestas civiles y nacionales celebradas por los alumnos.

Celebración	*Propósito*
5 de mayo	Batalla de Puebla
10 de mayo	Día de las Madres
15 de mayo	Día del Maestro
20 de mayo	Día del Padre
16 de septiembre	Día de la Independencia
20 de noviembre	Día de la Revolución

Nota: La verdadera celebración puede variar de las fechas oficiales y el contenido religioso con frecuencia difiere del de las fiestas oficiales de la Iglesia.

de que, mientras crece, entienda las palabras y les preste atención (véanse De la Cruz, 1982: 133, y Hernández Cuéllar, 1982: 59 y ss., para más información acerca de estos rituales entre nahuas cercanos al lugar). Un ritual llamado *maltisejcone* (un término náhuatl que significa "el niño se bañará a sí mismo") se puede celebrar cerca de esta fecha e incluye una limpia más elaborada y el establecimiento de lazos de parentesco ritual entre el recién nacido y los amigos de sus padres. Los nuevos padrinos compran regalos para el bebé y puede ser que se les pida en ese momento que le pongan nombre al niño. El compadrazgo es una forma muy poderosa de parentesco ritual y los aldeanos me dijeron que esos lazos, con frecuencia, duran toda la vida (véase Reyes Antonio, 1982: 117-121, para una descripción de los procedimientos y rituales de nacimiento entre los nahuas).

No existen rituales formales para marcar el paso de la pubertad a la edad adulta. La adultez se reconoce después del matrimonio y el nacimiento del primer hijo de una pareja. Las bodas son sumamente informales. En algunas ocasiones, el casamiento se arregla a través de un intermediario pero es más común que, un previo arreglo, la pareja simplemente comienza a vivir juntos en la casa de los padres del novio. Es posible que la familia del novio lleve regalos a la familia de la novia y, en varios casos que registré, la familia de la novia organizó una fiesta para el novio y sus parientes. Dentro del sistema legal mexicano el matrimonio nahua se considera una especie de unión libre. Si un muchacho construye una casa separada antes del matrimonio, es común que la nueva pareja se fugue antes de pedir el permiso de sus respectivos padres. Sin embargo, en estos casos los padres con frecuencia sospechan lo que va a ocurrir, lo que no les impide fingir que están sorprendidos o hasta indignados. Personas ya mayores me dijeron que durante su juventud el novio tendía a trabajar para la familia de la novia hasta por un año antes de que el matrimonio se considerara válido. Sin embargo, esta práctica aparentemente ha sido abandonada, excepto por alguna ayuda informal que puede proveer el yerno (véase Romualdo Hernández, 1982: 228-230, para una descripción de las costumbres nahuas relacionadas con el matrimonio). El divorcio es raro y normalmente resulta en que uno de los cónyuges se vaya de la comunidad de forma permanente. En este caso, el divorcio y la separación definitiva equivalen a lo mismo.

El funeral ritual, llamado *titeixpiyaj* (término náhuatl para "vigilia") se celebra antes de cumplirse las 24 horas después del fallecimiento. Los encargados ponen el cuerpo en una tarima baja, con los brazos doblados sobre el pecho y un pañuelo blanco tapando la cara. Los dolientes colocan círculos de *cempoasuchitl* (llamados *coronas*) sobre el cuerpo. También colocan un collar largo de *cempoasuchitl* (llamado *rosario*) a lo largo del cuerpo, que desde la cara del difunto se eleva hasta una viga del techo. Esta cadena de flores se llama también *ojtli* en náhuatl ("sendero") y es la vereda por la cual el alma-calor viaja para encontrar su camino fuera del cuerpo. La íntima asociación del *cempoasuchitl* con los entierros quizá explica su nombre en español, *flor de muertos*. Las estacas clavadas en el suelo en tres lados del cuerpo, sostienen largas velas de cera encendidas. El carpintero de la comunidad, mientras tanto, construye un ataúd de madera de cedro que los nahuas llaman *teocuahuitl* ("árbol sagrado"). Los parientes del muerto guardan una vigilia de 24 horas ante el cadáver, mientras se hacen los preparativos para el sepelio.

Durante día y noche, los parientes traen regalos de piloncillo, aguardiente, maíz, frijol, refrescos, velas y comida preparada, mientras los músicos tocan lentas melodías rituales. Las mujeres en ocasiones rompen en agudos gemidos a la vez que tanto hombres como mujeres derraman lágrimas de dolor. Se quema incienso de copal durante toda la vigilia y, de vez en cuando, uno de los asistentes rocía el cadáver con una flor de *cempoasuchitl* bañada en agua. En diferentes momentos durante la noche un pariente varón o un especialista, llamado *rezandero,* repite en latín, con fuerte acento náhuatl, una serie de imploraciones que lee de un libro de oraciones católicas bastante desgastado. Los rezanderos parecen ser autodidactas y se les paga por sus servicios. Los aldeanos no entienden el rápido balbuceo en latín, y tener estos rezos en un funeral parece ser un préstamo de las prácticas mestizas. El día del sepelio los miembros de la familia hacen una cruz de ceniza blanca en el fondo del ataúd. Luego colocan un paño blanco sobre la cruz, encima del cual colocan ropa de mujer, si el difunto es varón, y ropa de hombre, si el difunto es del género femenino. Esto es así porque esta ropa está destinada para que la use la nueva pareja del difunto en el *mictlan*. Luego ponen el cadáver en el féretro, rodeado de muchos artículos de uso cotidiano. Por ejemplo, a un hombre lo equipan con tazas, platos, bultos de ropa doblada, un mantel pequeño, un machete nuevo, refrescos, trozos de bambú y una botella de aguardiente. Los aldeanos me dijeron que los objetos son para que el difunto los use en el *mictlan*. Antes de poner el cuerpo en el ataúd los encargados enrollan el rosario de *cempoasuchitl* en torno al cuerpo siete veces, sujetando una serie de siete cruces pequeñas de madera en su lugar.

En algunos entierros los encargados cortan una nueva puerta para sacar el cadáver. La gente me dijo que lo hacen para que el espíritu (*yolotl* o "alma-corazón") no pueda encontrar su camino de regreso a casa. Al salir de la casa los portadores del féretro pisan varios platos y tazas usados por el difunto, destruyéndolos. Esta costumbre sirve también para impedir que el alma del difunto regrese a su medio ambiente familiar. Encabezan la procesión al camposanto mujeres con velas, seguidas por cuatro hombres que cargan el féretro, tras quienes vienen los demás hombres y niños. Los acompañantes queman copal cuando los familiares abren el ataúd y le desdoblan los brazos al difunto para que las manos le queden a lo largo del cuerpo. Los encargados sacan los platos, las tazas y el machete que estaban con el cadáver y los rompen, ponen las piezas rotas en el ataúd y clavan la tapa. No pude descubrir por qué destruyen estos artículos de esa manera. Supongo que los dolientes los rompieron para librar a las almas *yolotl* de los objetos, de manera que acompañen al alma del difunto hasta el *mictlan*. Bajan el ataúd en la sepultura y construyen una plataforma de madera encima de éste. Luego palean tierra sobre la plataforma, teniendo cuidado de no dejar que ésta se esparza sobre el propio ataúd. Los dolientes levantan una pequeña cruz de madera cubierta de flores de *cempoasuchitl* y, como gesto final, cuelgan coronas de esta misma flor en la cruz cubierta de flores.

Alrededor de una semana después del entierro los familiares le dedican una ofrenda al alma del difunto en su antiguo hogar. Este ritual se llama *quichicuahuitile mijcatsij*, que los aldeanos traducen como *velorio* en español o "velatorio para el espíritu de los muertos". En algunos casos, durante este tiempo la familia celebra un ritual relacionado, llamado *tliquixtis* en náhuatl, durante el cual se enciende un nuevo fuego. Las dos prácticas señalan la partida final del alma del difunto en su viaje al inframundo. Después del ritual, que marca la entrada del alma en el *mictlan*, los parientes ponen sobre la sepultura una cruz de madera más permanente. El "alma-corazón" o *yolotl* del difunto, sin embargo, puede vagar y, porque tiene el potencial de provocar mucho daño, hay que aplacarla con ofrendas en varias ocasiones durante el año. Por consiguiente, los familiares de vez en cuando van al camposanto para colocar adornos frescos o para encender velas en las sepulturas de sus parientes. Un año después de la muerte, los miembros de la familia extensa y los amigos se reúnen para una ofrenda mayor. Esta ceremonia se llama *se xihuitlaya* ("un año después") en náhuatl o *cabo de año* en español. La familia mata puercos y contrata a un carpintero para que construya una nueva cruz, a veces con el nombre del difunto y su fecha de nacimiento y fallecimiento pintados. La familia llama a un chamán que celebra una limpia especial en la que las ofrendas se dedican a las imágenes de papel de los espíritus de la cruz (el sol), de la tierra y del fuego. El chamán implora a estos espíritus que perdonen al difunto por las ofensas que cometió durante su vida.

Durante el *se xihuitlaya* los encargados guardan vigilia toda la noche frente a un elaborado altar que contiene ofrendas de comida para el espíritu del difunto. La cruz recién construida yace sobre una mesa baja en dirección perpendicular al eje de la mesa del altar. Los músicos tocan melodías sagradas, velas de cera encendidas bordean el altar y el humo aromático de copal impregna el espacio. En cierto momento durante la noche, los participantes levantan la cruz y la ponen en posición vertical en el extremo de la mesa. Este acto en español lo llaman *levantada de la cruz*. Al día siguiente, a primera hora de la mañana, los participantes realizan una procesión encabezada por un hombre que carga la cruz. Cada persona lleva una vela encendida, los músicos tocan y al final de la procesión los hombres llevan canastas de comida y otras ofrendas. Todos se dirigen al camposanto y al llegar ponen sobre la sepultura una ofrenda semejante a la de *xantoloj*. Luego de dedicar la comida, se finaliza el ritual que marca el primer aniversario del fallecimiento.

Durante cuatro años después de la muerte de una persona los familiares preparan una ofrenda especial extraordinaria para las prácticas de *xantoloj* o Día de Muertos. Durante este periodo, el *yolotl* o "alma-corazón" de un difunto constituye un peligro mayor para sus familiares vivos porque es cuando intenta, en vano, reunirse con sus antiguos parientes. Se cree que después de cuatro años el cuerpo se ha desintegrado y el "alma-corazón" se debilita y ya no constituye una amenaza seria para los vivos. Sin embargo, los miembros de la familia siguen poniendo ofrendas durante el *xantoloj,* mientras siga viva alguna persona que recuerde al difunto. Los aldeanos me informaron que las personas que no cumplen con observar estos rituales para sus muertos experimentan pesadillas y provocan ataques de los espíritus.

Con excepción de los rituales curativos analizados a continuación, la lista anterior contiene los rituales principales que he presenciado en Amatlán. Sin embargo, existen rituales adicionales que nunca he podido observar en persona. Uno se llama *caltlacualtilistli* ("dar de comer a la casa") y es una ofrenda para el espíritu de las viviendas recién construidas (véase Hernández Cuellar, 1982: 83, para una descripción de este ritual en una comunidad nahua vecina). Otro es el ritual del sol ya mencionado en este capítulo, que raras veces se celebra; es importante y poderoso, y aparentemente les incumbe a los chamanes y no a los laicos.

En 1986 presencié el primer día de los preparativos para la peregrinación que dura ocho días, la que se realiza cada determinados años para suplicar por la lluvia. Este suceso notable empezó en una distante comunidad otomí y participaron en él tanto nahuas como otomíes. Algunos aldeanos y yo acompañamos al chamán nahua Aurelio, que era codirector del ritual. Había cerca de 25 chamanes presentes y cortaron más de 25 000 imágenes de papel que fueron envueltas en petates para poder cargarlas durante la larga caminata. Dos bastones sagrados, que se supone son parecidos a los usados por los enanos de la lluvia, encabezaban la procesión, y también se llevaron docenas de canastas llenas de comida para las ofrendas. El destino era el cerro sagrado San Gerónimo (probablemente en el estado de Hidalgo) con ruinas prehispánicas y una cueva en su cima, desde donde los espíritus envían las lluvias hacia las milpas. Ya cuando partía la procesión los participantes se detuvieron en un manantial para colocar una ofrenda al espíritu del agua y luego tomaron su camino para lo que debió haber sido un viaje fascinante. Desafortunadamente, aunque yo estaba invitado, no pude seguir acompañando a los peregrinos (véase Hernández Cristóbal *et al.*, 1982, para una descripción de un ritual similar en otra comunidad nahua localizada en el municipio de Ixhuatlán de Madero).

Finalmente, los aldeanos me informaron acerca de un ritual que llaman *momapacalistli* (término náhuatl que significa "lavamanos"), donde los compadres se lavan las manos entre sí como muestra de respeto. Me dijeron que a veces se celebra durante el nacimiento de un niño, cuando se forman los lazos de compadrazgo. Todo indica que el ritual de lavar las manos no se celebra en el presente con tanta frecuencia como en años anteriores.

En general, concluiría en que a la religión nahua la caracteriza el énfasis que pone en el ritual por encima de la teología. En vez de ser expresados en un elaborado discurso formal, la cosmogonía, la visión del mundo y los profundos principios religiosos están codificados en complejos sistemas de símbolos rituales. Entonces, para desarrollar una mejor comprensión de la religión nahua debemos tener más información acerca de la estructura interna de los rituales nahuas, que varían desde el más sencillo ritual de limpia hasta las peregrinaciones de una semana con docenas de participantes y muchos chamanes.

Los rituales curativos

Tal vez nada ilustre mejor el mundo creado por una cultura que examinar cómo las personas definen, diagnostican y tratan las enfermedades. La mayoría de los antropólogos y un creciente número de médicos especialistas euroamericanos han concluido en que las enfermedades presentes en una población, que se enferma, y cómo éstas son tratadas se debe tanto a factores socioculturales como biológicos. La llamada "nueva medicina" no es más que un intento de aumentar la validez científica de la medicina moderna al incorporar factores socioculturales en el diagnóstico y la cura de las enfermedades.

Para los nahuas, la mayoría de los problemas médicos se trata mediante una de las siguientes tres maneras. La primera es consultar a un herbolario de la comunidad o a un huesero, en el caso de fracturas. Los herbolarios suelen ser chamanes o parteras en ejercicio. A principios de los años setenta elaboré una lista de más de 250 plantas conocidas por los aldeanos junto con sus nombres y usos (Sandstrom, 1975). Se piensa que muchas de ellas tienen valor medicinal (véase Reyes Antonio, 1982: 123-145, 114-116, para una lista de 46 plantas medicinales de los nahuas y las enfermedades que curan, junto con una descripción de cómo los nahuas preparan las plantas medicinales). Los hueseros (*texixitojquetl,* singular en náhuatl) por lo común son mujeres en edad avanzada que curan huesos fracturados a través de masajes y, según dicen los aldeanos, logran hacerlo sin causar dolor. La segunda manera con que cuenta una persona para tratar un problema médico es contratar a un chamán para que realice un ritual curativo. Estos rituales se basan en los mismos principios de la visión nahua del mundo que subyacen a todas las prácticas rituales de la comunidad. Como último recurso, los aldeanos viajan a Ixhuatlán para consultar con doctores graduados en medicina que forman parte del personal de una clínica del lugar durante varios días de la semana. Los habitantes de Amatlán no perciben ninguna contradicción entre estos diferentes sistemas para el tratamiento de las enfermedades y la mayoría se siente cómoda al consultar con los tres tipos de especialistas.

Dentro del sistema médico euroamericano se piensa que la mayoría de las enfermedades se origina cuando un agente patógeno invade al cuerpo o cuando no funcionan bien los procesos fisiológicos del organismo. Por lo tanto, la diagnosis y la terapia están ideadas con el fin de localizar e identificar el agente patógeno o el mal funcionamiento, y de extirparlos o corregirlos mediante la cirugía o la administración de medicamentos. Entonces, la medicina occidental se concentra en la causa inmediata. En contraste, la medicina nahua tiende a buscar las causas o condiciones remotas que desde un principio hacen que el cuerpo de un paciente en particular se torne vulnerable. La medicina nahua localiza estas causas en la falta de armonía o el desequilibrio que ocurre entre el paciente y su ámbito físico y social (para una descripción de las teorías nahuas de la etiología de enfermedades y una clasificación nahua de las enfermedades, véase Reyes Antonio, 1982: 106, 109). El objetivo de las técnicas curativas de los nahuas es restaurar el equilibrio y así eliminar la enfermedad.

En un medio ambiente sin armonía, el *chicahualistli* o la reserva de energía de una persona disminuye peligrosamente, permitiendo así que los espíritus *ejecatl* del viento invadan al cuerpo. Los rituales curativos empiezan con una adivinación, para descubrir por qué los espíritus *ejecatl* han infectado al paciente. Las causas incluyen la hechicería, los vecinos chismosos, algún espíritu casero enojado, un tropezón, una mala caída o cualquier suceso en donde una persona se espanta de repente (una circunstancia llamada "susto" en náhuatl, *nemajmatili*), o cualquier acto u obligación no cumplidos por parte del paciente, que habrá ofendido a los espíritus de la tierra, del agua o del cielo o al alma de un pariente muerto. El chamán primero debe sacar a los espíritus *ejecatl* del cuerpo del paciente y de su entorno, permitiendo así que las agotadas reservas de energía se restituyan. Ya consolidada la fuerza vital, es probable que el chamán recomiende que se haga una ofrenda en algún lugar especial para que el espíritu ofendido que ha causado el ataque quede satisfecho. Cuando la causa de la desarmonía se debe a los vecinos chismosos, el chamán podría tomar medidas extraordinarias para controlarlos, como veremos a continuación.

La gente contrata a los chamanes para que celebren rituales curativos no sólo para miembros de su familia sino también para sus casas, animales, milpas, reservas de agua y lugares preferidos para bañarse en el arroyo. La discordia y los espíritus *ejecatl* que la acompañan pueden voltear al mundo contra las personas y destruirlas de múltiples maneras. Los rituales curativos se llaman *ochpantli* en náhuatl, lo que significa "barrida" o "limpia" en español. Varían en costo, grado de elaboración y duración, de acuerdo con la seriedad del problema y la reputación del chamán. Una limpia rápida tal vez dure sólo dos horas y cueste no más de 0.80 dólares. También he presenciado limpias que duraron 24 horas y le costaron al cliente más de 20 dólares. Los aldeanos son muy exigentes en cuanto a quién eligen para efectuar la limpia. La efectividad del chamán sustituye cualquier afiliación comunitaria o lealtad a la cultura nahua. Muchas veces la gente trae a chamanes de otras comunidades y los chamanes de Amatlán viajan lejos para ejecutar sus rituales. Hubo un caso en que un chamán de la comunidad se hizo aprendiz de un maestro otomí. A su vez, este chamán ha capacitado a varios aprendices del lugar, de modo que ahora existen en la comunidad dos variaciones distinguibles de las prácticas del ritual curativo: la práctica nahua y la variante otomí. Yo pregunté a la gente acerca de este caso y todos están de acuerdo en que este chamán otomí en particular es excepcionalmente poderoso, y que es una idea sensata dejar que él comparta su conocimiento con uno de los curanderos locales. Como lo expusimos Pamela Effrein Sandstrom y yo en otra publicación, las creencias y prácticas religiosas de los nahuas, otomíes y tepehuas del sur de la Huasteca son esencialmente similares (Sandstrom y Sandstrom, 1986: 251 y ss.; véanse Hunt, 1977, y Gossen 1986, para explicar la semejanza fundamental de las culturas en Mesoamérica). Los tres grupos difieren en estilo y detalles, pero los sistemas fundamentales de sus creencias son notablemente similares. Por lo tanto, no es sorprendente que los individuos contraten a chamanes de uno u otro grupo cultural y lingüístico.

Todos los rituales curativos se desarrollan mediante una secuencia de medidas comunes para todos. Tan pronto llega el chamán al escenario comienzan los preparativos. El chamán ordena a la familia del paciente recolectar corteza de copal y también ciertas hojas, hierbas y flores. Se espera que hayan comprado tabaco, refrescos, aguardiente, velas, una o más gallinas, un huevo y otros artículos, según lo ordenado. Mientras tanto, el chamán saca de su bolsa de *ixtle* una pila de papel de china de varios colores y unas tijeras. Con cuidado, el chamán dobla y corta el papel, creando las imágenes de los espíritus sobre quienes quiere influir. Recorta también las hojas de papel decorativas, llamadas *tlaxcali yoyomitl* ("servilleta para tortillas"), que usará para embellecer el altar y como camas para las imágenes de los espíritus. En este punto las mujeres de la unidad familiar comienzan a preparar la comida para la ofrenda. Para rituales pequeños se trata sólo de una pequeña bola de masa de maíz cocido o un poquito de café. Las curaciones más grandes requieren tamales, cocido de carne de res, chocolate, tal vez atole endulzado con amaranto, café, pan y montones de tortillas de maíz. Mientras se prepara la comida, otros miembros de la unidad familiar y algunos amigos montan adornos para el altar hechos de hojas, trozos de bejuco y flores hermosas. El proceso de montar los adornos florales para los rituales se llama *xochichihualistli* (literalmente "preparación de las flores"). El chamán reúne todos los elementos en su entorno y los revisa, para estar seguro de que todo esté a su alcance antes de empezar.

El chamán procede a llenar el incensario con brazas y corteza de copal, hace que oleadas del aromático humo perfumen la casa y, a medida que comienza a salmodiar, toma las gallinas expiatorias que se le entregan. Luego, suspende las aves en medio del humo, una por una, y mientras sigue con su canto les retuerce el pescuezo de manera rápida y se las pasa a las mujeres que las cocerán para la ofrenda de comida. Entonces el chamán comienza a instalar un complejo arreglo ritual sobre el piso de la casa del paciente. Hay varias formas básicas en las que un chamán puede organizar el arreglo sobre el piso, pero todas cuentan con una exposición central de las imágenes de papel de los espíritus *ejecatl,* cuidadosamente puestas sobre los pliegos de papel que han sido recortados de manera decorativa. En torno a esta exposición central a veces hay ramilletes de hojas arregladas en un arco, con imágenes de papel atadas a cada ramillete, velas de cera o de cebo encendidas, o un gran aro de bejuco con flores de *cempoasuchitl* atadas a éste a intervalos. Después, el chamán coloca ciertos elementos directamente sobre el arreglo de las imágenes de papel. Éstos incluyen botellas de refrescos, tazas de café, platos de comida, adornos especiales de hojas y flores, velas no encendidas colocadas en pequeñas pilas, una bolsa con tierra de la milpa o de la casa del cliente y un vaso de agua de un manantial cercano, donde se ha puesto una vela de cera encendida.

El chamán ahora comienza un largo canto donde va nombrando los espíritus *ejecatl* transgresores, enumera las ofrendas que se presentan y suplica de manera poética y metafórica por la salud de su paciente. En algún momento puede suceder que coja una pequeña pila de imágenes de papel junto con un ramo de adornos de hojas y flores, los sostenga sobre la cabeza del paciente mientras canta, o le frote el cuerpo con el atado. En el transcurso de algunos rituales curativos el chamán y un ayudante levantan el aro de bejuco y flores de *cempoasuchitl* y ordenan al paciente y a su familia inmediata dar unos pasos hasta colocarse dentro del círculo. En este acto ritual, levantan el aro por encima de las cabezas de los pacientes, lo bajan de nuevo hasta el piso y repiten el procedimiento siete veces en total. Luego invierten el sentido del procedimiento, bajando el aro desde arriba de la familia que se encuentra agrupada, y otra vez les pide que salgan del círculo, repitiendo este acto siete veces para sacar a todos los espíritus *ejecatl* que han invadido sus cuerpos. En un acto llamado *tlacopalhuilistli,* el chamán envuelve al paciente y a su familia en humaredas de un penetrante incienso, de manera intermitente, mientras salmodia, como una medida más para pedir a los espíritus de las enfermedades que se vayan.

El siguiente es un canto que grabé en enero de 1986 durante uno de estos rituales curativos realizados por el chamán Librado, de 70 años, de Amatlán:

1. tlasoli ejecatl
mictlantlasoli ejecatl
cuatipan ejecatlacatl
mictlanxochiejecasihuatl
5. tlali ejecasihuatl
mictlancuachamancatlacatl
ta ticimarrontlali
ipan se ojtli
ipan se ojmajxali
10. ticimarrontlali
ipan atl campa nentinemij
inin dios itlalchamancahuaj
campa moquetstinemij
campa tequititinemij
15. nochi tonatij tiyolpoloaj
ica nopa totonic
ica nopa xixtli
ica nopa tlaajmancayotl
nochi tonatij san tonalcuesijtoc
20. pampa imojuantij inquitlacualispoloa
inquiatlilispoloaj
inquiessojpoloaj
inin tonana dios itlalchamancahuaj
nojuatic nesi campa quinquiyajquej tonana dios huan totata dios
25. tonana dios quicajtoc ipan inin tescanepantli
ipan inin tescatlatlanestli
paraj ma no quipiya tlej iyoloj
paraj ma no quipiya inemilis

nochi tonatij quipiyas cuali ichicahualis
30. axcana nopeca intonaltsacualtinemisej
tla paj se atentli
tla paj se milasojtli
tla paj ipan ni calixpamitl
tla paj ne tlajcocali
35. campa quipixtoc iecahuil
ax huelis paraj imojuantij
inquiyolpolosej
inquiajmantosej
axcana nicanij
40. ya san ma tlami nopa chichic
nopa totonic
nopa ixpoyajcayotl
nopa tlatsontecocuajcualocayotl
nopa totonic
45. huan namaj nicanij timechmacaj
se cuali imoistalpetlayo
se cuali imoistalnacaj
se cuali imotragoj
se cuali imocigarroj
50. paraj ya san paraj san ma
tlami nopa totonic
xijmacacaj ya inemilis
xijmacacaj ya icualnemilis
ayojcana nopeca inquitonaltsacualtinemisej
55. campa moquetstinemi
campa ixajcahuetstinemi
campa tequititinemi
tla ipaj imilaj
tla ipaj ipaj se potreroj campa moquetstinemi
60. ax huelis paraj itonal quitsacualtinemisej
pampa tonana dios quicajqui ipan ni logar
paraj ma quichihua fuerza

para quitemos tlej ica
tlej quej motonalquetsas
65. tlej quej motonalpalehuis
huan yecaj namaj nicanij
no mosencajquej ica se pilquentsij
miac ax miac
peroj no mosencajquej
70. no imechmactilij
se cuali imoistalnacaj
se cuali imoistalpetlayo
se cuali moistalcandelaj
yecaj namaj mosencajquej
75. yecaj namaj temactilijqui se quentsij
ma no quiita ya tonana dios
ma no quiita ya totata dios
axcana tlen tlajtlacoli
quichihua ya no quichijticaj fuerza
80. motemolij tlej ica motonalquetsas
tlej ica motonalpalehuis
pampa tonana dios huan totata dios
ya quimacatoquej icualajlamiquilis
ya quimacatoquej inemilis
85. ya quimacatoquej itlachiyalis
huaj ax huelis paraj nopeca inquitonalpechtinemisej
paraj nopeca itonal
quinmajmajtinemisej elissa
seja cuentaj tlen tlajtoli quichihua
90. tlen tlajtoli quiyejyecoa ica yejyectsij
campa moquetstinemis
campa tequititinemis
ayojcana nopeca inquitonaltsacualtinemisej
ica tlej itrabajoj

95. en el nombre del padre

del espíritu santo
amén

1. Oh mal aire de la enfermedad
Oh mal aire de la enfermedad, del lugar de la muerte
Oh viento de la enfermedad, hombre del bosque
Oh viento de flores de la enfermedad, mujer del lugar de los muertos
5. Oh mal aire de la enfermedad, mujer de la tierra
Oh hombre que brotas del bosque, del lugar de los muertos
tú, tú la tierra salvaje
en una vereda
en una bifurcación de la vereda
10. tú eres la tierra salvaje
en el agua donde ellos vagan
estos retoños de la tierra de dios
donde recorren a pie
donde van trabajando
15. cada día perdemos nuestro corazón [vida]
con este calor [calentura]
con esta diarrea
con este malestar del cuerpo
cada día él está en un estado de dolor espiritual [de la *tonali*]
20. porque les quitas el hambre
les quitas la sed de agua
les quitas la sangre
ellos son los retoños de la tierra de nuestra diosa madre
incluso uno observa dónde nuestra madre diosa y nuestro padre dios
los han abandonado
25. nuestra madre diosa los ha abandonado aquí en este espejo
en esta luz que se refleja del espejo
para que él pueda tener su corazón
para que él pueda tener su vida
cada día él tendrá su buena fuerza *[chicahualistli]*
30. ya no vas a vagar para interferir con su espíritu *[tonali]*

si él está en el borde del agua
si él está en una vereda camino a la milpa
si él está en las áreas enfrente de su casa
si él está en medio de la casa
35. dondequiera que esté su sombra
no será posible para ti
hacer que él pierda su corazón [vida]
para que le afectes
no aquí en este lugar
40. para que la amargura ya pueda terminar
este calor [calentura]
esta nublazón en los ojos [mareo]
este dolor de cabeza
esta calentura
45. y ahora aquí te entregamos
una parte de tus blancas cáscaras buenas [huevos]
una parte de tu blanca carne buena [clara de huevo]
una parte de tu buen licor
unos de tus buenos cigarros [tabaco]
50. para que esta vez y para siempre
esta calentura pueda terminar
para que le puedas dar su vida
para que le puedas dar su buena vida
no andes por ahí molestando su espíritu
55. donde él recorre a pie
donde él va cruzando
donde él va trabajando
sea en su milpa
sea en el potrero donde él va a pie
60. no podrán molestar su espíritu
ya que nuestra madre diosa lo dejó en este lugar
para que él pueda tener vigor
para que él pueda buscarlo
lo que levantará su espíritu

65. lo que auxiliará su espíritu
y, de esta manera, aquí y ahora
también ellos han preparado [una ofrenda] con un poquito
mucho y poco
pero también lo han preparado
70. también te lo entregan
una parte de tu blanca carne buena [clara de huevo]
una parte de tus blancas cáscaras buenas [huevos]
unas de tus buenas velas blancas
así ahora lo han arreglado
75. así ahora él te entregó un poco
para que nuestra madre diosa también pueda verlo
para que nuestro padre dios también pueda verlo
no es un pecado
él también aumenta su vigor
80. él mismo procuró que le viera [el curandero] para levantar su espíritu
con lo que auxiliará su espíritu
ya que nuestra madre diosa y nuestro padre dios
le han dado buena memoria
le han dado su vida
85. le han dado su visión
y no podrán por ahí estorbar su espíritu
para que su espíritu en sus andanzas
no pueda ser asustado
es la historia que él hace de estas palabras
90. las palabras que él pone a prueba con belleza
donde él irá a pie
donde él recorrerá trabajando
ya no vas a andar por ahí molestando su espíritu
con lo que es su trabajo
95. en el nombre del padre
del espíritu santo
amén

Esta traducción del canto del chamán capta algunos significados de las palabras pero, en su mayor parte, pierde la calidad poética presente en la versión original náhuatl. Independientemente de la ocasión ritual, todos los cantos que yo he escuchado son similares a éste en su función. Aunque las palabras pueden diferir entre chamán y chamán, en todos los casos el especialista establece una definición de la situación, tanto para los espíritus relevantes como para el paciente y su familia. En este ejemplo, el chamán comienza por enumerar a varios espíritus malévolos del viento. Luego los identifica como provenientes de la tierra salvaje, lo cual es otra forma de decir que emanan de *mictlan,* el lugar de los muertos. El chamán hace recordar a todos los presentes que los espíritus del viento atacan a las personas mientras ellas se ocupan de su vida diaria, pero reafirma que los espíritus padre y madre que dieron luz a los seres humanos protegerán a sus hijos, incluso al paciente. Enumera las ofrendas que se están haciendo a los espíritus del viento para que los espíritus padre y madre los "observen" y le den fuerza al *yolotl* o corazón (fuerza vital) del paciente. Finalmente, el chamán reafirma que sus palabras y la ofrenda ritual incrementarán la *chicahualistli* (fuerza) del paciente y fortalecerán su sombra o *tonali* (alma-corazón) debilitada. En resumen, el canto contiene afirmaciones acerca de la causa del malestar, listas de ofrendas que remediarán la enfermedad y declaraciones ideadas para fortalecer y tranquilizar al paciente, así como para someterlo a la protección de los espíritus guardianes benignos (para otros textos registrados entre los nahuas de la Huasteca, véase Reyes García y Christensen, 1976: 45 y ss.).

Al concluir el canto, el chamán se dirige al arreglo en el piso y se prepara para dedicar las ofrendas. Coloca platos de pollo cocido, tortillas, tazas de café con pan, botellas de refrescos y de cerveza, y otros regalos para los espíritus. Tal vez vierta aguardiente en torno al arreglo en el piso como una medida simbólica para contener a los peligrosos espíritus del viento. Después de otro canto dirigido a éstos, en el que enumera cuidadosamente las ofrendas, el chamán y uno o dos voluntarios vierten parte de las ofrendas sobre cada imagen de papel. Este procedimiento se llama *quitlatsicuinia* en náhuatl, lo cual significa literalmente "rociar algo", pero que en este contexto significa ofrendar comida para los espíritus. El chamán me informó que la presencia del incienso de copal, las velas y la comida atrae a varios espíritus del viento, y que, una vez presentes, cada espíritu se alimenta de las ofrendas rociadas en su parecido de papel. Mientras los espíritus se distraen, el chamán los atrapa dentro del arreglo del altar y después de voltear las figuras de papel, poniéndolas boca abajo, las recoge unas cuantas a la vez y de manera violenta las hace trizas. Con cada desgarradura lanza un soplo de aire por encima del papel mientras lo va triturando, a veces profiriendo órdenes a los espíritus, como *xiyaquej* en náhuatl ("¡fuera!" o "¡largo!"). Los chamanes me dijeron que este trato brusco desorienta a los espíritus del viento y los obliga a dispersarse. También señalaron que a los espíritus del viento no se les mata durante la curación, nada más se les destierra y se les manda a su lugar de origen. Los procedimientos de limpia que siguen a la ofrenda sirven para evitar que los espíritus regresen al paciente y a su unidad familiar.

En la tradición curativa nahua de la localidad, la que no está influenciada por el maestro otomí, el chamán visita seis sitios donde existe posibilidad de que se escondan los espíritus del viento y en cada lugar pone una ofrenda sencilla para deshacerse de ellos. Éstas se ponen en el fogón casero, en la entrada de la casa, en una vereda, en el entrecruce de las veredas, en el lugar donde se baña el paciente y en la base de una de las ruinas prehispánicas de la comunidad. Los chamanes influidos por la tradición curativa otomí tienden a omitir las ofrendas en estos sitios adicionales.

Después de que se han dedicado las ofrendas, el chamán dobla con cuidado todos los pedazos de papel, empapados y manchados de comida, los adornos de hojas y flores, y otros elementos que antes formaban el arreglo, y con ellos forma un manojo. Con cuidado recoge hasta los pedacitos que sobran después de recortar las figuras y los incluye en el bulto. Después de quedar bien atado el manojo con bejucos, el paciente y su familia se someten a una serie de procedimientos cuya intención es protegerlos contra más ataques por parte de los espíritus. Tal vez el chamán barra a los participantes con escobas simbólicas, hechas de flores y hojas de palma, los inciense con copal, los frote con velas de cera, los mande a que pasen por el aro de bejucos y flores de *cempoasuchitl* o quizá frote al paciente con el manojo formado con los elementos del arreglo del piso. Al terminar el ritual y luego de entregarle velas de cera y los adornos al paciente para que los coloque en el altar de su casa, el chamán recoge la basura del arreglo, ya en forma de manojo, y con cuidado la desecha en lo más profundo del bosque. El manojo representa un peligro potencial porque sigue atrayendo a los espíritus del viento y el chamán debe esconderlo en un lugar inaccesible. Reyes Antonio (1982: 122, 153-154) menciona curaciones *(tlayejyectili)* entre los nahuas vecinos en las que el curandero chupa para extraer objetos extraños del cuerpo del paciente. Sin embargo, nunca he observado esta técnica curativa en Amatlán.

Un día de 1986, mientras yo ayudaba a un chamán que se encontraba curando a una familia, presencié un episodio ritual que nunca antes había visto. La familia estaba abatida por las fiebres y otras enfermedades, y el chamán estableció, a través de la adivinación, que los vecinos estaban chismeando y, por tanto, haciendo que los espíritus del viento los atacaran. Justo antes de celebrar la ofrenda mayor, el chamán recortó imágenes de papel del alma *tonali* de cada miembro de la familia vecina mal intencionada. Con cuidado inscribió el nombre de cada individuo en el cuerpo de la figura correspondiente y luego aplicó pegamento a las manos de cada una de las figuras, doblando éstas de manera que las bocas quedaran tapadas. Luego prosiguió con la secuencia de ofrendas usual, pero incluyó estas imágenes adicionales junto con las demás en el arreglo del piso. Me dijo que las imágenes de papel pondrían fin a que estas personas chismearan y acosaran a sus pacientes. Este aspecto de una curación se realiza con discreción, debido a que cualquier intención de controlar a las demás personas mediante rituales se aproxima de manera peligrosa a la hechicería. Por ejemplo, cuando entraron otras personas en la casa, oí por causalidad al chamán decirles que las figuras de *tonali* eran las de sus pacientes y no las de los vecinos chismosos. Si estos vecinos descubrieran que el chamán había manipulado sus almas *tonali* lo podrían acusar de hechicería, o tal vez hasta intentarían hacerle daño físico.

Este resumen de las curaciones nahuas no puede expresar el intenso drama que se desarrolla mientras el chamán lidia con los peligrosos espíritus del viento en su intención de librar a sus pacientes de sus sufrimientos. Las velas de cera encendidas que rodean un arreglo elegante de recortes de papel colorido, pero malévolos, la atmósfera impregnada de incienso y el chamán que confronta a fuerzas misteriosas a través de sus acciones y murmullos de cantos, todo, digo, contribuye a crear un drama muy llamativo. Descubrí que el dramático punto culminante de los rituales nahuas compensaba de más la tediosa tarea de tener que tomar detallados apuntes sobre el suceso. No estaba sorprendido cuando los aldeanos me contaron numerosas historias sobre cómo los chamanes podían curar enfermedades graves. Tanto hombres como mujeres me confirmaron abrumadoramente que los rituales curativos siempre les hacían sentirse mejor. La secuencia de las prácticas rituales tiene la intención de dejar una profunda impresión en los participantes y por lo general alcanza el éxito. Expresado de otra manera, un chamán que puede celebrar un ritual curativo que impacta de manera dramática a sus pacientes tiende a atraer y mantener seguidores leales.

La historia de estos ritos no se puede trazar, pero está claro que se derivan de prácticas rituales prehispánicas. En otra publicación intenté demostrar que los rituales curativos en el sur de la Huasteca pueden remontarse a la deidad prehispánica *Tlazolteotl* (Sandstrom, 1989). La adoración de esta deidad se originó en la región de la Huasteca y su culto influyó bastante en los aztecas en la época de la Conquista española (véase Vié, 1979). La veneraban en el mes azteca de *ochpaniztli* (literalmente "barrida"; nótese la similitud de este nombre con la palabra nahua contemporánea usada en Amatlán para nombrar al ritual curativo, *ochpantli,* que también significa barrida). Entre otras de sus advocaciones, *Tlazolteotl* es la diosa de la inmundicia, que consume los pecados humanos y les devuelve a las personas un estado de armonía y equilibrio con el mundo espiritual y social.

Los rituales curativos contemporáneos de los nahuas conservan el enfoque básico del antiguo culto. Los espíritus del viento, provocadores de enfermedades, están relacionados con el mal comportamiento perturbador de la gente, lo cual los atrae. Como agentes de la contaminación, son ellos quienes profanan el equilibrio y la armonía básicos de la vida social. Los chamanes señalan que estos vientos malignos se originan en lugares asquerosos y enmarañados, y suelen contener en sus nombres la palabra *tlasoli* (en náhuatl, "inmundicia", literalmente "residuos" o "basura"). Los rituales curativos barren al paciente y a su entorno, haciendo una limpia que los libra de los espíritus infecciosos. La limpia tiene el efecto de eliminar los contaminantes de modo que restaura la armonía que existía antes de que el paciente enfermara. *Tlazolteotl* como tal ha desaparecido bajo la presión ejercida por los misioneros y los vecinos mestizos. Muchas veces los españoles calificaban a las deidades prehispánicas como diablos que provocan el sufrimiento humano. *Tlazolteotl* probablemente sobrevive bajo las identidades de los espíritus de las altas cúpulas del inframundo. *Tlahuelilo, tlacatecolotl* y *miqulistli,* todos seres mencionados por los cronistas de la religión azteca en el siglo XVI, siguen rigiendo sobre los espíritus de los muertos en Amatlán y son los que liberan a las iracundas almas de los muertos en forma de espíritus contaminantes del viento, que vagan por la tierra por las noches (véase Burkhart, 1989: 87 y ss., para un estudio sobre la contaminación en el antiguo pensamiento nahua).

Este resumen del ritual curativo nahua en sí contiene muchos elementos que se usan en otras celebraciones rituales en Amatlán (para más información acerca de las repetitivas formas simbólicas del ritual mesoamericano, véase Vogt,

1969: 571 y ss.). Rituales mayores y menores, no relacionados con las técnicas curativas, siempre comienzan con una secuencia de limpias mediante las cuales los espíritus del viento son expulsados de la zona. Estas limpias preliminares se parecen a las curaciones regulares y el chamán que coordina la ceremonia siempre recorta imágenes de papel en representación de los vientos como parte del procedimiento. Luego, el chamán dedica una ofrenda a los espíritus relevantes. Esta ofrenda varía mucho en cuanto a su elaboración, de acuerdo con qué recursos tiene disponibles el chamán y la importancia total de la observancia. Por ejemplo, para tranquilizar a un espíritu casero tal vez se requiera de un sencillo plato de comida y unas tortillas. Para satisfacer a los espíritus de la lluvia podría requerirse de un ritual de 12 días, la construcción de seis o más elaborados altares y muchos otros insumos costosos. La ofrenda es el núcleo de todos los ritos nahuas y este hecho revela una importante característica de cómo los campesinos se relacionan con los espíritus. Los rituales son en realidad un tipo de intercambio en el que los seres humanos presentan ofrendas en un intento de obligar a los espíritus a conformarse con sus deseos. Para los nahuas, los seres humanos se encuentran ocupados en una continua ronda de intercambios con el mundo de los espíritus. Las veces que queda interrumpido ese delicado flujo y es perturbado el equilibrio, la gente se enferma, las lluvias no llegan y las cosechas fracasan. Algunas veces los rituales adquieren un tono de desesperación, en la medida en que los aldeanos intentan mantenerse un paso adelante del exigente mundo de los espíritus.

Las ideas de *equilibrio* e *intercambio* se compenetran con la vida religiosa nahua hasta el grado en que se hace difícil que los forasteros las comprendan. Las personas comparten su comida y bebida con la tierra antes de consumir algo ellas mismas. A veces las mujeres parten un huevo crudo cerca del manantial después de llenar su cántaro para pagarle al espíritu del agua *apanchanej* por el agua. Los hombres presentan ofrendas de comida e incienso a sus milpas después de la siembra, para resarcirles a los espíritus de la tierra las molestias que les causan los seres humanos. Si un hombre tala un árbol, deja un regalo como pago por haber perturbado la armonía del bosque. Las familias hacen ofrendas periódicas para que sus actividades diarias no enojen a los espíritus de la casa y del fuego. Los jefes de las unidades familiares queman incienso como una ofrenda para los benévolos espíritus guardianes de la casa, para que mantengan de cerca su vigilancia. Muchas veces presencié el intercambio de regalos y comida entre los parientes sanguíneos y rituales (compadres) antes de los matrimonios de sus hijos. La muerte no anula las obligaciones de dar regalos, puesto que las familias ponen ofrendas en las sepulturas de sus parientes de manera periódica. Una de las obligaciones más importantes es el intercambio de trabajo entre grupos de hombres en momentos críticos durante el ciclo agrícola. Estos y muchos otros ejemplos que podría enumerar ocurren además de las ofrendas formales que ponen los individuos durante el ciclo casi permanente de rituales celebrados durante el año.

La importancia de la ofrenda o el intercambio en la vida ritual y cotidiana de las personas revela un elemento importante de la visión del mundo de los nahuas. Los seres humanos son una parte del universo deificado y, por lo tanto, llevan consigo la energía divina de la vida. Sin embargo, son capaces, más que los demás seres, de perturbar la armonía universal mediante sus acciones, de modo que deben aplacar constantemente a estos entes espirituales con ofrendas para poner las cosas en orden. Las ofrendas rituales son regalos apreciados que sirven para resarcir previas ofensas y obligar a los espíritus a mantener el flujo de beneficios que posibilitan la vida humana. Los trastornos provocados por acciones humanas se transforman en enfermedades o desgracias que siempre se presentan bajo la apariencia de ataques de los espíritus del viento. En este sentido, todos los rituales son curaciones, gestos formales para restablecer la armonía con el mundo espiritual, con el declarado propósito de restituir el equilibrio y la salud de la comunidad humana.

Los patrocinadores rituales y la jerarquía cívico-religiosa

Uno de los rasgos más característicos de la organización socio-religiosa de las comunidades tradicionales en Mesoamérica es la jerarquía cívico-religiosa. Un sistema escalonado de patrocinios religiosos y cargos políticos muchas veces sirve para definir esta característica de la organización comunitaria y lleva en ocasiones el nombre de *sistema de cargos*. Se mantienen separados los cargos religiosos y civiles, pero que muchas veces se entrelazan en cuanto a funciones y responsabilidades relacionadas. Hay personas que cumplen mandatos simultáneos dentro de las jerarquías seculares y religiosas. Puede ser que durante un mandato sirvan como líderes políticos sin sueldo, y en otro acepten ser patrocinadores y paguen los gastos mayores de las celebraciones religiosas que se realizan durante los días próximos a las fechas de los santos y otros días festivos. Con el transcurso de los años un hombre y su familia van subiendo de jerarquía, hasta haber desempeñado todos los cargos disponibles. Los patrocinios individuales pueden ser bastante onerosos y es posible que esto endeude a una familia por varios años. No obstante, a cambio de su inversión en esfuerzo y dinero cuentan con un alto grado de prestigio en la comunidad y logran conseguir el derecho a participar en la toma de decisiones comunitarias. Antropólogos y demás investigadores de las ciencias sociales han escrito mucho tratando de explicar esta jerarquía cívico-religiosa. Además, la información etnográfica de un lugar como Amatlán —que no tiene culto a los santos, aparte de los espíritus del panteón tradicional, y que, por lo tanto, no tiene una jerarquía cívico-religiosa bien desarrollada— puede ayudar a echar luz sobre el sistema de cargos.

Para que un hombre de Amatlán pueda llevar una vida ejemplar y ganarse el respeto de sus compañeros debe asumir su responsabilidad civil. Este deber se presenta en dos posibles formas. La primera: debe aceptar que lo elijan para las posiciones de mando dentro de la estructura política del ejido. Primero necesita conseguir que lo nombren a cargos menores dentro de la jerarquía de los cargos políticos. Sólo entonces podrá cumplir con los requisitos para ser elegido a las dos posiciones más altas de la jerarquía: la de agente municipal o la de comisariado ejidal. En una comunidad pequeña como Amatlán, casi todos los hombres tienen la posibilidad de desempeñar la función más alta en un momento dado de su vida.

La segunda vía para asumir responsabilidades es mediante el patrocinio de los ritos. Cada uno de los cuatro principales rituales comunitarios —el Día de Muertos, el solsticio del invierno, la ofrenda de las semillas y el carnaval— son organizados y patrocinados por un voluntario individual. Esta persona tiene la responsabilidad de reunir las "cooperaciones" de las demás unidades familiares y de proveer parte del dinero y la comida para las ofrendas mayores. También recompensa a los ayudantes con comida o dinero, y se hace cargo de contratar a músicos y chamanes si se requiere. Aunque no existe jerarquía formal alguna de patrocinio, los directores del carnaval son hombres jóvenes y su papel se considera menos importante que el de los patrocinadores de las otras tres ceremonias.

De hecho, para ganarse el respeto de la comunidad y lograr el acceso al Consejo de Ancianos (véase el capítulo 5), los hombres adultos necesitan participar en la gestión de los asuntos comunitarios. Aunque la comunidad espera que los hombres sirvan tanto en cargos seculares como religiosos, éstos no están escalonados tan rígida y formalmente como se ha documentado para otras partes de Mesoamérica. Los hombres tampoco se turnan entre los cargos civiles y los religiosos como en otras regiones. En un ámbito como el de Amatlán, donde la lealtad dentro de los grupos de parentesco tiene suma importancia, los hombres de cierta reputación necesitan demostrar su lealtad a la comunidad entera. Esto incluye tanto la participación activa en las faenas comunitarias como el pago de "cooperaciones" sin protestar y la voluntad de asumir cargos públicos. Existe implícitamente, pero sin codificarse, un tipo de jerarquía que ordena desde la cooperación menos importante hasta la más importante para la comunidad, basada en la cantidad necesaria de dinero y esfuerzo. Nadie en Amatlán lleva registros de los cargos como los vemos en los informes sobre otras comunidades.

Entonces, la recompensa por participar en esfuerzos comunitarios probablemente sea característica de todas las comunidades de Mesoamérica. Cuando expliqué a los aldeanos el sistema de cargos extremadamente formal y jerarquizado de Chiapas, les pareció bastante raro. Varios hombres reflexionaron e indicaron que aunque fuera bueno y deseable ayudar a la comunidad, sería un disparate empobrecerse como consecuencia de ello. Comentaron que los habitantes de Amatlán considerarían una locura tener un sistema tan rígido y básicamente incomprensible. Si suponemos que existe algún tipo de sistema de recompensa por la participación comunitaria en casi todas las comunidades de Mesoamérica, entonces se puede ver el sistema de cargos como un ejemplo extremo del patrón básico. Por lo tanto, la explicación de este sistema tal vez es que la rápida aculturación, junto con la prosperidad, han hecho que el sistema tradicional se vuelva regresivo y detallado hasta asumir una forma extrema. Cuando esto ocurre, una especie de inflación en el sistema tradicional de prestigio conduce a los hombres a subir en espirales cada vez más altos con sus inversiones de patrocinio.

El costumbre y el cristianismo

Siempre es difícil entender la relación entre el cristianismo católico y las tradicionales prácticas religiosas de los nahuas, que ellos denominan *el costumbre* en español. La mayoría de los campesinos se identifican como católicos. Este término se usaba en raras ocasiones cuando llegué por primera vez a la comunidad, pero ahora la gente lo emplea cada vez más para distinguirse de los conversos protestantes, cuyo número sigue aumentando (véase el capítulo 7). Sin embargo, ser "católico" en Amatlán implica conocimientos y obligaciones que serían extraños para los católicos de la ciudad de México o de los Estados Unidos. Para los nahuas, ser católico es contribuir y participar en las celebraciones rituales tradicionales de la comunidad y atenerse a la visión del mundo relacionada con ellos. De modo que en cierto grado los campesinos equiparan el catolicismo con su religión tradicional. Esta identificación de dos tradiciones sin relación histórica no es simplemente un error por parte de ellos. Se deriva más bien de la naturaleza fundamentalmente panteísta de la religión prehispánica y de la visión del mundo que yace en el núcleo de la cultura nahua.

De acuerdo con una perspicacia ofrecida por Eva Hunt (1977), yo creo que una religión panteísta, como la de los nahuas de Amatlán, puede incorporar elementos cristianos sin perturbar la integridad básica del sistema indígena. San Juan Bautista se transforma en el *san Juan* que equiparan con el aspecto masculino de *apanchanej* y la virgen María no es más que una manifestación de *tonantsij*. La *misa* se convierte en un ritual alterno, el sacerdote en un tipo de chamán y el concepto de *Dios* es simplemente otra forma de concebir el sol o el gran ente espiritual que subyace la aparente diversidad. De hecho, la mayoría de los aldeanos no ve *el costumbre* como algo fundamentalmente opuesto al cristianismo. Al contrario, interpretan el cristianismo como un sistema alterno para atender la misma realidad subyacente.

En el transcurso de casi medio milenio los nahuas adoptaron ciertos aspectos del catolicismo español. Ahora muchos ritos nahuas se encuentran organizados básicamente de acuerdo con el calendario litúrgico cristiano. Sin embargo, el antiguo calendario cristiano y el calendario prehispánico tenían ciertas características en común. Las celebraciones universales de la Navidad y las celebraciones nahuas de *tlacatelilis* se realizan cerca del solsticio de invierno, cuando el sol comienza su camino por el cielo hacia el norte. Ambas observancias celebran el nacimiento o la fertilidad y reflejan la promesa de la época de primavera, con el regreso del sol vivificante. Los nahuas también han adoptado símbolos tales como la cruz (aunque ya se encontraba en uso un símbolo parecido a la cruz antes de la llegada de los españoles), estatuas de los santos y de Jesucristo (las estatuas también eran parte importante de la religión azteca), el uso de ciertas palabras en sus cantos, como "amén", la peregrinación que se realiza durante *tlacatelilis,* que probablemente proviene de las procesiones del catolicismo mexicano (aunque las religiones prehispánicas también tenían procesiones), el uso de velas y el tocar de guitarras y violines son sólo unos cuantos ejemplos. En varios casos estos elementos simbólicos han sido reinterpretados por los aldeanos y en el presente se ajustan al sistema tradicional indio. Finalmente, como ya lo mencioné, los aldeanos se identifican a fondo como cristianos y en particular como católicos. Sin embargo, la gente usa la palabra *cristiano* como sinónimo de ser humano, en oposición a la de *brujo* o hechicero. El término *católico,* como señalé antes, por lo general se usa para referirse a una buena persona que cumple con *el costumbre*.

Entonces, en cierto sentido la religión nahua parece ser una mezcla creativa de las dos religiones: la católica y la *del costumbre*. Al mismo tiempo, la mayoría de los aldeanos con quienes hablé se daba perfecta cuenta de que sus costumbres difieren de los ritos y las enseñanzas de la Iglesia. Una tarde yo estaba grabando mitos que contaba un anciano que tenía unos ochenta años y le pregunté si me podía contar la historia de la virgen de Guadalupe. Respondió con cierto desdén que ésa era una historia proveniente de la Iglesia y que a él no le interesaba. Él reconocía el patrimonio dual de la comunidad y expresó una clara preferencia por las antiguas tradiciones indias. En realidad eso no me sorprendió. Una vez oí a un sacerdote itinerante que visitaba a los habitantes de Amatlán sermonear con vehemencia acerca de la necesidad de eliminar los elementos paganos de sus rituales. Afirmaba, entre otras cosas, que el ritual del Día de Muertos debe celebrarse sólo durante un día y no durante cuatro como ordena la costumbre local. Pude observar que cuando el sacerdote hace uno de sus infrecuentes actos de presencia muchas personas toman la precaución de esconder las evidencias de sus prácticas rituales tradicionales. Por ejemplo, en sus altares domésticos ocultan los espíritus guardianes de papel atrás de los retratos de los santos. Los aldeanos se ven obligados a conciliar la naturaleza inclusiva de su propia religión con el carácter exclusivo del cristianismo. Es esta separación entre las dos tradiciones lo que me impide describir la situación estrictamente en términos de sincretismo, pues éste implica una mezcla de tradiciones para formar una nueva religión basada en los dos componentes. Ciertamente, los nahuas han incorporado elementos de creencias y prácticas cristianas en sus costumbres, pero yo sostengo que las características esenciales de su religión siguen siendo nativoamericanas.

El antropólogo John Ingham (1989) llega a una conclusión diferente en su detallado estudio de la religión y la sociedad en la comunidad nahua de Tlayacapan, Morelos. Al combinar el moderno análisis estructuralista francés y el histórico, Ingham encuentra que aunque "los elementos significativos de la estructura profunda de la visión del mundo prehispánica persisten en las creencias y prácticas del presente [...] ellas se encuentran incrustadas y subordinadas en las creencias y los símbolos católicos" (1989: 80). De hecho, los elementos prehispánicos están presentes entre los nahuas modernos, pero ellos expresan una visión del mundo esencialmente católico (1989: 1). Evidentemente, Tlayacapan está mucho más aculturado que Amatlán y es posible que la religión prehispánica sea menos evidente allí.

Sin embargo, Ingham no logra distinguir de manera clara entre la religión pública y la privada. Él centra su análisis fundamentalmente en las prácticas religiosas públicas relacionadas con la veneración de los santos y, por supuesto, la influencia de la visión católica del mundo en este ámbito es en realidad abrumadora (aunque aquí Ingham documenta las notables correspondencias entre las prácticas prehispánicas y las modernas). No obstante, descuida el ámbito de la religión privada, donde la visión del mundo prehispánico persistiría con más probabilidad. Menciona de paso rituales privados de brujería y prácticas de los chamanes, en donde figuritas de barro desempeñan un papel importante, pero estas prácticas permanecen oscuras y no son analizadas (1983: 173-174). Si Ingham hubiera incluido estos rituales privados en su análisis tal vez habría encontrado más influencias prehispánicas en la vida religiosa de Tlayacapan. Ingham afirma de manera significativa que los habitantes de dicho poblado ya comenzaban a perder su identidad india hacia fines del siglo XIX (1989: 54), de manera que es posible que hoy día la religión tradicional pública haya dejado de ser un elemento importante de su etnicidad. En todo caso, si Ingham tiene razón la situación que él documenta es bastante diferente de la que yo encontré en Amatlán.

La religión *del costumbre*

La religión nahua de la Huasteca tiene una sofisticación y elegancia que contradice el acostumbrado estereotipo de personas cuya principal agrupación social es una pequeña comunidad. Es cierto que importantes aspectos de las creencias y de los ritos de los nahuas giran alrededor de cuestiones pragmáticas de la vida comunitaria, tales como las curaciones y la fertilidad de los cultivos. La religión *del costumbre* se preocupa muy poco de que un individuo alcance la salvación personal o que vaya al cielo después de la muerte, tal como lo hace el cristianismo. En la medida en que *del costumbre* se ocupa de estas cuestiones, las personas logran una buena vida después de la vida más por el cumplimiento de las normas y exigencias sociales de la comunidad que mediante la obediencia a algún código de mandamientos religiosos. Estas deficiencias implícitas simplemente reflejan el hecho de que la religión nahua no forma parte de un aparato estatal (véase más abajo). Los nahuas no tienen teólogos ni filósofos profesionales que regularicen sus creencias y prácticas. Esto hace necesario conservar todas las complejidades de la religión en la memoria de la gente. El conocimiento se comunica de generación en generación, en forma oral, y no hay jerarquía de sacerdotes para resolver las controversias o mantener un corpus fidedigno de conocimiento. Sin embargo, los nahuas son los herederos de las complejas y admirables civilizaciones de Mesoamérica. En gran parte, los españoles destruyeron la religión urbana de los habitantes indígenas, pero no pudieron desarraigar las prácticas en las pequeñas comunidades remotas como Amatlán, donde la religión persiste en una forma modificada. A este fundamento prehispánico se han añadido ciertos elementos, tanto del catolicismo español como de los grupos de indios vecinos contemporáneos. La simplicidad aparente de los asuntos religiosos de los nahuas disimula la complejidad filosófica que se deriva de esta historia.

En resumen, la religión nahua está caracterizada por cinco principios clave que subyacen a la diversidad de creencias y prácticas. En primer lugar está el panteísmo, según el cual los nahuas consideran a los objetos y seres animados como reflejos del universo deificado. La propensión humana a dividir el mundo en entidades discretas y a veces incompatibles es una ilusión que se corrige en parte durante las celebraciones rituales. El segundo principio clave es el chamanismo. Los individuos, a través de su entrenamiento y fuerza de personalidad, adquieren la capacidad de controlar las fuerzas invisibles del universo, y estos agentes carismáticos están en lucha constante con las perturbaciones que amenazan el equilibrio y la conectividad de los seres humanos con el mundo físico y espiritual. Los chamanes son los depositarios de la tradición oral, que contiene la sabiduría acumulada de la historia nahua, y como tales son la esencia de lo que es ser nahua. La tercera característica de esta religión es su concepto bien desarrollado de lo que significa la contaminación ritual. Este concepto se relaciona con las ideas nahuas acerca de la enfermedad y la curación, y también con las relaciones interpersonales de la comunidad y las interacciones entre los seres humanos y los espíritus. El cuarto: la religión nahua es rica en ritos y simbolismo. Los rituales abundan durante todo el año y contienen diversos grados de significado simbólico; tanto así que se necesitarían muchas páginas para describir en detalle sólo uno de ellos. La característica final, que reúne a las demás, es el principio de armonía y equilibrio. El universo nahua consiste en fuerzas sagradas equilibradas, en un intercambio balanceado entre la gente y los espíritus, y se encuentra contaminado por numerosas perturbaciones que los chamanes intentan apaciguar mediante ofrendas rituales elaboradas y profundamente simbólicas.

El costumbre y las creencias concomitantes sirven a los nahuas de la misma manera en que cualquier otra religión sirve a sus adherentes. La religión nahua ofrece una visión coherente y razonable del universo y de cómo funciona. Sitúa a la gente en relación con el mundo natural y social, y establece actitudes compartidas acerca de la naturaleza y de la condición humana. La religión contiene los medios filosóficos para distinguir entre lo real y lo ilusorio, y provee a los aldeanos de fórmulas para llevar una vida ejemplar. Ofrece a las personas un conjunto de valores con los que se ha de vivir y la motivación necesaria para vivir la vida de acuerdo con la estructura subyacente del mundo. El sistema de creencias ofrece explicaciones de por qué las cosas ocurren y, además, provee las técnicas para influir sobre el curso de los acontecimientos. Por ejemplo, explica cómo y por qué la gente se enferma, y luego ofrece los medios para curar las enfermedades a través del ritual de limpia. La religión nahua ofrece el mecanismo para entender y enfrentarse a la muerte, y proporciona los medios rituales para ayudar a la gente a hacer frente a sus penas. De hecho, la religión *del costumbre* establece los fundamentos intelectuales y emocionales para la sociedad y la cultura nahuas de la misma manera en que el catolicismo establece los fundamentos de la sociedad y la cultura mestiza. Pero como hemos visto, la religión nahua difiere en forma y contenido del cristianismo, de modo que, aparte de sus otras funciones, también sirve de refugio para los indios en un mundo ajeno y a veces hostil.

La religión es un fenómeno tremendamente complejo que hay que comprender en diferentes niveles. Se puede ver desde cualquier combinación de perspectivas psicológicas, sociales, culturales y ecológicas. Sin embargo, hay una característica que todas las religiones tienen en común y que ayuda a entender la posición que los nahuas ocupan en relación con el mundo de los mestizos. Sin excepción, las religiones crean comunidades de creyentes y hacen que éstos se diferencien de los demás. Desde esta perspectiva, un atributo crítico de la religión *del costumbre* es el grado hasta el cual ésta puede ser considerada como distinta al catolicismo mexicano. El problema de distinguir entre el sistema religioso nahua y el cristiano es difícil de resolver de manera definitiva debido a las correspondencias que existen entre ambos sistemas y debido a la insistencia por parte de algunos indios y mestizos de que sus religiones son esencialmente lo mismo. Los aldeanos se encuentran atrapados en una paradoja en cuanto a sus prácticas religiosas. Por un lado les interesa distinguirse de los mestizos y crear un sentido de comunidad entre sí como indios, y por otro lado están interesados en no parecer demasiado diferentes a los mestizos para así poder mantener su acceso a ciertos aspectos del mundo mestizo, los cuales necesitan para sobrevivir. Sólo detalladas investigaciones basadas en la observación participante de largo plazo logran revelar el profundo abismo que existe entre las dos religiones y, como consecuencia, los dos tipos de comunidades bastante diferentes que crea cada una de ellas.

Como un ejemplo final de cómo divergen las religiones nahua y mestiza, quiero describir la manera en que cada una de ellas relaciona el comportamiento humano con los diferentes conceptos del destino del alma. En muchas sectas del cristianismo el destino final del alma de una persona, después de la muerte, se relaciona con su comportamiento mientras la persona estaba viva. Expresado simplemente, si un hombre es recto en sus acciones y actitud, y cree en los preceptos del cristianismo, será premiado cuando se permita que su alma entre al cielo. Si, por otro lado, incurre en conductas inmorales y se desvía de las enseñanzas cristianas, su alma quedará condenada para siempre en el infierno. En el cristianismo cada individuo es responsable de su propio comportamiento y será premiado o castigado como corresponda. El cristianismo no es la única religión del mundo que establece este nexo. Es interesante notar que la responsabilidad personal como tal, en cuanto a creencias con respecto al destino del alma, por lo general suele hallarse en sociedades con clases sociales o diferencias significativas en los grados de riqueza material entre las personas. Las emociones perturbadoras causadas por las diferencias de riqueza y poder personal se pueden atenuar mediante mandatos sobrenaturales que propician la pasividad, la honradez, la dedicación al trabajo y el pago de las deudas (véase Swanson, 1960: 153 y ss.). Así, al relacionar el destino del alma con el comportamiento personal, la religión puede servir para estabilizar aquellas formaciones sociales que son potencialmente explosivas.

Entre los nahuas la situación es más compleja. Como hemos visto, comportamientos inmorales, como la mentira o el hurto, crean discordia y atraen a los espíritus del viento, que provocan enfermedades en la comunidad. Sin embargo, la persona que comete un pecado raras veces es la que se enferma. Los espíritus del viento pueden infectar a cualquier persona y, de hecho, muchas veces atacan a quienes tienen bajas reservas de energía, como los niños y las personas de edad avanzada. La ausencia de un nexo entre el comportamiento y la consecuencia sobrenatural es aún más pronunciada en las creencias de los nahuas relacionadas con el destino del alma. Como se dijo anteriormente, cuando muere una persona, uno de tres destinos aguarda a su alma-*yolotl*. Los que han muerto de manera natural pasan al *mictlan,* el lugar de los muertos. Los que murieron bajo ciertas circunstancias, como el ahogo, van al *apan,* el paraíso de agua. Los demás, aquellos que son asesinados o que mueren de manera prematura o en un estado de ira se encuentran condenados a vagar por los cuatro ámbitos del universo como espíritus del viento. De esta manera, para los nahuas no es el comportamiento aquí en la tierra lo que determina el destino final del alma, sino más bien la manera en que muere la persona. Si la persona más malévola del mundo muriese ahogada, se supone que su alma iría al paraíso del agua. Por otro lado, si un santo fuese asesinado por unos soldados, su alma viajaría con los vientos propagando enfermedades y ocasionando muertes. Esto parecería terriblemente injusto desde una perspectiva cristiana, porque la moralidad cristiana está basada en la responsabilidad individual y, con la excepción del suicidio, la manera en que muere una persona está fuera de su propio control.

Desde la perspectiva nahua, estas creencias son reflexiones razonables acerca de cómo funciona en realidad el mundo. El pecado logra atraer a los espíritus del viento a la comunidad y, por lo tanto, el mal comportamiento daña a los vivos. Puede ser que la persona atacada por los espíritus sea el esposo, la esposa, el hijo, la hija o un vecino de la persona que comete el pecado. Es más, los pecados de los nahuas reciben castigo de manera inmediata y no son anotados en una cuenta que se lleva hasta un futuro día del juicio final, lo cual es una creencia común en el cristianismo. Las creencias nahuas relacionadas con los espíritus del viento afirman que las malas acciones tienen consecuencias negativas inmediatas y verdaderas, y que las personas tienen un interés colectivo y la responsabilidad de promover el buen comportamiento. Las ideas nahuas sobre la moralidad en la conducta interpersonal no ponen a la deidad en el centro, sino más bien a los seres humanos. Los espíritus del viento que provocan enfermedades en sí son antiguos seres humanos que ahora toman represalias contra los vivos por sus malas acciones. Esto confirma que las malas acciones y los pensamientos perversos son la raíz original del sufrimiento humano. En el pensamiento nahua los seres humanos en colectivo son, a fin de cuentas, responsables de su propia desdicha. A diferencia del cristianismo, donde el enfoque moral consiste en premiar y castigar al individuo, los nahuas asumen una responsabilidad social más amplia. Las buenas acciones protegen a la comunidad del daño y el pecado no amenaza al pecador directamente, sino más bien la supervivencia de la sociedad entera. Las comunidades nahuas no tienen la estructura de clases ni las enormes diferencias de riqueza y poder personal como las que se encuentran en una sociedad de Estado, y su religión se ocupa menos en castigar el comportamiento del individuo y más en inculcarle un sentido manifiesto de responsabilidad social y de comunidad.

Capítulo 7
Identidad étnica y cambio cultural

Entre los acontecimientos significativos de nuestra época los más importantes son los que con frecuencia pasan inadvertidos y sin analizar, y sobre los cuales escribirán futuros historiadores. Inmersos en la cadena de asesinatos, guerras, elecciones y caídas del mercado de valores, para la mayoría de nosotros pasan inadvertidos los procesos universales que subyacen a estos sucesos. Desde hace mucho tiempo los antropólogos se han dado cuenta de que el desarrollo económico internacional y la expansión, entre diversos grupos del mundo, de los procesos de industrialización y modernización que los acompañan son, quizá, las características globales más importantes en la actualidad. Grupos de personas antes independientes están cada vez más afectados por las fuerzas regionales, nacionales e internacionales de gran alcance. Debido a la formación de nuevas naciones y a la migración de la población, un número enorme de grupos en Asia, África, América Latina, y hasta en los países euroamericanos más desarrollados desde el punto de vista económico, se identifican como miembros de grupos étnicos involucrados en un esfuerzo dinámico para conservar sus derechos y obtener su parte de beneficios económicos, sociales y políticos. Uno de los deberes más importantes de las ciencias sociales en el presente es desarrollar la comprensión de cómo y por qué se forman los grupos étnicos, y qué ocurre cuando se enredan en los complejos procesos del desarrollo económico.

Con frecuencia, los grupos étnicos se forman inicialmente cuando gente que comparte una o más características culturales sufre la dominación de un grupo con diferentes atributos culturales. Es muy posible que la gente sometida no se haya considerado miembro de un grupo distinto anteriormente. Sin embargo, bajo la dominación política desarrolla una identidad étnica para distinguirse del grupo dominante y, al mismo tiempo, para crear un mundo social alterno. La gente encuentra razones para unirse en grupos étnicos y así conservar valores culturales apreciados que se ven amenazados por el grupo dominante, para aumentar sus oportunidades en un medio ambiente político hostil, para establecer otro sistema de recompensas para los miembros del grupo o para realizar una defensa común en contra de las agresiones por parte de los miembros del grupo dominante.

Edward Spicer, en su estudio antropológico *Cycles of Conquest: The Impact of Spain, Mexico, and the United States on the Indians of the Southwest, 1533-1960,*[1] examina los patrones de asimilación cultural y la creación de identidad étnica en varios grupos de americanos nativos que viven en el suroeste de los Estados Unidos y el noroeste de México. Él comienza con el momento en que cada grupo fue conquistado militarmente por parte de los españoles, mexicanos o norteamericanos. El alcance de su trabajo hace que sean útiles sus descubrimientos para entender la etnicidad en otras partes de México y del mundo. Dice que los grupos indios experimentaron una diversidad de reacciones después del contacto y analiza "las conexiones entre las condiciones del contacto y los patrones de respuesta" (1962: 17). Afirma que las políticas española, mexicana y norteamericana hacia los indios fueron diseñadas esencialmente para "civilizar" a la gente nativa, al promover su asimilación a la sociedad de tipo europeo. Sin embargo, cada uno de estos grupos dominantes aplicó estrategias distintas para lograr su propósito. Estos diferentes enfoques, entre muchos otros factores complejos, produjeron diferentes respuestas de los indios bajo cada régimen.

Así, la política de los Estados Unidos estuvo basada en la creación de un sistema de reservas con el control político concentrado en Washington, D. C. Los indios debían asimilarse a la sociedad estadounidense de manera individual y, por ende, las reservas como un todo no se incorporaron dentro de la economía nacional.

---

[1] *Ciclos de conquista: el impacto de España, México y Estados Unidos sobre los indios del suroeste, 1533-1960.*

Esto obligó a cada tribu a desarrollar una fuerte identidad separada, basada en el apego sagrado a espacios territoriales específicos (1962: 574 y ss.). Por otro lado, la política española (y más tarde la mexicana) estuvo basada en trasladar a los indios de sus tierras ancestrales, congregarlos en nuevas comunidades y luego, bajo la dirección de misioneros y otros agentes de cambio, encaminar de manera moderada a toda la comunidad hacia la versión local de la civilización Europea (1962: 463 y ss., 570). De esta manera, el énfasis de la asimilación se puso en la comunidad más que en el individuo. Además, las haciendas contrataron mano de obra de estos centros de población y grupos mixtos de indios, la cual fue incorporada a la economía nacional como trabajo temporal. Mientras tanto, bajo las leyes de colonización, se les permitió a los colonizadores mestizos instalarse en territorios indios, dando como resultado que se mezclaran con la población local. El resultado fue que "la identificación tribal desapareció [...] aunque continuó la identificación general como indios" (1962: 573). De esta manera, en un proceso que Spicer llama "asimilación suspendida", las poblaciones indígenas de México perdieron en gran parte su identidad individual y la sustituyeron con una identidad india generalizada.

Spicer concluye que las políticas europeas de asimilación cultural no han funcionado de acuerdo con lo planeado. Sin embargo, lo que ha resultado a la larga es un alto grado de asimilación de las poblaciones indias, tanto del suroeste de los Estados Unidos como de México, dentro del sistema cultural europeo. Con respecto a México afirma que, mientras los mestizos rurales y los indios actuales comparten muchas semejanzas culturales, los indios todavía no han logrado su plena aceptación dentro de la sociedad mexicana. Reitera que muchos símbolos de la indianidad, como el vestido, no son aborígenes. "La identificación grupal de los indios se arraigó de manera sólida en sus experiencias históricas con el hombre blanco y fueron simbolizadas en elementos de sus culturas, las cual fueron, de igual manera que sus experiencias, productos del contacto entre los indios y el hombre blanco" (1962: 579). Él concluye que el contacto entre indios y europeos ha sido un equilibrio entre los procesos de asimilación y diferenciación, pero que el resultado más común de los programas de asimilación cultural impuestos a la gente por el grupo dominante es la formación de una identidad étnica (1962: 567).

La formulación de Spicer corresponde muy bien con la situación de Amatlán. En los documentos gubernamentales, la comunidad está clasificada como una *congregación,* lo cual, a pesar de su trazado disperso, significa que quizá apareció o al menos se reconoció por primera vez en forma legal bajo el programa español o mexicano de concentrar a la población en comunidades distintas. Tenemos también evidencia de que la comunidad proveyó a las haciendas de mano de obra y que los colonizadores mexicanos han migrado al sur de la Huasteca durante varios siglos. Los campesinos se identifican como indios cultivadores *(masehualmej)*, pero han conservado menos características de su identidad nahua específica o *mexijcaj* (azteca). Finalmente, como se mencionó, muchos de los símbolos manifiestos de la identidad india, como el vestuario o el machete de acero, derivan claramente del contacto entre indios y europeos. Spicer ha logrado especificar muchas de las condiciones y los procesos históricos que orientaron a los nativos americanos para forjar su identidad y sugiere por qué esta identidad adquiere la forma que presenciamos en Amatlán. Estos amplios procesos históricos se deben a las condiciones específicas que existen en el sur de la Huasteca, así es que es una respuesta a estas condiciones el que los campesinos continúen forjando su etnicidad.

Con la excepción de los maestros escolares mestizos y sus familias, todos los habitantes de Amatlán nacieron y crecieron ahí o en una comunidad vecina. Por lo tanto, no me sorprendió cuando la gente me dijo repetidas veces que se sentía cómoda en la comunidad y alienada en la ciudad. La comunidad tiene sus problemas, como las limitadas oportunidades económicas, pero es un lugar familiar. La gente habla náhuatl, sigue las rutinas familiares y comparte una visión común del mundo. La comida, el ritmo de vida y los patrones de interacción parecen justos para gente que ha sido socializada en una pequeña comunidad. De igual importancia es que un campesino en Amatlán se encuentre entre los miembros de su familia, en vez de solo entre extraños en la ciudad. Éste y muchos otros aspectos de la vida de una aldea proporcionan fuertes compensaciones psicológicas para los habitantes de Amatlán. Pero estas recompensas intrínsecas por sí solas no explican, como espero demostrar adelante, por qué los campesinos trabajan en forma activa para crear una identidad étnica que sirva para distinguirlos de los mestizos. La vida aldeana sería cómoda para la gente socializada ahí, sean indios o mestizos, sin tener en cuenta si se identifican como miembros de un grupo étnico diferente. En el siguiente apartado subrayo las recompensas materiales que motivan a la gente a crear su propia identidad (Stocks, 1989, presenta un análisis paralelo de la identidad étnica entre los indios Cocamilla de Perú; véanse, también, Siverts, 1969, para una análisis similar en el sur de México, y Castile, 1981, para un estudio del enfoque materialista cultural de la etnicidad en México y América del Norte).

Ser indio

A grandes rasgos, la situación en Amatlán es similar a la que enfrentan los campesinos en muchas partes de México y del mundo. Los nahuas son indios y, por lo tanto, son uno de los muchos grupos étnicos en el México moderno. Poseen rasgos lingüísticos y culturales que los distinguen de los miembros de una sociedad urbana dominante. Son ciudadanos de México y, no obstante, la gran mayoría ocupa una posición muy baja en la jerarquía social, económica y política del país. Su situación económica es marginal a la del creciente sector industrial del país y de la mecanizada industria que domina la producción agrícola. En su mayor parte, los campesinos quedaron fuera de la corriente del desarrollo económico que transformó otras partes del país. Sin embargo, sería un error concluir que los habitantes de Amatlán han sido víctimas pasivas del progreso, obstinados en seguir sus tradiciones aunque éstas se vuelvan cada vez más irrelevantes para el mundo moderno.

Los indios del sur de la Huasteca han luchado por la autonomía durante su larga y sangrienta historia. Lucharon contra los españoles en la Guerra de Independencia, contra los invasores franceses pocas décadas más tarde y contra los líderes del México republicano en varias ocasiones. Pelearon como grupo y siguieron su lucha incluso después de finalizadas las grandes batallas, no por la lealtad a las siempre cambiantes élites ajenas a ellos, sino para lograr su independencia y su derecho a la autodeterminación. Los participantes de estas batallas forjaron una identidad relevante para el grupo no sólo como nahuas, otomíes o totonacos, sino como indios agricultores, en oposición a los *coyomej* o mestizos foráneos. Sin embargo, las lealtades dentro de los grupos todavía persisten y los miembros de cada cultura conservan sus propias costumbres y estereotipos distintos a los de otros indios. Por ejemplo, al actuar entre otros indios, un habitante de Amatlán se identifica primeramente como *mexijcatl*. Sin embargo, en oposición a los mestizos, los campesinos se identifican principalmente como *masehualmej* y ven su propio interés conectado con el de otros grupos indígenas vecinos.

Los habitantes de Amatlán no han sido pasivos en sus esfuerzos para lograr acceso a más tierra. Luchan no sólo por razones económicas sino también para mantener unida a su familia y, por consiguiente, le añaden pasión a la lucha. Sus estrategias varían y van desde hacer peticiones legales hasta la toma ilegal de tierras. En algunos casos estos esfuerzos condujeron al faccionalismo interno y a la violencia. En otros, los campesinos tuvieron que unirse para protegerse de los enemigos externos, que normalmente son los terratenientes mestizos locales. Los motivos raras veces son claros en estas situaciones, y algunas personas confunden su propio interés con el de toda la comunidad. En general, los conflictos relacionados con la tierra se resolvieron con éxito, ya que se han formado al menos tres nuevas comunidades de campesinos de Amatlán que no tenían tierra. La historia de esta lucha, relatada por los campesinos, sirve para entender una cosa: el único método efectivo para enfrentarse a los rancheros locales y a la estructura de poder de los mestizos es la unión. Los individuos por sí mismos tienen poca posibilidad frente a las élites locales, las cuales pueden contratar pistoleros o llamar a la policía o a la milicia para proteger sus propiedades y sus intereses.

Como la mayor parte de los países subdesarrollados, México es una tierra de muchas contradicciones. La mayoría de los mexicanos de la ciudad se siente orgullosa de su herencia nativa americana y se expresa de manera entusiasta acerca de los grandes logros de los antiguos mayas y aztecas, y de otros indios prehispánicos. Sin embargo, su entusiasmo decae cuando se refieren a los grupos de indios contemporáneos; con frecuencia justifican su antipatía al afirmar que las nobles culturas prehispánicas han sido degradadas y contaminadas por la influencia española. Incluso, algunos mestizos sienten un odio patológico hacia los indios y les desean toda clase de males. Pero, en general, los mestizos del sur de la Huasteca atribuyen "los problemas indios" a agitadores externos que normalmente provienen de la ciudad.

Un ejemplo: muchos comerciantes de Ixhuatlán llaman a los campesinos *inditos,* que es un término un tanto condescendiente pero en general cariñoso. En ocasiones escuché a los campesinos mismos usar esta palabra de manera autodespectiva cuando hablaban en español. A los ojos de los habitantes urbanos los indios son personas rurales poco civilizadas, incapaces de competir en el acelerado mundo que ellos habitan. Es común que a los indios se les considere gente inculta que prefiere tomar alcohol y enfrascarse en peleas con machete en vez de conservar empleos estables y ahorrar dinero. Algunos mestizos comparten con muchos científicos sociales y con expertos en el desarrollo la idea de que los indios son personas que siguen las costumbres de una cultura antigua, aun cuando esto vaya en contra de su propio interés económico básico. Atrasados, perezosos, simples, atávicos y negligentes; la lista de sus defectos de carácter duplica la de los estereotipos que en muchos países mantiene la alta burguesía local acerca de estas personas menos privilegiadas, las cuales contribuyen con mucho a su subsistencia y acerca de las cuales ellos saben tan poco.

Al mismo tiempo, el partido político hegemónico en México, el PRI (Partido Revolucionario Institucional) en algo simpatizaba con la difícil situación de los indios, y emprendió muchos programas y asignó considerables sumas de dinero para mejorar su condición económica. Un grupo de indios que solicita tierra, con frecuencia puede lograr ser escuchado y es probable que consiga una decisión favorable, aunque no muy rápida. El PRI nació en una época de crisis, sobre la reforma agraria, y los líderes del partido nunca abandonaron por completo sus raíces.

Desde los días de la Revolución, el movimiento indigenista *(indigenismo)* ha influenciado la vida artística, literaria y política de los mexicanos. Los miembros de este movimiento nunca tuvieron una visión unificada acerca de los indios, pero en general cambiaron la antigua política de asimilación por una más reciente de pluralismo cultural. El PRI se ha visto influenciado por el indigenismo y ha establecido gran número de instituciones y programas estatales y federales para ayudar a los indios a lograr una igualdad económica, social y política con los mestizos. Con frecuencia tales programas no concuerdan unos con otros y sus objetivos son contradictorios, les faltan fondos regulares y, a veces, fracasan en sus planes. No obstante, estos programas existen en abundancia y los campesinos se dan perfecta cuenta de ellos. En cierto sentido, el gobierno promueve que la gente subraye su etnicidad india para recibir los beneficios de muchos de estos programas indigenistas (véase Bradley, 1988: 187 y ss., para un análisis sobre las instituciones y los programas gubernamentales que afectan a los indios del sur del estado de Veracruz).

Esto no significa que el gobierno asigne más recursos para ayudar a los indios que para apoyar a los mestizos. Tal medida sería imposible dada la realidad política de México. Los mestizos tienen el monopolio de los puestos gubernamentales, participan de manera más directa en la economía nacional y, a los ojos de los funcionarios del gobierno, representan la esperanza del desarrollo económico nacional. De hecho, según un análisis (Caso, 1971: 147), debido a la presión política a que se ve sometido, el gobierno asigna casi cinco veces más dinero a los municipios que son principalmente mestizos que a los municipios indios. Sin embargo, sí se han designado recursos para los indios, por lo cual los habitantes de Amatlán sienten que se han beneficiado al destacar su identidad india en su trato con los mestizos. Ellos mencionan el edificio escolar construido a principios de los años setenta, la escuela nueva preescolar (que se estaba construyendo cuando regresé a la comunidad en 1985), el proyecto de electrificación y muchos otros beneficios que se mencionan más adelante. El hecho de que lleguen más recursos a los municipios mestizos no cambia la percepción de los campesinos en Amatlán de que ser indio se puede utilizar para atraer tanto la atención del gobierno como el dinero. La mayoría de los campesinos está plenamente consciente de las ventajas que acarrea la identidad india cuando tratan con el gobierno.

Cuando las delegaciones de la comunidad presentan sus requerimientos a los funcionarios gubernamentales, con frecuencia subrayan su indianidad para aumentar las oportunidades de tener éxito. Esto explica en parte una anomalía que percibí en la relación de la historia de Amatlán presentada por los ancianos. Ellos afirmaron de manera categórica que los representantes de Amatlán habían caminado largas distancias para encontrarse con los funcionarios durante la lucha para recobrar las tierras que le quitaron a la comunidad de manera ilegal. Dijeron que en varias ocasiones los hombres habían caminando hasta Tuxpan, ubicado a una distancia de casi 150 kilómetros. Ya que el transporte en autobús a esta ciudad costeña es barato y accesible durante la mayor parte del camino, yo me pregunté por qué los delegados decidieron ir a pie. Una explicación es que los campesinos optaron por llegar agotados y sucios y, de esta manera, representar su papel de indios oprimidos, para lograr una decisión más favorable para su caso. Por lo visto, esta estrategia fue efectiva, ya que al final se recuperó la tierra de la comunidad.

Varios servicios públicos se proveen en forma gratuita a las comunidades rurales y, en particular, a las comunidades indias. Equipos médicos visitan Amatlán dos veces al año para vacunar a los niños. Otros técnicos llegan de modo regular para fumigar con insecticidas las casas particulares, como parte de un esfuerzo para erradicar a insectos y plagas que transmiten enfermedades. Los campesinos se organizaron para aprovechar el programa gubernamental de electrificación rural y al final tuvieron éxito en electrificar la comunidad en 1986. El programa se dirigió en especial a las comunidades remotas, como Amatlán y, de nuevo, ser indio resultó tener sus ventajas. Finalmente, en 1986 había gran entusiasmo en Amatlán por el rumor acerca de un plan gubernamental para dotar de casas gratuitas a los indios de la región. Las autoridades de la comunidad viajaron varias veces a la capital del estado para preguntar por el programa, pero no pudieron obtener confirmación de su existencia. Aun si el programa de casas gratuitas nunca se materializa, la reacción de los campesinos es interesante porque revela su actitud hacia los servicios públicos. Desde la perspectiva de los campesinos, las autoridades distribuyen beneficios a la gente pobre, y ya que los indios por definición son pobres, ellos están seguros de contarse entre los beneficiados (véase Bradley, 1988).

Los mestizos rurales también se pueden beneficiar de los programas del gobierno, pero tengo la impresión, apoyada por las opiniones de muchos campesinos, de que, bajo la influencia del indigenismo, los programas nacionales de desarrollo se dirigen en especial a las comunidades indias. Los funcionarios consideran que los indios están bajo la tutela del Estado. Los mestizos rurales pueden ser igualmente pobres, pero desde el punto de vista de los funcionarios gubernamentales no sufren de un atraso cultural debilitante como los indios y, por ende, no deben ser los primeros en recibir ayuda del gobierno. En realidad, muchos habitantes urbanos desprecian a los mestizos rurales pobres con frecuencia más que a los indios, porque sienten que los indios al menos tienen la excusa de su cultura tradicional antigua como causa de la pobreza. Los mestizos, por otro lado, son parte de la cultura nacional y su pobreza es menos justificable. Desde esta perspectiva tendenciosa, si una persona es pobre es mejor ser indio que un miembro ínfimo de la cultura nacional.

No quiero minimizar el sufrimiento impuesto a los indios por el sistema político y económico, que los explota y los define como poco menos que seres humanos. Sin embargo, creo que es importante enfatizar que el estatus del indio en México puede otorgar ciertas ventajas a la gente que de todas formas se encuentra en lo más bajo de la jerarquía social. Por ejemplo, si se mantienen juntos como indios, los campesinos tienen mayores oportunidades de lograr acceso legal a un terreno expropiado de los terratenientes mestizos. Ésta es una motivación que tiene la gente de Amatlán para crear y mantener una identidad étnica que los separa de los mestizos vecinos. Aquí sólo quiero subrayar el hecho de que estos campesinos no sólo son gente rústica que se queda, satisfecha, como víctima pasiva de un sistema injusto. Por el contrario, ellos desarrollan sus estrategias y confían en sus propios métodos para conseguir los resultados que buscan. No tienen muchas cartas para jugar; sin embargo, maniobran lo mejor que pueden para permanecer en el juego.

Ser indio puede acarrear ventajas tangibles, tanto para los individuos como para los grupos. Cuando llegué a trabajar por primera vez en el sur de la Huasteca, noté con asombro que muchos servicios tienen un doble sistema de precios. Con frecuencia los indios pagan la mitad de lo que se cobra a mestizos y extranjeros. Por ejemplo, yo pagué 0.08 dólares por cruzar el río en una canoa para ir al mercado, mientras que a los indios les cobraron sólo 0.04 dólares. Otros servicios, como los viajes en camionetas de pasajeros o las cuotas por usar carreteras o puentes, se cobraban de la misma manera. Al principio pensé que me habían estafado, pero entonces noté que cobraban más a todos los no indios, de acuerdo con la suposición de que estos podían pagar más. De esta manera, los mestizos (y los antropólogos visitantes) subsidian los costos de ciertos servicios que bajo condiciones normales serían demasiado caros para la mayoría de los indios. Además, el Instituto Nacional Indigenista (INI) ofrece becas completas y parciales para que los niños indios asistan a la escuela secundaria. Sé de al menos dos niños de Amatlán que pudieron aprovechar este ofrecimiento en 1985-1986 y es probable que muchos más niños de la comunidad hayan sido apoyados por este programa. Finalmente, el INI también tiene un programa designado para apoyar a los especialistas tradicionales del ritual indio. Las personas calificadas reciben una beca mensual para hacer perdurar sus tradiciones antiguas. Ningún chamán de los que conocí recibió apoyo de este programa, aunque muchos sabían del mismo y uno me preguntó si yo le podría ayudar a obtenerlo.

Pudimos ver, en el capítulo 5, que las familias nahuas deben proveer a sus miembros con comida y suficiente dinero para hacer las compras necesarias y cubrir varios de los gravámenes ejidales. Sin embargo, la mayoría de los campesinos no queda satisfecho con sólo poder cubrir sus gastos básicos, sino que, de igual manera que las personas en otras partes del mundo, quieren ganar tanto como puedan. Para hacerlo deben distribuir su tiempo, energía y otros recursos de la manera más redituable, de manera óptima, y también deben limitar sus costos. Ser indio no le impide a una persona acumular riqueza sustancial, como lo demuestran las familias nahuas ganaderas. Sin embargo, obtener cualquier ingreso sustancial de la agricultura de roza y quema, y de la cría de ganado no es tan sencillo en tales condiciones. Lo anterior es verdad, ya que el rango de salarios para los trabajos disponibles y los precios cíclicos de los cultivos parecen estar diseñados para impedir que los indios ganen mucho dinero. Por mucho que se compare con los agricultores mestizos en pequeña escala, que se enfrentan con los mismos obstáculos, ser indio puede ofrecer ciertas ventajas.

Por una parte, como mencionó la etnógrafa francesa Marie-Noëlle Chamoux, entre los nahuas de la vecina Sierra Norte de Puebla, a pesar de las diferencias de riqueza entre los indios, ellos conservan una marcada homogeneidad en sus estándares de vida (1981b: 255 y ss.). Este fenómeno de uniformidad en los patrones de consumo no es tan notorio entre las poblaciones mestizas, donde poseer un elemento de prestigio, como un televisor, es cuestión de orgullo y un medio para impresionar a los vecinos. Los nahuas intentan minimizar las diferencias entre sus compañeros y subrayar que todos son miembros de un mismo grupo étnico. Los habitantes de Amatlán con frecuencia lanzan afirmaciones como: "Aquí todos somos pobres" o "En las comunidades no vive gente rica". A menudo repiten estos aforismos como una manera de borrar la disparidad obvia entre los ricos y los pobres locales. La gente que hace alarde de su dinero o da la apariencia de ser adinerada puede fácilmente ser blanco de chismes. En muchas ocasiones me dijeron que la razón por la cual ciertas personas son ricas es porque encontraron ollas con oro y plata o porque robaron fondos públicos. El asesinato mencionado en el capítulo 1 estuvo relacionado con acusaciones de robo de dinero público. Lo que es importante es que nadie cree que una persona se pueda enriquecer a través de los medios tradicionales y legítimos accesibles a los indios. Los indios se definen como pobres. Por su parte, los campesinos más ricos no desean despertar envidia entre sus vecinos y, por lo tanto, se esfuerzan para no hacer ostentación de su riqueza. Las fuertes sanciones religiosas desaniman tal comportamiento. Las emociones destructivas, como la envidia, pueden atraer a los espíritus del viento que causan enfermedades o provocar actos de hechicería por parte de los vecinos.

He sugerido que una razón por la que los indios más ricos esconden su riqueza es el hecho de que los campesinos desalientan el despliegue de logros individuales u otras cuestiones que puedan apartar a los individuos de su grupo. De esta manera, el valor cultural asignado a la pobreza compartida es, en realidad, parte de un esfuerzo mayor de los campesinos para establecer una comunidad de indios, que idealmente son unidades con poca diferenciación interna cuyos miembros pueden actuar juntos en oposición a los mestizos que los oprimen. El consumo homogéneo no significa en verdad una pobreza compartida, pero puede conducir a la apariencia de ella. Este fenómeno otorga a los indios una ventaja distintiva sobre los mestizos, a medida que logra desalentar el consumo exagerado. Los escasos recursos se pueden invertir en animales o, quizá, en rentar una parcela adicional, más que malgastarlos en la compra de objetos de prestigio no productivos. Por lo tanto, ser indio es comprometerse con los valores que ofrecen ventajas al hecho de parecer pobre y, de esta manera, liberar escasos recursos que se puedan aplicar en la producción de riqueza adicional. Al mismo tiempo, al disminuir las compras de artículos industriales los campesinos contribuyen a reducir (pero no a eliminar) su dependencia del sector mestizo de la economía nacional.

Ser indio en México es vivir en un mundo donde reina la paradoja. Ser indio es tener desventajas en relación con las poderosas élites mestizas, pero al mismo tiempo la indianidad otorga ciertas ventajas sobre los igualmente pobres mestizos. Al remarcar su identidad étnica como indios, los campesinos afirman su bajo estatus y tornan el ser indio todavía más necesario. Para entender el dilema debemos observar la situación desde el punto de vista de los campesinos. Si un individuo decide abandonar Amatlán y entrar al mundo mestizo —por razones que se revisan más adelante hoy más personas lo están haciendo—, entonces tiene que deshacerse de sus derechos comunitarios. Una vez que abandona la comunidad nunca podrá formar parte de la clase mestiza media o alta sino que se quedará dentro de los límites de la clase mestiza baja. Quizá lo anterior implique vivir en un barrio bajo cerca de una ciudad grande y tener un trabajo mal pagado en una fábrica o una casa particular. Prácticamente no hay otras opciones. Los trabajos locales para vaqueros o peones en los ranchos son escasos y, usualmente, temporales.

Yo entrevisté a dos campesinos que habían trabajado en una fábrica pero que después regresaron a Amatlán como *vecinos*. Se quejaban del "humo" (aire contaminado), de las condiciones sórdidas de trabajo en barrios peligrosos, de los empresarios astutos que se aprovechan de los recién llegados a la ciudad y de los jefes de trabajo poco escrupulosos. De manera más enfática, se quejaban de los altos precios de todas las cosas y de cómo su pobre salario no bastaba para mantenerse, incluso a ellos solos. Algunas personas abandonan la comunidad y entran al mundo mestizo para nunca regresar. Otras trabajan en forma temporal en algunas fábricas y regresan periódicamente para cultivar sus milpas; conservan sus derechos en la comunidad. Sin embargo, después de sopesar las opciones accesibles para ellos, la mayoría se queda en la comunidad y espera tener éxito económico en el mundo indio.

La identidad étnica como estrategia

Antropólogos, sociólogos comparativos, investigadores de ciencias políticas y otros han producido un inmenso número de publicaciones acerca de la identidad étnica. Muchos científicos sociales y la mayoría de la gente asumen que la afiliación a un grupo étnico se decide durante el nacimiento y que, por lo tanto, los individuos tienen pocas opciones en el asunto. Es verdad que cuando la afiliación a un grupo étnico se relaciona con marcadores raciales visibles tales como el color de la piel, el elemento de elección a veces desaparece por completo, ya que el estatus étnico puede ser atribuido por el grupo dominante. Sin embargo, cuando los miembros de los grupos étnicos dominantes y los de los estatus más bajos no se distinguen entre sí de manera fácil, por características raciales u otras, los individuos tienen más libertad para escoger su identidad étnica grupal.

Los académicos observan que en algunas situaciones los miembros de un grupo étnico trabajan de manera activa para conservar una identidad étnica y distinguir su propio grupo de otros grupos parecidos, así como del grupo dominante en la sociedad. Muchos miembros de los grupos étnicos rechazan entrar al grupo dominante aun cuando puedan hacerlo y, de hecho, intentan asegurarse de que los límites socioculturales entre grupos se mantengan firmes (véase Barth, 1969). Una publicación reciente sugiere que el concepto de *tradición* (es decir, creencias y prácticas basadas en la historia, que distinguen a los grupos étnicos), debe ser remplazado por el concepto de *estilo*. Este segundo aspecto destaca que los miembros de algunos grupos étnicos elijen de manera consciente elementos de su historia y crean, en forma activa, una identidad distinta de otros grupos (Royce, 1982: 27-28, 147, 168). La *tradición* implica una aceptación pasiva del pasado, conectada con el estatus impuesto, mientras que el concepto de *estilo* conlleva el elemento de selección de identidad generada por sí misma.

Otro ejemplo del carácter dinámico de la identidad étnica se puede encontrar en el ritual de *chicomexochitl* celebrado por la mayoría de las comunidades indias en la región Huasteca, incluyendo la gente de Amatlán. La ofrenda sigue el patrón de los rituales nahuas y, sin duda alguna, sus elementos simbólicos derivan de sus antecedentes prehispánicos. Sin embargo, Frans Schryer, un antropólogo que trabajó en la Huasteca occidental, encontró pruebas de que esta importante ofrenda de semillas es un ritual relativamente nuevo, creado más o menos en la década de los cuarenta en el siglo XX (1990: 182-184). Aunque antiguo en su concepción, el nuevo ritual revela que la faceta más tradicional de la cultura india —la religión— tiene la capacidad de generar nuevas fuentes para la identidad india (véase Huber, 1987, para un análisis de cómo se incorporan los nuevos rituales en los ciclos tradicionales de las fiestas nahuas). La tradición no se debe interpretar como un elemento muerto del pasado que se entromete en el presente. Los miembros de los grupos étnicos eligen elementos culturales tradicionales y los recombinan en nuevos patrones, fieles a los antiguos valores nahuas, pero que también son relevantes para las circunstancias modernas. Gracias a esta actividad pueden continuar con el uso de su cultura modificada para fortalecer y mantener su identidad étnica.

No quiero afirmar que la identidad étnica sea siempre o aun en general una cuestión de libre elección. En el caso de Amatlán, muchos campesinos, y en especial aquellos en edad avanzada o los que no hablan español, tienen muy pocas opciones fuera de identificarse como indios. Sin dominar el español y sin tener un conocimiento considerable de la cultura mestiza, los indios no han podido entrar al mundo fuera de la comunidad en el mismo grado que los mestizos. En casos como éste, donde las diferencias culturales impiden la asimilación, la etnicidad se transforma en una estrategia de último recurso que provee un refugio para los grupos subyugados. Los mestizos se encuentran en el centro del problema por supuesto. Ellos identifican a los campesinos como indios, por su vestuario, lengua y características mencionadas arriba, y los contratan como peones sólo para trabajos temporales mal pagados. La discriminación de los mestizos en contra de los indios es real y los mestizos, por sus prejuicios, juegan un papel importante en mantener los límites entre ellos y los indios.

Sin embargo, establecido lo anterior, quiero proponer que en muchas partes del mundo los miembros de grupos étnicos con el estatus más bajo tienen algún grado de libertad para elegir si quieren quedarse en su grupo étnico o intentar entrar al grupo dominante. Luego, afirmar que en muchas ocasiones las personas escogen de manera deliberada quedarse como miembros del grupo étnico de estatus inferior, aun cuando para una persona de fuera esta decisión pareciera implicar desventajas aparentes. En comunidades como Amatlán la gente cultiva activamente su identidad india y enfatiza su indianidad como parte de su estrategia para tratar con las élites mestizas. Desde el punto de vista de la sociedad local, esta decisión otorga ventajas con frecuencia y, por lo tanto, es racional.

Durante los años en que los campesinos de Amatlán carecieron de los medios prácticos para aprender español su capacidad para decidir si querían transformarse en mestizos estaba muy limitada y, por lo tanto, su estatus como indios era, en gran parte, impuesto. Ellos perpetuaron su identidad india en la seguridad relativa de su comunidad remota e interactuaron con los de fuera de acuerdo con la definición mestiza de la situación social. Sin embargo, la aparición en Amatlán de un maestro escolar muy dedicado, a principios de los años sesenta, cambió las cosas para la cohorte de alumnos que a fines de los años ochenta entraban a la madurez y comenzaban a asumir posiciones de responsabilidad en la comunidad. Este maestro trajo a su familia para vivir en la comunidad y se impuso el deber de mejorar la calidad y el alcance de la educación. Añadió tres años a su programa de estudios y, de esta manera, en la actualidad hay seis grados accesibles para los niños de la comunidad. Enseñó la lengua española en serio y, por lo tanto, muchos de sus estudiantes se hicieron bilingües. De esta manera, posibilitó a ciertas gentes, en general a los jóvenes, el ir a los pueblos o ciudades de la región y conseguir un trabajo temporal en la construcción, la construcción de carreteras y el transporte de desperdicio industrial. En comparación, en estos empleos se paga mejor que por el trabajo con machete y además ofrece el acceso a la esfera de los mestizos, a la cual anteriormente les era tan difícil entrar.

Sin embargo, este periodo de florecimiento de la educación en Amatlán fue efímero. El maestro pronto adquirió buena reputación entre sus superiores y lo ascendieron a inspector del distrito escolar. Él se mudó de Amatlán para asumir su nuevo puesto y lo remplazó un hombre más joven. Según los habitantes, el nuevo maestro fue un desastre. Aparecía borracho enfrente de sus alumnos y fue incompetente. Pocos meses después de su llegada encontraron su cadáver flotando en el arroyo y su caballo se halló unos dos kilómetros más arriba, todavía con la silla. Aparentemente se cayó del caballo, aturdido por la bebida, y se golpeó la cabeza en las piedras. Su suplente fue otro joven a quien los campesinos encontraron más de su gusto. Él hizo amistades entre la gente y tuvo éxito en sus clases. Por desgracia, sufría ataques de epilepsia y pocos meses después de su nombramiento en Amatlán se ahogó mientras se bañaba. Los campesinos dicen que la gente que muere de estos ataques a veces es víctima de hechicería. Muchas personas se preguntaron por qué los dos profesores murieron en el arroyo y si existía alguna conexión entre ambas muertes.

El maestro designado después para Amatlán era un veterano que tenía un poco más de cuarenta años. En ese momento, los alumnos estaban muy atrasados y tuvo que dedicar muchos meses para ponerlos al día. Este maestro y su familia habían vivido en la comunidad sólo poco tiempo cuando nosotros llegamos en 1985 para comenzar nuestro trabajo de campo. Una noche, después de una fuerte tormenta de relámpagos, la esposa del maestro entró a nuestra casa corriendo y gritando en voz alta. Salí a investigar y supe que su marido había intentado cruzar el arroyo crecido y él y su caballo habían sido arrastrados por el violento torrente. Pocos minutos después algunos hombres de la comunidad lo sacaron del agua, todavía vivo, pero sangraba en forma abundante por una herida profunda en el brazo. El caballo se encontró al día siguiente, a una gran distancia arroyo abajo, magullado pero vivo. Un sentido de alivio se extendió por la comunidad y un chamán celebró una ofrenda ritual al espíritu del agua en el lugar donde el maestro casi se ahogaba. Sin embargo, su alivio iba a transformarse en decepción. Al siguiente año, pocos meses después de regresar a casa, recibí una carta de uno de los hijos del maestro en la que me informó que su padre había muerto de un infarto. A pesar de estos contratiempos angustiosos, en general la escuela ha hecho posible que los aldeanos logren cierta experiencia en la cultura mestiza y que, de esta manera, queden menos limitados dentro de su propia cultura. Para la gente que puede funcionar tanto en el ámbito indio como en el mestizo existe un elemento auténtico de elección en la cuestión de la identidad étnica (para críticas sobre la educación ofrecida en las comunidades indias escritas por maestros escolares nahuas, véanse Romualdo Hernández, 1982: 97-109, y Reyes Martínez, 1982: 122-124).

No obstante, la capacidad de actuar con una mejor destreza en la cultura urbana no libera a los aldeanos de la necesidad de tener cuidado al tratar con los mestizos. Después de estar en la comunidad por algún tiempo, recibí una lección sobre cómo los aldeanos negocian su estatus étnico y manejan la información sobre ellos mismos con los de fuera. Un día, antes del amanecer, salí con cinco hombres rumbo al mercado de Ixhuatlán, a unas dos horas de camino. Mientras caminábamos por las sinuosas veredas los hombres bromeaban y mantenían una conversación animada, interrumpida por roncas carcajadas. Se esforzaban en enseñarme algunas palabras en náhuatl y se reían con gran regocijo mientras yo recitaba frases sencillas. Este patrón de interacción no era inusual y yo lo había observado en muchas ocasiones desde mi regreso a la comunidad. Sin embargo, casi 15 minutos antes de nuestra llegada al pueblo, los hombres se callaron y se separaron entre sí y también de mi persona. Se dividieron por el pueblo cuando llegamos y me di cuenta de que todos hicieron un esfuerzo para evitarme. Se acabaron las carcajadas y en lugar de las caras risueñas apareció un ceño fruncido en forma de máscara. Me acerqué a uno de ellos, que antes había sido buen compañero, y fingió no oírme. Me di cuenta de que algo estaba mal y los esperé en las afueras del pueblo hasta que terminaron sus negocios.

Todos llegaron al mismo tiempo, procedentes de diferentes direcciones, y cuando salimos del pueblo reanudaron sus bromas y su comportamiento regresó a la normalidad. Nunca comentaron acerca de ello, pero era claro lo que pasaba. Al llegar al mercado asumieron una expresión impasible y su conducta se tornó lenta y comedida. Ésta es la imagen que les presentaban a los mestizos del pueblo, quienes, que yo sepa, no tenían idea de estar siendo engañandos. Si llegaran conmigo atraerían la atención sobre sí mismos y por eso mantenían su distancia mientras estábamos en el pueblo. Ése fue el ejemplo más claro de "manejo de imagen" que he visto, y ahora me doy cuenta de dónde es que los mestizos obtienen sus nociones acerca de los indios. Durante el tiempo que viví en Amatlán presencié transiciones similares en muchos contextos diferentes.

Al actuar como "indios estúpidos", los habitantes de Amatlán reproducen el comportamiento de las minorías oprimidas de todo el mundo en su interacción con los opresores. En realidad es peligroso para los indios tratar con los mestizos. He escuchado muchas historias de los aldeanos acerca de cómo los habitantes del pueblo, los rancheros, o los vaqueros han golpeado o incluso matado a indios por infracciones menores o en un estado de borrachera encolerizada. De acuerdo con los aldeanos, a los mestizos raras veces se les lleva ante la justicia por estos crímenes. Estas historias pueden ser verdaderas o no, pero revelan la actitud de los campesinos frente al carácter mestizo y la ineficacia del sistema local de justicia para ellos. Los campesinos no son cobardes y están decididos a enfrentarse con los pistoleros contratados por los rancheros, armados sólo con sus machetes. No obstante, al tratar con los mestizos, la prudencia parece ser el mejor componente de valentía. Es sorprendente ver cómo gente inteligente y enérgica se transforma en personas sin emociones y reservadas en la compañía de los representantes de la élite mestiza local. Lo que hacen es reafirmar su indianidad para no representar una amenaza para las poderosas personas de fuera. En este caso, la identidad étnica sirve a la gente como un escudo contra las interacciones potencialmente peligrosas con los mestizos.

Por lo tanto, el estatus de indio en Amatlán es una identidad con la cual nacen sus habitantes, pero cada vez tienen más posibilidades de decidir si la conservan o la rechazan. Es también un estatus que la gente misma cultiva en gran medida. El modo en que los aldeanos crean y mantienen una identidad étnica viable es complejo e impregna cada aspecto de su vida. Para tener éxito deben crear un mundo donde la gente esté cómoda y sienta que tiene control sobre su vida. Este mundo debe definirse por sí mismo y ser distinto del de los mestizos, a quienes los campesinos ven de manera uniforme como forasteros. Además, deben desarrollar mecanismos para mantener separados ambos mundos. Este problema se resuelve en parte porque generalmente los mestizos mismos quieren alejarse de todo lo que perciben como indio. Como veremos más adelante, los nahuas de Amatlán tuvieron éxito en forjar una identidad étnica viable, al organizar de manera cuidadosa un número selecto de características sociales y culturales.

La publicación reciente del antropólogo John Hawkins acerca de la etnicidad en Guatemala difiere de la visión presentada en este libro en varios puntos importantes. Hawkins sostiene que la cultura aborigen en Mesoamérica y en otras partes del Nuevo Mundo fue destruida en esencia por los conquistadores europeos. Él afirma que la categoría sociocultural "indio" es creación de la Conquista española y resultado de la ideología de la dominación. En este argumento, él concuerda con las opiniones de Friedlander y Bartra, presentadas en el capítulo 1. Según Hawkins, los españoles vieron a sus nuevos súbditos como una imagen invertida de sí mismos. Los atributos que percibieron como lo indio fueron precisamente lo contrario de aquellos que identificaron como lo español. Esto causó una reacción por parte de los indios sobrevivientes para crear una identidad étnica basada en la oposición a todo lo español.

Según Hawkins, "la cultura india después de la conquista fue, en gran parte, readaptada como imagen inversa de la cultura española" (1984: 44). O, para expresarlo de otra manera: "La idea española de la particularidad india —en el contexto de la esclavitud forzada— forjó una ideología opuesta e inversa en el segmento indio de la nueva sociedad colonial" (1984: 349). Por lo tanto, los indios son una creación colonial y, como tales, sólo se les puede entender en relación con la ideología, esencialmente europea, que los creó. De esta manera, tanto los herederos ladinos de la tradición española (o los *mestizos* en la terminología utilizada en el presente libro, en el caso de México) como la población india son simplemente aspectos de un solo sistema cultural. Para Hawkins: "La ubicua relación inversa de la ideología india frente a la ladina es tanto la esencia de ser indio como la esencia de ser ladino" (1984: 347).

Esta argumentación contradice claramente la propuesta desarrollada en el presente libro, de que la etnicidad es un tipo de estrategia empleada por la gente para reducir sus costos e incrementar sus beneficios. Por el contrario, Hawkins se refiere a las identidades étnicas desarrolladas por la gente sojuzgada como simples inversiones de la ideología particular de sus conquistadores. Como tal, de manera equivocada él reduce en toda su complejidad los procesos étnicos a una operación lógica. Según su propuesta, los indios desaparecen como actores en el gran drama de la historia y se les pinta, otra vez, como las víctimas perpetuas. Además, Hawkins se equivoca cuando traslada la etnicidad a la esfera de la oposición mental, ya que provoca que perdamos de vista los factores sociales locales, políticos, económicos y otros elementos materiales que crean las condiciones que motivan a la gente a forjar identidades separadas.

Una deficiencia significativa del análisis de Hawkins es la ausencia de cualquier interpretación de la religión, la cual es uno de los aspectos más importantes de la identidad nahua y (junto con la lengua) provee la evidencia más clara de la diferencia cultural e histórica en relación con la de los mestizos. La religión nahua tiene una historia y una coherencia por sí misma, y en ningún sentido se le puede interpretar como una invención del catolicismo español. Desde el punto de vista de los aldeanos, la religión *del costumbre* incorpora mucha parte del cristianismo en su visión del mundo panteísta y universal. De hecho, pocos de los elementos simbólicos o ideológicos de la identidad nahua en Amatlán se oponen punto por punto a la cultura mestiza. Sólo deben ser diferentes hasta el grado de que sirvan para distinguir a los nahuas del grupo mestizo dominante. Por el contrario, algunas características de la vida aldeana se deben analizar más bien como adaptaciones de las expectativas de los mestizos. Cualquier esfuerzo para entender la etnicidad es insuficiente a menos que se consideren como los componentes principales del análisis a los actores particulares, sus motivaciones y el contexto donde se encuentran. Finalmente, aunque puede ser un error sobrestimar las características prehispánicas de la cultura india contemporánea, de igual manera es una falacia asumir que estas características son insignificantes.

Las características culturales de Amatlán y la creación de una identidad india

Al describir las características culturales de Amatlán, a lo largo de este libro he remitido al lector a publicaciones en donde se documentan características culturales similares o idénticas en otras comunidades nahuas. No he comparado Amatlán con otras comunidades nahuas de manera sistemática, ya que esto hubiera resultado en un libro un poco diferente al que intenté escribir. Sin embargo, quiero afirmar que la mayoría de las características culturales que describí para Amatlán se presentan o existen modificadas en las comunidades nahuas en todo México. Los ejemplos incluyen la dependencia del cultivo del maíz, la familia extensa patrilineal, con un ciclo doméstico característico, el énfasis en la solidaridad entre los hermanos de sexo masculino, el conflicto intergeneracional, el lugar central de la tierra en las creencias religiosas, los espíritus numerosos, incluyendo el sol, *tonantsij,* un espíritu de la lluvia y los vientos que causan enfermedades, un reino del inframundo, el énfasis en la armonía y el equilibrio entre la comunidad humana y la de los espíritus, la dependencia de los chamanes para curar las enfermedades y predecir el futuro, mitos completos o motivos míticos, y muchas otras características culturales descritas en este libro.

Los habitantes de Amatlán conservan muchas de sus tradiciones antiguas y no es sorprendente que compartan una porción significativa de éstas con otros grupos nahuas que viven a grandes distancias del sur de la Huasteca. Las condiciones específicas que existen en la región han causado que ciertos rasgos culturales adquirieran una importancia crucial. Por ejemplo, he mostrado que la escasez de tierra ha exacerbado el conflicto intergeneracional, la rivalidad entre los hermanos y la posición marginal de las mujeres entre los aldeanos. Éstas son características encontradas en otras comunidades nahuas, pero debido a las condiciones locales cobran una particular importancia en Amatlán. En resumen, lo que he descrito sobre Amatlán se debe entender como una variante local de un patrón general de la cultura nahua que, como dije, existe en muchos entornos sociales y culturales diferentes en todo México. Desde mi postura acerca del papel de la etnicidad en la perpetuación y, como explicaré más adelante, en la transformación de la cultura nahua, no me resulta necesario enumerar las correspondencias culturales entre varias comunidades nahuas. Para mis objetivos, es más importante identificar las características culturales que juegan un papel significativo en la identidad étnica nahua.

La actividad de mayor importancia en Amatlán, es la participación en los rituales *del costumbre,* tanto así que crea una visión del mundo para los campesinos y define al grupo étnico al cual pertenecen, es la participación en los rituales *del costumbre*. Las celebraciones rituales están basadas en una cosmogonía, que es completamente ajena a la de los mestizos. Ningún mestizo participa en la vida ritual de la comunidad, con la posible excepción de raras ocasiones durante las celebraciones más profanas, como el carnaval *(nanahuatili)*. A no ser que sean antiguos miembros de una comunidad india, los mestizos carecen del conocimiento acerca del panteón indio de los espíritus, de la geografía sagrada, de los conceptos del alma y del espíritu, de la etiología de las enfermedades, los procedimientos rituales, los símbolos e iconos sagrados o de los especialistas en rituales. Muchas de estas creencias religiosas, prácticas y explicaciones indias derivan de su pasado prehispánico. Al participar en los rituales los aldeanos afirman su compromiso con la cultura india y asumen de manera activa una identidad india (véase Crumrine, 1964, para una análisis de cómo los indios mayo de Sonora utilizan la cruz doméstica como un símbolo de identidad étnica).

Dos de las características centrales de la creencia y el ritual *del costumbre* son los ideales de equilibrio entre los seres humanos y su medio ambiente, y el control de uno mismo en su interacción con los demás. La gente debe recompensar a la tierra, al agua, a las semillas y a todos los otros elementos que mantienen la vida. También debe evitar las malas acciones y controlar los sentimientos de envidia, enojo o rencor hacia los otros, para evitar atraer a los malévolos espíritus del viento a la comunidad. Uno de los papeles más importantes del chamán es adivinar las causas de la calamidad y de la enfermedad, y luchar contra las fuerzas desequilibrantes y la falta de armonía mediante la celebración de ofrendas rituales. Es interesante que muchos de los defectos humanos, que según la creencia nahua provocan la desarmonía, son precisamente esos rasgos que los campesinos atribuyen a los mestizos. Según los aldeanos, la falta de respeto por la tierra y todos sus beneficios, acompañada de arrogancia, agresividad, violencia y falta de honradez, son prácticamente los rasgos que definen el carácter mestizo. Así, la religión *del costumbre,* además de crear una comunidad, ayuda también a liberar a Amatlán de los rasgos peligrosos perceptibles del carácter mestizo y de su comportamiento que, en la opinión de ellos, amenazan la integridad de la comunidad. La religión ayuda a los nahuas a crear un enfoque de identidad étnica, pero se presenta también como un baluarte en contra de la erosión de los valores nahuas.

De acuerdo a un campesino nahua del estado vecino de Hidalgo, quien llegó a ser maestro de escuela y etnógrafo:

> Mantener nuestra religión es una de las demonstraciones de nuestra identidad cultural, diferente de la población mestiza y de la de otros grupos indios en México. También, la religión es una manera de manifestar nuestra resistencia. Aunque a veces tengamos que realizar nuestros rituales de manera clandestina, los vamos a continuar realizando porque son únicamente nuestros. (Hernández Cuéllar, 1982: 140)

La mayoría de las personas que conozco tiene menos habilidad para expresar el papel de la religión en la vida nahua. Sin embargo, como veremos, con la llegada de los misioneros protestantes al sur de la Huasteca muchos campesinos se han hecho partidarios fervientes de las creencias y rituales tradicionales.

No quiero sugerir que los habitantes de Amatlán participan en sus rituales sólo para demostrar su indianidad o como un intento cínico para forjar la identidad étnica y, por lo tanto, lograr ventajas económicas. La mayoría de la gente me aseguró que está presente en los rituales debido a un sentido piadoso profundo y a un deseo sincero de establecer y mantener los lazos con los poderes espirituales esenciales del universo. Es por estas razones que muchos individuos hacen inversiones significativas para patrocinar los rituales. De esta manera, para la mayoría de los participantes la devoción en la religión nahua es un fin en sí mismo, y no tienen en cuenta las consecuencias sociales. No obstante, la participación en los rituales *del costumbre* es también una afirmación de la identidad india, un hecho que ata fuertemente a una persona con la cultura indígena y la separa de la identidad mestiza.

La participación en *el costumbre* es, en varias maneras, la última prueba de la indianidad, ya que se basa en una visión del universo y en un conjunto de conocimientos que no comparte la mayoría de los mestizos. Como descubrí personalmente, no es fácil para uno de fuera penetrar en el pensamiento religioso nahua. Incluso los chamanes están poco dispuestos para explicar sus conceptos más abstractos. Los aldeanos aprenden los preceptos de su religión en el transcurso de la vida, participando en los rituales, escuchando relatos de mitos y a través de discusiones informales. Ya que su teología no está escrita y los chamanes raras veces ofrecen explicaciones sistemáticas de sus fundamentos religiosos, una persona tiene que vivir en una comunidad india durante largo tiempo antes de que pueda entender al menos las bases de la religión nahua. Por supuesto, a la mayor parte de los mestizos no les gustaría participar en los rituales nahuas aunque tuvieran el conocimiento requerido. Para la mayoría de ellos, *el costumbre* es un vestigio pagano del pasado que se caracteriza por creencias infantiles que se contradicen con su propio cristianismo urbano. De esta manera, la barrera entre los indios y los mestizos se mantiene en ambas direcciones.

En la mayoría de las situaciones sociales el conocimiento es poder, pero cuando un grupo étnico subordinado tiene tratos con el grupo dominante el conocimiento puede significar la diferencia entre la supervivencia y la extinción. Al conectar la identidad étnica con la religión *del costumbre,* los nahuas efectivamente excluyen la participación de los mestizos en su vida. Es significativo que los indios hayan aprendido mucho acerca del mundo mestizo, mas bajo la ilusión de que ya saben todo acerca de los indios, muchos mestizos actúan con suposiciones falsas y estereotipos que derivan de su ignorancia acerca del modo de vivir indio. En el México rural el conocimiento es, muchas veces, una calle de una sola dirección, del nivel más bajo hacia arriba. Un número creciente de habitantes de la comunidad podría pasar al mundo de la cultura nacional y convertirse en mestizos, pero la mayoría de los mestizos nunca podría volver a ser indio.

En resumen, los indios tienen con frecuencia un panorama más claro de la realidad de la sociedad mexicana que las élites mestizas que dominan todo. Sus consideraciones sobre el carácter mestizo son comúnmente falsas y estereotipadas, pero su conocimiento del dominio mestizo es detallado y, en su mayor parte, exacto. Los mestizos, por supuesto, no quieren transformarse en indios y los indios, en su mayoría, no tienen interés en hacerse mestizos. Aun cuando se presente la oportunidad, muy pocos campesinos eligen entrar en el mundo mestizo de manera permanente y la mayoría de los que lo hacen son viudos; otros no cuentan con medios viables para mantenerse en la comunidad. En cualquier caso, los aldeanos deben conservar el acceso a las oportunidades gubernamentales y a los trabajos temporales ofrecidos por los mestizos, para complementar sus actividades agrícolas. En esta situación, el conocimiento es poder y los indios pueden usar dicho conocimiento para extraer del mundo mestizo lo que necesitan para sobrevivir mejor en el suyo.

La estrategia básica para los indios es averiguar lo más posible acerca del mundo mestizo y, al mismo tiempo, impedir a los mestizos el conocimiento acerca del mundo indio. El conocimiento en manos de la clase dominante siempre constituye un peligro potencial. Los aldeanos aprenden acerca de los mestizos en la escuela, durante sus trabajos fuera de la comunidad, al observar la dinámica del mercado y al pedir información. Cuando llegué a Amatlán por primera vez me sorprendió la cantidad de preguntas que la gente me hacía constantemente. Las preguntas eran indirectas, de acuerdo con la etiqueta nahua, pero no tardé mucho en comprender con precisión lo que me estaban preguntando. Creo que tenían una curiosidad sincera acerca de mí y de mi mundo, pero con el transcurso de tiempo comencé a sospechar que me estaban usando como una fuente de información acerca del mundo externo. Fue un papel que jugué con gusto, como una manera de pagarles por mis propias intromisiones. Siempre querían saber, entre otras cosas, cuánto costaban las cosas, desde los zapatos y las grabadoras hasta los aviones. Querían saber cómo funcionaban los radios, las cámaras fotográficas, las baterías y los relojes. La gente me preguntaba por qué los satélites no se caen, las razones por las cuales los aviones vuelan y cómo un conductor encuentra su camino por las carreteras. Me preguntaron qué tipos de alimentos se comen en los Estados Unidos, cuánto dinero se le paga a un peón por día de trabajo y por qué la gente de mi país no quiere a los mexicanos.

Los nahuas tenían curiosidad acerca de los Estados Unidos, pero estaban más interesados en la vida urbana de México. En esto no les podía ayudar mucho, pero respondía lo mejor que podía. A veces quienes me preguntaban obviamente no me creían. Nadie aceptaba que la mayoría de los estadounidenses no come tortillas regularmente, ni que una persona pueda comprar bebidas en un avión. Una vez, en 1985, cuando mi esposa empezó a explicarles acerca de las fiestas de Tupperware a un grupo de mujeres (ellas admiraban el regalo de los tazones de plástico con tapadera), ellas la escucharon con cortesía, pero negaron con la cabeza y de manera gentil cambiaron el tema. La idea de invitar gente a la casa de uno para venderle artículos de plástico quedaba fuera de su imaginación y credulidad. La mayoría de la gente evaluaba con cuidado lo que yo les decía y, de manera sistemática, rechazaba lo que en su opinión no podía ser verdad. Los campesinos querían saber qué comía la gente fuera de la comunidad y cómo vivía, no porque envidiaran su estilo de vida sino más bien para saber, ya que el conocimiento es bueno en sí mismo. Claramente era una cuestión de familiarizarse con el mundo mestizo, pero los nahuas también disfrutaban, en cierto sentido, al saber cómo vivía la gente rica y cómo funcionaba la tecnología avanzada. Los individuos me platicaban con placer acerca de los viajes largos en autobús al sur del estado de Veracruz o de sus experiencias en la ciudad de México. Después de centenares de horas de charla con los aldeanos, puedo afirmar que su conocimiento acerca del mundo mestizo es en realidad muy extenso. En contraste, en todas mis interacciones con los mestizos de la región nunca nadie me preguntó algo sustantivo sobre la vida india.

Los habitantes de Amatlán están al tanto de un conjunto enorme de conocimiento local que no es accesible para los de fuera. En este sentido, la comunidad está cerrada al escrutinio externo. Para que un forastero pueda tener acceso a la información, debe dedicar muchos meses de residencia continua en la comunidad. Por ejemplo, ya mencioné las complejidades del sistema para nombrar a la gente. Una maestra joven que vivió en Amatlán durante unos tres años, que era hablante de náhuatl y que venía de un pueblo mestizo cercano intentó censar a la comunidad. Hizo una lista de nombres, pero cuando corroboramos la lista con el censo que nosotros hicimos descubrimos que alrededor de una tercera parte de la lista era incorrecta o confusa. Por lo visto, ella registró a la misma persona en varias ocasiones con diferentes nombres. La confusión acerca de los nombres de las personas aumenta más por la manera idiosincrática de etiquetar las casas y los solares. Sin el conocimiento de la historia y el terreno locales es imposible entender las direcciones dadas en la comunidad o comprender por completo una conversación entre sus habitantes. La misma complicación existe dentro del sistema local para nombrar las características geográficas de toda la región. Cada comunidad tiene una serie de nombres un poco diferentes para las montañas, las lagunas, los barrancos y los arroyos circundantes.

Los miembros de todos los grupos sociales humanos crean su propio conocimiento, ya que es una manera de distinguirse de otros grupos. Sin embargo, en las pequeñas comunidades relativamente aisladas, como Amatlán, el proceso de crear el conocimiento interno del grupo alcanza un grado excepcional. Es más, creo que la proliferación de nombres y la confusión potencial son tan altas que el sistema en su conjunto contiene una deliberada táctica evasiva por parte de los aldeanos. Su sistema de nombrar a la gente y a los lugares quizá provenga, en forma modificada, de la época prehispánica. Al adherirse a esta tradición, los campesinos reafirman su pasado, construyen un sentido comunitario y presentan una confusión casi impenetrable para los forasteros. En otras palabras, no hacen el esfuerzo de regularizar sus patrones para nombrar a las personas y los lugares con el fin de facilitar las tareas administrativas de las autoridades del gobierno local. La gente parece darse cuenta del efecto que tiene su sistema complejo para los de fuera. En varias ocasiones escuché cuando la gente se reía de cómo los funcionarios de Ixhuatlán persiguieron a la persona equivocada o de cómo habían confundido sus nombres en los documentos. Por supuesto, para un habitante de Amatlán los patrones de nombrar son comprensibles y las referencias a la gente o a los lugares pocas veces se malinterpretan.

Como se puede esperar, los campesinos encuentran que tienen entre sí muchos métodos de afirmar su indianidad en oposición a los mestizos. Les gusta estar sentados en pequeños grupos para intercambiar sus experiencias, y en estas ocasiones los mestizos con frecuencia son caracterizados como agresivos e incompetentes en comparación con los campesinos más respetuosos e informados. Un ejemplo de esta descripción de los mestizos se puede encontrar en la historia del espíritu del maíz presentada anteriormente. Un mestizo vulgar e inconsciente dejó ir los granos de maíz como si fueran desperdicio y fue un indio inteligente quien los rescató y fue premiado con los medios para su sustento. Este tipo de trama o tema sirve para caracterizar a los mestizos y afirmar la rectitud esencial de la cultura india. En el carnaval, durante la celebración del rito de *nanahuatili,* una imagen todavía más clara de los mestizos surge cuando se invierten las normas sociales. Los jóvenes se burlan de la jerarquía social y se visten como hombres y mujeres mestizos, se cubren con máscaras con caras de color rosa y bigotes para imitar a los hombres o se ponen pelucas de cabellos largos para representar a las mestizas. Mientras andan de casa en casa, estos mestizos "teatrales" gritan órdenes, actúan de manera grosera y brusca, hacen ademanes sexuales y, en general, carecen de respeto y dignidad. El mensaje es claro para todos los presentes. Durante esta celebración, el mundo se coloca de cabeza y los mestizos son exhibidos.

Sería peligroso para los indios atacar de manera directa la jerarquía social mexicana o a los mestizos, quienes ocupan las élites de esa jerarquía. Las autoridades consideran alborotadores a los agitadores políticos locales y a muchos los asesinan de inmediato. Como mínimo, pueden ser acosados por la policía o el ejército y, quizá, hasta torturados. Por esta razón, la crítica del sistema se orienta hacia blancos menos peligrosos. Por ejemplo, los aldeanos hacen elaboradas críticas de las ciudades y sus habitantes. En algunas ocasiones, los individuos me divirtieron con historias de terror sobre la vida urbana y después descubrí que nunca habían salido del municipio de Ixhuatlán de Madero. Se podría esperar que esta gente rural tuviera en poca estima los centros urbanos. Sin embargo, muchas de sus observaciones se pueden entender como una crítica general al estilo de vida de los mestizos, que se ha reorientado cuidadosamente de tal forma que hasta los mestizos locales pueden aceptarla. Los aldeanos hablan de lo agresivos y exigentes que son los citadinos, de su manera tan rápida de andar y de cómo empujan a otros en forma grosera. Dicen que a las gentes de las ciudades les falta respeto, que han perdido contacto con la tierra y que carecen de la sensibilidad espiritual que debe tener todo ser humano para con su medio ambiente. Las mujeres de la ciudad son agresivas y estridentes, y los campesinos sospechan que muchas de ellas son prostitutas. La gente roba, abunda la deshonestidad y al ritmo de vida le falta la dignidad y tranquilidad de la aldea. Algunas de estas caracterizaciones reflejan experiencias actuales desagradables, pero sospecho que la mayoría son críticas veladas de los mestizos en general.

A pesar de la baja posición social y de la pobreza relativa, los habitantes de Amatlán en general están orgullosos de ser *masehualmej,* cultivadores de la tierra. De igual manera que la mayoría de la gente, ellos valoran su cultura y les gustaría ver que los indios campesinos prosperan y los valores indios prevalecen (véase este sentimiento expresado en el poema nahua que aparece al principio del presente libro). Un maestro escolar nahua escribió un apoyo elocuente de *masehualchicahualistli,* neologismo nahua que significa "el poder de los indios" (Martínez Hernández, 1982: 92). Los aldeanos no se avergüenzan de declarar su indianidad a través de su vestimenta y otros signos visibles. Un hombre siempre lleva su machete en la funda de cuero; lo define como un agricultor de roza y quema. Calza huaraches ordinarios y pesados, y usa un sombrero de paja que identifica la región y, a veces, hasta la comunidad en donde vive. Las mujeres caminan descalzas al mercado y llevan prendas de colores brillantes que son señales obvias de su estatus indio. Los aldeanos no tienen reparos en hablar en su lengua nativa entre ellos, aun en presencia de los mestizos. Con la posible excepción de la gente que esconde los elementos rituales cuando el sacerdote llega a la comunidad, raras veces encontré indicios de que los indios ocultaran su estatus frente a los forasteros. Lo anterior es consistente con la idea de que existe un elemento de elección en la identidad étnica india. Ser identificado como indio es sólo una buena idea si esta identificación trae ventajas para la persona.

Hasta este punto he descrito varias ventajas de la etnicidad para los nahuas y algunos métodos por los cuales logran este estatus. Una razón por la que se permite o hasta se alienta a los aldeanos a que desarrollen una identidad india distinta es porque las élites mestizas locales ven una ventaja en el proceso para sí mismos. Los rancheros pueden justificar que les pagan menos a los indios por su trabajo debido a las necesidades y diferencias culturales que perciben. Cuando los indios son confinados al terreno ejidal, constituyen una amenaza menor para las propiedades de la mayoría de los rancheros. La invasión de tierras alrededor de Amatlán en general ha ocurrido en áreas remotas de los ranchos que en ese momento no se utilizaban en forma productiva. Los rancheros invadidos siempre fingen oponer una fiera resistencia, pero es bastante raro que una nueva comunidad establecida se desaloje por la fuerza. De hecho, sólo he oído hablar de un incidente local que ocurrió a fines de los años setenta en el cual el ejército quemó la comunidad, mató a tiros a todos los animales y trasladó a la gente por la fuerza. En ocasiones, los rancheros y sus aliados políticos parecen estar dispuestos a abandonar parcelas pequeñas e irrelevantes para calmar una situación potencialmente explosiva. Es también mucho más sencillo dominar a la gente de manera social, política y económica si los dominados presentan marcadas diferencias culturales. En resumen, desde el punto de vista de las élites mestizas, tener a su alrededor indios bien portados también les puede reportar ciertas ventajas.

De esta manera, es irónico que en una situación donde un grupo cultural domina a otro, el desarrollo y mantenimiento de identidades étnicas puedan servir a los intereses de ambos grupos. Aunque el grupo dominado siempre estará en desventaja comparativa, se encuentra mejor que si careciera de una identidad étnica separada. Sin embargo, los miembros de los grupos étnicos dominados no deben sobrepasarse sino permanecer lo suficientemente dóciles y familiares como para no representar una amenaza a los valores básicos del grupo dominante o a su visión del mundo. Si los indios destacan su distintiva herencia histórica y cultural de manera excesiva, se arriesgan a convertirse en chivos expiatorios y en el blanco de violencia por parte del grupo dominante. Por otro lado, al aparentar compartir ciertos elementos culturales fundamentales con los mestizos, los indios se vuelven menos extraños y más dignos de la simpatía y comprensión por parte de las élites. Los indios también deben trabajar para los mestizos durante ciertos periodos del año y deben tener la habilidad de comportarse en situaciones donde los mestizos tienen el mando. Otra vez, aquí los indios se encuentran en una paradoja: deben ser lo suficientemente distintos como para crear una identidad étnica, pero, al mismo tiempo, deben parecer bastante familiares a las élites mestizas para así poder mantener relaciones laborales con ellas.

La necesidad de apartarse de la violencia mestiza y a la vez mantener relaciones amistosas con los mestizos son dos razones por las cuales los indios en ocasiones parecen hacer borrosos los límites entre ellos y la élite mestiza. Los aldeanos han aceptado algunos de los elementos externos de la religión nacional y es notorio que se llamen a sí mismos "católicos", pero al mismo tiempo su religión permanece como la actividad principal que los separa de los mestizos. En una situación en donde las élites locales desconocen lo esencial de la vida india, mantener las apariencias puede ayudar a tranquilizar a los poderosos y a hacerles ver que los campesinos son versiones rurales de ellos mismos, pero sin poder. De esta manera, la identidad étnica india es expresada de manera abierta sólo en áreas tales como el ritual, la música, el vestuario, la lengua y en un comportamiento general dócil y no agresivo, ninguno de los cuales constituye una amenaza a la visión del mundo de los mestizos poderosos. Como lo muestran muchas historias de los aldeanos, los esfuerzos por parte de los indios para organizarse políticamente y participar en un movimiento político radical —en breves palabras, amenazar a las élites mestizas locales— es la manera más segura de provocar una represión violenta.

En resumen, desde los años de la Revolución, cuando nació el México moderno, los indios del sur de la Huasteca han desarrollado un *modus vivendi* para lidiar con las élites mestizas. Muchos indios han sido confinados a los ejidos, aunque un número sustancial logra cultivar tierras sobre las cuales no tiene derechos legales. La mayoría de las ganancias que obtienen se les extrae por medio del ciclo de precios agrícolas, la inflación y los bajos salarios que se les pagan por el trabajo temporal. Las clases adineradas no invierten en la agricultura india y, en consecuencia, la tecnología ha cambiado muy poco desde la época prehispánica. Los indios se han adaptado a su posición en México, al crear y mantener una identidad étnica en oposición a las élites mestizas. La identidad étnica les otorga ciertas ventajas a los aldeanos, que se perderían si se integraran a los estratos más bajos de la jerarquía de los mestizos rurales.

La coherente identidad étnica india se ve amenazada en forma permanente por los cambios en los ámbitos nacional y regional. A pesar de los estereotipos que conservan los habitantes de las ciudades, la cultura india misma está lejos de ser estática. De hecho, conforme más jóvenes van y vienen de la comunidad a la ciudad en busca de trabajo temporal, los campesinos traen consigo nuevas ideas y nuevos artículos materiales que pueden acelerar el cambio. Mientras los horizontes de los aldeanos cambian de manera lenta su visión de las comunidades, los ranchos y los pueblos del sur de la Huasteca, así como de las ciudades de México y del mundo en general, la identidad étnica india se hace cada vez más irrelevante. Para expresarlo de otra manera, las recompensas por ser indio disminuyen mientras uno comienza a competir por empleo en el escenario urbano. De esta manera, los jóvenes están cada vez menos relacionados con la estrategia tradicional de crear y mantener una identidad étnica india, ya que ésta deja de serles útil para mediar en sus interacciones con los mestizos urbanos. Es posible que la identidad no se deseche en un momento decisivo, pero sí que pierda su utilidad de manera gradual.

Al salir de Amatlán en 1973 yo estaba convencido (de acuerdo con Redfield) de que los aldeanos iban a experimentar una pérdida creciente de su identidad étnica india mientras eran devorados por la economía mexicana en desarrollo y las crecientes influencias urbanas. Junto con mi esposa, regresé en visitas cortas durante los siguientes años para renovar viejas amistades y documentar los cambios más visibles en la comunidad. Tal como lo predije, éstos parecían ser graduales y concentrarse en los elementos culturales que se usaban para identificar a los individuos como indios. Muchos hombres jóvenes habían abandonado el vestuario tradicional y adoptado la ropa mestiza. Menos hombres llevaban el tradicional sombrero de paja y más niños habían aprendido español. Después de una ausencia de casi 10 años regresé a Amatlán en 1985 para quedarme un año, esta vez acompañado de Pamela y nuestro hijo, Michael, de tres años. Esperaba presenciar otros cambios en la comunidad y sus habitantes, pero en absoluto estaba preparado para lo que encontramos cuando llegamos.

El nuevo Amatlán

Una tarde de verano en 1985 yo manejaba nuestro automóvil lentamente por una de las veredas que llevan a Amatlán. El calor era sofocante, las negras nubes se acumulaban y la lluvia inminente amenazaba con hacernos retroceder. Un aguacero significaría que no podríamos cruzar los arroyos que se interponían entre nosotros y la comunidad. Todavía más preocupante era la posibilidad de que se formara lodo. Viajar a través de las veredas lodosas es bastante peligroso para el que camina, pero es completamente imposible cruzarlas en vehículo. La lluvia nos habría impedido seguir o regresar y yo sabía del peligro que significaría acampar en el bosque durante la noche. Subimos hasta la cima de una cerro desde donde teníamos una vista panorámica del valle donde se ubica Amatlán. Las veredas habían cambiado un poco desde la última vez que yo había estado allí y no estaba muy seguro de dónde nos encontrábamos. Al mirar el valle vi un poblado desconocido. Las casas estaban construidas en un gran rectángulo, como si estuvieran organizadas en calles. A lo largo del trazo de la calles se distribuían postes que llevaban alambres de electricidad. A lo lejos pude ver el techo de lámina corrugada del edificio de la escuela.

Continuamos lentamente, mientras que la vereda se hizo más empinada y peligrosa. Yo sentía entre excitación y temor mientras seguíamos avanzando. ¿Era esto de verdad Amatlán? ¿Podría alguien recordarme después de tantos años? Me pregunté a mí mismo si alguien a quien yo conocí habría muerto o si alguno de mis compañeros cercanos habría abandonado la comunidad. Más que nada, me preocupaba si nos permitirían quedarnos. Sabía que tendría que esperar una recepción no muy cortés, ya que de acuerdo con las costumbres nahuas seríamos casi ignorados durante varias horas después de nuestra llegada; mientras, ellos harían los preparativos tras bastidores. Luego de cruzar el último arroyo llegamos a la comunidad y nos paramos frente a la primera casa con techo de zacate para preguntar cómo se llamaba el lugar. Un hombre que no reconocí dijo que era Amatlán. Añadió que hacía algunos años los habitantes habían solicitado al gobierno que les instalara la electricidad. Los ingenieros del Estado dijeron a la gente que tendrían que cambiar sus casas de lugar y alinearlas en un trazo reticular para que pudieran distribuir las líneas de manera más eficiente. Mientras él hablaba me pregunté por qué no lo conocía y por qué él no parecía conocerme. Él añadió con reparo que venía de otro lado y que sólo estaba visitando a su tía en Amatlán. Reanudamos nuestro viaje en dirección del edificio escolar mientras mi ansiedad aumentaba.

Cuando salimos del bosque y entramos el claro de la escuela, noté que alrededor de 15 hombres estaban sentados al lado del viejo edificio escolar. Me sorprendió cuando vi que todos, excepto dos de ellos, vestían ropa al estilo mestizo. Nos acercamos, yo bajé del vehículo y me aproximé a los hombres. De acuerdo con la costumbre local, Pamela y Michael se quedaron atrás hasta que yo hiciera el primer contacto. Nadie levantó los ojos o emitió algún sonido mientras me acercaba. Cuando llegué más cerca varios hombres me echaron un vistazo y al mismo tiempo sonrieron de manera abierta. Me sentí bastante aliviado al ver que alguien me había reconocido; me dirigí a ellos por sus nombres y les toqué la punta de los dedos según el saludo tradicional. La investigación basada en la observación participante es una experiencia tan intensa que aun después de una ausencia de muchos años no tuve problemas para recordar al menos parte de los varios nombres de cada persona. Nadie dijo mucho y todos siguieron sentados. Supe que podrían pasar dos o tres horas antes de que reconocieran mi presencia y vinieran a hablarme. Un hombre mandó a un muchacho para que llamara al agente municipal y cuando él llegó procedí con los arreglos para conseguir un lugar donde dormir. Luego de una charla corta con varios hombres, el agente municipal decidió que podríamos quedarnos en uno de los dos cuartos del viejo edificio escolar en ruinas. Después de que finalmente pasara un tiempo apropiado se acercó un grupo de hombres y me dieron la bienvenida con un: "¡Pensábamos que habías muerto!" y añadieron con inquietud: "Cuando llegaste ahorita, temíamos que ustedes fueran *hermanos*".

No tuve idea de lo que querían decir con esta palabra. Yo sabía que tendría que esperar antes de saberlo, ya que una pregunta directa en ese momento se consideraría grosera y yo no obtendría la respuesta que buscaba. Mientras nos adaptábamos a las nuevas condiciones, durante la primera semana casi todos los habitantes de la comunidad vinieron para saludarnos y trajeron frutas o comida preparada. Me dio mucho gusto la recepción calurosa y la manera en que recibieron a nuestro hijo. Me preguntaron dónde habíamos estado y por qué no los habíamos visitado antes. Me pusieron al tanto de los eventos recientes en la comunidad. Sin embargo, todo el tiempo percibí que muchas personas estaban preocupadas y que algo andaba mal. La gente parecía gozar de buena salud, de hecho se veía más próspera que como yo la recordaba, y no había perdido su fino sentido del humor. Me preguntaron qué pensaba acerca del nuevo trazo de la comunidad, de las líneas eléctricas (que estaban en su lugar pero no se conectarían hasta el año siguiente) y el nuevo estilo de ropa que llevaba mucha gente. Por la manera en que me preguntaban estas cosas comencé a sospechar que muchos aldeanos no tenían mucha confianza en los recientes cambios en su vida. Pero el problema era más serio de lo que yo sospechaba.

La primera semana se estropeó por la muerte de dos niños en un lapso de pocos días entre uno y otro. Murieron de tos ferina y nos invitaron a asistir a su entierro. Luego supimos que varios niños habían sucumbido a esta enfermedad durante los tres o cuatro años anteriores. Al escucharlo me quedé muy sorprendido. La tos ferina era una enfermedad mortal entre los niños indios hasta que los equipos médicos patrocinados por el gobierno comenzaron a visitar las comunidades para administrar vacunas gratuitas y prevenir las enfermedades infantiles más comunes. Pregunté si los trabajadores médicos ya no visitaban Amatlán. La gente respondió que sí, pero luego añadieron que los padres de los niños que habían muerto los escondían siempre que llegaba un equipo médico. Fue un gran impacto para mí. Pensé que todos los habitantes de la comunidad conocían el peligro de la tos ferina y recordé cuán agradecidos estaban los aldeanos de poder proteger a sus niños de esta enfermedad espantosa. Los equipos médicos eran bienvenidos y las familias esperaban en fila con ansia, para asegurarse de que cada niño recibiera el tratamiento. Cuando pregunté qué pudo provocar que los padres escondieran a sus hijos, bajaron la voz y murmuraron: *"Hermanos"*.

Nos instalamos y durante los meses siguientes la historia de los "hermanos" se nos reveló lentamente (véase Sandstrom, 1987). Según los aldeanos, en 1983 una pequeña camioneta llegó a Amatlán cargando algún equipo, incluyendo un generador de electricidad con motor de gasolina. De la camioneta bajaron tres estadounidenses y un mexicano, y les pidieron permiso a las autoridades comunitarias para organizar una reunión y exhibir una película. La mayoría de la gente nunca había visto antes una película y aunque algunos estaban recelosos se les concedió el permiso. Esa noche el mexicano se dirigió a la comunidad en náhuatl y les dijo que los huéspedes traían una religión llamada *agua viva*. Les dijo a los aldeanos que su propia religión era un culto del diablo y que la nueva religión protestante traída por los extranjeros los llevaría a la salvación. Distribuyó varios folletos y pasquines, todos escritos en náhuatl, que explicaban los aspectos de la nueva religión. Habló durante largo tiempo y dijo que todos los que quisieran convertirse al protestantismo tendrían que rechazar no sólo "el catolicismo" y todos los rituales tradicionales, sino también el aguardiente y el tabaco. Además, los aldeanos debían destruir todas las imágenes de los santos guardianes en los altares de sus casas y comprar Biblias escritas en náhuatl, que los otros hombres vendían a un precio bastante moderado. Finalmente, los nuevos conversos no dejarían a sus niños participar en ninguna actividad escolar aparte de asistir a las clases y tendrían que renunciar a toda intervención médica. Los visitantes dijeron que los que se convirtieran y tuvieran fe verdadera en la nueva religión nunca se enfermarían otra vez.

Después, los forasteros instalaron una pantalla móvil de cine y conectaron un proyector al generador. Los campesinos tenían poca experiencia con las películas, aunque estaban familiarizados con las fotografías. Entre sus posesiones preciadas, muchos guardaban fotografías en blanco y negro de los miembros de su familia, tomadas por mí durante mis visitas anteriores o por fotógrafos itinerantes que visitan los mercados indios. De esta manera, interpretaban la película como algo similar a un retrato fotográfico, quizá posado, pero fundamentalmente como una representación verdadera de la realidad, más o menos igual de como nosotros vemos las noticias. No se daban completa cuenta de que las películas con frecuencia son construcciones artificiales de acción, escenarios, diseñadores de vestuario y actores que representan un papel y leen un guión.

En la película, los actores hablaban náhuatl y una escena representaba a los indios quemándose en el infierno. Un diablo que se reía con malevolencia vigilaba este espantoso espectáculo. En otras escenas se presentó a Jesús instruyendo a los indios en la nueva religión y salvando a los condenados del tormento infernal. Basado en lo que registré dos años después, la película tuvo un impacto dramático en mucha gente. Cuando terminó la película los misioneros informaron al público que casi todos los estadounidenses son protestantes y que, gracias a su religión, Dios les había premiado con una riqueza muy grande. También dijeron que los indios son pobres porque la religión *del costumbre* viene del diablo. Al final, los hombres les dijeron a los aldeanos que los comunistas pronto llegarían a matarlos a todos y que Dios salvaría sólo a los "hermanos". Esta última afirmación revela, quizá, algunos de los motivos políticos subyacentes de los misioneros.

Más o menos cada semana durante el año siguiente los misioneros regresaron para buscar prosélitos entre los aldeanos. Convirtieron a casi media docena que aceptaron someterse al bautismo de agua en el arroyo. Entre los primeros conversos estaba un grupo de tres hermanos que formaron el núcleo social de la nueva religión. Es interesante notar que las personas que la adoptaron provenían de las familias más pobres de la comunidad. Tres eran alcohólicos, uno un presunto ladrón y otro era conocido como un aprovechado que no cooperaba en los asuntos de la comunidad y se negaba a pagar sus deudas. En resumen, eran aldeanos sin esperanza de alcanzar el éxito dentro del sistema socioeconómico imperante. Estos hombres convencieron a otros miembros de sus familias extensas y poco a poco el número de conversos comenzó a crecer.

Los misioneros elijieron a uno de los primeros conversos para someterlo a un proceso de capacitación en la nueva religión y para nombrarlo pastor de la nueva congregación. Sin embargo, poco tiempo después lo atraparon cometiendo adulterio y la tarea de encabezar el nuevo rebaño recayó en su hermano menor, un alcohólico reformado. Con el apoyo financiero de los misioneros, los conversos pronto construyeron un edificio con techo de zacate para su capilla, cerca de dos veces más grande que una casa. Cada domingo y miércoles por la noche los protestantes convertidos se reunían para cantar himnos en español y náhuatl, y escuchar pasajes de la Biblia en náhuatl. Según los sermones de los misioneros, los miembros de la iglesia y sus familias no contratan servicios de ningún especialista médico, no participan en los rituales tradicionales comunitarios ni permiten a sus hijos que participen en eventos escolares fuera del programa de estudios.

Me dio curiosidad saber quiénes eran estos misioneros y a qué secta del protestantismo evangélico representaban. Los campesinos me dijeron que, según las afirmaciones de los propios extranjeros, venían de Texas y Luisiana. Yo recogí parte de la literatura que distribuyeron y parecía ser fundamentalista, pero no se mencionaba ningún grupo en específico. Un día, en 1986, casi al final de nuestra estancia, llegó un niño para avisarme que los misioneros estaban de nuevo en la comunidad. Esperé en la puerta de la escuela cerca de la cual, yo sabía, tendrían que pasar para llegar a su capilla. Después de media hora, tres hombres altos y delgados, dos adolescentes y uno de poco más de veinte años pasaron con rapidez delante de mí con las cabezas agachadas. Les hablé en inglés y entonces levantaron los ojos y me saludaron agitando las manos, pero cuando comencé a caminar hacia ellos se dieron la vuelta y huyeron. Los seguí y apenas alcancé a ver cuando abordaron una camioneta de doble tracción que estacionaron a uno o dos kilómetros abajo de la vereda. Encendieron el motor y escaparon de manera rápida antes de que pudiera acercarme.

En otra ocasión localicé su camioneta sobre el camino, a unos 25 kilómetros de Amatlán. Les hice señas para que se pararan y se detuvieron; y el conductor bajó su ventana. Les pregunté qué hacían tan lejos de la carretera pavimentada y el joven conductor respondió: "Les traemos algo de Cristo a los indios". Luego les pregunté a qué grupo representaban y no me respondieron. Después les pregunté si eran ellos quienes le decían a la gente en las comunidades que no vacunaran a sus hijos. Su respuesta fue subir la ventana y hacer chirriar las llantas en una rápida escapada. Nunca supe de primera mano a qué organización oficial representaban. Los conversos de la comunidad llaman a su religión *agua viva,* quizá por el ritual del bautismo. Sin embargo, la mayoría de la gente se refiere tanto a los misioneros como a sus seguidores simplemente como "hermanos". Desconozco el origen de este nombre.

Hacia 1986 cerca de 15% de los habitantes de Amatlán se había convertido al protestantismo, lo que constituye una minoría pequeña pero significativa. Al considerar las adaptaciones hechas entre la religión tradicional y el catolicismo, y la importancia de la religión para establecer la identidad étnica india, estaba sorprendido por este cambio. La mayoría de los conversos con los cuales hablé tenían dificultades en leer la Biblia aunque estuviera escrita en náhuatl. La sofisticación de la religión tradicional fue sustituida por ideas a medio entender, escritas en un libro que se originó en una tradición histórica ajena a la de los indios. Se remplazaron los rituales vistosos, donde un simbolismo complejo une a la gente con su medio ambiente físico y social, con reuniones de plegarias en las que se cantan o leen fórmulas bíblicas inconexas e incomprensibles.

La introducción de la nueva religión en Amatlán ha estado acompañada por otros cambios casi generales en la vida aldeana. La mayoría de los hombres había abandonado su vestuario tradicional por el de estilo mestizo. Sin embargo, es interesante que las mujeres todavía fabrican y visten la ropa llena de color asociada con su estatus indio. En el presente se habla mucho más español, en especial entre la gente joven. El náhuatl queda como el idioma de elección, pero la gente ahora tiene más confianza en el uso del español. El patrón urbano reticular remplazó al viejo trazo de la comunidad, basado en parte en las familias patrilineales extensas. Además, ahora más de la mitad de las casas tiene techos de láminas de cartón alquitranado o de láminas de metal bastante caras, lo que constituye un número mucho más grande que antes. Aunque parezca extraño, si bien es congruente por completo con los otros cambios en su vida, la gente ahora llama a su comunidad de casi 600 habitantes *zona urbana*.

Los cambios en el trazado de la comunidad se realizaron a principios de los años ochenta a través de una serie de reuniones comunitarias. Los jefes de familia y las autoridades comunitarias decidieron ubicar sus casas en la tierra demarcada por un recodo amplio del arroyo. El impulso fue la electrificación, pero la gente me dijo que el nuevo arreglo habitacional liberó también tierra valiosa para los cultivos. Un grupo de hombres jóvenes comenzó el proyecto de electrificación bajo la dirección del agente municipal. Estos hombres pertenecen a la nueva generación, que tiene una experiencia más amplia en las ciudades y que habla español con más soltura. El programa de electrificación rural, que se administra a través del Estado, provee los técnicos y más o menos la mitad del dinero para cada proyecto. Así, se necesitó reunir unos 2 000 dólares por parte de los campesinos, cantidad de dinero enorme para ellos. Fueron los jóvenes quienes organizaron la colecta de fondos y encabezaron las negociaciones con los representantes del gobierno. En el último momento los funcionarios del programa gravaron a los campesinos con otros 600 dólares y este nuevo impuesto representó un contratiempo para los jóvenes líderes. Mientras vivíamos en Amatlán en 1985-1986 los campesinos discutían de manera acalorada sobre qué debían hacer con el problema. Por fin, la comunidad consiguió el dinero y la electricidad se conectó a finales de la primavera de 1986.

Los aldeanos decidieron repartir un solar de 30 por 50 metros a cada familia. Esta repartición proporcionaba suficiente espacio para una casa, un huerto y varios árboles frutales. Topógrafos profesionales del programa de electrificación trazaron la nueva comunidad. Se abrieron "calles" anchas, desde el bosque hasta los terrenos familiares, y una calle principal más ancha de norte a sur entre la parte propia de la comunidad y el complejo escolar (véase el mapa 7.1). Según los informantes, los solares se distribuyeron mediante una rifa. Me dio curiosidad saber hasta qué punto el cambio en el patrón de asentamiento influyó sobre la estructura tradicional familiar, pues se podría suponer que se rompieron los conjuntos residenciales patrilineales. Descubrí que mediante el intercambio de solares entre amistades, muchos grupos de hermanos lograron construir sus casas cerca. Ya que la comunidad consolidada de todas formas es más compacta, descubrí que estos cambios en su nuevo trazado no tuvieron efectos tan marcados para la familia nahua (el mapa 4.2 presenta los lazos masculinos y femeninos entre las unidades familiares en la nueva comunidad).

El análisis del mapa 7.1 revela los cambios adicionales en la comunidad. Ahora más familias tienen cocinas y dormitorios separados. En años anteriores una cocina separada era una etapa en el ciclo de construcción. Sin embargo, ahora la gente construye cada vez más estructuras con una función única. Este cambio parece tener como modelo la práctica mestiza. Varias unidades familiares y el complejo escolar tienen letrinas. En algunos casos la gente hasta pintó con cal la palabra *baño* en la parte exterior de la puerta. Por lo que pude observar, pocas personas usaban estas letrinas, pero son un símbolo del compromiso con la modernización por parte de los jóvenes. Mientras residimos ahí los constructores gubernamentales terminaron una nueva escuela preescolar de un solo cuarto. Esta expansión representa la continuación de los esfuerzos de la comunidad para aumentar la educación de sus hijos en el mundo mestizo. Bajo la dirección de un maestro escolar, varios aldeanos excavaron un pozo con la esperanza de asegurar una reserva conveniente de agua en la época de sequía. Excavaron casi 7.5 metros hasta que encontraron roca sólida. El pozo se seca en los meses de invierno y, por ende, lo que prometía no se cumplió, aunque los campesinos pueden utilizarlo cuando regresa el agua en la época de lluvias. Noté también que en la nueva comunidad hay muchos hornos de piedra y lodo para cocer pan. Las unidades familiares los construyeron para que las mujeres tuvieran una oportunidad de vender pan y ganar un poco de dinero extra.

El cambio en el vestuario también lo impulsó el grupo de jóvenes que había trabajado en las ciudades. Los hombres mayores me dijeron que sus hijos y sobrinos los convencieron de que la ropa tradicional estaba pasada de moda y los marcaba como opuestos al desarrollo. Ya que deseaban cooperar con la nueva generación de líderes de la comunidad, casi 80% de los hombres adultos usa ahora ropas estilo mestizo. Este consentimiento en cambiar el vestido quizá indica la descomposición de las relaciones tradicionales entre indios y mestizos, ya que antes los campesinos veían un beneficio al proclamar su identidad étnica. Otros cambios pequeños pero notorios también han sido traídos del mundo urbano. El saludo tradicional nahua,

Mapa 7.1
"Zona urbana" de Amatlán, en 1986, que presenta la ubicación de las casas y otras estructuras

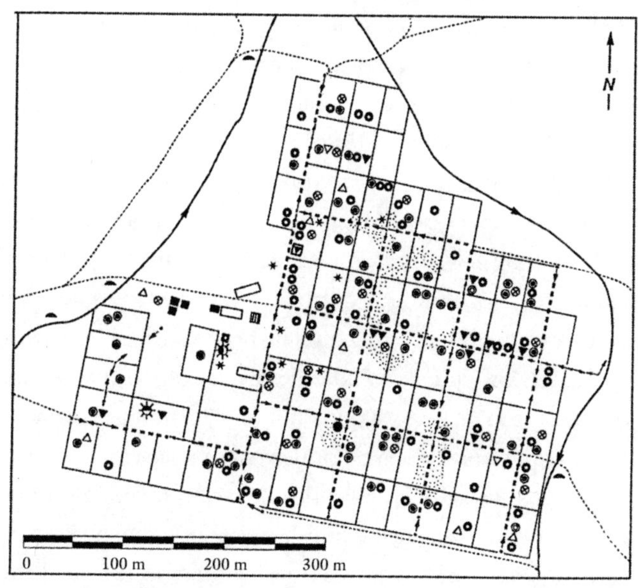

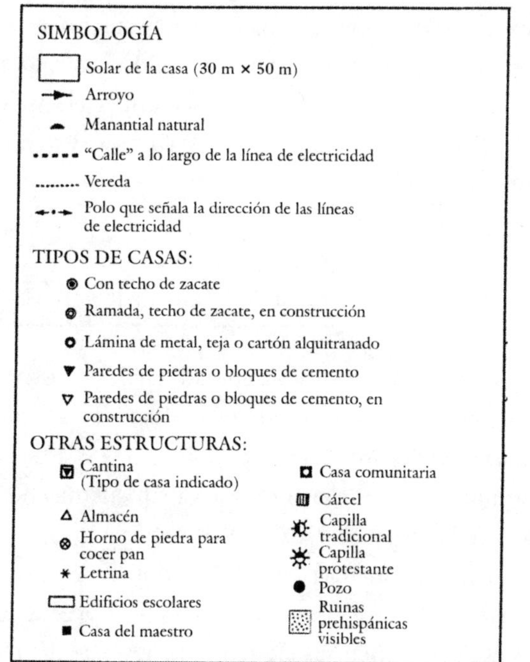

un toque delicado de las puntas de los dedos, ha sido remplazado por un apretón de manos, después del cual los hombres enganchan sus pulgares y repiten el apretón. Esta práctica está mucho más en boga entre los habitantes de las ciudades. Los jóvenes y muchachos ahora usan un traje de baño al bañarse en el arroyo. Antes, los muchachos de entre seis y 13 años se pasaban todo el día cerca del agua jugando o pescando desnudos. Durante 1985 y 1986 vi a niños que llevaban trajes de baño y lentes acuáticos de plástico, por lo visto imitando a sus homólogos mestizos.

Estos cambios, con la excepción de la conversión de los hermanos y el concomitante rechazo de la religión *del costumbre*, están todos dentro del potencial dinámico de la cultura nahua. Todas las culturas cambian y es razonable que los indios sean influidos por las élites urbanas mestizas que, de hecho, son los elementos más poderosos de la sociedad. Uno puede saludar de mano como un citadino, tener una letrina, llevar traje de baño en el arroyo y tener una bombilla en casa y todavía ser indio. Ser indio no implica un estado de riqueza ni se relaciona con una tecnología específica, un estilo de vestuario, un nivel de educación formal ni con la habilidad de hablar español. Para ser indio no se requiere que una persona sea *atrasada,* no importa cómo se defina este término. Es más una cuestión de identidad étnica y, como he intentado demostrar, la etnicidad es una de las estrategias a través de las cuales los individuos sobreviven y prosperan en las sociedades jerárquicas. No obstante, el patrón y la orientación de los cambios que presenciamos en Amatlán indican que ocurre algo más profundo que un simple préstamo cultural. Los procesos desatados amenazan el núcleo mismo del ser indio.

La crisis de la identidad india

Poco después de nuestra llegada a la comunidad, en 1985, ocurrió un accidente que provocó mis sospechas de que no todo iba bien. Temprano una tarde tres ancianos de la comunidad llegaron a nuestra residencia en la escuela en una visita formal. Vestían de manera muy elegante y llevaban sus machetes y sombreros, señales seguras de que la visita era oficial. Nos preguntaron si teníamos todo lo que requeríamos y mantuvieron una conversación durante cerca de dos horas antes de ir al grano. Querían saber si yo iba a escribir un libro acerca de Amatlán como lo había hecho antes. Asumí que se referían a mi tesis de doctorado, que había mandado a la comunidad después de mi primer y prolongado trabajo de campo en 1972-1973. Les dije que estaba registrando información acerca de las costumbres de la comunidad y esperaba publicarla para que otros pudieran aprender acerca de la vida en Amatlán. Ellos ya sabían eso y esperé hasta que revelaran el propósito verdadero de su visita. De nuevo les mostré mis apuntes, mapas y genealogías, junto con algunas fotografías que había sacado antes. Oscureció y cuando encendí una vela uno de los ancianos anunció que ahora entendían lo que yo hacía en la comunidad. Me dijeron que les gustaría que yo apuntara las costumbres para que los niños en el futuro supieran cómo era la vida antes. Los jóvenes, dijeron, ya no se interesan en los antiguos modos de vida. Esa noche habían llegado para ofrecer su ayuda y autoridad en mi proyecto de documentar la vida de la comunidad. Por supuesto, me alegré y acepté su oferta. Sin embargo, también me di cuenta del grado de su preocupación pues los cambios recientes se habían salido fuera de control y de que los aldeanos podían perder más de lo que podían ganar en el proceso. Mi impresión era distinta: que había surgido una crisis o que se había llegado a una coyuntura decisiva.

En un esfuerzo por descubrir lo que estaba pasado en la comunidad, conduje entrevistas estructuradas con varias docenas de hombres y mujeres. Pedí a cada persona que me dijera lo que había cambiado desde mi última estancia, que trazara cuándo empezaron estos cambios y que juzgara si estos habían sido benéficos o perjudiciales. La mayoría de la gente tenía una idea muy clara de lo que estaba pasando, y deseaban hablar de ello y darme sus opiniones. En general los nahuas evitan las afirmaciones negativas acerca de los acontecimientos y no les gusta criticar o echar la culpa a otros aldeanos. No sólo consideran esto grosero sino que no quieren provocar la venganza por parte de los grupos ofendidos o de los espíritus del viento. Por esta razón, no hay duda alguna: la situación que me presentaron era, generalmente, positiva, pero es interesante que la mayoría de la gente haya expresado también su preocupación acerca del futuro. Los aldeanos estaban de acuerdo en que las pruebas del "progreso" observadas por ellos eran buenas y que Amatlán debía seguir desarrollándose. No obstante, se quejaron de muchas cosas; por ejemplo, de que la nueva ropa hecha de poliéster es incómoda y de mala calidad, y de que los techos de lámina de cartón alquitranado o de metal calientan demasiado las casas. Mucha gente lamentó que en el presente pocos jóvenes conocieran los mitos antiguos y los chamanes se preocupaban en especial de que los rituales antiguos algún día ya no se celebrarían.

La mayoría de los campesinos estaba de acuerdo en que muchos de los cambios se podían remontar a unos pocos meses antes del fin de 1982 y a finales de la primavera de 1983. Durante este periodo ocurrieron tres eventos importantes. Primero, el gobierno federal aprobó un incremento per cápita, en la asignación de tierra de cinco a siete hectáreas por cada unidad familiar. Los aldeanos lucharon por esta ampliación durante años antes de su aprobación final. El aumento de terreno significó una mejora en los ingresos de la familia media, en 1983. Muchos aldeanos ya habían cultivado parte de esta área desde el momento de reclamarla como suya, pero fue sólo hasta después de la aprobación oficial que pudieron aprovecharse de ella por completo. El segundo motivo del cambio fue la caída general de la economía nacional mexicana en 1982 (véase el capítulo 1). Los rancheros, perjudicados más por la depresión que los pequeños agricultores, podían ofrecerles pocos empleos temporales a los indios. De golpe, con más tierra para cultivar y más ingresos potenciales, se rompieron las viejas relaciones simbióticas entre el aldeano indio y el mestizo ranchero. Al mismo tiempo, la primera generación de alumnos que hablaba bien el español descubrió mejores oportunidades de trabajo temporal en las ciudades. Durante este periodo surgió un tercer factor de cambio, cuando llegaron los misioneros protestantes para aprovecharse de la inestabilidad regional por la crisis económica.

Paradójicamente, la situación económica de Amatlán parece haber mejorado con la caída de la economía nacional mexicana. Ya que la comunidad representa sólo una parte marginal de la economía nacional, de alguna manera se protegió del colapso que ocurrió en el sector industrial y agropecuario. El aumento de tierras ayudó a los que tenían derechos ejidatarios completos a incrementar su producción. También es importante que el grupo de *vecinos,* que no eran miembros con derechos completos del ejido, abandonó Amatlán para consolidar sus esfuerzos y formar una nueva comunidad en el terreno de un rancho vecino. De esta manera, en la comunidad había 77 personas menos, que se mantenían en una base territorial más grande en 1986 en comparación con 1972. Estos factores, que disminuyeron la presión sobre la tierra, combinados con salarios más altos ganados por los jóvenes que viajaban a las ciudades, causaron un pequeño *boom* en la economía de Amatlán. Los nuevos ingresos se usaron para comprar material para los techos, molinos para nixtamal, trapiches y varios otros artículos que en el presente son muy visibles en toda la comunidad. Este aumento en el grado de riqueza sólo aceleró la compra de artículos del sector mestizo, pero no causó cambios fundamentales en la forma de relacionarse con la sociedad mayor ni en la identidad étnica de los indios.

Por lo que dicen todos, fueron los hombres jóvenes que regresaban de sus trabajos temporales en las ciudades los que proveyeron el mayor y más consciente estímulo de cambio. Lo más importante no fueron las nuevas ideas que trajeron ni el dinero que ganaron. Más decisivo fue el hecho de que gracias a su decisión de abandonar la región y buscar trabajo en las ciudades cambiaron la relación entre la comunidad y la élite mestiza regional. Ser indio en la ciudad es un lastre que contribuye a socavar la motivación para crear y mantener la identidad. Como hemos visto, mientras los campesinos se vieron forzados a buscar trabajo sólo en los ranchos locales, ser indio tenía sus ventajas. Estas ventajas desaparecen en el medio ambiente urbano. El trabajo urbano requiere de habilidades lingüísticas, entre otras, para funcionar de manera exitosa en el mundo mestizo.

Cuando los jóvenes regresaron a Amatlán animaron a sus mayores para que rechazaran la ropa y otras costumbres que los marcaban como indios. Se organizaron, trajeron la electricidad y reorganizaron la comunidad para crear una imagen urbanizada. Excavaron un pozo, construyeron letrinas y solicitaron la construcción de la escuela preescolar y, de manera sutil, desanimaron a los niños a bañarse desnudos. Sus sugerencias y esfuerzos no se dirigieron a destruir en forma descarada la identidad india sino más bien a nublar y hacer borrosa la línea divisoria entre ellos y los mestizos. Pero, de hecho, ya que los grupos étnicos se mantienen en gran parte dentro de sus límites, también debilitaron sin saberlo los medios simbólicos por los cuales los indios establecían su identidad distintiva (véase Dehouve, 1974, para un estudio acerca de los cambios políticos y económicos en una comunidad nahua del estado de Guerrero).

Oscurecer los límites entre indios y mestizos representa muy poca amenaza a la solidaridad del grupo subordinado mientras no haya acceso a identidades alternas. Sin embargo, en 1982 surgió una identidad alterna, traída por los misioneros estadounidenses. En general, las personas atraídas a la nueva religión eran marginados dentro de la comunidad, aquéllas que se beneficiaban en menor grado de su estatus indio. Esto es, los conversos fueron los aldeanos más pobres, los que tenían menos que perder. En contraste, para 1986 ninguno de los miembros de las familias ganaderas más ricas se había convertido. De pronto se abrió una nueva opción para los pobres de la comunidad, una que estaba completamente fuera de las elecciones accesibles en el sistema tradicional. Ya no tenían que ser o indios o mestizos rurales. En ese momento tenían la posibilidad de ser "hermanos". Y, lo mejor de todo, los misioneros les prometieron que Dios los premiaría con riquezas, salud y vida eterna a cambio de casi nada más que aceptar la fe apropiada (aunque ajena). La nueva religión prohibía tomar alcohol; los alcohólicos se beneficiaron de manera directa y sus familias, quizá, también alcanzaron nueva prosperidad. De repente, los más pobres y marginales recibieron una nueva oportunidad en la vida, con la promesa de que serían quienes dirigirían a los otros en el nuevo milenio. El nuevo estatus se logra, casi como por arte de magia, con unas pocas gotas de agua y el rechazo explícito de la religión nahua. En esencia, los conversos se han transformado en un tercer grupo que le debe poco a su herencia india o a las élites mestizas (véase Sexton, 1978, para un proceso similar de modernización y conversión al protestantismo en Guatemala; véase, también, Warren, 1989 [1978], para un análisis interpretativo del papel de Acción Católica pro ortodoxa en el cambio de la etnicidad de un pueblo cakchiquel maya en Guatemala).

Cuando regresamos a Amatlán en 1985 me sorprendieron los cambios visibles que experimentaba la comunidad. También me asombró saber que, a pesar de estos cambios, el núcleo cultural de la sociedad nahua permanecía intacto. Los grupos de parentesco permanecían fuertes, aunque una cantidad más grande de personas había abandonado la comunidad en forma más o menos permanente. Los rituales tradicionales, a los cuales seguían asistiendo todos excepto los conversos protestantes, se continuaban celebrando. Las actividades productivas cambiaron poco, excepto que ahora se complementaban con el ingreso de los mejores salarios urbanos. Pero aun entre los "hermanos", los grupos de parentesco, la producción agrícola y el modo de vida no habían cambiado de manera dramática. Mientras los "hermanos" permanezcan como minoría no podrán reorganizar la vida comunitaria. Sin embargo, representan una tendencia perturbadora que preocupa a muchos aldeanos.

Ser indio con una visión coherente del mundo, un conjunto de valores y una identidad distintiva es algo que no se ve amenazado de manera seria por la riqueza, la pobreza, la educación, el atraso tecnológico, la electricidad o la televisión. No obstante, todo esto sí se puede transformar en un peligro serio cuando crece el número de pobladores que no ven la ventaja de trabajar para crear y mantener su identidad. Ninguno de los cambios en la comunidad, que enumeré en el periodo 1985-1986, se derivaba de forma directa de la herencia cultural india ni eran métodos novedosos de crear y representar la identidad nahua. No había ningún ritual nuevo, ni mito o emblemas de la indianidad que yo haya visto o que los habitantes reconocieran. De hecho, había disminuido el número de símbolos usados para distinguir a los indios (tales como el vestuario). El temor expresado por los habitantes y en particular por los ancianos es que ser indio, ser *masehualmej,* ya no va a constituir un valor para nadie y que las circunstancias que han permitido la persistencia y viabilidad de su cultura están siendo erradicadas por los hombres que han adoptado los rasgos mestizos para poder encontrar trabajo temporal en la ciudad y por los aldeanos que han renunciado a *el costumbre* en favor del protestantismo.

Por su parte, los "hermanos" están involucrados en crear una identidad separada para sí mismos. Forman un tipo de enclave en la comunidad y participan lo mínimo en los asuntos de la misma: dan dinero para las cooperaciones y cumplen con la faena semanal. La mayoría de estos hombres adoptó la ropa mestiza pero, por razones que no pude determinar, parecen limitarse al trabajo asalariado con los rancheros locales. No tengo información de cuánto efecto tiene su nueva identidad sobre los rancheros ni si estos al menos distinguen a los "hermanos" de los otros campesinos. Tal vez porque son los miembros más pobres de la comunidad los "hermanos" no viajan a las ciudades tanto como los otros. Sin embargo, viajan con frecuencia a otras comunidades de la región para asistir a los oficios protestantes y, a su vez, muchas personas caminan a Amatlán desde largas distancias para asistir a los servicios religiosos. Mantienen contacto con los misioneros estadounidenses y mexicanos, y de manera periódica los invitan a la comunidad para celebrar bautismos. En general, los "hermanos" son un grupo activo que celebra fiestas frecuentes y asambleas en su iglesia, aparte de sus dos reuniones semanales para rezar.

En buena medida, los "hermanos" han creado una identidad distinta dentro de Amatlán, casi de igual manera que los aldeanos construyeron una identidad para sí mismos en oposición a los mestizos. Los "hermanos" han construido para sí vidas separadas, basadas en su participación en creencias y prácticas religiosas ajenas. Manifiestan un sentido cooperativo aparente, pero su identidad se crea y se mantiene en gran parte en contraste con la de la mayoría dominante. De igual manera que la identidad india se puede entender como una reacción debida a su bajo estatus y posición económica pobre en relación con la mayoría dominante, la creación de la identidad de los "hermanos" se puede interpretar como una reacción frente a los aldeanos más exitosos. Es esta situación paradójica, más que las prédicas de los misioneros estadounidenses, lo que explica por qué los "hermanos" rechazaron las vacunas gratuitas ofrecidas por el gobierno mexicano. Al permitir que sus niños fueran vacunados, los "hermanos" estarían recibiendo un beneficio tradicional que deriva de ser indio. Aceptar el tratamiento médico sería aceptar de manera tácita ser definidos como indios. En forma simultánea, al rechazar las vacunas, los "hermanos" rechazan la identidad india, demuestran su nueva identidad y hacen alarde de su nueva fe que, en todo caso, enseña que las vacunas han caído en desuso.

Mis propias relaciones con los "hermanos" fueron problemáticas. Me asociaban con los rituales tradicionales en los cuales participaba de manera regular, y con el modo de vida existente cuando llegué por primera vez a principios de los años setenta. La mayoría de mis amigos estaba entre "los católicos" y, por consiguiente, muy pronto me catalogaron como "no hermano". Para mí era una situación difícil ya que, según esta definición, no era posible ningún compromiso y me vi forzado a tomar partido. Intenté mantener relaciones amistosas con los "hermanos" e incluso me invitaron a sus fiestas religiosas y eventos sociales. Sin embargo, como continuaba interactuando con otros aldeanos y aceptando invitaciones a los rituales tradicionales, era claro que yo no era su aliado. Algunos hombres intentaron convertirme de manera desganada y, como no lo lograron, mis relaciones con la comunidad de "hermanos" se enfriaron. Me alejé aún más de ellos cuando respondí a las preguntas que me hicieron los aldeanos "no hermanos". En todos los casos, hice todo lo posible para decir la verdad y presentar un retrato exacto de la realidad como yo la veía. En respuesta a sus preguntas, les dije que los personajes en la película eran actores y las escenas del infierno y del cielo eran escenarios creados por los productores de la película. Además, negué de manera enfática que todos o al menos un número significativo de estadounidenses fueran "hermanos" y que los comunistas vinieran a matar a toda la gente que se negara a convertirse. En resumen, abandoné mi papel científico de observador olímpico y me transformé en un participante en las polémicas dentro de la comunidad. Continué hablando con los "hermanos", pero ya no pude contar con ellos para obtener información veraz.

En otra ocasión sacrifiqué mi objetividad científica hacia fines de 1986. Después de pasar algunos meses intentando evaluar la situación en Amatlán, visité al dirigente de la comunidad local de "hermanos". Él era un muchacho cuando por primera vez llegué a la comunidad y, por lo tanto, lo conocía un poco. Era amable pero precavido y hablamos juntos toda una tarde. Hice todo lo posible para convencerlo de que la Biblia no prohíbe las vacunas ni le impide a una persona buscar cuidado médico. Hablaba como un predicador evangelista de televisión mientras intentaba citar pasajes medio recordados de la Biblia y homilías tales como: "Dios ayuda a los que se ayudan a sí mismos". Le pedí que me mostrara los pasajes en donde la Biblia prohibía la atención médica (él no pudo) y le pregunté por qué los hijos de los "hermanos" estaban muriendo (él respondió que era obvio que carecían de suficiente fe). Contraataqué con la pregunta de cómo un niño de tres años podría tener o carecer de tanta fe. Intenté convencerlo de que recibir una vacuna no debilita la fe ni se contrapone con ser un "hermano" sincero. Él escuchó y vino a verme después de unas semanas para continuar la conversación. Al final me dijo que discutiría la cuestión con los misioneros y que volvería a pensar en el asunto. Sin embargo, como hemos visto, el problema es complejo y rebasa una sola cuestión teológica. El rechazo del cuidado médico se ha transformado también en un aspecto importante de la identidad social de los "hermanos". Nosotros abandonamos Amatlán antes de la siguiente visita del equipo médico y, por lo mismo, no sé si mis esfuerzos cambiaron su política acerca de las vacunas infantiles o si lo anterior sólo sirvió para apartarme más de la comunidad de los "hermanos".

La identidad de las mujeres en Amatlán

Durante mi primer trabajo de campo en la comunidad, a principios de los años setenta, prácticamente no fue posible que yo compilara información acerca de la vida de las mujeres. Ya que yo era soltero, las mujeres solteras no se sentían cómodas al hablar conmigo y las casadas siempre me encauzaban con sus esposos. Nunca fueron groseras, pero me explicaban con claridad que yo debía hablar con personas del sexo masculino y no con ellas. Las mujeres preferían delegar en un hijo —o hasta en un hermano de 10 años si no había un hombre mayor— la responsabilidad para hablar conmigo. Ya en 1985-1986 cuando fui con mi familia, las mujeres eran mucho más abiertas en sus interacciones conmigo. Aun así no podía persuadirlas de que consideraran con seriedad mis preguntas acerca de los cambios en la comunidad. Se reían cuando les preguntaba algo o respondían de manera evasiva;

“¡¿Quién sabe?!”, encogiendo los hombros. Incluso mi esposa tenía dificultades para persuadirlas de que opinaran acerca de los cambios en la comunidad, a pesar de su excelente relación con varias mujeres.

La posición de las mujeres en la sociedad de Amatlán difiere de manera considerable de la de los hombres. Hombres y mujeres funcionan en muchas maneras, en mundos diferentes que coinciden sólo en un grado mínimo. Los hombres representan a la familia frente al mundo externo y, por lo tanto, los cambios en la identidad étnica, las afiliaciones religiosas o la posición económica se efectúan en general a través de ellos. Es casi como si el estatus de ser mujer dominara todas sus otras identidades. De esta manera, la mayoría abrumadora de mujeres lleva todavía su ropa tradicional. Aun las mujeres que son miembros de los “hermanos” no se distinguen de manera clara en este aspecto de las otras mujeres. La mayoría de las mujeres que asumen la identidad mestiza en mayor grado, por ejemplo al usar un vestido fabricado de una sola pieza, indican con ello que están a punto de abandonar la comunidad y buscar trabajo en la ciudad o que recién regresaron de allá. Ésta es la opción tomada usualmente por las mujeres jóvenes que han perdido a sus esposos y no tienen acceso a la tierra.

El estatus de las mujeres en Amatlán es difícil de evaluar sin recoger mejores datos de ellas. Aunque no tienen acceso a los recursos sociales, económicos y políticos accesibles para los hombres, yo diría que están lejos de sentirse oprimidas. Existen en una esfera diferente de la de los hombres y tienen claros sus propios derechos. En contraste, el estatus de la mujer en la sociedad mestiza en muchos casos parece ser mucho más bajo en relación con el de los hombres. El muy discutido fenómeno del machismo es evidente entre los mestizos rurales del sur de la Huasteca, pero nunca he visto algo parecido en las comunidades indias. Se espera que un hombre nahua esté al mando, pero si se jactara, se volviera agresivo o abusara de su mujer, los otros hombres lo verían como tonto y semejante a los mestizos. Los hombres indios son bastante reservados y puritanos y, por ejemplo, nunca harían gestos sexuales abiertos hacia una mujer. En resumen, quizá las mujeres de Amatlán quieran conservar su identidad sexual en el contexto indio en vez de ser identificadas como mestizas y tener que enfrentarse con la pérdida de posición en relación con los hombres. Al conservar tanto los papeles como el vestuario tradicionales, enfatizan su identidad de género por encima de otras identidades potenciales (véase Taggart,

1979, para un análisis de cómo los hombres nahuas ven a las mujeres, tal cual se expresa en las narraciones orales).

Algunas opiniones de los aldeanos acerca del cambio

Aquí se exponen fragmentos de entrevistas que conduje con algunos de los aldeanos en 1986. Pedí a la gente que expresara sus opiniones acerca de los cambios ocurridos en los últimos años y les pregunté qué les gustaría que sucediera en el futuro.

Etnógrafo: ¿Por qué los más jóvenes van a las ciudades a trabajar?

Alfonso (un hombre de edad mayor): [En los ranchos ganaderos] pagan 500 pesos por día (más o menos un dólar), lo cual es muy poco. No alcanza para nada. Esto perjudica a los jóvenes. Y sólo después de una gran lucha los rancheros aceptaron pagar 500 pesos. Si quieres comprar, por ejemplo, un jabón, eso no alcanza para nada. Con 500 pesos no te puedes alimentar.

Etnógrafo: ¿Qué quiere la gente de aquí?

Alfonso: No tengo hijos [pequeños], pero las parcelas de tierra se empiezan a agotar. Se secan y la tierra se cansa, y el maíz no crece muy bien en la milpa. Quiero que la comunidad solicite una ampliación de tierras, aunque tuviéramos que pagar la mitad. Lo que hace falta en esta comunidad es cooperación. Necesitamos más gente que ponga de su parte para sacar el trabajo adelante. Lo que hace falta es una persona que nos oriente, que nos guíe.

Necesitamos un líder electo que nos enseñe un camino derecho a seguir, que nos diga a cada uno cómo se debe vivir en la comunidad. Uno que nos oriente para trabajar bien y se asegure que la gente no se enoje. Él convencerá a todos para que tengamos una comunidad bonita y Dios estará contento con la comunidad...

Quisiera que la gente sembrara caña de azúcar. La tierra que trabajamos está agotada. El lugar donde sembramos nuestro amado maíz, nuestro amado frijol, nuestro amado chile está acabado. Toda la humedad se fue. Parece que la tierra está triste y no quiere producir nada. La caña de azúcar se puede cultivar en una pequeña área y vale buen dinero.

Etnógrafo: ¿Alguien ha intentado cultivar caña de azúcar a gran escala?

Alfonso: Sí; hace algún tiempo varios de nosotros sembramos parcelas de caña de azúcar. Había bastantes en la comunidad. Pero cuando bajó el precio la gente perdió dinero y ya no quiso cultivar caña. Ahora otra vez ha subido y es un precio alto. Algunas gentes han comenzado a cultivarla otra vez.

Etnógrafo: ¿Y qué les parece la ganadería?

Patricio (un hombre joven): Sí, pero aquí las parcelas son demasiado pequeñas. No hay bastante tierra para nosotros, incluso para comer. Son siete hectáreas. Por lo tanto, eso no es suficiente. Lo que debemos hacer es solicitar al gobierno que promueva algo como la caña de azúcar. Las plantaciones de café no tienen posibilidades aquí porque no hay montañas.

Etnógrafo: ¿No sería mejor el ganado?

Patricio: Pero no hay lugar en que pueda pastar.

Etnógrafo: ¿No están ustedes solicitando más tierra?

Patricio: Sí. Para mantener el ganado tendríamos que quitarles tierra a los rancheros. Un animal necesita agua y aquí en las laderas no hay ninguna. Cualquier animal necesita agua, hasta los puerquitos buscan el agua. Algunas de las parcelas que constituyen Amatlán tienen agua. La tierra se distribuyó por una rifa y a mí me tocó una que no tiene agua. Ahora no podemos instalarnos en cualquier lugar; uno tiene que instalarse en su propia parcela. Hemos solicitado una parcela con agua. Quiero una parcela en la que se pueda criar ganado. Pero entonces, ¿dónde lo alimentaré? La tierra por aquí se agotó y por eso quiero más tierra para la comunidad, para que podamos tener más vida. Quisiéramos obtener [un rancho vecino privado] pero ése es bueno sólo para la caña de azúcar.

Etnógrafo: ¿Se puede obtener más tierra para la comunidad?

Atilano (un hombre joven): La tierra es para nosotros ahora y para nuestros hijos en el futuro. Uno debe tener cuidado de cómo anda. No se puede andar vagando y haciendo enojar a los ricos ya que los ricos se ayudan entre sí. Los *masehualmej* igual se ayudan entre sí, pero un *masehuali* solo no debe errar por cualquier parte porque lo matarán. No se debe provocar un pleito con los ricos sino que se tiene que solicitar la tierra legalmente, de acuerdo con la ley.

Etnógrafo: ¿Qué quieres que suceda en el futuro?

Patricio: Que la comunidad se despierte. Vamos a empezar con la electricidad y después se solicitará al gobierno más tierra para cultivar caña de azúcar. Esto será un medio para despertar a la gente. Después la gente va a poder guardar sus cosas en el refrigerador. Pueden obtener éste y otros beneficios. Para empezar, por ejemplo, *hielitos* (una especie de paletas caseras), cubitos de hielo, tractores y máquinas. Esto es lo que la caña de azúcar puede hacer por nosotros, ya que vale más. La gente de aquí no tiene conciencia. Hay algunos, pero son pocos. Me gustaría que fuera como en Pánuco [al norte de la Huasteca] donde producen el azúcar.

Etnógrafo: ¿Pero es cierto que la gente aquí está desunida, que hay enemigos y sectas religiosas?

Enrique (un "hermano"): Eso no será un problema, se puede resolver de alguna manera, como con faenas extra. Hay que dejar que las autoridades de la comunidad lleven a cabo los planes. Las autoridades pueden decir: "Establezcan sus campos de caña, establezcan sus campos de caña". Y eso se hará porque no andamos presionándolos.

Etnógrafo: ¿Y qué les parece la caña de azúcar?

Felipe (un hombre joven): Un señor [de una comunidad vecina] fue a Xalapa [la capital del estado] y preguntó sobre el cultivo de la caña de azúcar. Le dijeron: "el azúcar es lo más valioso —la caña de azúcar—". Me dijo que pensaban construir un ingenio de azúcar en [una comunidad cercana por el camino]. Él dice que la caña produce dinero, no habrá necesidad de hacer su propia azúcar con el trapiche. Eso es lo que me dijo el señor y él es un miembro del comité del gobierno federal.

Etnógrafo: ¿Qué les gustaría ver en el futuro?

Antonio (un hombre de edad mediana): Quiero que reparen el puente sobre el río Vinazco en Oxitempa [un puente largo de cemento se construyó sobre el río para permitir el paso a Ixhuatlán, pero se lo llevó una tormenta pocos meses después de su construcción.] Quiero arreglarlo, me gustaría poner la demanda en Xalapa. Eso es lo que nos gustaría. La gente pide muchas cosas, pero no sabe qué es lo que pide.

Etnógrafo: ¿Cómo transportarían la caña de azúcar hasta el ingenio si no hay carretera?

Octavio (un hombre mayor): Bueno, es una cuestión de interés para el gobierno. Lo que yo entiendo es que, si sembramos caña de azúcar, habrá un banco o una cooperativa gubernamental que se verá obligada a transportar la caña en camión hasta el ingenio. Pueden echar grava sobre la vereda [y transformarlo en camino].

Etnógrafo: ¿Qué comerán durante el tiempo en que madure la caña?

Sergio (un hombre de edad mediana): Bueno, uno no hace todo a la vez. Va poco a poco. Sembrar para cosechar algo cada año. Uno debe también sembrar maíz siempre.

Etnógrafo: ¿Qué pasa con las costumbres?

Aurelio (un chamán): Las costumbres viejas nunca las olvidaremos. Recibimos comunicación de Dios *[toteotsij]*, el antiguo, a través de sus hijos aquí en la tierra. Los *masehualmej* son brotes sobre la tierra, aunque algunos no la respeten. Algunos dicen que no creen en eso. Todo en nuestra vida es un regalo y una costumbre es una ofrenda a cambio de un favor. Por mi parte, quiero que mi comunidad esté en buenas condiciones. Gastaré mi dinero en *el costumbre* porque todos siempre se benefician de esta manera.

Dios *[toteotsij]* mismo a veces quiere un guajolote o un pollo para que pueda comer como rico. Estoy contento de poder ir y darle estos regalos porque entonces todos comerán el año siguiente. Soy feliz ya que sé de dónde viene mi alimento y mi vida. Quiero decirle al Dios que la gente se baña [se bautiza] con los evangelistas. ¡Cuando llegue la hora de pagar, que paguen, ja!

Algunos ofenden *el costumbre* y dicen que es verdadera, que son puros cuentos. Dicen que los que escuchan los cuentos luego traen problemas para la comunidad. Muchos forasteros se molestan porque ven *el costumbre* como mala. Tienen mucho miedo de que hagamos cosas antiguas, [de que hagamos] algo malo cuando nos reunimos en un lugar. Piensan así porque a veces la gente no mantiene el orden durante las reuniones.

En México hay una montaña llamada Popocatépetl y de allí vienen todos los relámpagos y truenos. De esta montaña surgen todos los espíritus enviados por los antiguos, los que recortamos de papel. Es el centro de la Tierra, el centro de la Tierra como un manantial de agua. Popocatépetl es quizá el centro verdadero de México y les encendemos velas para esos dioses de allí para que las huelan, para que las respiren. Dicen que ahí pasó una cosa mala [se refiere al terremoto de septiembre de 1985] ya que la gente no es respetuosa, no sigue *el costumbre*. No respetan ninguna cosa, en verdad son los ricos.

Los "hermanos" han perdido el respeto y dicen que hacemos mal con nuestras costumbres. Son irrespetuosos y nos pueden traer devastación. No puedo decir si se nos regalará otro año... para comer lo que ahora hemos sembrado. Si se nos regala más vida veremos si es verdad. Cuando Dios viene, para ver *el costumbre,* es bonito ver cómo recibe las ofrendas. Es por eso que quiero que todos hagan algo. Los "hermanos" no ven *el costumbre,* con buenos ojos. Esta falta de respeto destruye el mundo.

[Cuando entrevisté a las mujeres de Amatlán, ellas no hablaron de la destrucción del mundo nahua. Sus opiniones eran más pragmáticas.]

Etnógrafo: ¿Qué le gustaría ver en el futuro en la comunidad?

María Francisca (una mujer de edad mediana): Quiero que construyan un pozo para sacar agua. A veces, con las inundaciones en la época de lluvias, casi tenemos que caminar a [otra comunidad] por agua. Necesitamos un lugar más cercano para lavar el nixtamal.

Etnógrafo: ¿Qué ha cambiado en Amatlán?

María Angelina (una madre joven): Cambiamos las casas de lugar, lo que es muy bueno. Ahora hay más lugar para sembrar y pastizales más grandes para los animales. La electricidad es buena pero costó mucho dinero. Quisiera más becas para que los niños vayan a la escuela secundaria. No tenemos suficiente para mandar a los niños [a la cabecera municipal donde se encuentra una escuela secundaria].

Etnógrafo: ¿Qué cambios le gustaría ver en el futuro en la comunidad?

Rosa (una mujer mayor con hijos adultos): El cambio más grande ha sido la electricidad. Me gustaría tener un televisor para que todos pudiéramos sentarnos a ver. Un televisor es caro, pero también me gustaría tener un refrigerador. Con un refrigerador podría hacer *hielitos* y venderlos.

Etnógrafo: ¿Por qué las personas se convierten en "hermanos"?

Catalina (una mujer "hermana"): Mucha gente se espantó cuando los "hermanos" llegaron a Amatlán. Pusieron una película y la gente tuvo miedo. Dijeron que *el costumbre,* viene del diablo. Pero después de un rato a la gente le gustó lo que decían los gringos. Dijeron que somos pobres en México por causa de nuestra religión. Dijeron que debemos leer la Biblia y dejar de tomar aguardiente. Mi esposo, Sergio, se hizo "hermano" y dejó de tomar. Ya no se emborracha y va a la iglesia para cantar y escuchar al pastor.

En general las mujeres contestaron mis preguntas acerca de los cambios en la comunidad diciendo que no sabían o no tenían opinión alguna. No pude persuadirlas para que hablaran con más detalle acerca de los procesos que debían afectarlas de manera profunda. Mi esposa, quien pasaba muchas horas con las mujeres e hizo amistad con muchas de ellas, me dijo que raras veces hablaban acerca de los cambios o de la política de la comunidad. Cuando se les preguntaba su opinión, cambiaban de tema y preferían hablar de sus familias o parientes. Algunas mujeres mayores expresaron pena porque sus hijos salían a las ciudades y a veces estaban ausentes durante las celebraciones rituales. Por ejemplo, varias mujeres se preocupaban porque sus hijos no regresaban para *xantoloj* (Día de Muertos) y, por lo tanto, no cumplían con sus obligaciones a los antepasados. Aunque tengo escasa información acerca de lo que piensan las mujeres de los acontecimientos recientes, supongo, por lo que dicen, que aunque esperan tener varios aparatos eléctricos que ahorran trabajo, al mismo tiempo se preocupan por los efectos que los cambios acarrearán a sus familias.

La comunidad india en México: miradas desde Amatlán

En el capítulo 1 presenté cinco perspectivas teóricas desarrolladas para esclarecer el lugar de la comunidad india en la sociedad mexicana y en la economía mundial. Ahora, evaluaré de manera breve estas perspectivas a la luz de los datos de Amatlán.

Amatlán no se ajusta muy bien a la definición de Robert Redfield acerca de la pequeña comunidad. La comunidad no es tan homogénea como sugiere su modelo. Internamente está dividida entre los *vecinos,* con parcelas de 2.5 hectáreas, y los ejidatarios con plenos derechos, que tienen siete hectáreas. Además, las familias ganaderas forman una élite rica en comparación con otros aldeanos. El faccionalismo interno es tan marcado que en varias ocasiones en los últimos años provocó la violencia. Otra división incluye un tipo de distancia generacional entre los mayores y los jóvenes, quienes tienen mayor información por su experiencia urbana. La subcomunidad de los "hermanos", en oposición a los "católicos" tradicionales, representa otra profunda división en Amatlán.

Redfield subestima el grado en que la identidad india es creada y mantenida por los aldeanos como medio para luchar contra la dominación de las élites mestizas. Por ejemplo, para crear rituales como la ofrenda de las semillas, *chicomexochitl,* los indios utilizan sus tradiciones para generar una identidad distinta de la de los mestizos. La perspectiva de Redfield subestima también la amplitud del conocimiento de los campesinos indios acerca de los mestizos y de la vida urbana, y de cómo utilizan este conocimiento para sobrevivir y, en algunas ocasiones, para acumular sustancial riqueza. Tampoco aclara cómo y por qué los aldeanos explotan su estatus para obtener beneficios del gobierno. En resumen, el continuum rural-urbano pasa por alto los mecanismos a través de los cuales los mestizos dominan a los indios y, además, omite la resistencia activa inherente en la conservación de la identidad india.

Eric Wolf propone que el carácter esencial de las aldeas indias y su relación específica con la nación se vincula con los factores causales que las llevó a constituirse en comunidades corporativas cerradas. Como hemos observado, en Amatlán la comunidad presenta una barrera para los forasteros, que puede ser imposible de penetrar. En efecto, las formas de nombrar, las creencias religiosas y los rituales esotéricos, la lengua nahua y otros factores cierran la comunidad para la mayoría de los mestizos. Pero, en muchos aspectos Amatlán no funciona como una comunidad corporativa cerrada. Los individuos trabajan para sí y para sus familias, no para un grupo corporativo imaginario. La tierra se asigna a la comunidad, pero se controla y se hereda a las generaciones siguientes dentro de la misma familia. Los aldeanos aún establecen relaciones permanentes con los mestizos, que incluso se pueden formalizar a través del compadrazgo. Muchas de las críticas del continuum rural–urbano se aplican también aquí. De hecho, las comunidades indias son heterogéneas y las diferencias de riqueza entre familias son comunes. Los forasteros pueden tener problemas para integrarse en Amatlán (en el caso poco probable de que eso les gustara), pero, en contraste, los indios pueden crear nuevas comunidades, trabajar para los mestizos, ir a la ciudad para buscar empleo, viajar a los centros de poder político para afirmar sus derechos y demandar recursos, migrar a los centros urbanos, organizar eventos sociales e invitar gente desde grandes distancias y mandar a sus hijos más lejos a la escuela secundaria. Las comunidades indias aparentan ser cerradas, pero esto quizá se deba más a la escasez de tierra y a la necesidad de mantener la ignorancia de las élites mestizas acerca de la vida comunitaria más que a una característica central intrínseca de la comunidad, arraigada en su historia.

Las perspectivas de Redfield y Wolf tampoco explican por qué cambiaron ciertos elementos en la comunidad cuando ocurrieron. ¿Por qué, por ejemplo, la mayoría de los hombres de Amatlán de repente adoptó un nuevo vestuario? Este cambio no pudo deberse sólo a la nueva información acerca de la vida en las ciudades. Los aldeanos han tenido conocimiento del vestido mestizo y éste ha estado a su alcance en los mercados regionales durante décadas. ¿Es que el cambio es más bien un producto de la aculturación o, lo que es más probable, está relacionado con la caída de la economía mexicana y la menor utilidad en demostrar la identidad india? Tanto Redfield como Wolf subestiman la heterogeneidad y flexibilidad internas de la vida comunitaria. La gente de Amatlán, trabajando a través de la jerarquía política de la comunidad y aprovechando con éxito su indianidad, logró convencer al gobierno de que los incluyera en sus proyectos de electrificación. El proyecto fue concebido por los campesinos como un medio por el cual su comunidad puede participar en el cambio progresista. La gente no creía que con la electrificación estuviera abandonando su herencia o identidad india ni que el proyecto fuera un paso hacia su transformación en mestizos. Cuando los jóvenes con experiencia en las ciudades convencieron a la gente de que se podía lograr el proyecto, todos los apoyaron. Otra vez, ser indio no requiere que la gente sea pasiva o atrasada. Una comunidad se cierra cuando este hecho otorga ventajas a los habitantes, pero se abre y cambia cuando se presentan nuevas oportunidades.

Las perspectivas de Warman y Stavenhagen, bosquejadas en el capítulo 1, se basan en análisis de regiones o de naciones enteras. Estas investigaciones se centran en los macrosistemas y afirman que éstos se establecen para servir al sector económico capitalista a costa de los aldeanos. Al concentrarnos en el microsistema de una sola comunidad hemos visto cómo la riqueza se transmite de Amatlán a las élites mestizas a través del sistema de precios de los productos de los indios y de los bajos salarios. Los indios dependen de las élites mestizas de igual manera que la economía mexicana en su totalidad depende de las economías desarrolladas de Europa y Estados Unidos. El análisis del macrosistema sirve para establecer el contexto en el cual operan los aldeanos y, en este sentido, es un enfoque extremadamente útil. En el presente libro he presentado algunos métodos utilizados por los aldeanos para manejar las interacciones con los representantes de un medio socioeconómico mayor. Al optimizar su etnicidad los aldeanos intentan crear varias ventajas para sí dentro de un sistema que está en su contra. La perspectiva macroscópica y microscópica trata con diferentes esferas sociales, pero se deben reconciliar para entender mejor la situación de los indios en México.

Warman y Stavenhagen reconocen que los campesinos tienen sus propias estrategias para tratar con los poderes dominantes que los rodean. Warman demostró que el énfasis que ponen los aldeanos en el cultivo del maíz se puede entender como una reacción a la pobreza extrema. Cuando la economía mejore, predice, los campesinos comenzarán a experimentar con cultivos más rentables. A este respecto, yo mismo me preguntaba si la dependencia en el maíz en Amatlán se reduciría cuando la comunidad logre más prosperidad. Les pregunté a varios hombres si planeaban cambiar del maíz a otro cultivo. Es interesante que algunos hayan indicado que consideraban seriamente cultivar caña de azúcar en algún terreno adicional. Cuatro hombres ya habían sembrado caña e incluso habían comprado trapiches caros para la producción y venta de piloncillo. De esta manera, el pronóstico de Warman parece confirmarse en Amatlán.

El enfoque de Aguirre Beltrán sobre los procesos de dominación para explicar la posición de la comunidad india en México coincide en parte con las perspectivas de Redfield, Wolf, Warman y Stavenhagen. No obstante, su insistencia en que la economía comunitaria difiere en forma cualitativa de la economía racional de los mestizos capitalistas no coincide con mis descubrimientos en Amatlán. Los aldeanos se dedican siempre a planear estrategias para aprovechar sus oportunidades, para poder aumentar sus ingresos y elevar sus ganancias. Reparten en forma racional sus escasos recursos entre objetivos alternos para maximizar sus ganancias. Esto los asemeja a los mestizos que funcionan dentro de la economía capitalista nacional. El hecho de que posean una tecnología de bajo consumo de energía, su orientación permanente hacia la familia, la existencia de creencias y rituales antiguos y la vida en una comunidad sin agua potable no altera el principio nahua de *maximizar*.

Friedlander y Bartra ven a los indios como las víctimas por excelencia cuya identidad étnica fue impuesta por élites despiadadas. En su opinión, la cultura india no sobrevivió los sucesos de la Conquista y la identidad india es sólo parte de la ideología creada por los mestizos dominantes para explotar a la población rural. Si los mestizos locales han impuesto a los habitantes de Amatlán una indianidad ajena, entonces parece que los aldeanos han tomado con gusto esa identidad. He mostrado en este libro que la indianidad de los habitantes de Amatlán no es una creación reciente ni una importación ajena, sino que es antigua y auténtica. Es verdad que los mitos y los rituales nahuas han sido influenciados por el catolicismo español, pero siguen basados de manera sólida en la cosmogonía, en las clases de símbolos y entidades espirituales prehispánicas. Además, la cultura india difiere en gran parte de la de los mestizos vecinos también en otras cuestiones, como la lengua, los patrones de interacción, los hábitos motrices, las creencias y muchos otros aspectos de la vida cotidiana. Los nahuas valoran el ser indio y menosprecian los rasgos mestizos. Muchos aldeanos tienen la oportunidad de entrar al mundo mestizo en forma permanente y aun así pocos lo hacen. Los aldeanos no tienen cabida fácil dentro de la definición de mestizos rurales que se ven forzados a aceptar la identidad india. La mayoría de los habitantes de Amatlán trabaja constantemente para mantener su identidad india porque conlleva considerables ventajas materiales y psicológicas. De hecho, la identidad india forjada por los nahuas se puede interpretar, al menos en parte, como una reacción racional a su posición subordinada en la sociedad mexicana. En resumen, la posición de Friedlander y Bartra no se aplica a los nahuas de Amatlán, aunque quizás sea válida para otras regiones de Mesoamérica.

Mi investigación en Amatlán muestra que uno de los mayores obstáculos para entender el lugar de la comunidad en la nación y su relación con los procesos de desarrollo económico es la visión tan común de que las personas en las pequeñas comunidades tradicionales son actores pasivos o hasta simples víctimas en el drama del cambio cultural. La pequeña dimensión de sus actividades productivas, los estereotipos urbanos acerca de los campesinos como rústicos y atrasados, y las tradiciones distintivas de la aldea india han encauzado tanto a los académicos como a los legos a subestimar las estrategias que los aldeanos mismos aplican para satisfacer sus deseos. Las interpretaciones presentadas en este libro demuestran que los indios no son responsables por su pobreza, sino que la responsabilidad recae en el sistema económico regional y nacional de los mestizos, por la extracción tan despiadada de riqueza de las comunidades agrícolas indias en México. Mi trabajo es un tributo a los indios que en el transcurso de siglos de explotación inhumana, y a pesar de las desigualdades enormes en contra de ellos, han logrado sobrevivir y forjar un estilo de vida posible.

La pregunta de si la gente de otras culturas actúa de manera racional en su favor es de importancia central en nuestro esfuerzo por entender la naturaleza de la cultura misma y las maneras en que las comunidades indias han respondido a los procesos de desarrollo económico. Si la cultura obliga a la gente a seguir caminos definidos hacia fines establecidos, sin tener en cuenta los costos y beneficios, entonces los miembros de las culturas tradicionales quedan atrapados dentro de su propio pasado. Pero las observaciones recogidas en el trabajo de campo no respaldan esta concepción de la cultura. Cuando los forasteros concluyen en que los nahuas de Amatlán sólo siguen el dictado de sus tradiciones, están equivocados. Mis datos muestran que ellos experimentan con nuevos cultivos más rentables, aprovechan el ciclo de precios en el mercado para obtener el mejor beneficio, luchan para conseguir más tierra, trabajan medio tiempo y crían ganado para aumentar sus ganancias e intentan asegurar la educación de sus hijos para que la próxima generación pueda aprovechar las futuras oportunidades económicas. En resumen, los nahuas actúan de igual manera que los euroamericanos en su esfuerzo por maximizar las ganancias con sus decisiones, aunque, por supuesto, en Amatlán tienen una tecnología diferente y otras variables con que enfrentarlas. En este sentido, tanto los nahuas como los euroamericanos actúan de manera racional.

Es evidente que algunos de los propósitos que quieren lograr los nahuas con la distribución de sus escasos recursos (por ejemplo, alejar a los espíritus malévolos del viento de la comunidad brindándoles ofrendas elaboradas y costosas), no los comparten forasteros como los mestizos. No obstante, los de fuera no pueden evaluar como racionales ni como irracionales estos fines que son, de hecho, parte de sus creencias culturales y que, según los nahuas, vale la pena procurar, y sería etnocentrismo por parte de los foráneos ponerlo en duda. Es verdad que muchos de los objetivos de los mestizos parecen extravagantes o completamente carentes de valor para los nahuas. Desde la perspectiva nahua, las características de nuestra economía compleja, como la obsolescencia planeada, la degradación de los productos, la contaminación del medio ambiente y la participación en una carrera internacional armamentista les parecerían bastante irracionales y peligrosas. Pero tanto los nahuas como los mestizos toman decisiones conscientes acerca de cómo distribuir mejor sus limitados recursos para lograr los fines que, según su decisión, son dignos de obtenerse, y este proceso es racional para ambos grupos.

Los nahuas son participantes menores en el escenario económico internacional, pero son participantes a fin de cuentas. En el capítulo 5 mostré que ellos también compiten para obtener ganancias, aunque en grado bastante moderado. Cultivan maíz porque es económico hacerlo, en el sentido materialista de esa palabra. Crían animales para guardar su riqueza e intentan comprar barato y vender más caro. Igual que nosotros, se dedican a hacer cálculos y se esfuerzan para lograr lo mejor para sí y para sus familias. Sin embargo, los nahuas son herederos de una tradición cultural notable, no relacionada históricamente con la europea, y aunque han sido influenciados en alto grado por siglos de contacto con los españoles, todavía no se rinden. Los pobladores de Amatlán permanecen indios tanto en un nivel consciente como inconsciente. Como indios ocupan una posición cerca del fondo de la moderna jerarquía socioeconómica mexicana y este hecho deforma las oportunidades y estrategias disponibles para ellos. La estrategia principal, compartida por los habitantes de Amatlán y otros campesinos en todo México, la que en principio influye cada aspecto de la vida comunitaria, es el uso que hacen de su propia etnicidad. Creo que este estudio ha demostrado que ser indio en México (y por extensión, ser miembro de un grupo étnico en cualquier nación que experimenta desarrollo económico) se puede entender, en parte, como una táctica utilizada por la gente para aumentar sus beneficios, disminuir sus costos y, no menos importante, para asegurarse una vida de buena calidad.

La comunidad en transición

Lo que está ocurriendo en Amatlán sucede también en comunidades similares en todo el mundo. En general, la gente que vive en sociedades industriales cree que las comunidades son estáticas, mientras que las economías modernas siempre están cambiando. Por el contrario: se puede argumentar que los cambios socioculturales más profundos que ocurren en el mundo de hoy tienen lugar en las aldeas. Muchos de los cambios experimentados en las sociedades modernas son superficiales, puras novedades y modas pasajeras, con alguna ocasional innovación tecnológica intercalada. En contraste, muchas aldeas en todo México y el resto del mundo se ven sometidas a cambios profundos y rápidos en su organización social, su visión del mundo, su religión y, lo más importante, en su identidad. Cuando grupos previamente independientes se transforman en una población dominada, debido a las fuerzas nacionales, una reacción común que podemos esperar es la formación y el incremento de la importancia de la identidad de los grupos étnicos.

Mientras escribo estas líneas los medios de información están llenos de historias de disturbios y violencia étnica. En lo que fue la Unión Soviética varias nacionalidades étnicas están demandando y han ganado su independencia del control central. En Europa oriental los disturbios étnicos amenazan la estabilidad de las fronteras nacionales establecidas después de la Segunda Guerra Mundial. Los hispanohablantes y los negros (ahora, afroamericanos) en los Estados Unidos comienzan a formar bloques electorales viables que pueden transformar el panorama político de ese país. En el Oriente Medio los árabes, judíos y cristianos están enzarzados en una lucha constante. En Sri Lanka, los tamiles y cingaleses entablan un conflicto violento y los extremistas sij demandan una porción en el norte de la India. La presencia de estudiantes africanos en China hace poco derivó en disturbios. En casi todas partes del mundo los grupos formados alrededor de la identidad étnica están demandando sus derechos y amenazan el *statu quo*. Las noticias mencionan menos a las naciones-Estados y más a los nacionalistas armenios, eslovenos, croatas, kurdos, quebequenses, grupos étnicos chinos, indios moskito, bretones, vascos, tibetanos, tutsis, hutus, eritreos y puertorriqueños.

Lo que este estudio de cambio y continuidad ha mostrado en Amatlán es que los procesos de occidentalización, industrialización y modernización están mediados por la identidad étnica. Para los nahuas (y también para muchos otros grupos), la creación y el mantenimiento de una identidad étnica es el medio de tratar con la dominación de las élites más poderosas y, al mismo tiempo, es un método para retener el control sobre sus vidas en épocas de cambio social y cultural. A veces, la identidad étnica puede actuar como una barrera al cambio y, en otras circunstancias, es un camino para la incursión de influencias externas. En cada caso, la gente reconoce las ventajas de asumir una identidad étnica compartida frente a los hechos de injusticia y las fuerzas incontroladas que amenazan los valores y el orden social. Cuando cambian las condiciones se pueden desechar las viejas identidades y asumir unas nuevas o modificar las tradicionales. Sin embargo, es un error concluir en que cultivar una identidad es simplemente un juego por parte de la gente, un tipo de mascarada para beneficio de los forasteros. Al final, la identidad étnica es autoidentidad y esta identidad se vincula con la autoestima y, en el fondo, con el significado de la vida humana. No permite la mentira. La identidad étnica define la esencia de una persona para que pueda ser vista por todo el mundo.

Los nahuas, en su sabiduría perdurable, afirman sobre sí mismos: "El maíz es nuestra sangre". Estas palabras los relacionan con un estilo de vida agrícola, con los espíritus poderosos de su panteón, con el principio vivificador del universo y con una visión de la tierra verde y hermosa que les da vida. Estas palabras expresan la esencia de lo que es ser un indio, de lo que es ser miembro de una comunidad donde la gente entiende y respeta cómo funciona el mundo. Pero ninguna cultura es estática y mientras las condiciones del mundo continúen cambiando los aldeanos buscarán ventajas dentro de su necesidad perpetua de adaptarse. La cultura nahua ha demostrado su elasticidad durante los últimos 500 años. En un mundo de futuro incierto, el número creciente de gente que pueda elegir su identidad étnica quizá ya no encuentre valor en ser indio. Sólo entonces la concepción de los nahuas de lo que significa ser humano finalmente dejará de existir.

Epílogo

Después de terminar este libro, Pamela, Michael y yo regresamos a México por cinco meses, en la primavera de 1990, para visitar a los viejos amigos y documentar los cambios adicionales en Amatlán. De acuerdo con el mesurado saludo tradicional nahua pasaron varios días antes de que la gente comenzara a visitarnos para ponernos al corriente de lo que había ocurrido desde nuestra última visita y para escuchar si teníamos algunas noticias para contarles. Un chamán repitió el saludo que yo ya esperaba oír: "¡Pensábamos que te habías muerto!". Las cosechas de la época de lluvias fueron excelentes y en las casas se amontonaba el maíz. Sin embargo, una extraña epidemia acabó con casi toda la población de puercos y pollos. Parecía que ninguna medicina podía prevenir o curar esta enfermedad y, por el número de lechones y pollitos, pudimos comprobar que la gente comenzaba apenas a reconstruir sus poblaciones de animales. La helada de diciembre de 1989, que se extendió por los Estados Unidos, alcanzó a Amatlán con resultados devastadores. Algunos amigos nos dijeron que los aldeanos prendían grandes fogatas y pasaban todo el día junto a ellas para no morir de frío. Un día incluso nevó en la comunidad; fue la primera vez que la memoria colectiva recordaba un suceso de tal magnitud. La cosecha de la época de sequía se perdió por completo; incluso la cosecha de la caña de azúcar. Sin embargo, la gente no se desanimó y casi todas las milpas se habían sembrado de nuevo antes de nuestra llegada. Por lo visto, el aumento de la migración masculina a los centros urbanos en busca de trabajo temporal causó una pequeña escasez de mano de obra entre los rancheros de la región. Los hombres me informaron que para entonces los rancheros estaban pagando entre dos y tres dólares diarios, un incremento del doble o triple en comparación con años anteriores. No obstante, los hombres me dijeron que con todo y el aumento estos salarios no se podían comparar con lo que se ganaba en las ciudades y los pueblos.

Muchas otras características del Amatlán de hoy se deben a la aceleración de los cambios descritos en el presente libro. Menos hombres visten ropa tradicional y nadie (excepto yo) usa los tradicionales *huaraches*. Más mujeres también cambiaron su vestuario por ropa de estilo mestizo. Ahora Amatlán puede presumir de unos diez televisores y una familia incluso tiene una videocasetera. Más hombres están construyendo sus casas de bloques de concreto con techos de lámina de metal corrugado. Cuando les pregunté por qué, ya que todos reconocen que las casas tradicionales con techo de zacate son más cómodas, muchos respondieron que ahora es muy difícil obtener las materias primas para construir una casa al estilo antiguo. La deforestación, que parecía haber aumentado desde nuestra última visita, ahora crea escasez de recursos. Un cambio extraño es que el nuevo agente municipal es un "hermano", y cuando recibió el cargo fue a Ixhuatlán de Madero para obtener un permiso para prohibir la venta de alcohol en la comunidad. Se otorgó el permiso y por primera vez Amatlán tiene "ley seca". Ahora, los aficionados al aguardiente tienen que viajar a las comunidades vecinas para hacer sus compras.

La mala suerte que han tenido los campesinos con los maestros escolares parece haber terminado. Se asignaron cuatro maestros a Amatlán, tres de los cuales viven en la comunidad con sus familias. Tres maestros son bilingües (náhuatl y español), y el director nació y se crió en una comunidad vecina, hecho que le facilita entender las condiciones y los problemas locales. Hace poco el Estado informó a las autoridades de la comunidad que planeaba construir un ala adjunta al nuevo edificio escolar en el próximo año. El nuevo director es bastante activo y se ha notado un incremento en el número de programas escolares. Incluso las autoridades escolares de la región organizaron un torneo deportivo, para el cual los alumnos viajan a diferentes comunidades para participar en las competencias. Sin embargo, muchos de estos programas son concebidos por planificadores de la ciudad y, como describiré adelante, varios parecen absurdos en el contexto de la vida aldeana.

Nosotros quisimos contribuir con la comunidad de manera discreta y el programa escolar parecía una buena opción. Pamela, quien es bibliotecaria, tuvo la buena idea de fundar una pequeña biblioteca en la comunidad, con préstamos a domicilio. Por medio de consultas con los líderes de la comunidad y con el director de la escuela, concebimos el plan de comprar libros tanto en español como, si era posible, en náhuatl, para guardarlos en la casa del director; así él podría controlar su circulación. Los libros son una rareza en las comunidades remotas como Amatlán, y niños y adultos dedicaban horas enteras a hojear libros que nosotros habíamos traído. Con frecuencia los libros estaban escritos en inglés y no tenían ilustraciones y, por lo mismo, era difícil saber qué pudieron aprender de ellos. Compramos gran cantidad de libros, en su mayor parte cuentos, libros de viajes a otros países o acerca de las ciencias. Entre los mejores libros que pudimos conseguir estaban los publicados por el gobierno mexicano, y hasta encontramos algunos escritos en náhuatl. Entregamos los libros el día que salimos de la aldea y nos agradó ver una muchedumbre de niños y adultos aglomerándose alrededor de la casa del director de la escuela para examinar los libros de la nueva biblioteca de Amatlán.

El número de "hermanos" o conversos protestantes parecía haberse estabilizado en alrededor de 40% de la comunidad. Es interesante que los "hermanos" hayan perdido parte de su entusiasmo y se hayan dividido en dos facciones. La secta original *agua viva* se había reducido a unas ocho familias, quienes seguían condenando a todas las otras religiones y se oponían a cualquier intervención medica, incluyendo las vacunas. La mayoría de los "hermanos" ahora pertenece a un grupo aparentemente pentecostal que parece ser más flexible y anima a los padres a buscar cuidados médicos y vacunar a sus hijos. Quizá una epidemia de sarampión que mató a varios niños en las comunidades vecinas jugo un papel importante en el incremento de la popularidad de los pentecostales entre muchas familias. Es interesante que el segmento católico de la comunidad haya aceptado el reto de los protestantes y ahora se mantiene bastante activo. Bajo el liderato de Lorenzo, cuyo juicio por asesinato relaté en el capítulo 1, la mayoría católica ahora tiene un programa de actividades religiosas en la capilla y celebra de manera regular las fiestas principales de la Iglesia. Tanto los protestantes como los católicos rechazan las costumbres tradicionales y, por lo mismo, muy pocas familias participan ahora en los rituales antiguos. Dos chamanes permanecen activos, pero sirven sólo a un puñado de familias que continúan con las tradiciones antiguas.

No obstante, por debajo de estos cambios visibles en la comunidad encontrábamos todavía indicios de violencia y malentendidos que han caracterizado las interacciones entre los indios y los mestizos desde la época colonial. Quisiera relatar de manera breve la tragedia que les aconteció a Julio y a su esposa como un ejemplo de las dificultades con que se enfrentan gentes como los nahuas de Amatlán mientras intentan superar los patrones históricos y entrar al mundo moderno en pie de igualdad con otros grupos similares en sus naciones respectivas. Julio es el seudónimo para un campesino cuyo éxito económico ejemplar dentro del mundo indio formó parte del capítulo 2. Hacia 1988 Julio gozaba de un éxito significativo en sus varias empresas. Su puesto en el mercado funcionaba muy bien, sus cultivos y ganado eran muy productivos y su cantina en la comunidad estaba en pleno auge. Ese año él y su esposa decidieron comprar una camioneta para usarla como transporte de mercancías. Iba a ser el primer vehículo comprado por un residente de Amatlán. Después de mucha búsqueda y negociación encontraron y compraron una camioneta usada. Sirvió bien durante varios meses y aumentó de manera eficaz las actividades de Julio.

Sin embargo, el éxito de Julio no pasó inadvertido para los mestizos locales. Un día, hacia las 6:00 de la mañana, Julio y su esposa cruzaban el arroyo en su camioneta, adelante de su casa, cuando les hicieron frente tres hombres a caballo, que iban enmascarados. Estaban armados con pistolas y uno tenía una escopeta. Mientras Julio detenía la camioneta, los pistoleros dispararon a través del parabrisas. Después de pocos segundos los disparos cesaron, luego de hacer pedazos el parabrisas y marcar la camioneta con agujeros de bala. Milagrosamente, la esposa de Julio salió ilesa, aunque quedó cubierta de pedazos de vidrio. Ella abrió la puerta y, en un arrebato provocado por el temor, corrió gritando hacia los tres hombres a caballo. Resulta increíble que al verla llegar dieran la vuelta y huyeran. Julio no tuvo tanta suerte. Los disparos lo alcanzaron en la pelvis y sangraba profusamente. Su esposa corrió por ayuda y los campesinos lo llevaron de prisa a un médico de Ixhuatlán de Madero. Aunque sobrevivió, se convirtió en un hombre destrozado. Se negó a salir de su casa durante muchos meses después de la tragedia y luego entregó la camioneta a un pariente de una comunidad vecina. Cuando llegamos a Amatlán en 1990 apenas comenzaba a moverse de manera normal. Cojeaba al caminar y tenía la mirada llena de miedo. Cuando le pregunté acerca del ataque me dijo que lo hicieron los mestizos. Estaba perplejo por el hecho de que el motivo aparente del ataque había sido para robarle, siendo que todos sabían que nunca llevaba dinero encima. A otros de Amatlán no se les escapó la lección y concluyeron que personas como Julio provocan ataques por parte de los forasteros.

Quiero terminar este corto epílogo con la descripción de un suceso que revela todavía más la posición paradójica de los indios en la sociedad mexicana. Más o menos un mes después de nuestra llegada, en 1990, uno de los maestros vino para informarme que los alumnos del quinto grado estaban preparando una auténtica danza india para el siguiente programa escolar. Me dijo que, como antropólogo, debía interesarme esta manifestación de la auténtica cultura india. Había mucho interés acerca de este programa y varios campesinos me dijeron que ellos también tenían gran deseo de ver la presentación de esta danza tradicional. Por fin llegó el día y los espectadores esperaban a los danzantes mientras se escuchaban varios anuncios preliminares. Estos aparecieron por fin, a la vuelta de la escuela. Me quedé atónito. Los niños vestían mocasines de cartón, taparrabos y portaban plumas de guajolote sujetas con cintas de papel en la cabeza. En las manos llevaban un hacha de cartón. ¡Estos supuestos trajes auténticos fueron concebidos por planificadores de la ciudad de México y seguramente se basaron en el estereotipo de la cultura indígena de las llanuras de los Estados Unidos! Mientras observaba sentado a los niños que bailaban arrastrando los pies en una danza sencilla, al ritmo de música grabada de un tam tam, pensé que es difícil ser optimista acerca del futuro de la cultura nahua. Por otro lado, el mismo pensamiento pudo haber pasado por la cabeza de algún observador aquel día de agosto de 1521 cuando Cortés, con sus aliados, reprimió la última resistencia militar de los aztecas.

Kemantika Nijmachilia Nimiktojka Uan Nojua Niyoltok

Kemantika nijmachilia nimiktojka uan
nojua niyoltok
pampa ayojkana na:
nijtemoua notlakej uan ayok nikasi.

Kemantika nijmachilia nimiktojka uan
nojua niyoltok
pampa ayojkana na:
nijtemoua nomila uan ayok nesi.

A veces me siento muerto en vida

Algunas veces me siento muerto en vida
porque ya no soy yo mismo:
busco mis ropas y no aparecen.

Algunas veces me siento muerto en vida
porque ya no soy yo mismo:
busco mi milpa y ya no aparece.

Kemantika nijmachilia nimiktojka uan
nojua niyoltok
pampa ayojkana na:
nijtemoua xochitlatsotsontli uan ayok
nijkaki, kemantika
san uajka kakisti.

Algunas veces me siento muerto en vida
porque ya no soy yo mismo:
busco la música de la flor y ya no la
escucho,
algunas veces la percibo en la lejanía.

Kemantika nijmachilia nimiktojka uan
nojua niyoltok
pampa ayojkana na:
nikintemoua noikniuaj uan ayokueli
nikin asi,
sekij motlakenpatlakejya uan sekinok
moyolpatlakejya.

Algunas veces me siento muerto en vida
porque ya no soy yo mismo:
busco a mis hermanos y ya no los encuentro,
algunos han cambiado de ropa, otros han
cambiado su corazón.

Kemantika nijmachilia nimiktojka uan
nojua niyoltok,
yoltok noyolo, nijneki nitlachixtos, nijneki
nimochikauas,
sampa nimoyolchikauas.

Algunas veces me siento muerto en vida
sin embargo, vive mi corazón, quiero
vivir,
quiero aliviarme, quiero volver a tener el
corazón vigoroso.

Según José Antonio Xokoyotsij, seudónimo de Natalio Hernández Hernández, nahua nacido en el municipio de Ixhuatlán de Madero (1986: 60-61).

Glosario

ACULTURACIÓN. Cambios que ocurren cuando dos culturas entran en contacto.

AGRICULTURA DE ROZA, TUMBA Y QUEMA. Técnica agrícola, en muchas áreas tropicales, donde se corta y quema la vegetación para dar nutrientes a una parcela bajo cultivo. Después de pocos ciclos de cultivo, a menudo el agricultor debe trasladarse a otra área y comenzar el proceso de nuevo.

BIEN LIMITADO, IMAGEN DEL. Según George Foster, la idea que comparte mucha gente en las comunidades tradicionales de que sólo existe una cantidad limitada de artículos y servicios disponibles y, por lo tanto, los individuos siempre ganan a costa de los otros.

CAMPESINOS. Grupos rurales que viven subordinados a las poblaciones urbanas más poderosas y económicamente más avanzadas; los campesinos producen la mayoría de sus alimentos por medio de métodos tradicionales y venden una parte de sus cosechas a las poblaciones urbanas, a las que deben pagar una forma de alquiler.

CAPITALISMO DE CENTAVO. Según Sol Tax, la idea de que las poblaciones campesinas están motivadas por las ganancias en su intercambio económico y que, por lo tanto, su actividad económica difiere de la de las sociedades capitalistas urbanas sólo en la dimensión de sus transacciones.

CICLO DE DESARROLLO FAMILIAR. Cambios sistemáticos que ocurren en la estructura y composición de la unidad familiar, mientras sus miembros pasan por las etapas sucesivas de su vida.

CICLO DOMÉSTICO. Véase Ciclo de desarrollo familiar.

COMUNIDAD CORPORATIVA CERRADA. Según Eric Wolf, las comunidades rurales mexicanas que se caracterizan por el control colectivo sobre la tierra, los mecanismos para imponer la redistribución de la riqueza, la prevención de establecer lazos sociales fuera de la comunidad y los mecanismos que impiden a los forasteros unirse a la comunidad.

COMUNIDAD RURAL. Según Robert Redfield, comunidades en México, como Amatlán, que son pequeñas, homogéneas, están aisladas y se basan en las relaciones familiares.

CONJUNTO HABITACIONAL. Un número de unidades familiares, cuyos jefes no necesariamente están emparentados, que se localizan una cerca de la otra en una comunidad nahua.

CONTINUUM RURAL-URBANO. Según Robert Redfield, la idea de que las comunidades en México forman un continuum, desde las aisladas comunidades rurales hasta las grandes ciudades.

COSMOGONÍA. Ideas culturalmente determinadas acerca del origen y la naturaleza del universo.

CULTURA. Totalidad evolutiva de ideas, comportamientos y valores que comparten los miembros de un grupo social y que se transmiten a través del aprendizaje. Es también el término que se aplica al grupo social mismo cuyos miembros poseen una cultura dada.

CHAMÁN. Especialista mágico-religioso de medio tiempo que adivina el futuro, cura a los enfermos e interviene con los espíritus para el beneficio de sus clientes.

CHOQUE CULTURAL. Desorientación mental e incapacidad de funcionar que a veces ocurre cuando una persona educada en una tradición cultural interactúa de manera intensa con gente educada en una tradición cultural diferente.

CHOQUE CULTURAL REVERSO. Dificultad para readaptarse a la cultura propia tras volver de una estancia prolongada en una cultura ajena.

DESCENDENCIA BILATERAL. Determinación de la descendencia tanto por el lado paterno como por el materno de la familia.

EGO. En antropología, el término convencional para designar a la persona central en una genealogía, con la cual se relacionan las demás posiciones del diagrama.

ENDOGAMIA. Regla cultural que urge o requiere que los miembros de una sociedad se casen dentro de un grupo designado.

ESTILO. Según Anya Royce, la idea de que los miembros de algunos grupos étnicos escogen de manera consciente los elementos de su historia y crean en forma activa una identidad étnica distinta de la de otros grupos.

ETNICIDAD ATRIBUIDA. Afiliación a un grupo étnico que le atribuyen a uno otras personas.

ETNOCENTRISMO. Falacia científica y lógica donde una cultura se juzga por los estándares de otra.

ETNOGRAFÍA. Descripción sistemática y científica de una cultura.

ETNOHISTORIA. Rama de la antropología que trata de reconstruir las culturas del pasado con el uso de documentos y otras fuentes.

EXOGAMIA. Regla cultural que compele a los miembros de una sociedad para que se casen fuera de un grupo determinado.

FAMILIA EXTENSA. Familia multigeneracional compuesta por familias nucleares que se relacionan a través de lazos masculinos o femeninos.

FAMILIA MATRILINEAL EXTENSA. Familia multigeneracional compuesta de un hombre con su esposa e hijos solteros, más una o más hijas casadas con sus esposos e hijos solteros.

FAMILIA NO RESIDENCIAL PATRILINEAL EXTENSA. Un hombre con sus hijos casados, que viven en casas cercanas y trabajan sus milpas en común pero no forman una unidad familiar, ya que no mantienen un presupuesto común ni almacenan el maíz en común.

FAMILIA NUCLEAR. Familia compuesta por el marido, su esposa e hijos solteros.

FAMILIA PATRILINEAL EXTENSA. Familia multigeneracional compuesta del hombre, su esposa e hijos solteros, más uno o más hijos con sus esposas e hijos solteros.

FISIÓN. Según James Taggart, proceso gradual donde un hijo casado separa su presupuesto y provisión de maíz de los de su padre, como una etapa preliminar en su transformación hacia una familia nuclear independiente.

GRUPO ÉTNICO. Grupo cuyos miembros se identifican como un conjunto distinto basado en rasgos culturales, a fin de conseguir ventajas políticas, sociales o económicas, y que son reconocidos tanto por sus miembros como por los forasteros.

HECHICERO. Chamán que utiliza su poder para dañar a los individuos o al grupo social.

IDENTIDAD ÉTNICA. Sentimiento de identificación y destino común con otra gente que comparte los mismos rasgos étnicos grupales.

INDUSTRIALIZACIÓN. Cambios que pueden ocurrir en una cultura tradicional de pequeñas dimensiones con la introducción de las fábricas y otros medios modernos de producción.

MATERIALISMO CULTURAL. Enfoque teórico antropológico que intenta explicar las similitudes y diferencias culturales mundiales mediante los factores técnicos y ambientales existentes en diferentes tipos de adaptación cultural.

MITO. Relato sagrado acerca de dioses, héroes culturales o espíritus, que con frecuencia se sitúa en el pasado remoto pero que se narra para validar y explicar ciertos aspectos de la sociedad contemporánea.

MODERNIZACIÓN. Todos los cambios que pueden ocurrir, por varias razones, en el comportamiento y las creencias de las pequeñas comunidades aisladas, para hacerlas más parecidas a las grandes sociedades urbanas con mayor avance económico.

OBSERVACIÓN PARTICIPANTE. Método para estudiar el comportamiento humano, en el cual el investigador vive durante un periodo extenso con el grupo social investigado y participa en las actividades cotidianas del mismo.

OCCIDENTALIZACIÓN. Procesos que causan que las culturas tradicionales cambien sus creencias y prácticas para que, en su transformación, se parezcan más a las poblaciones urbanas de Europa Occidental y América del Norte.

PANTEÍSMO. Idea de que el universo y todos sus componentes forman parte de una esencia espiritual viva, de modo que todas las cosas y todas las personas están unidas espiritualmente en un nivel más alto.

PARENTESCO FICTICIO. Lazos de parentesco que se crean entre individuos que en realidad no están relacionados.

PEONAJE POR ENDEUDAMIENTO. Sistema económico en que los terratenientes y banqueros mantienen a los campesinos en un estado permanente de deuda.

PROCESO DOMINICAL. Según Gonzalo Aguirre Beltrán, proceso a través del cual los sectores de México avanzados económica y tecnológicamente dominan a los grupos indios que viven en las "regiones de refugio".

RASGOS ÉTNICOS GRUPALES. Marcadores, como lengua, vestuario, comportamiento o apariencia física, que utilizan los individuos para designarse o designar a la gente con quien se encuentran, como pertenecientes a un grupo étnico.

REGIONES DE REFUGIO. Según Gonzalo Aguirre Beltrán, áreas remotas y económicamente indeseables de México, donde sobreviven las culturas indias prehispánicas tradicionales.

RITUAL. Conjunto estereotipado de comportamientos físicos y verbales que hacen visibles los principios abstractos del sistema religioso de una cultura dada.

SEGMENTACIÓN. Según James Taggart, proceso en el cual un hijo casado aparta su unidad familiar de la de su padre después de establecer su propio presupuesto y sus provisiones de maíz.

SISTEMA DE CARGOS. Sistema jerarquizado de oficios religiosos y políticos que se encuentra en muchas comunidades indias mesoamericanas.

SISTEMA ECONÓMICO DUAL. Sistema económico en el cual la gente de una economía capitalista avanzada domina a los campesinos pobres y a las comunidades tradicionales dentro de su propia sociedad, cuyas técnicas productivas y orden económico difieren de los de las élites nacionales.

SISTEMA ESQUIMAL DE TÉRMINOS DE PARENTESCO. Sistema donde *ego* se refiere a sus hermanos, con un término diferente al que se usa para designar a los primos por ambos lados de la familia.

SISTEMA HAWAIANO DE TÉRMINOS PARENTESCO. Sistema donde *ego* se refiere a sus hermanos y primos, por ambos lados de la familia, con el mismo término de parentesco.

TRADICIÓN. Creencias y prácticas que distinguen a los grupos étnicos entre sí, las cuales más que ser elegidas en forma consciente se heredan del pasado de manera más o menos pasiva.

UNIDAD DE CONSUMO. Grupo social, tal como una familia nuclear, que consume en común alimentos y servicios.

UNIDAD DE PRODUCCIÓN. El grupo social en una sociedad que produce bienes y servicios en común.

UNIDAD FAMILIAR. Grupo de personas que viven juntas en la misma casa o en casas cercanas, y que comparten un presupuesto y las provisiones de maíz.

Bibliografía

ADAMS, RICHARD N. Y ARTHUR J. RUBEL

1967 "Sickness and Social Relations", en Manning Nash (ed.), *Social Anthropology,* pp. 333-356; *Handbook of Middle American Indians,* vol. 6, Robert Wauchope (ed.), Austin, University of Texas Press.

AGUIRRE BELTRÁN, GONZALO

1979 *Regions of Refuge,* Society for Applied Anthropology Monograph Series, núm. 12, Society for Applied Anthropology, Washington, D.C.

ANNIS, SHELDON

1987 *God and Production in a Guatemalan Town,* Austin, University of Texas Press.

ANUARIO ESTADÍSTICO DE VERACRUZ, 1984

1985 4 vols., México, D.F., Secretaría de Programación y Presupuesto, Instituto Nacional de Estadística, Geografía e Informática.

ARIZPE SCHLOSSER, LOURDES

1972 "Nahua Domestic Groups: The Developmental Cycle of Nahua Domestic Groups in Central Mexico", en número especial producido por I. Green, M. Hill, M. J. Schwartz, T. Selwyn, J. Webster, y J. Winter, *Kung*, pp. 40-46, Londres, publicado como "magazine of the L.S.E. Anthropology Society".

ARIZPE SCHLOSSER, LOURDES

1973 *Parentesco y economía en una sociedad nahua,* México, D.F., Instituto Nacional Indigenista y Secretaría de Educación Pública.

BARTH, FREDRIK

1969 *Ethnic Groups and Boundaries: The Social Organization of Culture Difference,* Boston, Little, Brown and Company.

BARTRA, ROGER

1977 "The Problem of Native Peoples and Indigenist Ideology", en *Race and Class in Post-Colonial Society: A Study of Ethnic Group Relations in the English-Speaking Caribbean, Bolivia, Chile and Mexico,* pp. 341-354, París, UNESCO.

BELLER, RICARDO N. Y PATRICIA COWAN DE BELLER

1984 *Curso del Náhuatl moderno: Náhuatl de la Huasteca,* 2 vols., México, Instituto Lingüístico de Verano.

BERDAN, FRANCES F.

1982 *The Aztecs of Central Mexico: An Imperial Society,* Nueva York, Holt, Rinehart & Winston.

BERNAL, IGNACIO Y EUSEBIO DÁVALOS HURTADO (eds.)

1952-1953 "Huastecos, totonacos, y sus vecinos", *Revista Mexicana de Estudios Antropológicos,* 13(2-3):1-567.

BERNARD, H. RUSSELL

1988 *Research Methods in Cultural Anthropology,* Newbury Park, California, Sage Publications.

BOILÈS, CHARLES L.

1971 "Síntesis y sincretismo en el carnaval otomí", *América Indígena,* 31(3):555-63.

BRADLEY, RICHARD

1988 *Processes of Sociocultural Change and Ethnicity in Southern Veracruz, Mexico,* tesis de doctorado, University of Oklahoma, Norman.

BURKHART, LOUISE

1989 *The Slippery Earth: Nahua-Christian Moral Dialogue in Sixteenth-Century Mexico,* Tucson, University of Arizona Press.

CARRASCO, PEDRO

1976 "The Joint Family in Ancient Mexico: The Case of Molotla", en Hugo G. Nutini, Pedro Carrasco, y James M. Taggart (eds.), *Essays on Mexican Kinship,* pp. 45-64, Pittsburgh, University of Pittsburgh Press.

CASO, ALFONSO

1958 *The Aztecs: People of the Sun,* (trad.), Lowell Dunham. Civilization of the American Indian Series, Norman, University of Oklahoma Press.

1971 *La comunidad indígena,* SepSetentas, 8, México, D. F., Secretaría de Educación Pública.

CASTILE, GEORGE P.

1981 "On the Tarascanness of the Tarascans and the Indianness of the Indians", en George P. Castile y Gilbert Kushner (eds.), *Persistent Peoples: Cultural Enclaves in Perspective,* pp. 171-191, Tucson, University of Arizona Press.

CHAMOUX, MARIE-NOËLLE

1981a "Les savoir-faire techniques et leur appropriation: le cas des Nahuas de Mexique", *L'Homme* 21(3):71-94.

1981b *Indiens de la Sierra: la communauté paysanne au Mexique,* París, Editions L' Harmattan.

1986 "The Conception of Work in Contemporary Nahuatl-Speaking Communities in the Sierra de Puebla", ponencia presentada ante la 85ª conferencia annual de la American Anthropological Association, Filadelfia, Pennsylvania.

CHRISTENSEN, BODIL

1942 "Notas sobre la fabricación del papel indígena y su empleo para 'brujerías' en la Sierra Norte de Puebla, México", *Revista Mexicana de Estudios Antropológicos,* 6(1-2):109-124.

1952-1953 "Los Otomís del estado de Puebla", *Revista Mexicana de Estudios Antropológicos,* 13(2-3):259-268.

CHRISTENSEN, BODIL Y SAMUEL MARTÍ

1971 *Brujerías y papel precolombino,* México, D.F., Ediciones Euroamericanas.

COLLIER, JOHN

1967 *Visual Anthropology: Photography as a Research Method,* Nueva York, Holt, Rinehart & Winston.

COOK, SHERBURNE F. Y LESLEY BYRD SIMPSON

1948 *The Population of Central Mexico in the Sixteenth Century,* Ibero-Americana, vol. 31, Berkeley, University of California Press.

CRUMRINE, N. ROSS

1964 "The House Cross of the Mayo Indians of Sonora, Mexico: A Symbol of Ethnic Identity", Anthropological Papers of the University of Arizona, núm. 8, Tucson, University of Arizona Press.

DE LA CRUZ HERNÁNDEZ, JUAN

1982 *La comunidad indígena de Tizal, Veracruz y su lucha por la tierra*, Cuadernos de información y divulgación para maestros bilingües, Etnolingüística, núm. 43, México, D. F., INI/SEP/CIESAS, Programa de Formación Profesional de Etnolingüistas.

DEHOUVE, DANIÈLE

1974 *Corvée des saints et luttes des marchands,* París, Klincksieck.

1978 "Parenté et mariage dans une communauté nahuatl de l'état de Guerrero (Mexique)", *Journal de la Société des Américanistes,* 65:173-208.

DOW, JAMES

1974 *Santos y supervivencias: Funciones de la religión en una comunidad Otomí, México*, Colección SEP-INI, núm. 33, México, D.F., Instituto Nacional Indigenista y Secretaría de Educación Pública.

1975 *The Otomí of the Northern Sierra de Puebla, Mexico: An Ethnographic Outline,* Latin American Studies Center Monograph Series, núm. 12, East Lansing, Michigan State University.

1982 "Las figuras de papel y el concepto del alma entre los Otomís de la Sierra", *América Indígena,* núm. 42(4):629-50.

1984 "Symbols, Soul, and Magical Healing among the Otomí Indians", *Journal of Latin American Lore,* 10(1):3-21.

1986a *The Shaman's Touch: Otomí Indian Symbolic Healing,* Salt Lake City, University of Utah Press.

DOW, JAMES

1986b “Universal Aspects of Symbolic Healing”, *American Anthropologist,* 88(1):56-69.

FINKLER, KAJA

1969 “The Faunal Reserve Hypothesis: Living Bank Accounts among the Otomí”, en H. Russell Bernard (ed.), *Los Otomis: Papers from the Ixmiquilpan Field School*, pp. 55-62, Washington State University Laboratory of Anthropology Report of Investigations, núm. 46, Pullman, Washington State University.

FOSTER, GEORGE

1967 *Tzintzuntzan: Mexican Peasants in a Changing World,* Boston, Little, Brown and Company.

FOX, ROBIN

1967 *Kinship and Marriage: An Anthropological Perspective,* Baltimore, Penguin Books.

FRIEDLANDER, JUDITH

1975 *Being Indian in Hueyapan: A Study of Forced Identity in Contemporary Mexico,* Nueva York, St. Martin’s Press.

GALINIER, JACQUES

1976a “La grande vie: Représentation de la mort et practiques funéraires chez les indiens Otomís (Mexique)”, *Cahiers du Centre d’Études et de Recherches Ethnologique,* Université de Bordeaux, 2(4):2-27.

1976b “Oratoires otomís de la région de Tulancingo”, *Actas del XLI Congreso Internacional de Americanistas, México, 1974,* 41(3):158-71.

1979a “La Huasteca (espace et temps) dans la religion des indiens Otomís”, *Actes du XLIIe Congrès International des Américanistes, Paris, 1976,* 9B:129-40.

1979b “La peau, la pourriture et le sacré champs sémantique et motivation dans un exemple Otomí (Mexique)”, *Journal de la Société des Américanistes,* 66:205-18.

GARDNER, BRANT

1982 “A Structural and Semantic Analysis of Classical Nahuatl Kinship Terminology”, *Estudios de Cultura Náhuatl,* 15:89-124.

GERHARD, PETER

1972 *A Guide to the Historical Geography of New Spain,* Cambridge Latin American Studies, vol. 14, Cambridge, Cambridge University Press.

GESSAIN, ROBERT

1938 "Contribution a l'étude des cultes et des cérémonies indigènes de la région de Huehuetla (Hidalgo)", *Journal de la Société des Américanistes,* n.s., 30:343-71.

1952-1953 "Les indiens tepehuas de Huehuetla", *Revista Mexicana de Estudios Antropológicos,* 13(2-3):187-211.

GOSSEN, GARY H.

1986 *Symbol and Meaning Beyond the Closed Community: Essays in Mesoamerican Ideas,* Studies on Culture and Society, vol. 1, Albany, Institute for Mesoamerican Studies, The University at Albany, State University of New York.

HARNAPP, VERN R.

1972 *The Mexican Huasteca: A Region in Formation,* tesis de doctorado, University of Kansas, Lawrence.

HASSIG, ROSS

1988 *Aztec Warfare: Imperial Expansion and Political Control,* Norman, University of Oklahoma Press.

HAWKINS, JOHN

1984 *Inverse Images: The Meaning of Culture, Ethnicity and Family in Postcolonial Guatemala,* Albuquerque, University of New Mexico Press.

HERNÁNDEZ CRISTÓBAL, AMALIA, ROGELIO XOCUA CUICAHUAC, AURORA TEQUIHUACTLE JIMÉNEZ Y BENITO CHIMALHUA COSME

1982 "Las ceremonias del Cerro Xochipapatla: Huitzizilco, Ixhuatlán de Madero, Veracruz", en María Elena Hope, y Luz Pereyra (eds.), *Nuestro Maíz: Treinta Monografías Populares,* vol. 2, pp. 45-66, México, Museo Nacional de Culturas Populares.

HERNÁNDEZ CUÉLLAR, ROSENDO

1982 *La religión nahua en Texoloc, municipio de Xochiatipan, Hgo.,* Cuadernos de información y divulgación para maestros bilingües, Etnolingüística, núm. 51, México, D.F., INI/SEP/CIESAS, Programa de Formación Profesional de Etnolingüistas.

HILL, JANE H. Y KENNETH C. HILL
1986 *Speaking Mexicano: Dynamics of Syncretic Language in Central Mexico,* Tucson, University of Arizona Press.

HORCASITAS DE BARROS, M. L. Y ANA MARÍA CRESPO
1979 *Hablantes de lengua indígena en México,* Colección Científica, Lenguas, núm. 81, México, D. F., Secretaría de Educación Pública e Instituto Nacional de Antropología e Historia.

HUBER, BRAD R.
1987 "The Reinterpretation and Elaboration of Fiestas in the Sierra Norte de Puebla, Mexico", *Ethnology,* 26(4):281-96.

HUNT, EVA
1976 "Kinship and Territorial Fission in the Cuicatec Highlands", en Hugo G. Nutini, Pedro Carrasco, y James M. Taggart (eds.), *Essays on Mexican Kinship,* pp. 97-153, Pittsburgh, University of Pittsburgh Press.
1977 *The Transformation of the Hummingbird: Cultural Roots* of *a Zinacanteco Mythical Poem,* Ithaca, Cornell University Press.

HUNT, ROBERT
1979 "Introduction", en Gonzalo Aguirre Beltrán, *Regions of Refuge,* pp. 1-3, Society for Applied Anthropology Monograph Series, núm. 12, Washington, D.C., Society for Applied Anthropology.

ICHON, ALAIN
1969 *La religion de Totonaques de la Sierra,* París, Éditions du Centre National de la Recherche Scientifique.

INGHAM, JOHN M.
1989 [1986] *Mary, Michael, and Lucifer: Folk Catholicism in Central Mexico*, Austin, University of Texas Press.

IXMATLAHUA MONTALVO, ISABEL, MARÍA MARTÍNEZ GERTRUDES, MANUEL OREA MÉNDEZ, BENITO MARTÍNEZ HERNÁNDEZ Y JUAN ANTONIO MARTÍNEZ ALDRETE
1982 "El cultivo del maíz y tres rituales asociados a su producción: Cacahuatengo, Ixhuatlán de Madero, Veracruz", en María Elena Hope y Luz Pereyra (eds.), *Nuestro Maíz: Treinta Monografías Populares,* vol. 2, pp. 67-101, México, Museo Nacional de Culturas Populares.

KEESING, ROGER M.

1975 *Kin Groups and Social Structure,* Nueva York, Holt, Rinehart & Winston.

KELLY, ISABEL Y ÁNGEL PALERM

1952 *The Tajin Totonac, Part I: History, Subsistence, Shelter and Technology,* Smithsonian Institution, Institute for Social Anthropology, Publicación núm. 13. Washington, D.C., Smithsonian Institution.

KIMBALL, GEOFFREY

1980 *A Dictionary of the Huazalinguillo Dialect of Nahuatl with Grammatical Sketches and Readings,* Latin American Studies Curriculum Aids, Nueva Orleans, Tulane University Center for Latin American Studies.

KNAB, TIM

1979 "Talocan Talmanic: Supernatural Beings of the Sierra de Puebla", *Actes du XLIIe Congrès International des Américanistes, Paris, 1976,* 42(6): 127-36.

KROEBER, ALFRED

1948 *Anthropology: Race, Language, Culture, Psychology, History,* Nueva York, Harcourt, Brace, & Company.

KVAM, REIDAR

1985 *Oil, Oranges and Invasions: Economic Development and Political Mobilization in Eastern Mexico,* tesis de doctorado, Universidad de Bergen, Noruega.

LENZ, HANS

1973 [1948] *El papel indígena mexicano,* SepSetentas, núm. 65, México. D.F., Secretaría de Educación Pública.

1984 *Cosas del papel en Mesoamérica,* México, D. F., Editorial Libros de México.

LEÓN, NICOLÁS

1924 "La industria indígena del papel en México, en los tiempos precolombinos y actuales", *Boletín del Museo Nacional,* época IV, 2(5):101-105.

LEWIS, OSCAR

1951 *Life in a Mexican Village: Tepoztlán Restudied,* Urbana, University of Illinois Press.

LÓPEZ AUSTIN, ALFREDO

1988 *The Human Body and Ideology: Concepts of the Ancient Nahuas,* 2 vols., (trads.), Thelma Ortiz de Montellano y Bernard Ortiz de Montellano, Salt Lake City, University of Utah Press.

MADSEN, WILLIAM

1960 *The Virgin's Children: Life in an Aztec Village Today,* Austin, University of Texas Press.

1969 "The Nahua", en Evon Z. Vogt (ed.), *Ethnology,* 2, pp. 602-37, *Handbook of Middle American Indians,* vol. 8, Robert Wauchope (ed.), Austin, University of Texas Press.

MARINO FLORES, ANSELMO

1967 "Indian Population and Its Identification", en Manning Nash (ed.), *Social Anthropology*, pp. 12-25, *Handbook of Middle American Indians,* vol. 6, Robert Wauchope (ed.), Austin, University of Texas Press.

MARTÍNEZ H., LIBRADO

1960 "Costumbres y creencias en el municipio del Ixhuatlán de Madero, Veracruz", *Boletín del Centro de Investigaciones Antropológicas de México,* núm. 8:9-13.

MARTÍNEZ HERNÁNDEZ, JOEL

1982 *Análisis comparativo de las dos escuelas que funcionan en la congregación de Cuatzapotitla perteneciente al municipio de Chicontepec del Estado de Veracruz,* Cuadernos de información y divulgación para maestros bilingües, Etnolingüística, núm. 14, México, D. F., INI/SEP/CIESAS, Programa de Formación Profesional de Etnolingüistas.

MEDELLÍN ZENIL, ALFONSO

1979 "Muestrario ceremonial de la región de Chicontepec, Veracruz", *Actes du XLIIe Congrès International des Américanistes, Paris, 1976,* 9B: 113-19.

1982 *Exploraciones en la región de Chicontepec o Huaxteca meridional*, Xalapa, Veracruz, Editora del Gobierno de Veracruz.

MELGAREJO VIVANCO, JOSÉ LUIS

1960 *Breve historia de Veracruz,* Xalapa, Universidad Veracruzana.

MÖNNICH, ANNELIESE

1976 "La supervivencia de antiguas representaciones indígenas en la religión popular de los Nawas de Veracruz y Puebla", en Luis Reyes García y Dieter Christensen, eds., *Das Ring aus Tlalocan: Mythen und Gabete, Lieder und Erzählungen der heutigen Nahua in Veracruz und Puebla, Mexiko, El Anillo de Tlalocan: Mitos, oraciones, cantos y cuentos de los Nawas actuales de los Estados de Veracruz y Puebla, México,* pp. 139-43, Quellenwerke zur alten Geschichte Amerikas aufgezeichnet in den Sprachen der Eingeborenen, Bd. 12, Berlín, Gebr. Mann Verlag, [en alemán y español].

MONTOYA BRIONES, JOSÉ DE JESÚS

1964 *Atla: etnografía de un pueblo náhuatl,* Departamento de Investigaciones Antropológicas, Publicaciones núm. 14, México, D.F., Instituto Nacional de Antropología e Historia.

1981 *Significado de los aires en la cultural indígena,* Cuadernos del Museo Nacional de Antropología, núm. 13. México, D. F., Instituto Nacional de Antropología e Historia.

MURDOCK, GEORGE P.

1949 *Social Structure,* Nueva York, Macmillan.

MYERHOFF, BARBARA G.

1974 *Peyote Hunt: The Sacred Journey of the Huichol Indians,* Ithaca, Cornell University Press.

NAROLL, RAOUL, Y RONALD COHEN (eds.)

1973 *A Handbook of Method in Cultural Anthropology*, Nueva York, Columbia University Press.

NASH, MANNING

1973 [1958] *Machine Age Maya: The Industrialization of a Guatemalan Community,* Chicago, University of Chicago Press.

1989 *The Cauldron of Ethnicity in the Modern World,* Chicago, University of Chicago Press.

NICHOLSON, HENRY B.

1971 "Religion in Pre-Hispanic Central Mexico", en Gordon F. Ekholm e Ignacio Bernal (eds.), *Archaeology of Northern Mesoamerica,* parte 1, pp. 395-446, *Handbook of Middle American Indians,* vol. 10, Robert Wauchope (ed.), Austin, University of Texas Press.

NUTINI, HUGO G.

1967 "A Synoptic Comparison of Mesoamerican Marriage and Family Structure", *Southwestern Journal of Anthropology,* 23(4):383-404.

1968 *San Bernardino Contla: Marriage and Family Structure in a Tlaxcalan Municipio,* Pittsburgh, University of Pittsburgh Press.

NUTINI, HUGO G.

1984 *Ritual Kinship: Ideological and Structural Integration of the Compadrazgo System in Rural Tlaxcala,* 2 vols., Princeton, N. J., Princeton University Press.

1988 *Todos Santos in Rural Mexico: A Syncretic, Expressive and Symbolic Analysis of the Cult of the Dead,* Princeton, N.J., Princeton University Press.

NUTINI, HUGO G. Y BARRY L. ISAAC

1974 *Los pueblos de habla náhuatl de la región de Tlaxcala y Puebla,* México, Instituto Nacional Indigenista y Secretaría de Educación Pública.

NUTINI, HUGO G. Y BETTY BELL

1980 *Ritual Kinship: The Structure and Historical Development of the Compadrazgo System in Rural Tlaxcala,* Princeton, N. J., Princeton University Press.

OCHOA, LORENZO

1979 *Historia prehispánica de la Huasteca,* Serie Antropológica, núm. 26. México, D.F., Instituto de Investigaciones Antropológicas.

PELTO, PERTTI J. Y GRETEL H. PELTO

1978 *Anthropological Research: The Structure of Inquiry*, 2a. ed., Cambridge, Cambridge University Press.

PROVOST, PAUL JEAN

1975 *Culture and Anti-Culture among the Eastern Nahua of Northern Veracruz, Mexico,* tesis de doctorado, Bloomington, Indiana University.

1981 "The Fate of the Soul in Modern Aztec Religious Thought", *Proceedings of the Indiana Academy* of *Science, 1980,* 90:80-85.

PROVOST, PAUL JEAN Y ALAN R. SANDSTROM

1977 "Sacred Guitar and Violin Music of the Modern Aztecs", Ethnomusicological recording with ethnographic notes, FE 4358, Nueva York, Ethnic Folkways Records.

PUIG, HENRI

1976 *Végétation de la Huasteca, Mexique: Étude phyto-géographique et écologique,* Études mésoaméricaines, vol. 5, México, D.F., Mission archéologique et ethnologique française au Mexique.

Puig, Henri

1979 "Contribution de l'écologie à la définition de la limite nord-est Mésoamérique", *Actes du XLIIe Congrès International des Américanistes, Paris, 1976,* 9B:13-27.

Radin, Paul

1925 "Maya, Nahuatl, and Tarascan Kinship Terms", *American Anthropologist,* n.s. 27:100-102.

Rappaport, Roy A.

1979 *Ecology, Meaning, and Religion*, Richmond, California, North Atlantic Books.

Reck, Gregory

1986 [1978] *In the Shadow of Tlaloc: Life in a Mexican Village*, Prospect Heights, Ill., Waveland Press.

Redfield, Robert

1930 *Tepoztlán, A Mexican Village: A Study of Folk Life,* University of Chicago Publications in Anthropology, Ethnological Series, Chicago, University of Chicago Press.

1934 "Culture Change in Yucatan", *American Anthropologist,* n.s. 36:57-69.

1941 *The Folk Culture of Yucatan,* Chicago, University of Chicago Press.

1950 *A Village that Chose Progress, Chan Kom revisited,* Chicago, University of Chicago Press.

1953 *The Primitive World and Its Transformations,* Ithaca, Cornell University Press.

1960 *The Little Community, and Peasant Society and Culture,* Chicago, University of Chicago Press.

Reyes Antonio, Agustín

1982 *Plantas y medicina nahua en Matlapa indígena,* Cuadernos de información y divulgación para maestros bilingües, Etnolingüística núm. 21, México, D.F., INI/SEP/CIESAS, Programa de Formación Profesional de Etnolingüistas.

Reyes García, Luis

1960 *Pasión y muerte del Cristo sol: Carnaval y cuaresma en Ichcatepec,* Xalapa, Universidad Veracruzana.

REYES GARCÍA, LUIS
1976 "Introducción: los Nawas actuales de México", en Luis Reyes García y Dieter Christensen (eds.), *Das Ring aus Tlalocan: Mythen und Gabete, Lieder und Erzählungen der heutigen Nahua in Veracruz und Puebla, Mexiko; El Anillo de Tlalocan: Mitos, oraciones, cantos y cuentos de los Nawas actuales de los Estados de Veracruz y Puebla, México,* pp. 123-35, Quellenwerke zur alten Geschichte Amerikas aufgezeichnet in den Sprachen der Eingeborenen, Bd. 12, Berlín, Gebr. Mann Verlag, [en alemán y español].

REYES GARCÍA, LUIS Y DIETER CHRISTENSEN (eds.)
1976 *Das Ring aus Tlalocan: Mythen und Gabete, Lieder und Erzählungen der heutigen Nahua in Veracruz und Puebla, Mexiko; El Anillo de Tlalocan: Mitos, oraciones, cantos y cuentos de los Nawas actuales de los Estados de Veracruz y Puebla, México,* Quellenwerke zur alten Geschichte Amerikas aufgezeichnet in den Sprachen der Eingeborenen, Bd. 12, Berlín, Gebr. Mann Verlag [en alemán y español].

REYES MARTÍNEZ, ROSA
1982 *La comunidad indígena de Tlacolula, Veracruz: La tierra y sus problemas,* Cuadernos de información y divulgación para maestros bilingües, Etnolingüística núm. 45, México, D.F., INI/SEP/CIESAS, Programa de Formación Profesional de Etnolingüistas.

ROMUALDO HERNÁNDEZ, JOAQUÍN
1982 *Relaciones políticas entre indígenas y mestizos en Xochiatipan, Hgo.,* Cuadernos de información y divulgación para maestros bilingües, Etnolingüística núm. 46, México, D.F., INI/SEP/CIESAS, Programa de Formación Profesional de Etnolingüistas.

ROYCE, ANYA PETERSON
1975 *Prestigio y afiliación en una comunidad urbana, Juchitán, Oax.,* Colección SEP-INI, núm. 37, México, D.F., Instituto Nacional Indigenista y Secretaría de Educación Pública.

1982 *Ethnic Identity: Strategies of Diversity,* Bloomington, Indiana University Press.

Rudolph, James D. (ed.)
1985 *Mexico: A Country Study,* Area Handbook Series, DA Pam. 550-79, Washington, D.C., American University Foreign Area Studies, Government Printing Office.

Sanders, William
1952-1953 "The Anthropogeography of Central Veracruz", *Revista Mexicana de Estudios Antropológicos,* 13(2-3):27-78.
1971 "Cultural Ecology and Settlement Patterns of the Gulf Coast", en Gordon F. Ekholm e Ignacio Bernal (eds.), *Archaeology of Northern Mesoamerica,* parte 2, pp. 543-57, *Handbook of Middle American Indians,* vol. 11, Robert Wauchope, Austin, University of Texas Press.

Sandstrom, Alan R.
1975 *Ecology, Economy and the Realm of the Sacred: An Interpretation of Ritual in a Nahua Community of the Southern Huasteca, Mexico,* tesis de doctorado, Bloomington, Indiana University.
1978 *The Image of Disease: Medical Practices of Nahua Indians of the Huasteca,* University of Missouri Monographs in Anthropology, núm. 3. Columbia, Museum of Anthropology, University of Missouri.
1982 "The Tonantsi Cult of the Eastern Nahua", en James Preston (ed.), *Mother Worship: Theme and Variations,* pp. 25-50, Chapel Hill, University of North Carolina Press.
1983 "Paper Dolls and Symbolic Sequence: An Analysis of a Modern Aztec Curing Ritual", *Folklore Americano,* núm. 36:109-26.
1985 "Paper Cult Figures and the Principle of Unity: An Analysis of the Sacred Iconography of the Indians of East Central Mexico", *Proceedings of the Indiana Academy of the Social Sciences, 1984,* 19:12-19.
1986 "Paper Spirits of Mexico", *Natural History,* 95(1):66-73.
1987 "Winds of Change Over Puyecaco", *Indiana Alumni Magazine,* 49(6):24-26.
1989 "The Face of the Devil: Concepts of Disease and Pollution among Nahua Indians of the Southern Huasteca", en Dominique Michelet (ed.), *Enquêtes sur l'Amérique moyenne: Mélanges offerts* à *Guy Stresser-Péan,* pp. 357-72, Études Mésoaméricaines, vol.16, México, D.F., Instituto Nacional de Antropología e Historia, Consejo Nacional para la Cultura y las Artes, Centre d'Etudes Mexicaines et Centraméricaines.

SANDSTROM, ALAN R. Y PAUL JEAN PROVOST

1979 "Carnival in the Huasteca: Guitar and Violin Huapangos of the Modern Aztecs", *Ethnodisc Journal of Recorded Sound,* 11:1-19 [con caset].

SANDSTROM, ALAN R. Y PAMELA EFFREIN SANDSTROM

1986 *Traditional Papermaking and Paper Cult Figures of Mexico,* Norman, University of Oklahoma Press.

SCHRYER, FRANS J.

1980 *The Rancheros of Pisaflores: The History of a Peasant Bourgeoisie in Twentieth-Century Mexico,* Toronto, University of Toronto Press.

1986 "Peasants and the Law: A History of Land Tenure and Conflict in the Huasteca", *Journal of Latin American Studies,* 18(2):283-311.

1990 *Ethnicity and Class Conflict in Rural Mexico,* Princeton, N. J., Princeton University Press.

SEXTON, JAMES D.

1978 "Protestantism and Modernization in Two Guatemalan Towns", *American Ethnologist,* 5(2):280-302.

SIVERTS, HENNING

1969 "Ethnic Stability and Boundary Dynamics in Southern Mexico", en Fredrik Barth (ed.), *Ethnic Groups and Boundaries: The Social Organization of Culture Difference,* pp. 101-16, Boston, Little, Brown and Company.

SOUSTELLE, JACQUES

1961 [1955] *Daily Life of the Aztecs on the Eve of the Spanish Conquest,* Stanford, Stanford University Press.

SPICER, EDWARD H.

1962 *Cycles of Conquest: The Impact of Spain, Mexico, and the United States on the Indians of the Southwest, 1533-1960,* Tucson, University of Arizona Press.

SPRADLEY, JAMES P.

1979 *The Ethnographic Interview,* Nueva York, Holt, Rinehart & Winston.

1980 *Participant Observation,* Nueva York, Holt, Rinehart & Winston.

STARR, FREDERICK

1901 "Notes upon the Ethnography of Southern Mexico", *Proceedings of the Davenport Academy of Sciences,* 8:102-98.

1978 [1908] *In Indian Mexico: A Narrative of Travel and Labor,* Chicago, Forbes and Co., reimpresión, Nueva York, AMS Press.

STAVENHAGEN, RODOLFO

1975 *Social Classes in Agrarian Societies,* Judy Adler (trad.), Hellman, Nueva York, Anchor Books.

1978 "Capitalism and the Peasantry in Mexico", *Latin American Perspectives,* 5(3):27-37.

1980 *Problemas étnicos y campesinos: ensayos,* Serie de Antropología Social, núm. 60, México, D.F., Instituto Nacional Indigenista.

STILES, NEVILLE S.

1976-1979 "Nahuatl: A Course for Beginners: Units 1-13", *Survival International Review* (Londres), [Lecciones de 1 a 2 páginas incluidas en vols. 1-4].

STOCKS, ANTHONY

1989 "Ethnicity and Praxis: The Cocamilla Case", Ponencia presentada en el 87º congreso anual de la American Anthropological Association, Phoenix, Arizona.

STRESSER-PÉAN, GUY

1952-1953 "Les nahuas du sud de la Huasteca et l'ancienne extension méridionale des Huastèques", *Revista Mexicana de Estudios Antropológicos,* 13(2-3):287-90.

1971 "Ancient Sources on the Huasteca", en Gordon F. Ekholm e Ignacio Bernal (eds.), *Archaeology of Northern Mesoamerica,* parte 2, pp. 582-602, *Handbook of Middle American Indians,* vol. 11, Robert Wauchope (ed.), Austin, University of Texas Press.

1979 "La Huasteca et la Frontière nord-est de la Mesoamérique". *Actes du XLIIe Congrès International des Américanistes, Paris, 1976,* 9B:1-157.

STUART, JAMES W.

1990 "Maize Use by Rural Mesoamerican Households". *Human Organization,* 49(2):135-39.

SWANSON, GUY E.

1968 [1960] *The Birth of the Gods: The Origin of Primitive Beliefs,* Ann Arbor, University of Michigan Press.

TAGGART, JAMES M.

1972 "The Fissiparous Process in Domestic Groups of a Nahuat-Speaking Community", *Ethnology,* 11:132-49.

TAGGART, JAMES M.

1975a "'Ideal' and 'Real' Behavior in the Mesoamerican Non-Residential Extended Family", *American Ethnologist,* 2(2):347-57.

1975b *Estructura de los grupos domésticos de una comunidad nahuat de Puebla,* México, D.F., Instituto Nacional Indigenista y Secretaría de Educación Pública.

1976 "Action Group Recruitment: A Nahuat Case", en Hugo G. Nutini, Pedro Carrasco, y James M. Taggart (eds.), *Essays on Mexican Kinship,* pp. 137-153. Pittsburgh, University of Pittsburgh Press.

1977 "Metaphors and Symbols of Deviance in Nahuat Narratives", *Journal of Latin American Lore,* 3(2):279-308.

1979 "Men's Changing Image of Women in Nahuat Oral Tradition", *American Ethnologist,* 6(4):723-41.

1983 *Nahuat Myth and Social Structure,* Austin, University of Texas Press.

TAMBIAH, STANLEY J.

1989 "Ethnic Conflict in the World Today", *American Ethnologist,* 16(2): 335-349.

TAX, SOL

1972 [1953] *Penny Capitalism: A Guatemalan Indian Economy,* Nueva York, Octagon Books.

VIÉ, ANNE-MARIE

1979 "Traditions huastèques dans la fête aztèque d'Ochpaniztli", *Actes du XLIIe Congrès International des Américanistes, Paris, 1976,* 9B:77-85.

VIVÓ ESCOTO, JORGE A.

1964 "Weather and Climate of Mexico and Central America", en Robert C. West (ed.), *Natural Environment and Early Cultures,* pp. 187-215, *Handbook of Middle American Indians,* vol. 1, Robert Wauchope (ed.), Austin, University of Texas Press.

VOGT, EVON Z.

1969 *Zinacantan: A Mayan Community in the Highlands of Chiapas,* Cambridge, Mass., Harvard University Press.

1974 *Aerial Photography in Anthropological Field Research,* Cambridge, Mass., Harvard University Press.

WARMAN, ARTURO

1976 *"We Come to Object": The Peasants* of *Morelos and the National State,* Baltimore, Johns Hopkins University Press.

WARREN, KAY B.

1989 [1978] *The Symbolism of Subordination: Indian Identity in a Guatemalan Town,* Austin, University of Texas Press.

WERNER, OSWALD Y G. MARK SCHOEPFLE

1987 *Systematic Fieldwork,* 2 vols., Newbury Park, California, Sage Publications.

WHETTAN, NATHAN

1948 *Rural Mexico,* Chicago, University of Chicago Press.

WILKERSON, JEFFREY K.

1979 "Huastec Presence and Cultural Chronology in North-Central Veracruz, Mexico", *Actes du XLIIe Congrès International des Américanistes, Paris, 1976,* 9B:31-47.

WILLIAMS GARCÍA, ROBERTO

1955 "Ichcacuatitla: Vida en una comunidad indígena de Chicontepec", ms. sin publicar, Instituto de Antropología, Universidad Veracruzana, Xalapa, Ver., México.

1957 "Ichcacuatitla", *La Palabra y el Hombre,* núm. 3:51-63.

1960 "Carnaval en la Huasteca veracruzana", *La Palabra y el Hombre,* núm. 15:37-45.

1963 *Los Tepehuas,* Xalapa, Universidad Veracruzana, Instituto de Antropología.

1966a "Ofrenda al maíz", *La Palabra y el Hombre,* núm. 39:343-54.

1966b "Plegarias para el fruto... la flor....", *La Palabra y el Hombre,* núm. 40: 653-698.

1967 "Algunos rezos tepehuas", *Revista Mexicana de Estudios Antropológicos,* 21:287-315.

1972 *Mitos tepehuas.* SepSetentas, núm. 27. México, D. F.: Secretaría de Educación Pública.

Wolf, Eric

1955 "Types of Latin American Peasantry: A Preliminary Discussion", *American Anthropologist,* n. s., 57:452-71.

1957 "Closed Corporate Peasant Communities in Mesoamerica and Central Java", *Southwestern Journal of Anthropology,* 13(1):1-18.

1958 "The Virgin of Guadalupe: A Mexican National Symbol", *Journal of American Folklore,* 71:34-39.

1959 *Sons of the Shaking Earth,* Chicago, University of Chicago Press.

1960 "The Indian in Mexican Society", *The Alpha Kappa Deltan,* 30(1):3-6.

1967 "Levels of Communal Relations", en Manning Nash (ed.), *Social Anthropology,* pp. 299-316, *Handbook of Middle American Indians,* vol. 6, Robert Wauchope (ed.), Austin, University of Texas Press.

X Censo General de Población y Vivienda, 1980

1983 Tomo 30, 2 vols. México, D.F., Secretaría de Programación y Presupuesto, Instituto Nacional de Estadística, Geografía e Informática.

Xokoyotsij, José Antonio (pseudónimo de Natalio Hernández Hernández)

1986 "Sempoalxóchitl veinte flores: una sola flor", *Estudios de Cultura Náhuatl,* 118:41-97.

Mapas consultados

México, D. F.: Secretaría de Programación y Presupuesto, Coordinación General de los Servicios Nacionales de Estadística, Geografía e Informática, Dirección General de Geografía del Territorio Nacional.

1980 Carta de climas 1:1 000 000 (México)

1983 Carta de evapotranspiración y déficit de agua 1:1 000 000 (México)

1981 Carta de humedad en el suelo 1:1 000 000 (México)

1980 Carta de precipitación total anual 1:1 000 000 (México)

1980 Carta de temperaturas medias anuales 1:1 000 000 (México)

1982 Uso potencial agricultura 1:1 000 000 (México)

1982 Uso potencial ganadería 1:1 000 000 (México)

1983 Carta edafológica 1:250,000 (Pachuca, F14-11)

1983 Carta hidrológica de aguas superficiales 1:250 000 (Pachuca, F14-11)

1985 Carta uso del suelo y vegetación 1:250 000 (Pachuca, F14-11)

1983 Carta topográfica 1:50 000 (Álamo, F14D54)

1982 Carta topográfica 1:50 000 (Chicontepec F14D53)

1984 Carta topográfica 1:50 000 (San Lorenzo Axatepec F14D63)

1983 Carta topográfica 1:50 000 (Venustiano Carranza, F14D64)

Índice analítico

El maíz es nuestra sangre. Cultura e identidad étnica en un pueblo indio azteca contemporáneo,
se terminó de imprimir en noviembre de 2010,
en los talleres de Documaster, S. A. de C. V.,
Av. Coyoacán 1450, Del. Benito Juárez,
C. P. 03220, México, D. F.
Su tiraje consta de 1 000 ejemplares
y cuidó la edición la Coordinación
de Publicaciones del CIESAS.